NACIONALISMO Y PERONISMO

La Argentina en la crisis ideológica mundial
(1927-1955)

COLECCION HISTORIA Y CULTURA
DIRIGIDA POR LUIS ALBERTO ROMERO

CRISTIÁN BUCHRUCKER

Nacionalismo
y Peronismo

La Argentina en la crisis ideológica mundial
(1927-1955)

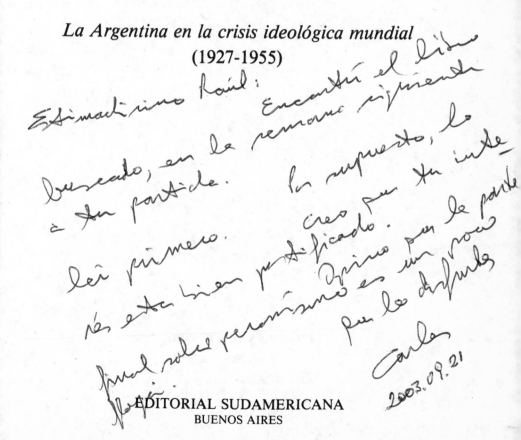

EDITORIAL SUDAMERICANA
BUENOS AIRES

Diseño de tapa: Mario Blanco

PRIMERA EDICION
Julio de 1987

SEGUNDA EDICION
Abril de 1999

IMPRESO EN LA ARGENTINA

Queda hecho el depósito que previene la ley 11.723. © 1987, Editorial Sudamericana, S. A., Humberto I 531, Buenos Aires.

ISBN 950-07-0430-7

Dedico esta obra
a la memoria
de mi padre,
a mi madre
y a mi esposa.

PROLOGO

Sobre nacionalismo y peronismo se ha escrito mucho. Por ello, al presentar este libro al lector, conviene hacer algunas aclaraciones que permitirán una mejor comprensión del sentido y lugar de la obra dentro del vasto panorama de la bibliografía referida a la mencionada temática. La perspectiva central es, básicamente, la de una historia del pensamiento político, analizado tanto en su coherencia interna como en sus relaciones con otros factores del devenir histórico. A diferencia de otros trabajos, este libro no otorga un lugar de privilegio a los relatos biográficos minuciosos, ni a la llamada "historia de acontecimientos". Se trata más bien de una indagación de problemas y estructuras: en este caso, de sistemas ideológicos, conectados con determinadas circunstancias políticas, sociales, económicas y culturales.

Es evidente que un texto como éste no puede prescindir de la dimensión crítica. Las formulaciones explícitas de las diversas ideologías expresan el sentido que ciertos personajes, grupos y sectores quisieron darle a sus acciones, dentro de los inevitables condicionamientos de un tiempo y un espacio limitados. Una variante tradicional del historicismo considera agotada la tarea del historiador con la simple y fiel presentación de ese horizonte de significación. Creo que eso resulta insuficiente, y adhiero a la posición según la cual es también necesaria la pregunta acerca del sentido que las ideas y acciones del pasado pueden adquirir desde la óptica —forzosamente distinta— de nuestros días. Claro está que un enfoque de este tipo exige no mezclar la presentación de hechos documentados —como tales generalmente no controvertibles— con las consideraciones críticas, inseparables de determinada toma de posición filosófica y metodológica por parte del autor. Y esto último siempre será materia opinable. En esta obra he procurado establecer claras separaciones entre uno y otro modo de aproximación a los temas en cuestión.

Este libro no podría haberse terminado sin la colaboración de numerosas personas y entidades. Sólo puedo mencionar aquí a las más importantes. En primer lugar al profesor doctor Ernst Nolte y al profesor doctor Abraham Ashkenasi, catedráticos de la Universidad Libre de Berlín, de quienes recibí estímulo, guía y valiosas críticas; luego al profesor Armando Martínez, que me facilitó textos y comentarios importantes, y al doctor Wolfgang Wippermann, que

*aportó sugerencias. El Servicio Alemán de Intercambio Académico
(DAAD) me otorgó una beca (1972-1974), con la cual inicié los estudios sobre el tema en la Universidad de Marburgo; la Biblioteca
Central de la Universidad Nacional de Cuyo facilitó muchas de las
fuentes imprescindibles; la Fundación Friedrich-Ebert me apoyó
con una beca para el período 1980-1982, gracias a la cual pude completar la obra como tesis doctoral, aprobada por la Facultad de Ciencias Históricas de la Universidad Libre de Berlín. En esa casa de altos
estudios merecen mención muy especial su Biblioteca Central, el
Instituto Friedrich-Meinecke, el Instituto Otto-Suhr (Facultad de
Ciencias Políticas) y el Instituto Latinoamericano. A los citados centros de investigación hay que agregar el magnífico Instituto Iberoamericano de Berlín, de extraordinaria riqueza bibliográfica, y el Archivo Político del Ministerio de Relaciones Exteriores de la República Federal de Alemania (Bonn), en el cual pude consultar una documentación muy interesante para la aclaración de algunos problemas
altamente polémicos. Quiero expresar además mi reconocimiento al
profesor Fernando Devoto, cuyo amable interés en la obra facilitó
la presente edición castellana de la misma. También a Elena P. de
Silva, que con gran profesionalidad supo hacer de un manuscrito un
libro.*

*No podría cerrar con justicia esta lista sin mencionar a mi es-
posa. Su constante aliento a lo largo de años a menudo difíciles, su
paciente lectura y sus comentarios fueron de inapreciable valor para
mí. A ella, y a todas las personas y organizaciones señaladas, hago
llegar mi más sincero agradecimiento.*

CRISTIÁN BUCHRUCKER
Mendoza, 1983

I
Introducción

PROBLEMATICA Y METODO

Para muchos observadores extranjeros, el nacionalismo argentino y el peronismo suelen aparecer en la cercanía ideológica de los movimientos fascistas. El fascismo fue —al menos en sus orígenes— un fenómeno europeo. Por eso en los ambientes científicos hay una creciente y justificada prudencia en el uso de ese término para fenómenos extraeuropeos. Muy diferente es la situación en la polémica política diaria, donde desde los años treinta hasta hoy el adjetivo "fascista" es a menudo utilizado con gran ligereza para aplicarlo a toda clase de movimientos y regímenes. Esta situación ha sido correctamente interpretada por el investigador alemán W. Wippermann:

"No sólo Perón, sino también Vargas, Sukarno, Kwame Nkrumah, Nasser, etc., han sido calificados de fascistas en numerosas ocasiones. Aunque para ello parecen haber sido a menudo determinantes los intereses de opositores internos y externos. Porque ciertas similitudes superficiales con el fascismo, tales como el culto al líder, los desfiles partidarios y la admiración para Hitler o Mussolini, no bastan para justificar la denominación de "fascista".[1]

Estas consideraciones nos introducen en la compleja problemática del concepto de fascismo, de la cual me ocuparé en el próximo capítulo. Previamente haré algunas aclaraciones sobre el sentido de los términos "nacionalismo" y "peronismo" en el marco de este trabajo.

Se hablará de "nacionalismo" como primera aproximación, para englobar a un multicolor conjunto de grupos políticos, publicaciones y escritores, que aparecieron a fines de la década de 1920, y cuyos continuadores aún son reconocibles en el panorama argentino actual. Su oposición más o menos dura contra el liberalismo y el socialismo los caracterizó desde sus comienzos. Más reciente es el fenómeno de marxistas argentinos que también se autodenominaron "nacionalistas de izquierda", pero de ellos no nos ocuparemos en el presente estudio. En cuanto al "peronismo", se trata de un movimiento que se entiende como opositor, pero también como heredero y superador del liberalismo y del socialismo. Por otra parte las diferencias ideológicas y estructurales entre el nacionalismo y el peronismo no pueden ser consideradas asunto de poca importancia. Aquí se trata de un movimiento de masas, con ancha base obrera, centrado en un "líder" y en una doctrina, que otorga especial relevancia a los temas sociales. Muchos peronistas reconocieron su parentesco político con los "viejos" nacionalistas de los años treinta, pero nunca se identificaron totalmente con ellos.

El lector podrá preguntarse si el marco temporal (1927-1955) de este estudio representa un período histórico propiamente dicho para la Argentina. Sin duda no lo es en la medida en que por ejemplo la entreguerra europea puede ser llamada "la época del fascismo". Pero para una historia de las ideas políticas el tiempo que va desde 1927 (aparición de la *Nueva República*) hasta 1955 (caída de Perón) tiene una significación especial. Antes de la fecha inicial, la Argentina vivía esencialmente con las convicciones del siglo xix; después de la "Revolución Libertadora" el panorama ideológico argentino en realidad poco se ha transformado. Esto forma un extraño contraste con el carácter irregular de nuestro desarrollo económico y la constante agitación de la vida política. De manera que 1927-1955 fue la época decisiva de las "nuevas ideas" y de los nuevos movimientos políticos en el país. El nacionalismo y el peronismo no fueron las únicas novedades de este tipo, pero sí las más importantes. *Cuatro interrogantes básicos* orientan el desarrollo de esta investigación:

1.   ¿Qué contactos existieron entre el nacionalismo argentino y los fascismos europeos?
2.   ¿Cuál fue la relación entre el nacionalismo de los años treinta y el peronismo?
3.   ¿Puede interpretarse al peronismo como una forma latinoamericana del fascismo?
4.   ¿Qué trascendencia tuvieron y tienen el nacionalismo y el peronismo para el desarrollo de las ideas políticas en la Argentina, es decir, para la cultura política de nuestra sociedad?

En lo que respecta al método utilizado es, en primer lugar, el de una monografía de historia de las ideas. Autointerpretación e ideología del nacionalismo y del peronismo forman el núcleo del libro. Se trata aquí del método fenomenológico, tal como Ernst Nolte lo explicó con claridad en su clásica obra:

"Para las ciencias de la sociedad (...) son fenómenos las formaciones sociales que tienen una 'ideología' y para las que una autointerpretación es (junto con otros factores) constitutiva. (...) En este sentido son fenómenos por ejemplo la Iglesia Católica, el Imperio medieval, el estado nacional francés, el marxismo. Fenomenología quiere decir entonces: comprensión de estos fenómenos, tal como se representan a partir de sí mismos. Se trata de algo contrapuesto a una simple descripción de procesos, así como a una crítica puramente externa."[2]

Por *ideología* se entenderá un sistema de ideas cuyo contenido
es la confrontación polémica con los problemas de la política y de la
sociedad, y cuyo objetivo suele ser la realización de valores desde el
poder político.[3] Esta definición es intencionalmente "neutra", ex-
cluyendo el difundido uso peyorativo del término (como "deforma-
ción" u "ocultamiento interesado" de la "verdad"). Sólo "neutrali-
zándolo" se puede utilizar en el discurso científico, lo cual no exclu-
ye una posterior revisión crítica en cada caso histórico. Ya esta definición muestra que una historia "pura" de las ideas no tiene sentido
y tampoco resulta posible. A la comprensión de las ideologías sólo se
puede llegar a través de la investigación de sus raíces históricas (dimensión genética) y de la indagación de sus variadas relaciones con la
realidad política, social y económica (dimensión estructural y
"crítica de las ideologías"). También estos aspectos recibirán adecuado espacio en este estudio. Historia de las ideas e historia de los acontecimientos y estructuras serán conectadas de este modo, puesto que
en última instancia es muy dudoso que una diferenciación rigurosa
de "lo real" y "lo ideológico" posea validez absoluta.[4]
 Para la presentación e interpretación de la interrelación entre
ideas políticas, procesos colectivos y actos individuales se parte de
una concepción multicausalista y probabilista, la cual niega la posibilidad de postular un esquema rígido de validez permanente que
permita asignar, "a priori", un "peso" determinado a un tipo de factores o motivaciones frente a otro. Se sigue aquí el criterio metodológico de Karl Acham:

"La historia de la historiografía y de las ciencias sociales ha sido hasta hoy
una historia de la sobrevaloración —a veces muy fructífera— de la importancia de
un determinado factor en la explicación de la acción social. (...) Pero en el sistema categorial del científico social deben siempre tener cabida los más variados
factores posibles de la actividad histórica concreta del hombre, si bien se debe
aceptar, que siempre bajo condiciones conocidas o de efectos regulares, pasan
más nítidamente al primer plano del interés una vez estos y otra vez aquellos
factores. Así por ejemplo [para determinados procesos] las particularidades geográficas, [y para otros], las cosmovisiones, las tradiciones y el nivel cultural, así
como los elementos biológicos, psicológicos y demográficos. Una postulación
absoluta de uno de estos factores naturalmente no es lícita."[5]

En nuestro análisis tendrá un lugar relevante la confrontación de
los sistemas ideológicos con las tensiones fundamentales a nivel
nacional e internacional. Así como no considero que una de estas
tensiones o conflictos "explique" o "determine" todas las demás, no
creo que su mera existencia permita predecir con exactitud la
conducta concreta que grupos e individuos adoptarán frente a los desafíos que así se les plantean. En otras palabras:

"Creemos que las características estructurales de las sociedades —sus conflictos manifiestos y latentes— constituyen una serie de oportunidades y presiones para los actores sociales y políticos (...) esos actores tienen determinadas posibilidades de elección que pueden aumentar o disminuir la probabilidad de persistencia y estabilidad de un régimen (...).Nuestro modelo será por lo tanto probabilista y no determinista."[6]

Sobre nacionalismo y peronismo han aparecido en los últimos años varios libros interesantes. Pueden mencionarse los de Navarro Gerassi, Zuleta Alvarez y P. S. Martínez —en la línea de la historiografía tradicional—, y Waldmann y Knoblauch, desde la perspectiva de la metodología politológica.[7] Pero ninguna de estas obras se ha ocupado exhaustivamente de los cuatro interrogantes que he planteado y menos aún podría decirse que les ha dado respuestas satisfactorias. Waldmann y Knoblauch se han interesado muy poco por los procesos ideológicos; lo mismo ocurre con P. S. Martínez, quien, por otra parte, no estudia la fase genética del peronismo (1943-1945). Navarro ofrece una muy buena introducción en la problemática del nacionalismo, pero su tratamiento del peronismo es muy breve y superficial. El libro de Zuleta Alvarez contiene un excelente análisis de una determinada corriente del nacionalismo argentino, aunque otras tendencias pasan a ocupar allí un lugar algo secundario. El peronismo cae fuera del marco de dicha obra. Con razón ha observado Waldmann que:

"Un análisis preciso de los diversos impulsos ideológicos que integraron el peronismo aún no existe."[8]

El presente estudio pretende contribuir a cerrar esta y algunas otras brechas en la investigación.

NOTAS

[1] W. Wippermann: *Faschismustheorien*, Darmstadt, 1972, pág. 94.

[2] Ernst Nolte: *Der Faschismus in seiner Epoche*, München, 1971, pág. 53.

[3] Esta breve definición puede ampliarse y profundizarse en M. Prélot: *Historia de las ideas políticas*, Buenos Aires, 1978, J. H. Madelin: "Las ideologías gozan de buena salud", *Criterio*, N° 1772, 22 de setiembre de 1972.

[4] E. Nolte: op. cit., pág. 56.

[5] "Historicidad y generalización sobre el rol de lo histórico en las ciencias teoréticas de la Sociedad", en J. Kocka y T. Nipperdey (editores): *Theorie und Erzählung in der Geschichte* [*Teoría y narrativa en la Historia*], München, 1979, pág. 174.

[6] J. J. Linz y A. Stepan (editores): *The Breakdown of Democratic Regimes*, Baltimore and London, 1978, pág. 4.

[7] Datos bibliográficos completos en págs. 77-83.

[8] P. Waldmann: *Der Peronismus 1943-55*, Hamburg, 1974, pág. 79, nota 6. (Hay edición castellana.)

ACERCA DEL CONCEPTO DE FASCISMO

No puede negarse el hecho de que "fascismo" es un término muy polémico, no muy fácil de utilizar para los fines de una historiografía comparativa de carácter científico. Pero al igual que "liberalismo" y "conservadorismo", aquel término surgió de la historia viviente y posee por ello una ventaja que ninguna formulación erudita podría proporcionar. El concepto de fascismo que utilizaré aquí está basado esencialmente en los trabajos de Ernst Nolte. Como definición global se puede partir de la siguiente caracterización:

"La reacción específica sólo podía ser un antimarxismo, que se confrontaba explícitamente con el pensamiento, la voluntad y la perspectiva centrales de un marxismo interpretado según la realidad del bolcheviquismo. Este antimarxismo adoptaba la idea bolchevique de la destrucción total del enemigo y la canalizaba contra su propio autor, y contra su causa. En esta voluntad se sentía identificado con la historia, una historia entendida como regeneración. A la perspectiva de la sociedad sin clases oponía, con la misma pretensión de verdad absoluta, la imagen de la sociedad "natural", basada en la subordinación. Con todo esto, [el fascismo] se nutría del fundamento histórico-ideológico de la tradición contrarrevolucionaria, logrando arrastrar a esta posición a estratos sociales que pocos decenios antes aún integraban corrientes revolucionarias o sectores apolíticos. Pero alteraba también esencialmente esa tradición al adoptar los métodos más efectivos del adversario, reformándolos a partir de los componentes de la herencia del estado nacional."[1]

Esta interpretación no se cierra a la exigencia formulada por la izquierda, de "no hablar del fascismo sin mencionar al capitalismo". Sin embargo, el concepto de capitalismo resulta en este contexto demasiado estrechamente referido a la estructura económica, por lo cual es preferible el concepto más amplio de Nolte, que se refiere a Occidente como "el sistema de las autonomías relativas".[2] Es cierto que el fascismo nació bajo determinadas circunstancias en ese sistema, que en su forma concreta de la primera mitad del siglo xx puede llamarse "liberalcapitalista". Pero no menos importante es la comprobación de que este "retoño" "no llegó al poder" en la gran mayoría de los casos.[3] Sólo en aquellos países en que el "suelo" liberalcapitalista recibió una "excesiva dosis de fermento marxista", pudo el fascismo desarrollar todas sus peligrosas potencialidades.

Cuando se trata de establecer una lista de las características del fascismo[4], las diversas interpretaciones suelen diferenciarse sólo por la acentuación de este o aquel rasgo. Las interpretaciones que utilizan conceptos marxistas de manera no-dogmática, llegan a menudo a resultados que de ninguna manera contradicen la concepción de Nolte. Los trabajos de Alff, Tasca y Kuhn pertenecen a esta categoría. Argumentos decisivos contra la rígida tesis soviética, según la cual el fascismo fue simple "agente" del "capital", se encuentran en los trabajos de Mason y Turner. En cuanto a la importancia del tradicionalismo ideológico en la formación de los fascismos, es reconocida también por autores de la izquierda no-dogmática. Aquí se destacan las ideas de Sering ("revuelta contra Europa") y de Bloch quien concibió al fascismo como "fenómeno anacrónico", con su postulación de una sociedad "romántica" y premoderna.[5]

La curiosa y típica conexión fascista de elementos reaccionarios y revolucionarios, que Nolte subraya continuamente, constituye uno de los temas centrales en las interpretaciones de raíz liberal. Así ocurre en Weiss y Seton-Watson ("movimiento revolucionario" y al mismo tiempo "ideología reaccionaria"). Desde el punto de vista liberal resulta llamativo el carácter "premoderno" del fascismo, pero también se manifiesta en el fenómeno un modernismo de tipo negativo: la adopción de los métodos totalitarios de propaganda y de dominación elaborados por el régimen bolchevique. De este modo se produce una singular aproximación entre el viejo y el nuevo adversario de la sociedad pluralista. Una formulación extrema de esta interpretación se desarrolló en los años cincuenta, constituyendo la "teoría del totalitarismo".[6] En su versión simplificada venía a postular que "rojo" (el comunismo) y "pardo" (el nacionalsocialismo) eran "la misma cosa". Este esquematismo puede considerarse superado por la investigación actual, aunque una tendencia hacia la "totalidad" forzada —la coordinación autoritaria de todas las "autonomías relativas"— constituye indudablemente uno de los rasgos definitorios del fascismo en sus variantes más extremas.

Otra aproximación a la problemática del fascismo fue esbozada en 1933 por Borkenau. Se trata de la "teoría de la modernización". El régimen de Mussolini es interpretado en este contexto como un "estado transitorio" en el proceso de consolidación del capitalismo industrial. Autores como Hook y Dahrendorff subrayaron luego los aspectos "socialrevolucionarios" y "niveladores", especialmente visibles en el Tercer Reich. La interpretación más interesante dentro de esta corriente es la de Organski. Para este politólogo, la Italia fascista, la España de Franco y la Argentina de Perón pertenecerían a la categoría de los regímenes "sincráticos" o "fascistas", representando etapas autoritarias de la industrialización. La Alemania nacionalsocialista es excluida de este esquema por haberse encontrado en una etapa de desarrollo muy diferente. Se trata de una tipología ingeniosa, pero se le pueden hacer algunos reparos serios. Prácticamente todas las demás teorías sobre el fascismo se basan en dos "casos-modelo": Italia y Alemania. La perspectiva de Organski es de carácter puramente académico y tiene en su contra el juicio de numerosos testigos y actores de los acontecimientos. Ambos regímenes mencionados fueron interpretados en la década del treinta como sistemas emparentados, tanto por sus admiradores como por sus enemigos. Ni este estado de conciencia, ni la coalición guerrera que surgió posteriormente, pueden ser descuidadas o evaluadas como simple casualidad por parte de la investigación.

Otra perspectiva que no logra convencernos del todo es la de Renzo de Felice (véase: *Entrevista sobre el fascismo*), autor que acentúa al máximo las diferencias entre el fascismo italiano y el nacional-socialismo alemán. Trevor-Roper, Kogan y muchos otros intérpretes recientes del fenómeno se acercan más a la interpretación nolteana, en la que, sin desconocer aspectos disímiles, se destacan los rasgos comunes en ambos casos. Al respecto no deja de ser interesante un estudio del efecto de la imagen proyectada por dichos regímenes, concretamente en nuestro país de los años treinta y cuarenta. Prácticamente todos los observadores argentinos ubicaron a Alemania e Italia como variantes de una sola categoría político-ideológica. Con esto no pretende decirse que las posiciones de Organski y de Felice no resulten fructíferas para determinadas cuestiones parciales dentro de la problemática del fascismo.

La interpretación de raíz conservadora y cristiana subraya naturalmente aquellos rasgos —especialmente marcados en el nacional-socialismo— que son ajenos a la tradición central o clásica del conservadorismo. Tanto Alexander y Rauschning, como Strasser y Strakosch ponen en primer plano la similitud de los fascismos con el comunismo y el "colectivismo" en general. Aquí hay una coincidencia muy clara con la teoría del totalitarismo.

¿Puede la autointerpretación fascista aportar algo a la discusión de los investigadores actuales? Wippermann dio una respuesta negativa a esta pregunta, pero las razones científicas para esto no resultan evidentes. Aun en el caso extremo en que tal autointerpretación fuese sólo falsificación y error, podría producir conclusiones interesantes el análisis del modo específico de esas distorsiones. Por otra parte, no resulta fácil de creer que es imposible encontrar en dichos textos al menos alguna verdad parcial. Nolte ha estudiado críticamente las más importantes expresiones de este tipo en su trabajo *Nacionalsocialismo y Fascismo según el juicio de Mussolini y Hitler*. Allí se comprueba que en diversas ocasiones Hitler (1923, 1933 y 1942), Mussolini (1933, 1937 y 1944) y Goebbels (1934) subrayaron la doble postura combativa de sus movimientos contra marxismo y liberalismo; que la coincidencia general de las "ideas políticas" y de las

formas (la tendencia "totalizante") ya fue mencionada por el dictador italiano en 1933; y que nueve años después Hitler habló de las
"dos revoluciones fraternales".[7] La particular tensión interna de
estas revoluciones reaccionarias fue también notada por el ideólogo
filofascista Evola (fascismo como "rivoluzione conservatrice") quien
formuló de manera relativamente precisa el objetivo central del
fascismo y del nacionalsocialismo, entendidos como "movimiento general opuesto a la revolución proletaria".

Para los fines de este libro no basta un concepto sintético del
fascismo, sino que se necesita una "descripción tipológica y gené-
rica".[8] En base a una tal tipología podrá efectuarse luego un análisis
comparativo bastante preciso, en la confrontación con el nacionalismo argentino y el peronismo. Lo que sigue es un "tipo ideal", para el
cual el fascismo italiano y el nacionalsocialismo alemán han servido
de fundamento empírico. La estructura del esquema y muchas de sus
formulaciones se refieren a los resultados de las investigaciones de
E. Nolte, así como a otros trabajos europeos de los últimos años.[9]

A. *Origen y características de los movimientos fascistas* (aspectos
genéticos y fenomenológicos)

1. *Condiciones históricas para el surgimiento de los fascismos*
   1.1. Una guerra perdida o una "victoria mutilada".
   1.2. Presencia del bolcheviquismo como peligro mundial y
   existencia de fuertes partidos comunistas y/o socialistas en el país (sentimiento consiguiente de amenaza).
   1.3. Crisis económicas y sus consecuencias sociales.
   1.4. Relativa fragilidad de las tradiciones liberales y democráticas en el país. Gobiernos parlamentarios poco esta-
   bles e ineficaces.

2. *Bases sociales y psicológicas*
   2.1. Los fascismos son movimientos policlasistas, aunque en
   ellos la representación de las clases medias es especialmente fuerte. Aun así logran atraer a un número relativamente alto de obreros (en comparación con otros partidos fuera del campo izquierdista). Ejercen una notable
   atracción sobre la juventud.
   2.2. El núcleo y los equipos dirigentes se reclutan principalmente entre: a) militares veteranos de guerra (el tipo del
   "miles furiosus"); b) intelectuales frustrados.
   2.3. Estado de ánimo predominante: angustia ante la "situación" del país y la "amenaza"; odio contra los "culpables" y nostalgia del "orden".

3. Raíces ideológicas
3.1. Conservadorismo radical (o "tradicionalismo restaurador")
3.2. Irracionalismo, vitalismo.
3.3. La autocrítica —ya desarrollada en el siglo xix— del liberalismo, del socialismo y de la democracia.

4. Rasgos de la ideología fascista
4.1. Concepción básica del mundo: una mezcla de 3.1., 3.2. y 3.3.
4.2. Concepción de la Historia:
— elitista, ultranacionalista (y a veces racista), teoría cíclica del cambio histórico;
— Esparta, Roma, Prusia como modelos;
— interpretación de la modernidad como decadencia, causada por una "conspiración" de los elementos "inferiores".
4.3. Imagen del enemigo:
— marxismo; democracia; liberalismo (y "masonería"); "burguesía", "plutocracia" (y a veces "los judíos"); conservadorismo.
4.4. Programa y visión del futuro:
— Estado "autoritario" y "totalitario";
— "Comunidad del pueblo" y corporativismo;
— "Estado völkisch" (racial) en el nacionalsocialismo;
— despotismo de expansión territorial (Mussolini);
— despotismo con pretensión de "salvación universal" (Hitler).

5. Organización y práctica del movimiento
5.1. Un jefe carismático.
5.2. Estructuración autoritaria y paramilitar de la organización partidaria; milicia del partido.
5.3. Ritualización seudorreligiosa de los mitines.
5.4. Tendencia a la violencia organizada: traspaso de métodos bélicos ("arditi" italianos, S.A. alemana) a la lucha política callejera.
5.5. Intento de una politización total de los miembros del partido.

B.   La toma del poder de los fascismos
1. Agudización crítica de los factores 1.2., 1.3. y 1.4., creándose una situación particularmente favorable para un movimiento fascista, si en esa coyuntura ya es relativamente grande (Italia 1922; Alemania 1933).
2. A ello se agrega: debilidad y desintegración del espectro parti-

dario del centro ideológico. Creciente polarización de la política.

3. La toma fascista del poder se da por un camino semi o seudolegal. Fuerzas tradicionales (el ejército, la burocracia y los estratos altos de la sociedad) forman una coalición con el movimiento fascista o lo toleran (como "mal menor" y solución "provisoria").

4. Surge una "dictadura de emergencia", durante la cual la jefatura fascista impulsa una "revolución desde arriba", logrando una progresiva infiltración en el aparato estatal y relegando a los sectores conservadores a un segundo plano.

C. *Estructura del régimen y práctica gubernativa*

1. La dictadura reclama para sí una legitimidad carismática. La legitimidad legal desaparece o pasa a segundo plano.

2. El movimiento fascista se convierte en partido único.

3. Se advierte una tendencia hacia la "coordinación" totalitaria de todas las áreas de la sociedad a través de: a) organizacion compulsiva de masas; b) militarización; c) aparato estatal terrorista; d) aparato de propaganda.

4. Se mantiene un cierto dualismo entre el partido y la burocracia estatal.

5. Para la práctica gubernativa, son importantes los siguientes objetivos del régimen:

   a) Represión de toda crítica y "destrucción" de los "enemigos internos".

   b) "Modernización" (sobre todo en los aspectos técnico-económicos) a fin de aumentar el potencial del Estado frente al exterior.

   c) Irredentismo e imperialismo (el "Impero" italiano y el "Gross-germanisches Reich" hitleriano).

   d) Guerra por la "salvación mundial" con el fin de aniquilar a los "manipuladores" y subyugar a los "inferiores". Este objetivo se da sólo en la versión extrema: el nacionalsocialismo.

Para finalizar este capítulo deben señalarse algunas *diferenciaciones* necesarias en el estudio de los diversos movimientos.[10] Según el esquema que se acaba de desarrollar, que corresponde al fascismo "clásico", Italia representa el caso "normal" y el Tercer Reich la intensificación "radical" o "extrema" de los rasgos fascistas. Movimientos que muestran en esbozo todas las notas características, pero entremezcladas con aspectos del antiguo tradicionalismo (modelo: la Action Française), serán llamados "protofascistas". También podrá hablarse de "semifascismo" o fenómeno "fascistoide", especialmente cuando junto a los caracteres fascistas aparecen otros de muy diversa procedencia. La simple simpatía por Mussolini o Hitler será correctamente interpretada como "filofascismo".

NOTAS

[1] Ernst Nolte: "Kapitalismus, Marxismus, Faschismus", en *Merkur*, N° 2, 1973, págs. 121-122.

[2] Ibid., pág. 113.

[3] Ibid., pág. 123.

[4] Véase Ernst Nolte: *Die faschistischen Bewegungen*, München, 1969, págs. 64 y 135.

[5] Datos completos para los trabajos aquí mencionados, en págs. 41-44.

[6] Obras clásicas de esta corriente: C. J. Friedrich: "The Unique Character of Totalitarian Society", en *Proceedings (...) American Academy of Arts and Sciences*, 1953, y C. J. Friedrich y Z. Brzezinski: *Totalitarian Dictatorship and Autocracy*, Cambridge (Mass.), 1965. También R. Tucker: "Towards a Comparative Politics of Movement-Regimes", en *The American Political Science Review*, N° 55, 1961, y J. A. Gregor: *Contemporary Radical Ideologies. Totalitarian Thought in the XX Century*, N. York, 1968, aunque allí de una manera algo modificada.

[7] "Hitler's Secret Conversations 1941-1944", Introd. Essay by H. R. Trevor-Roper, N. York, 1961, págs. 265 y sigs. Para la posición de Goebbels ("fascismo y sus resultados prácticos", Berlin, 1934), véase reimpresión en E. Nolte: *Theorien über den Faschismus*, Köln-Berlin, 1970[2]. Un buen comentario: Ibid., págs. 57-59.

[8] Véase S. G. Payne: "The Concept of Fascism", en S. Larsen, B. Hagtret y J. Myklebust (edit.): *Who were the Fascists?*, Bergen, 1980, pág. 20.

[9] Especialmente importantes para la tipología son: E. Nolte: *Der Faschismus in seiner Epoche*, München, 1971, págs. 48-51; E. Nolte: *Die faschistischen...*, Cap. 1 y págs. 189-190, así como pág. 315. Además: H. U. Thamer y W. Wippermann: *Faschistische und neofaschistische Bewegungen*, Darmstadt, 1977, págs. 232-258, y por último S. G. Payne: "The Concept..."; J. Linz: "Political Space and Fascism as a Late-Corner" y H. P. Merkl: "Comparing Fascist Movements" en *Who were the Fascists?*, págs. 15-25; 153-189 y 752-783 respectivamente.

[10] En lo fundamental sigo aquí el criterio de E. Nolte: *Die faschistischen...*, págs. 189-190.

II
Orígenes

EL DESARROLLO POLITICO DE LA ARGENTINA
Y EL NACIMIENTO DEL NACIONALISMO

El consenso

Un hecho sumamente importante para la historia de las ideas políticas argentinas es que el primer cuarto del siglo xx estuvo caracterizado por la aparente solidez que el sistema institucional había alcanzado, gracias al claro predominio de una especie de consenso ideológico básico. Mario Amadeo lo ha formulado de la siguiente manera:

"Aproximadamente hasta el año 1930, la Argentina vivió firmemente ubicada en un sistema de ideas. En lo fundamental se trataba de las concepciones liberales heredadas del siglo xix (...)"[1]

Por lo tanto se creía en el "progreso incontenible" y necesario, se aceptaba el sufragio universal como parte de dicho progreso, se tenía un espíritu muy abierto a lo internacional, y se esperaba del "crecimiento automático" de la economía de mercado la solución de la "cuestión social".[1] Este era el esquema idealizado de lo que luego ha venido a denominarse "modelo del ochenta". Si se lo intenta describir adecuadamente deberán incluirse en el cuadro algunas notas tomadas de la realidad, con lo cual se obtiene el siguiente complejo de factores:

a) en lo político formal: las instituciones de una república democrática;
b) en lo cultural: la admiración e imitación de pautas inglesas y francesas;
c) en lo social: el predominio de una elite segura de sí misma, cuya influencia tenía su fundamento en la gran propiedad y la educación;
d) en lo económico: la adopción de la función de país exportador de productos agropecuarios, lo que crea un tejido de dependencias comerciales y financieras con respecto a Gran Bretaña.

El Partido Autonomista Nacional[2], una coalición de notables, fue la fuerza dominante de la vida pública hasta 1916. Partido libe-

ral de derecha, de carácter bastante pragmático, tenía lazos particularmente estrechos con la burocracia estatal y los intereses del agro y
del comercio internacional. El conservadorismo argentino se consideraba la cabeza de la nación y se sentía orgulloso de la obra realizada desde los tiempos de Roca hasta el Centenario. Pero existía una
contradicción en esta aparente armonía: la democracia no era una
realidad, dado el temático fraude electoral que sostenía al partido
gobernante en el poder. La lucha por remover esta mácula del país
fue la gran bandera de la Unión Cívica Radical, fundada en 1891 y
conducida por Hipólito Yrigoyen desde 1896. Apoyado en amplios
sectores de clases media y baja, el radicalismo se sentía cada vez más
seguro de ser el triunfador en caso de darse elecciones realmente libres.

Los otros partidos argentinos de las primeras décadas del siglo
tenían a menudo hombres muy capaces en su conducción, pero carecían de los apoyos institucionales y/o sociales que caracterizaban al
conservadorismo y al radicalismo. El Partido Socialista, fundado en
1895 por Juan B. Justo, tenía un electorado de peso solamente en la
Capital. Si bien su marxismo teórico chocaba a muchos, pronto se
evidenció que el reformismo y la adaptación a las reglas parlamentarias era la fuerza dominante en el seno de este partido. Las escisiones
de 1921 (surgimiento del Partido Comunista) y 1927 (separación de
los socialistas independientes) no facilitaron el desarrollo futuro del
socialismo en el país. Tampoco el Partido Demócrata Progresista,
conducido por Lisandro de la Torre, pudo alterar en lo esencial el
predominio de las dos grandes fuerzas políticas nacionales, a pesar de
contar con fuerte apoyo en la provincia de Santa Fe.

A partir de la nueva etapa, abierta por la Ley Sáenz Peña en
1912, apareció la Unión Cívica Radical como el partido más popular,
quedando los continuadores del antiguo PAN como segunda fuerza.
En lo fundamental ambos constituían variaciones de una estructura
mental e institucional común. Los conservadores encarnaban lo que
en Europa solía entenderse como liberalismo de derecha, siendo los
radicales liberales plenamente democráticos. El PDP era una tercera
versión liberal, esta vez a nivel regional... y el Partido Socialista representaba la izquierda integrada al sistema. Hasta la Primera Guerra
Mundial ninguna institución importante en la Argentina —Iglesia,
Ejército o Universidad— había desarrollado concepciones que fuesen
totalmente incompatibles con el consenso liberal vigente. Solamente
comunistas y anarquistas aparecían como enemigos absolutos del sistema. Pero estas fuerzas de la extrema izquierda no podían basar su
desafío total en las masas o en las posiciones institucionales claves,
sin las cuales la pretensión revolucionaria no logra insertarse en la
realidad política. Por lo menos hasta 1919 el panorama generalmente
se veía de esa manera.

Lo que distingue esta constelación de fuerzas de la Europa de su tiempo es la ausencia poco menos que absoluta de un conservadorismo extremo. La Argentina de 1920 prácticamente no contaba con una agrupación política de la cual se hubiera podido decir que estaba enraizada en el pensamiento de la época preliberal. Hasta la década siguiente no apareció un fenómeno de este tipo, encarnado en el primer nacionalismo, que se reunió en torno al general Uriburu. Pero el somero resumen de la vida política argentina que hemos esbozado anteriormente muestra ya dos temas importantes, que ofrecían una posibilidad de cristalización para una respuesta reaccionaria: en primer lugar, la postura ambigua de muchos conservadores frente al sufragio; y en segundo, la simple existencia provocativa de una extrema izquierda.

Con estas observaciones nos hemos introducido en la problemática del origen del nacionalismo argentino. Creo que este proceso puede ser adecuadamente interpretado con el esquema básico de "desafío y respuesta", porque éste puede proporcionar el marco para una presentación estructurada de las diversas raíces sociopolíticas, culturales y económicas del fenómeno.[3] La justificación de este modelo explicativo quedará evidenciada si las interacciones postuladas entre acontecimientos, ideas y acciones se derivan de las fuentes.

La mentalidad defensiva

La primera crisis

La mención de algunos textos de Pedro Goyena y José Manuel Estrada no es frecuente cuando se trata el tema del origen del nacionalismo. Pero las leyes laicistas de Roca, relativas al registro civil y a la desaparición de las clases de religión de la escuela oficial fueron la primera crisis ideológica que afectó el consenso de la Argentina contemporánea en el decenio mismo de su nacimiento. El anticlericalismo de los equipos dirigentes roquistas fue un reflejo del "Kulturkampf" de Bismarck y de la política educativa de la Tercera República Francesa que forzosamente debía aparecer como un desafío para los intelectuales católicos. En el paroxismo del conflicto suscitado por las reformas se produjo la ruptura de relaciones diplomáticas con la Santa Sede. Los tradicionalistas organizaron la Unión Católica, cuyos voceros principales fueron Estrada y Goyena, y condujeron una intensa polémica contra las nuevas leyes, que interpretaban como "el programa masónico de la revolución anticristiana".[4]

La crisis no conmovió radicalmente la creencia predominante en el progreso, pero se produjo una crítica parcial en el sensible tema de los valores y las costumbres. Estrada y su movimiento encarnaban el

intento de una síntesis entre el tradicionalismo católico y el pensamiento liberal. En nuestro país no existía una monarquía nacional ni
una nobleza, capaces de convertirse en naturales núcleos de cristalización de posibles nostalgias medievales, por lo que este tradicionalismo de los años ochenta siguió siendo parte del consenso que se había
formado alrededor de la Constitución de 1853.[5] La situación política
era distinta a la de Francia, donde importantes sectores del catolicismo tomaron una postura hostil a la República surgida en 1871.
Todo esto debe tenerse en cuenta como evaluación general de esta
crisis, que en tiempo relativamente breve pareció ser superada y
absorbida por el sistema. Por otra parte, se comprueba también que
en el ardor de los debates Goyena y Estrada utilizaron a menudo formulaciones tomadas del arsenal del pensamiento de la Restauración
europea:

"Contemplad la civilización moderna. ¿Qué es ella sino el predominio absorbente de los intereses materiales. (...) La ciencia (...) ha tomado una dirección
extraviada, por la influencia de un orgullo insensato (...); las sociedades contemporáneas ofrecen un desnivel chocante entre su grandeza material y la exigüidad,
la pobreza, la debilidad de sus elementos morales (...); el alma suspira aprisionada
en vínculos estrechos; el cielo no tiene promesas para la esperanza; (...) el horizonte se reduce; ¡el hombre se empequeñece y degrada! Las doctrinas, el progreso, la civilización que a tan lamentables resultados conducen, eso es lo que el
Syllabus, eso es lo que la Iglesia ha condenado, y bien clara se ve ahora la justicia
de tal condenación."[6]

Se encuentra aquí el antiguo tópico sentimental del antimodernismo: la convicción de que el pasado fue más virtuoso que el presente. No se ve cómo podría conciliarse esta concepción de la historia
con el espíritu optimista de la Constitución del 53 y de la generación
del ochenta. ¿Realmente fue una frase pensada hasta sus últimas consecuencias la que lanzó Estrada al fulminar "la atmósfera infecta de
este siglo"? No es de creer que lo fuera, porque entonces no se explicaba el acatamiento del orador a un régimen político indiscutiblemente surgido de dicha atmósfera.

Refiriéndose a los Estados Unidos, Estrada creyó advertir una
"degeneración gradual de las costumbres políticas". Creía ver allí a
los gobiernos "de partido", los cuales se retaban "a muerte" en un
"choque constante de ambiciones irreconciliables".[7] También aquí
se nota la persistencia de una actitud típicamente preliberal: la in-
comprensión frente a un sistema en el cual los conflictos están insti-
tucionalizados y son considerados como normales dentro de determinados límites. Una experiencia histórica que Estrada no parece haber
tenido en cuenta aquí es que el sueño de una sociedad sin conflicto
alguno siempre ha conducido a la instauración de regímenes autoritarios.

Estrada se sintió preocupado por el peligro del "liberalismo revolucionario", conectado con la tendencia de "las masas y los partidos" de absorber "el ejercicio efectivo de toda autoridad".[8] Apoyándose en Le Play, formuló una solución no muy clara, pero de todos modos interesante: una "concentración de todas las autoridades sociales" que congregara "a los hombres más eminentes del comercio, de la industria, de las artes, de las ciencias, de la Iglesia". Esta elite, conducida por principios cristianos, le parecía un remedio frente a los librepensadores dominantes en el Estado de su tiempo.[9] Aquí se advierten los contornos de un tema que será central para el nacionalismo uriburista: el temor a las "masas". En 1900 el escritor uruguayo José E. Rodó lo retomará en su libro *Ariel*; contra la "ferocidad igualitaria" de la democracia enarboló los conceptos tradicionales de "calidad" y "ordenación jerárquica".[10]

Conviene subrayar que aquí se trata fundamentalmente de exageraciones retóricas y literarias. No surgió con ellas una definida doctrina antiliberal en el país; el Estado parlamentario no fue rechazado. La Unión Católica era una fuerza de fines y métodos moderados. Si bien Estrada criticaba las tendencias de la democracia de tipo jacobino, también es cierto que no veía antagonismos de fondo entre el cristianismo, un liberalismo atemperado y la democracia. Fue, entre otras cosas, un notable crítico del endémico fraude electoral de su época.[11] La real significación de la crisis ideológica de 1884 debe verse en la aparición de una determinada actitud, con sus correspondientes tópicos, la cual sería "actualizada" cuarenta años después, bajo la presión de una situación histórica diferente y mucho más conflictiva. Otra generación despreciadora de todo compromiso asumió con pasión toda la potencialidad antiliberal de estas ideas, hasta que vino a darse el caso de que Estrada fuese celebrado como una especie de profeta del uriburismo. Naturalmente, es una simplificación y una burda distorsión pretender (como lo hace Manuel de Lezica) que el nacionalismo de los años treinta fue "la reproducción del movimiento católico de 1884".[12] Retórico y confusionista es también el elogio que Carlos Ibarguren rindió en 1935 al "maestro":

"¡Qué diría Estrada ahora, ante el espectáculo del mundo, frente al derrumbamiento universal de las instituciones políticas elaboradas por el liberalismo del siglo xix!"[13]

Una cosa es bastante segura: frente al mundo de 1930 Estrada no habría emitido los tonos triunfales de Ibarguren.

La segunda etapa

El peligro democrático. Entre los años 1912 y 1922 se desarrolló una serie de acontecimientos importantes, que conmovieron profundamente la seguridad psicológica de las elites liberal-conservadoras. Estos hechos pueden agruparse bajo dos polémicos encabezamientos: "el peligro democrático" y "el peligro rojo", porque tales formulaciones son las que mejor corresponden al estado de ánimo al que se quiere eludir. El político conservador Piñeiro lo expresó con las siguientes ominosas palabras:

"(...) si la sociedad argentina no supiera ni pudiera prevenir ni apartar los peligros que la amenazan, la caída que sufriese sería deplorable, pero sería merecida".[14]

Se puede hablar en esta etapa de la formación de una "mentalidad defensiva", aunque todavía no de una doctrina o ideología sistemática. Se trataba más bien de un conjunto de límites imprecisos, de un conglomerado de opiniones y representaciones, que, a raíz de una situación social y política concreta, habían perdido el tradicional tono optimista. Los correspondientes escritos de Leopoldo Lugones, que pronto aparecerían, no habrían sido más que un episodio intrascendente, si esta atmósfera psicológica no les hubiese proporcionado una resonancia especial.

La ley 8871 de 1912 colocó al conservadorismo ante el trance de tener que enfrentarse a una auténtica consulta popular por primera vez en su historia.[15] Entre 1906 y 1914 desaparecieron las tres personalidades más distinguidas de esta corriente: Carlos Pellegrini, Julio Argentino Roca y Roque Sáenz Peña. Sus continuadores —de mucho menor vuelo— no pudieron enfrentar el carisma del enigmático Hipólito Yrigoyen, quien en los comicios de 1916 los batió con 340.000 votos, frente a 276.000.[16] Los cuadros radicales —hombres de clase media, entre ellos también hijos de inmigrantes— penetraron en la administración, en el Congreso y en parte también en los gobiernos provinciales. Hasta 1915 más del 60% de los diputados pertenecía a la clase alta; después de 1916 este sector se redujo al 35%.[17] Los políticos conservadores estaban indignados.[18] De allí en adelante se desarrolló una disgustante campaña difamatoria contra el presidente y su partido, en la cual se manifestaron una sorprendente arrogancia clasista e incluso prejuicios racistas. Considérense las siguientes muestras:

"Parecía el carnaval de los negros" (...).[19] "Ya por entonces el Congreso estaba lleno de chusma y guarangos inauditos. Se había cambiado el lenguaje parlamentario usual por el habla soez de los suburbios y los comités radicales."[20]

Carulla consideraba a Yrigoyen como un agitador de "la plebe", y al radicalismo nada más que como "una ola de demagogia".[21] Para *La Nación* resultaba chocante la "exclusión deliberada y despectiva de las zonas superiores de la sociedad (...). Estos connubios con las multitudes inferiores (...)".[22] En *La Fronda*, el presidente es el "peludo llorón y espiritista", "cacique", "pardejón", "un enfermo delirante". Matías Sánchez Sorondo habla del "engendro de una noche de pesadilla".[23]

Progresivamente aparecían curiosas reflexiones en las filas conservadoras. Se "revisaban" las "consecuencias" de la Ley Sáenz Peña... y se las encontraba lamentables. Se habría tratado de "un grave error que quebró los resortes conservadores de la sociedad, para dejar a ésta a merced de las corrientes impetuosas de los elementos sin preparación suficiente".[24]

Pasados ya muchos años, el hijo del famoso poeta Lugones resumió la opinión de su padre sobre el primer gobierno de Yrigoyen con estas palabras apasionadas:

"Parecía no haber remedio ya para tanto desorden, porque sobre todas las cosas, radicaba el mal en una total indisciplina: mandaban los de arriba a los de abajo sin ser acatados, pues pretendían éstos ser obedecidos por aquéllos (...). Cuento los hechos tales como los palpó entonces la gente de bien, (...)."[25]

Otro testigo de la época, Juan E. Carulla, habló en su obra de memorias sobre una pretendida "revuelta del bajo mundo" de la cual Yrigoyen había sido el responsable. Todas estas formulaciones se referían a las huelgas y manifestaciones, que serán tratadas a continuación.

El peligro rojo. La Primera Guerra Mundial asestó el primer e inesperado golpe a la fe argentina en el progreso. ¿Cómo pudieron deslizarse hacia semejante catástrofe las naciones que eran tenidas por maestras del mundo y abanderadas de la civilización?[26] Luego, cuando la victoria inminente de los aliados facilitó un alivio psicológico vino el segundo impacto: la Revolución Rusa y la toma del poder por los bolcheviques. La exótica palabra "soviet" también se escuchó en Buenos Aires. Más tarde se produjo en la lejana pero emparentada Italia una reacción original frente a este peligro: el fascismo de Mussolini. Pronto se hizo evidente que también éste era un fenómeno imposible de conciliar con las concepciones parlamentarias del siglo xix.

Mientras se producían así cambios decisivos en la situación internacional, empeoraba, bajo la presión de la recesión de posguerra, el clima social en el país. En 1916 hubo 80 huelgas; dos años después fueron 200, y en 1919, 370; 300.000 obreros participaron en ellas.[27] Como era de esperar, las células anarquistas y comunistas trataron de aprovechar esta oportunidad. En diversas manifestaciones se produjeron choques sangrientos. La Semana Trágica (enero de 1919) y las huelgas violentas de la Patagonia (1922) dejaron un saldo de cientos de muertos y heridos.

El Partido Socialista Internacional (luego Partido Comunista Argentino) imprimía manifiestos fogosos en los que recomendaba imitar "el ejemplo de los obreros de Petrogrado y Moscú".[28] En diciembre de 1918 la FORA, organismo gremial que sostenía el "comunismo anárquico", realizó su décimo congreso. Delegados comunistas como José F. Penelón recibieron elevados cargos, y la asamblea resolvió publicar una declaración de solidaridad hacia las revoluciones rusa y alemana.[29] José Ingenieros, uno de los más famosos intelectuales de izquierda de la época, se pronunció abiertamente a favor del "movimiento maximalista". En 1918 también se produjo agitación entre los estudiantes de Córdoba, la cual terminó por instaurar la Reforma Universitaria, con la participación estudiantil en el gobierno universitario. Yrigoyen y su Ministro de Instrucción Pública tomaron una postura positiva frente a este movimiento de cambio.

El presidente y su partido eran anticomunistas, pero de ninguna manera compartían la opinión de muchos conservadores, según la cual todas las exigencias obreras eran injustas o "bolcheviques". Después de la gran huelga ferroviaria de 1917 Yrigoyen declaró lo siguiente en el Congreso:

"ese movimiento de reivindicaciones obreras era justificado por sus causas determinantes, es impuesto por el encarecimiento de la vida y por las condiciones precarias en que se desenvolvía el trabajo personal ferroviario debido al poco empeño de las empresas".[30]

La legislación social hizo algunos progresos: los empleados ferroviarios vieron asegurada su vejez, y el promedio de la jornada laboral bajó de 9 a 8 horas. En junio de 1919 Yrigoyen habló frente a los asombrados representantes de una organización empresaria:

"Tras grandes esfuerzos, el país ha conseguido establecer su vida constitucional en todos los órdenes de la actividad democrática pero le falta fijar las bases primordiales de su constitución social. (...) La democracia no consiste en la garantía de la libertad política: entraña a la vez la posibilidad para todos para poder alcanzar un mínimo de bienestar siquiera."[31]

Los acontecimientos traumáticos que se produjeron entre 1917 y 1922 proporcionaron a los que se sintieron más intensamente afectados —por diversas razones: posición social, simpatía política, o convicción filosófica— la materia prima para la formación de una concepción ajena a la democracia liberal. Frente al mundo sano del "buen" trabajador argentino, surgió el panorama sombrío de las huelgas y manifestaciones, que "naturalmente" debían estar dirigidas por "anarquistas", "extranjeros" y a veces ya por "judíos". Todo esto era interpretado como la preparación inmediata de la "revolución" y del "bolcheviquismo". Por último se introdujo a la UCR y en especial a Yrigoyen en este esquema —en la supuesta función de los "allanadores del camino". Especialmente notable resultaba la nueva postura frente a los inmigrantes, antes tan bien recibidos. El coronel Carlos Smith, en una publicación de 1918 no quería creer que auténticos argentinos pudieran ser los promotores de huelgas; esta suposición le parecía "infame".[32]

Un político de gran talento oratorio, el doctor Manuel Carlés —en total concordancia con estas concepciones— fundó en febrero de 1919 la Liga Patriótica Argentina (LPA), bajo el lema "Orden y Patria".[33] En los tres años siguientes, esta organización, apoyada por conservadores, patronos y algunos oficiales, se hizo famosa por su actividad en romper huelgas. A fines de 1922 Carlés publicó en *La Prensa* una serie de afirmaciones relativas a los hechos sangrientos de la Patagonia, las cuales, aunque carecían de una buena base empírica, fueron recogidas por amplios sectores como la explicación correcta. Según Carlés, se habría tratado de una "confabulación anarquista y comunista" completamente manejada desde el exterior. Sus fines habían sido la destrucción de la religión y la dictadura del proletariado en el Sur; y más aún: se habría planeado una "marcha" hacia Buenos Aires. Al gobierno de Yrigoyen lo declaraba partícipe de la culpa de lo sucedido, por "negligente".[34] La LPA incluso intentó arrebatarle a los partidos el tema de los intereses de las clases medias. Se declaró defensora de este sector ("las tres cuartas partes del pueblo"), oprimido por los conflictos entre el capital organizado y los obreros organizados.[35]

En círculos conservadores del catolicismo resultó particularmente polémico el tema de la Reforma Universitaria. Se produjo entonces una reactivación y agudización política del pesimismo cultural. El arzobispo Bustos y Ferreyra (de Córdoba) interpretó a la reforma como uno de los aspectos de la revolución mundial: unía en una sola oración la "hora de las democracias" y del proletariado con la "subversión" y la "anarquía", y hablaba con preocupación sobre la tormenta en ciernes, encarnada por las "masas" resentidas y sin freno, por los "mendigos" olvidados del antiguo agradecimiento hacia sus benefactores.[36]

Pero más definitorias fueron las impresiones recibidas por personalidades que luego habrían de jugar un papel importante en el desa-

rrollo ideológico del uriburismo. Se trata de Carlos Ibarguren, Leopoldo Lugones y Juan E. Carulla. Cuando este último observó en 1918
una manifestación de empleados de comercio, exigiendo el "sábado
inglés", sólo atinó a interpretarla en estos términos:

"(...) una asonada intrascendente, mas tras ella, yo veía asomársele las orejas
del diablo, un diablo moscovita sin duda. (...) Las gentes sensatas no vacilaban,
a este respecto, en censurar la política obrerista del gobierno. [... El radicalismo]
fomentó casi hasta la anarquía las pretensiones de los obreros".[37]

Ibarguren expresó estos temores en un lenguaje más plástico,
cuando describió la Semana Trágica. Se llevó la "terrible" impresión
de la "revuelta social y del terror colectivo". Las calles se veían de-
siertas. Grupos diversos discutían en las esquinas. Otras personas, "en
alpargatas" daban voces contra la policía, el ejército y el gobierno.
Desde la lejanía se escuchaban disparos y gritos.[38] También grupos
que se autoproclamaban amantes del "orden" produjeron en esos
días espectáculos deprimentes. Carulla recordó muy bien el 9 de enero de 1919:

"Oí decir que estaban incendiando el barrio judío y hacia allá dirigí mis pasos (...). Fue al llegar a Viamonte, a la altura de la Facultad de Medicina, que me
tocó presenciar lo que podría denominarse el primer pogrom en la Argentina.
En medio de la calle ardían piras formadas con libros y trastos viejos (...). Inqui-
rí y supe que se trataba de un comerciante judío al que se culpaba de hacer propaganda comunista. Me pareció sin embargo que el cruel castigo se hacía
extensivo a otros hogares hebreos. El ruido de muebles y cajones violentamente
arrojados a la calle, se mezclaba con gritos de 'mueran los judíos, mueran los
maximalistas'."[39]

Carulla era médico; en sus memorias no nos cuenta si auxilió
a los heridos o no. Si bien calificó de trágicos los hechos, no se
ahorró una extraña "explicación", según la cual él habría leído a un
autor que sostenía que el pueblo judío estaría condenado, por una
"ley biológica" a sufrir "periódicas" sangrías(!). Tales frases mejor se
dejan sin comentario; pero son muy interesantes para el análisis de la
"nueva" mentalidad. El poeta Lugones también sacó consecuencias
de este tiempo, las cuales fueron resumidas por su hijo:

"De todos modos, los hechos de aquel mes de enero demostraron dos cosas: lo extremadamente peligroso de una revuelta del populacho [...y] El resguar-
do que representa el ejército como definitivo, enérgico y final agente del orden
(...). *La guerra europea, la revolución de los rusos, los días de enero, todo contribuyó como hecho visible e inmediato en la nueva formación mental de mi
padre.*"[4]

La tercera etapa

La presidencia de Marcelo T. de Alvear (1922-1928) constituyó una fase de reducción de tensiones. Carulla la alabó, como época de la "restauración institucional y social".[41] Al acercarse las elecciones de 1928 se formó el Frente Unico, una coalición de los conservadores con los radicales antipersonalistas. Cuando los yrigoyenistas volvieron a presentar a su viejo caudillo como candidato, resonó otra vez un coro de insultos y exageraciones. *La Fronda* veía en una posible victoria de esa candidatura el "espejismo de un próximo malón" o "la esencia del candombe". Benjamín Villafañe anunciaba la "tiranía del populacho", o de los "degenerados" y "negros", que apenas superarían "las zonas zoológicas superiores".[42] Finalmente conjuraba todas las angustias de los años críticos aún no olvidados:

"Si Yrigoyen vuelve al poder, veremos levantarse en nuestro país los patíbulos de México y veremos cómo se queman las riquezas de la Nación y cómo se cometen los mismos excesos que en Rusia."[43]

La victoria electoral de Yrigoyen fue aun más decisiva que en 1916: triunfó por 838.000 votos contra 414.000 del Frente Unico. A partir de entonces aumentó el volumen de las críticas conservadoras a la Ley Sáenz Peña —la traicionera "encrucijada del cuarto oscuro"—. Algunas voces exigieron el retorno al voto "cantado". Pero mucho más extremas fueron las consecuencias que en 1929 extrajo Lugones, quien ya se perfilaba como el ideólogo mayor del uriburismo naciente. Pretendió desligar al conservadorismo del deber de lealtad hacia la Constitución Nacional:

"El partido radical ha hecho pues la revolución y la Constitución está derogada por él con el consentimiento expreso del pueblo (...). El pueblo, al consentirlo y ratificarlo durante 13 años, con progresiva firmeza, reemplazando el concepto normal de la elección por la idea revolucionaria del plebiscito, nos ha desobligado de la fidelidad a la Constitución. Esta norma gubernativa ha desaparecido."[44]

Con este párrafo el poeta tocaba un delicadísimo nervio de la concepción liberal-conservadora de 1880. El curso de los acontecimientos parecía poner al descubierto un "arcanum regum" del antiguo PAN, según el cual el pueblo argentino habría "recibido" —a ojos de los conservadores— la Constitución democrática con una condición tácita pero severa, en el sentido de que los electores sólo podrían decidirse por una constelación sociopolítica determinada. Sería exagerado e injusto suponer que tal hipocresía fue propia de todos los po-

líticos del siglo x ıx ; de todos modos en aquella época no podían imaginarse un reemplazo por otros grupos o estratos. Pero a fines de los
años veinte de nuestro siglo el mundo era muy diferente, y las polémicas declaraciones reflejaban el resentimiento exacerbado de los
perdedores.

En lo referente a la situación socioeconómica, se comprueba
que los paros de 1928-1930 estuvieron lejos de alcanzar las marcas
estadísticas del período 1917-1922. Pero para un creciente número
de intelectuales, militares y empresarios ya se había solidificado en
dogma el esquema —surgido en aquellos años— que establecía una correlación entre desórdenes laborales, comunismo e yrigoyenismo. El
presidente sería nuevamente un "esclavo de los sindicatos".[45] Cualquier hecho nuevo era incorporado a este modelo explicativo. Hasta
qué punto los mismos agitadores creían en esto, es en el fondo una
cuestión imposible de resolver. De todos modos, hasta el intervencionismo estatal en algunas áreas económicas estratégicas fue intensamente denunciado como una supuesta parte del peligro rojo. En los
debates parlamentarios en torno a la estatización del petróleo, el senador Matías Sánchez Sorondo se lamentó de que la UCR mostrase
peligrosas tendencias hacia una "distribución de la propiedad". El establecimiento de relaciones comerciales con la URSS a través de la
sociedad soviética Yuyamtorg fue considerado por los conservadores
como el fomento de una central de propaganda comunista.[46]

Al mismo tiempo se hacía notar un proceso que producía sentimientos contradictorios en el conservadorismo. Se trataba del lento
pero continuo crecimiento del electorado socialista: en 1904 sólo
eran 1254 votos; en 1920, 86.420 y en 1924, 101.516.[47] Políticos
maquiavélicos veían en este socialismo domesticado a un bienvenido
aliado táctico contra el poderío del yrigoyenismo. Así se evidenció
en las elecciones parlamentarias de marzo de 1930. Claro que otros
—como el severo Lugones— se preguntaban si éste no era ya el signo
preciso de una situación desesperada para el conservadorismo. Por
otra parte existía el anarquismo, que si bien había perdido mucho de
su antiguo arraigo entre los obreros, seguía expresándose con frases
huecas y provocativas que sólo la extrema derecha tomaba en serio.
La Protesta declamaba:

"(...) si las organizaciones obreras cumplieran con su deber (...) a estas horas
la idea de la huelga general estaría en todos los labios proletarios como arma invencible más fuerte que las ametralladoras y que los cañones del ejército".[48]

No es tarea de este libro detallar el proceso de disolución del segundo gobierno de Yrigoyen. Basta con mencionar lo esencial. El presidente tenía 77 años cuando la crisis mundial comenzó a conmover los cimientos de la sociedad argentina; su mala salud jugó un papel trágico en la parálisis progresiva de la administración. El verdadero poder se transfirió a intrigantes, entre los que debe contarse al vicepresidente Elpidio González. En algunas provincias, como por ejemplo San Juan, fue manchada la vieja bandera del radicalismo —la pureza del sufragio—, al adoptar funcionarios yrigoyenistas prácticas fraudulentas. Y en el ejército causaba desasosiego el ascenso irregular de oficiales radicales.[49]

Había por lo tanto motivo para las críticas. Pero la oposición manejó una campaña de exageraciones, en la cual se acusaba a Yrigoyen de intenciones "tiránicas" y se mencionaba en relación con esto al Klan Radical.[50] En este clima opositor, la "nueva derecha" se caracterizaba por su conexión de la crítica de circunstancias y personas con una declaración de guerra a la democracia liberal. Para este sector, el golpe del 6 de setiembre constituyó la única respuesta consecuente a los peligros descubiertos en el período 1916-1922, que ahora parecían renovarse. Julio Irazusta recordó sentenciosamente "la repugnancia" que él y sus amigos sentían "por el desequilibrio evidente desde algunos años atrás en el cuerpo social argentino".[51] Y poco después de la Revolución de Setiembre, el general Uriburu se expresó aun más claramente, al relatar la preparación del golpe de Estado ante la prensa:

"(...) comencé desde más de ocho meses, a ponerme en contacto con mis antiguos compañeros del Ejército y mis camaradas de la Armada. Encontré en todo aquel a quien me dirigí, el mismo sentimiento de indignación contra el gobierno y el mismo temor patriótico ante el porvenir. Todos comprendíamos que, de seguir así las cosas en su natural declive, habríamos llegado a la *revolución social*. El anarquismo era el espectro que se nos aparecía al final del camino (...)".[52]

¿Creían realmente Uriburu y sus adherentes en una alternativa izquierdista de ese tipo? Sólo puede comprobarse que ellos defendieron esta interpretación antes, durante y después de los sucesos, si bien jamás lograron presentar pruebas convincentes al respecto. También aquí debe recordarse la traumática experiencia de los años 1919 y 1922, así como los esquemas y prejuicios que cristalizaron a partir de la mencionada crisis. Aun en círculos civiles apenas si era posible encontrar evaluaciones más equilibradas de la situación. La Legión de Mayo declaraba en su Manifiesto fundacional del 23 de agosto de 1930 que el país era como una nave "sin timón", que se acercaba a los escollos de "la miseria, la vergüenza y la anarquía". No debía esperarse a que fuese "el hambre" el que despertase "a la juventud, al pueblo y al ejército".[53] En el mismo mes Lugones había compuesto un "Manifiesto de la Revolución" y en él abundaban los giros patéticos y desmesurados: "el país al borde del caos y de la ruina (...) la anarquía universitaria, (...) una incultura agresiva, la exaltación de lo subalterno, (...)".[54]

La profundidad de este sentimiento de inseguridad que desequilibraba a los espíritus y engendraba una mentalidad defensiva puede medirse en un artículo de Manuel Gálvez. En 1928 este importante escritor había dicho muchas cosas positivas sobre la UCR e Yrigoyen, pero en poco tiempo cambió de ideas. Designándose como "reaccionario", Gálvez seguía preocupado un año después de la Revolución de Setiembre. Creía que "nuestra libertad desenfrenada" venía llevando al país a la revolución izquierdista. Uriburu había frenado ese proceso, pero no había garantías de que no recomenzase "con un gobierno blando y liberal". Era necesario "unirse contra la demagogia" y contra la amenaza de la "revolución social". "Extranjeros fracasados" y muchos "judíos" la estarían alimentando; "casi todos los que yo conozco son socialistas y simpatizantes con el horror del comunismo". Concluyendo escribía:

> "Nada nos defiende. No tenemos una fuerte tradición ni una clase superior unida y enérgica (...). El peligro queda en pie (...)."[55]

A esta evaluación irreal de las efectivas y supuestas fuerzas de la izquierda, se agregó un factor muy importante: la crisis económica mundial. El tema del "derrumbe económico" apareció en todos los escritos importantes de los revolucionarios de setiembre[56] y se convirtió en el catalizador en el proceso genético de la ideología nacionalista, porque la crisis destruyó las últimas bases del "modelo del ochenta". El producto bruto y los precios agrarios bajaron; el desempleo aumentó. Las reservas de oro de 1929 totalizaban 752,8 millones de pesos oro; en 1934 sólo quedaban 405 millones. El motor de la economía argentina —el comercio exterior— perdió su legendaria potencia: en 1929 el país exportaba por valor de 2168 millones de pesos; en 1932 sólo eran 1121 millones.[57]

En lo que respecta al liberalismo político y cultural, esta parte del viejo consenso ya estaba desacreditada para muchos argentinos de 1928. Un número creciente de observadores ingeniosos creían haber "comprobado" que esas libertades y ese derecho electoral sólo fomentaban "el predominio de la plebe" en el Estado y el "bolcheviquismo" entre los obreros. Por un tiempo pudo suponerse que el crecimiento económico (su índice fue del 6,13% anual entre 1900 y 1929) traería un alivio automático a las tensiones sociales. Pero la crisis mundial mató esas esperanzas, porque desde ese momento se trataba de distribuir precios en derrumbe, mercados restringidos y desocupación creciente. ¿No era éste el suelo nutricio de la revolución, que los bolcheviques habían profetizado y esperado? También los antiguos modelos perdieron su brillo. ¿Dónde quedaban en 1930 el libre comercio y la armonía "natural" del mercado? Los jóvenes intelectuales de derecha veían preocupados cómo las potencias liberales —Inglaterra y Francia— mostraban inesperados y desagradables rasgos: masas de desocupados y gobiernos "de izquierda", como los de Ramsay Mac Donald (1929-1931) y Edouard Herriot (1932-1934). Se comenzó la búsqueda de nuevos ideales. Su descubrimiento significó un capítulo importante en la historia de la ideología nacionalista. Las antiguas seguridades y convicciones desaparecieron definitivamente en 1930. A partir de la apasionada búsqueda de una explicación integral de esta sombría situación, a fin de poder superarla completamente, nació el nacionalismo uriburista como un nuevo conglomerado de ideas.

NOTAS

[1] Mario Amadeo: *Ayer, hoy y mañana*, Buenos Aires, 1956, págs. 109-110.

[2] Ese fue el nombre original; véase A. Galletti: *La política y los partidos*, Buenos Aires, 1961; A. Ciria: *Partidos y poder en la Argentina moderna (1930-1946)*, Buenos Aires, 1964; D. Cantón: *Elecciones y partidos en la Argentina. Historia, interpretación y balance, 1910-1966*, Buenos Aires, 1973; Carlos R. Melo: *Los partidos políticos argentinos*, Córdoba, 1970; y G. Ferrer: *Los partidos políticos*, Buenos Aires, 1971.

[3] Influencias decisivas para la elección de esta metodología se encuentran en E. Nolte: *Der Faschismus...* y E. Nolte: *Die faschistischen...* En un nivel de ensayo se hallan conceptos interesantes en José Luis Romero: *El pensamiento político de la derecha latinoamericana*, Buenos Aires, 1970.

[4] José Manuel Estrada: *Páginas del Maestro*, Buenos Aires, 1941, pág. 23.

[5] El propio Estrada tematizó la evolución republicano-democrática de la Argentina como algo natural (op. cit., pág. 61).

[6] Cit. en J. L. Romero: *El pensamiento...*, págs. 125-126.

[7] Cit. en Carlos Ibarguren: "La inquietud de esta hora" (y otros escritos), en Biblioteca del Pensamiento Nacionalista Argentino, tomo VI (BPNA VI), Buenos Aires, 1975, pág. 386.

[8] Véase J. M. Estrada: op. cit., págs. 46-48.

[9] BPNA VI (Bibl. del Pensam. Nacion. Arg., VI), pág. 388.

[10] Citado en J. L. Romero: op. cit., págs. 121-122.

[11] Véase J. M. Estrada: op. cit., pág. 27.

[12] M. de Lezica: *Recuerdos de un nacionalista*, Bs. As., 1968, pág. 87.

[13] Carlos Ibarguren: "Un maestro, Juan Manuel Estrada", en *Estampas de argentinos*, Buenos Aires, 1935 (reimpresión en BPNA VI, pág. 387).

[14] En el año 1922. Citado en E. H. Passalacqua: "El Yrigoyenismo", en *Todo es Historia*, N? 100, Buenos Aires, setiembre de 1975, pág. 54.

[15] El ministro del Interior, Indalecio Gómez, había encontrado esta vida política en un estado "putrefacto". Véase J. A. Ramos: *Revolución y contrarrevolución en la Argentina*, Buenos Aires, 1965, vol. II, pág. 147.

[16] Datos precisos en C. A. Floria y C. A. García Belsunce: *Historia de los argentinos*, Buenos Aires, 1975, II, pág. 284.

[17] Estadísticas en P. H. Smith: *Argentina and the Failure of Democracy. Conflict among Political Elites*, Wisconsin, 1974, pág. 26.

[18] Sobre esto se expresa abierta e ingenuamente uno de los "padres" del nacionalismo uriburista: Juan E. Carulla: *Al filo del medio siglo*, Paraná, 1951, pág. 149.

[19] Benigno Ocampo, citado en J. A. Ramos: op. cit., II, pág. 192.

[20] Mariano Bosch, ibid., págs. 193-194.

[21] Juan E. Carulla: op. cit., pág. 149.

[22] *La Nación*, 12 de octubre de 1929, cit. en A. Belloni: *Del anarquismo al peronismo*, Buenos Aires, 1959, pág. 32.

[23] En esto se especializaba *La Fronda*. Véanse citas en J. A. Ramos, op. cit., II, págs. 220, 262 y 318-319.

[24] Así se expresaba el "antipersonalista" senador Torino en un discurso de 1925. Cit. en Gabriel del Mazo: *El Radicalismo. Notas sobre su historia y doctrina*, Buenos Aires, 1955, I, pág. 63.

[25] Leopoldo Lugones (hijo): *Mi padre. Biografía de L. Lugones*, Buenos Aires, 1949, págs. 299-300.

[26] Véase J. E. Carulla: op. cit., pág. 119.

[27] Véase A. Galletti: op. cit., págs. 69 y 72.

[28] Véase M. A. Scenna: "Los Vengadores de la Patagonia Trágica", en *Todo es Historia*, N? 14, junio de 1968, págs. 28-29. Especialmente sobre la "Semana Trágica"; D. Rock: *Politics in Argentina 1890-1930*, London, 1975, págs. 157-179.(Hay edición castellana.)

[29] Véase A. Belloni: op. cit., pág. 37.

[30] Cit. ibid., pág. 30.

[31] Cit. en G. del Mazo: op. cit., págs. 210 y 223-226.

[32] *Al pueblo de mi Patria*, Buenos Aires, 1918, pág. 86. Cit. por D. Cantón: "Notas sobre las Fuerzas Armadas Argentinas", en T. S. Di Tella y T. Halperin Donghi (Compiladores): *Los fragmentos del poder de la oligarquía a la poliarquía*, Buenos Aires, 1969, págs. 357-388.

[33] Véase D. Rock: op. cit., págs. 180-182.

[34] Véase M. A. Scenna: op. cit., pág. 56.

[35] "En el Primer Congreso de los Trabajadores de la LPA", Buenos Aires, 1920, en D. Rock: op. cit., pág. 182.

[36] Cit. en H. Sanguinetti: "La Reforma Universitaria...", en *Todo es Historia*, N° 12, abril de 1968, pág. 41.

[37] Juan E. Carulla: op. cit., págs. 149 y 157. El término "obrerismo" actualmente no se utiliza. Pero en aquel tiempo era muy difundido su uso despectivo en círculos conservadores.

[38] Carlos Ibarguren: *La historia que he vivido*, Buenos Aires, 1977 (1a. ed., 1955), pág. 342.

[39] Juan E. Carulla: op. cit., pág. 159.

[40] L. Lugones (hijo): op. cit., págs. 272-274.

[41] J. E. Carulla: op. cit., pág. 176.

[42] Cit. en E. H. Passalacqua: op. cit., pág. 60.

[43] B. Villafañe en la campaña electoral de 1928, cit. en A. Rouquié: *Pouvoir Militaire et Société Politique en République Argentine*, Paris, 1978, pág. 161. (Hay edición castellana.) Sobre la atmósfera de renovado temor (en medios conservadores) acerca de los "peligros" sociales del yrigoyenismo, existe el interesante testimonio del embajador estadounidense, publicado y comentado por Roberto Etchepareborda: "Breves anotaciones sobre la Revolución del 6 de setiembre de 1930", en *Investigaciones y Ensayos*, N° 8 (enero-junio de 1970), Buenos Aires, págs. 72-74. Véase también J. Vanossi: "La década del 30", en F. Ibarguren, R. Marfany, F. Chávez, A. A. Piñeiro y otros: *La Historia Argentina*, Buenos Aires, 1977, pág. 217.

[44] Esta teoría revolucionaria era utilizada también por la Liga Republicana en su primer manifiesto. Yrigoyen habría violado la Constitución, por lo que se trataría de un gobierno carente de legitimidad. "Los lazos de la solidaridad y de la obediencia" entre gobierno y ciudadanía se habrían desgarrado (cit. en V. Gutiérrez de Miguel: *La Revolución Argentina. Relato de un testigo presencial*, Madrid, 1930, pág. 106). Lugones publicó por segunda vez sus opiniones sólo tres meses antes del golpe de Uriburu: L. Lugones: *La Grande Argentina*, Buenos Aires, 1962 (1a. ed., 1930), pág. 188.

[45] A. Colmo en *La Nación*, 4 de setiembre de 1930, cit. en A. Rouquié: op. cit., pág. 193. Macleay, el embajador inglés, opinaba en tono mesurado que Yrigoyen ejercía una influencia positiva sobre los obreros. Véase P. S. Martínez: "La Revolución de 1930 según el embajador inglés en Buenos Aires", en *Investigaciones y Ensayos*, Buenos Aires, N° 17 (julio-diciembre de 1974), pág. 197.

[46] Véase José M. Rosa (hijo): *Historia Argentina. Orígenes de la Argentina Contemporánea*, Buenos Aires, 1979 (vol. XI), pág. 21.

[47] Estas cifras en A. Galletti: op. cit., págs. 69 y 72.

[48] Artículo del 3 de setiembre de 1930, cit. en J. M. Rosa (hijo): op. cit., XI, pág. 104.

[49] V. relatos claros en C. A. Floria y C. A. García Belsunce: op. cit., II, págs. 322-333 y J. M. Rosa (h.): op. cit., XI, págs. 15-29. Muy parcial en sentido conservador, pero interesante, el libro del periodista español Gutiérrez de Miguel (cit.).

[50] Sobre esto véase J. M. Rosa (h.): op. cit., XI, págs. 109-112.

[51] Julio Irazusta: *Memorias. Historia de un historiador a la fuerza*, Buenos Aires, 1975, pág. 179.

[52] Cit. en J. Beresford Crawkes: *553 días de Historia Argentina (6 de setiembre de 1930-20 de febrero de 1932)*, Buenos Aires, 1932, págs. 105-106.

[53] Manifiesto de la Legión de Mayo, en Gutiérrez de Miguel, op. cit., págs. 112-113.

[54] Texto completo en J. M. Rosa (h.): op. cit., XI, pág. 130.

[55] Artículo en dos partes, en *Criterio*, N° 180 (13 de agosto) y N° 194 (19 de noviembre de 1931). Parecidas expresiones tuvo el decano de la Facultad de Derecho de la Univ. de Buenos Aires, C. Zavalía (véase H. Sanguinetti: *La democracia ficta*, Buenos Aires, 1975, pág. 120).

[56] Gutiérrez de Miguel: op. cit., págs. 35-38, habla mucho sobre esto. Véase también los ya citados manifiestos de la LdM y de Lugones, así como las Memorias de Carulla. En este contexto puede mencionarse también el informe del diplomático norteamericano White: *Foreign Relations of the United States*, Washington, 1945 y 1961-72 (FRUS 1930, I, pág. 378, documento N° 899).

[57] Véase M. R. Lascano: *El crecimiento económico, condición de la estabilidad monetaria en la Argentina*, Buenos Aires, 1970, Cap. 3 y P. Broder, H. A. Gussoni y otros: *Desarrollo y estancamiento en el proceso económico argentino*, Buenos Aires, 1972, Cap. 2, Sección a.

EL URIBURISMO

Los actores

No es este el lugar para volver a referir los acontecimientos de la Revolución del 6 de Setiembre de 1930. Baste recordar que la decisión del general Uriburu, apoyada inicialmente por un núcleo relativamente pequeño de oficiales y tropa, logró imponerse a un gobierno débil y a unos efectivos leales que en vano esperaron órdenes claras. La espectacular marcha de Uriburu, saludada por una parte considerable de la población porteña, inauguró un gobierno provisional y la breve etapa del "uriburismo" en el país. Los problemas interpretativos comienzan con este último término. No se pretende designar con él una fuerza política homogénea y organizada, sino que se alude a una heterogénea alianza de personalidades y pequeñas organizaciones, cuyo común denominador era una especie de antiliberalismo indefinido y su relación más o menos estrecha con Uriburu, en quien se depositaban muchas esperanzas. La etapa de preparación ideológica del uriburismo comenzó hacia 1923; luego vinieron los años de la estructuración y "toma del poder" (1929-1930) y finalmente el período de su crisis (1931-1932). El general Uriburu, Leopoldo Lugones y Carlos Ibarguren fueron las personalidades más destacadas. Además de un grupo de oficiales, jugaron un papel importante los civiles integrados en la Liga Republicana, la Legión de Mayo y marginalmente en la Liga Patriótica Argentina. *La Fronda* y *La Nueva República* fueron las hojas políticas del uriburismo. El clima intelectual en que se movía esta corriente de opinión también se reflejaba parcialmente en los Cursos de Cultura Católica y en la revista *Criterio* de aquellos años, si bien aquí el nivel solía ser decididamente más alto.

El general José Félix Uriburu (1868-1932) recibió como joven teniente cursos de instrucción en Alemania, con los ulanos (caballería prusiana) y la artillería de la Guardia.[1] Entre 1902 y 1913 se desempeñó como agregado militar en las embajadas de Madrid, Santiago de Chile, Berlín y Londres. Durante la Primera Guerra Mundial se hizo notar por su germanofilia. Entre 1923 y 1926 fue Inspector General del Ejército. Pero no podía considerárselo un militar apolítico. Había participado en la Revolución del Noventa y más tarde fue admirador de Lisandro de la Torre y diputado nacional. En el transcurso de los años veinte, sus opiniones se fueron definiendo cada vez más en sentido antidemocrático. Como un primer factor en este desarrollo Carulla menciona los años de estadía en la Alemania guillermina, que habrían afirmado en Uriburu los principios "de orden y jerarquía".[2] Su posterior recepción positiva de la naciente prédica nacionalista es consecuente en este sentido. El poeta Lugones, uno de sus conocidos, fue luego también consejero suyo. En 1925 Uriburu pertenecía al pequeño círculo de los lectores de la efímera *Voz Nacional*, en la cual Carulla difundía ideas corporativas y autoritarias. Este médico también le prestó un ejemplar de la *Carta del Lavoro* italiana al general.[3] Uriburu, lector de *La Nueva República*, participó de la modesta celebración del primer aniversario de este órgano.

Uriburu no fue un espíritu destacado ni un gran talento político. Pero aun así no pueden separarse de su nombre los primeros años del nacionalismo. Carulla estaba convencido de haber encontrado en él al gran líder del naciente movimiento.[4] Y ya en diciembre de 1928 los redactores de *La Nueva República* lo consideraban el instrumento idóneo para llevar sus ideas al poder. Ciertamente Rodolfo Irazusta y sus amigos se reservaban el papel de "cabeza", quedando para Uriburu el papel de la "espada". Ernesto Palacio, en su entusiasmo, quería convertirlo en "un mito".[5] Esta era una estrategia comprensible, si se pensaba enfrentar con éxito al antiguo, pero aún fascinante mito viviente de Yrigoyen. Por todas estas razones, conservan una cierta significación los más importantes discursos de Uriburu, si bien sus conceptos brumosos han merecido ácidas críticas de muchos contemporáneos e historiadores. Dicha vaguedad pudo ser también la necesaria consecuencia de tensiones internas, producto del difícil doble papel del general setembrino. Era, por un lado, el jefe reconocido de los jóvenes nacionalistas, y por el otro, el dirigente provisional de una heterogénea alianza antiyrigoyenista, en la cual había un sector liberal-conservador de gran peso. Más tarde los hechos mostrarían que ni su retórica ni sus acciones servirían a Uriburu en el intento de superar las divergencias en las filas de esta coalición.

El doctor Carlos Ibarguren (1877-1956), primo del general revolucionario[6], fue uno de los maestros reconocidos por los jóvenes nacionalistas. Entre 1897 y 1904 ocupó diversos cargos públicos, y más tarde perteneció al grupo fundador del PDP, partido del que se separó en 1924. Era ya un respetado jurista y académico cuando logró despertar un gran eco con su libro *Juan Manuel de Rosas, su vida, su drama y su tiempo*, obra fundamental para el naciente revisionismo histórico.[7] Uriburu le comunicó sus planes conspirativos con bastante antelación a los hechos y lo nombró luego interventor en Córdoba (1930-1931). Ibarguren produjo allí un aporte doctrinario importante con su discurso sobre "El Sentido y las Consecuencias de la Revolución del 6 de Setiembre" (15 de octubre de 1930).

Leopoldo Lugones (1874-1938), uno de los más famosos literatos de la época, incursionó también en la temática política.[8] Sus avatares en este campo fueron notables; comenzó por el anarquismo, siguió con el socialismo, cambió luego a un liberalismo de tipo tradicional y desembocó finalmente en un nacionalismo militarista. El comienzo de esta última etapa puede ubicarse entre 1921 y 1923. Para la historia de las ideas políticas resultan de interés las siguientes publicaciones —generalmente colecciones de discursos y artículos—: *Acción* (1923), un libro con fuerte resonancia en círculos militares[9]; *La Patria Fuerte* y *La Grande Argentina* (ambos de 1930); *Política revolucionaria* y *Acción Republicana* (1931) y *El Estado equitativo* (1932). A esto se agrega un "Informe Confidencial" para Uriburu que no se conoció hasta muchos años después de su redacción. La pasional retórica de Lugones jugó un papel importante en la preparación del clima revolucionario de 1930. El poeta también fue el redactor de la primera versión del "Manifiesto" revolucionario.

Pasando a las publicaciones periódicas, merece la primera mención el diario *La Fronda*.[10] Fue fundado por Francisco Uriburu en 1919 y dirigido por él hasta 1940. Era una hoja de combate, de larga tradición antiyrigoyenista. No sin razón se lo consideró como una especie de cuna periodística del nacionalismo uriburista.[11] Entre 1928 y 1930 escribieron en sus columnas Alfonso y Roberto de Laferrère, Rodolfo y Julio Irazusta, Ernesto Palacio, César Pico, Leopoldo Lugones y Juan E. Carulla.[12] *La Fronda* era editada en la imprenta del doctor José M. Rosa (padre), un jurista que bajo el gobierno de Uriburu fue interventor de Mendoza.

En diciembre de 1927 surgió *La Nueva República*, un periódico de mayor nivel intelectual que *La Fronda*. Este "semanario nacionalista" —tal el subtítulo— era dirigido por Rodolfo Irazusta; Ernesto Palacio figuraba como jefe de redacción. Carulla, que había propuesto el uso del adjetivo "nacionalista"[13], Tomás D. Casares, Julio Irazusta, Lisardo Zía, César Pico y Alberto Ezcurra Medrano formaban el más cercano círculo de colaboradores. La publicación apareció en tres períodos entre 1927 y 1932, ocupándose de literatura, política, historia y arte. Las tiradas no eran muy grandes, pero el círculo de lectores no carecía de importancia:

"Se nos leía en los medios cultos, tanto de la Capital como del Interior; se nos leía entre la juventud universitaria, en el ejército y en las filas católicas."[14]

Los colaboradores eran bastante jóvenes.[15] Su común interés por la literatura y sus crecientes convicciones antiliberales forjaron los lazos que unieron al grupo. Esta postura política no era solamente una respuesta específica a la problemática argentina en la era de la democracia de masas sino, en buena medida, un producto de determinadas lecturas. Carulla[16] conocía desde 1910 las publicaciones de Léon Daudet y Charles Maurras, "uno de los más grandes filósofos políticos de todos los tiempos". El jefe de la Action Française también impresionó a los hermanos Irazusta durante un viaje que ellos realizaron a Europa (1923).[17] A esta influencia se agrega una larga lista de autores, desde Platón, Aristóteles y Santo Tomás de Aquino, hasta Edmund Burke, Antoine Rivarol, Joseph de Maistre, Juan Donoso Cortés, Nikolai Berdiaeff, Hilaire Belloc, Jacques Maritain, George Santayana y Ramiro de Maeztu. Entre los autores argentinos se daba la preeminencia a Lugones y a Ibarguren.[18] Hacia 1930 los periodistas "neorrepublicanos" formaban el núcleo más doctrinario y dinámico del joven nacionalismo.

También debe mencionarse el "renacimiento cultural católico" en la vida argentina de los años veinte. En agosto de 1922 fueron fundados los Cursos de Cultura Católica en Buenos Aires. Esta institución pronto habría de convertirse en una especie de Universidad. La temática central de los Cursos era naturalmente de carácter teológico y filosófico, pero entre 1928 y 1930 no dejó de producirse una cierta politización en los márgenes de esta corriente intelectual. Además de los textos fundamentales de Santo Tomás, despertaban creciente interés escritores contemporáneos sumamente polémicos como Maritain, Giovanni Papini, Paul Claudel, Charles Péguy, Gilbert Chesterton, Belloc, Dawson y Maeztu. A. Espezel Berro recordaba que alrededor de estas "estrellas fijas" giraba también un grupo de autores "heterodoxos" a los que no dejaba de apreciarse por eso.[19] Entre ellos se encontraban N. Berdiaeff, Maurice Barrès, Ch. Maurras, Jacques Bainville y Oswald Spengler. Dos personas que integraban el grupo fundador de los Cursos se convirtieron en colaboradores de *La Nueva República*: Casares y Pico. Un tercero, Atilio Dell'Oro Maini (director de los Cursos de 1922 a 1925) fue interventor del gobierno uriburista en Corrientes en diciembre de 1930; el doctor Casares (director de los Cursos de 1928 a 1930) fue uno de sus ministros. En 1928 se formó también un grupo marginal de los Cursos, con A. Ezcurra Medrano, Juan C. y Luis Villagra y Mario Amadeo. Publicaban una revista mensual —*El Baluarte*— y según Amadeo sostenían la siguiente posición:

"hispanista, enemiga acérrima de la democracia liberal, corporativista, intransigentemente católica y tomista. (...) la total abolición del orden vigente".[20]

Este grupo simpatizaba con *La Nueva República* y ponía sus esperanzas en un golpe de Estado conducido por Uriburu. Los efectos doctrinarios que ese ambiente intelectual tuvo en muchos jóvenes fueron caracterizados por Ignacio B. Anzoátegui así:

"[Surgió] una minoría de hombres; inmunes a la heredosífilis liberal que venía regenteando al país desde Caseros."[21]

La revista *Criterio*, que aparecía desde marzo de 1928, tampoco podía sustraerse a las corrientes de la época.[22] En aquellos años iniciales publicaron en sus páginas varias figuras del nacionalismo, tales como T. Casares, Julio Irazusta, C. Pico, E. Palacio, Manuel Gálvez, Atwell de Veyga y Julio Meinvielle. La transitoria significación de este órgano para el uriburismo se dio principalmente en la aguda crítica cultural de signo antiliberal que esos colaboradores efectuaban, y la que creaba afinidades lógicas con la prédica "neorrepublicana". Se encuentran alabanzas para *La Nueva República* por su "sano nacionalismo" y por su aporte a la "transformación de la atmósfera liberal-democrática que nos rodea". Al aparecer el libro *Literatura y política* de Alfonso de Laferrère (1928), E. Palacio escribió un comentario en el cual relacionaba dicha obra con la crítica antidemocrática de Lugones, y llegaba finalmente a la conclusión de que existía un "movimiento", cuya punta de lanza estaría formada por *La Nueva República* y *Criterio*.[23] A pesar de todo esto, los comentarios políticos de esta última revista eran más prudentes que los de los jóvenes uriburistas, lo cual constituía un signo premonitorio del desarrollo ulterior de la publicación. Después de 1932 las tendencias moderadas empezaron a predominar cada vez más, en un proceso que estaba en mayor consonancia con las experiencias vividas y que resultaba más representativo de los auténticos matices de la opinión pública católica.

Las organizaciones civiles mencionadas al comienzo de este capítulo llevaron el peso principal de la agitación callejera en el período prerrevolucionario de 1930. La fundación de la Liga Republicana (LR), en la que Roberto de Laferrère y R. Irazusta tuvieron un destacado papel fue aprobada por Uriburu a mediados de 1929.[24] En agosto de ese año apareció el primer "Manifiesto" de la LR. Los simpatizantes del conservadorismo tradicional podían sentirse tranquilizados, ya que allí se proclamaba como objetivo principal "la defensa de la Constitución y de las leyes de la República". El gobierno habría demostrado su "política demagógica" a través de

"La complicidad del Poder Ejecutivo en la promoción de los conflictos obreros. La adulación de las muchedumbres, cuya tendencia instintiva al desorden estimula el presidente Yrigoyen (...)."[25]

La LR se autodefinía como una "liga de acción", una "milicia voluntaria" para luchar "contra los enemigos interiores de la República". Se formó un servicio de informaciones y diversas comisiones para la investigación de las actividades censurables del gobierno. Especialmente exitosas fueron las "conferencias callejeras" y los actos de protesta[26], acompañados de choques cada vez más serios con radicales y fuerzas policiales. Ya en marzo de 1930, la Liga había lanzado el lema " ¡Balas sí, votos no!"[27] La agrupación se veía como el receptáculo común de todos los nacionalistas del país:

"dentro de una orientación nacionalista que subordina cualquier exigencia de partido, de grupo, de clase o de tendencia ideológica a los intereses fundamentales y permanentes de la Nación".[28]

Pero además de esto, la LR declaraba su voluntad de colaborar, "con todo partido o agrupación" que estuviese opuesto "al actual gobierno y partido".

La primera conducción de la Liga coincidía en buena medida con el equipo de *La Nueva República*. R. Irazusta, R. de Laferrère y Daniel Videla Dorna —un político conservador— formaban el comité ejecutivo, y en dos organismos asesores figuraban E. Palacio, J. Irazusta y Carulla. Federico y Carlos Ibarguren (hijo) eran también miembros destacados. R. Irazusta y Palacio, más interesados en su específica labor periodística, se retiraron en marzo de 1930 de los cargos directivos. Si bien ya a fines de 1929 la LR había pretendido tener 2800 miembros, parece más ajustado a la realidad el cálculo de Carulla, quien habla de 1000 integrantes, en su mayoría estudiantes.[29] En la mañana del 6 de setiembre, el aporte "liguista" a la columna de Uriburu no superó la última cantidad indicada.

Poco antes del golpe de Estado, otro pequeño grupo de uriburistas se decidió a fundar la Legión de Mayo (LdM). El 23 de agosto de 1930 publicaron su manifiesto inicial, con las firmas de Alberto Viñas, D. Videla Dorna, J. Güiraldes, C. Pons Lezica y Rafael Campos. El documento sólo contenía vagas formulaciones patrióticas y antiyrigoyenistas. Uriburu deseaba una fusión de la LR y la LdM, pero se encontró con la resistencia de Laferrère, el más perfilado dirigente de la primera organización. Este incidente ya anunciaba la futura rivalidad crónica de las agrupaciones nacionalistas, rasgo que las acompañaría a lo largo de las décadas siguientes.[30]

En último lugar debe mencionarse la Liga Patriótica Argentina (LPA). Si bien esta organización había gozado de una vida muy activa entre 1919 y 1922, su importancia decreció rápidamente en los años siguientes. En lo que respecta a la propaganda antisocialista y antisindicalista, la LPA había sido superada por Lugones y los neorrepublicanos. En julio de 1929 Carlés advirtió que el creciente descontento le daba una nueva oportunidad para un regreso al centro de la escena política. La LPA comenzó a participar en la guerra psicológica contra Yrigoyen. Carlés anunció que se había llegado "a los límites de la tolerancia" y que la rebelión por la defensa de la Constitución y de "la Patria de los buenos" era ya el último recurso disponible; contra el gobierno "sin ley" debían organizarse "los opulentos, los intelectuales, los respetables y los bravos" en su calidad de "representantes" del pueblo.[31] La LPA también acompañó la columna del 6 de setiembre, pero Carlés resultó decepcionado, porque no le fue ofrecido ningún cargo en el gobierno revolucionario. El renacimiento de la LPA fue de corta duración.[32]

Con esto termina la visión sintética del conglomerado uriburista. El próximo capítulo estará dedicado a la presentación sistemática de su ideología, para lo cual sólo se utilizarán citas de textos que aparecieron hasta 1932. El principio ordenador más habitual en este tipo de trabajos —el de las bibliografías particulares— no ha sido aplicado aquí, ya que no es muy apto para mostrar con nitidez las diversas coincidencias, tensiones y matices que se dan dentro de cada unidad temática. El método aquí utilizado también hace justicia a los procesos históricos en cuestión, en la medida en que destaca el carácter relativamente difuso del uriburismo, carente de una estructura central o de un cuerpo doctrinario homogéneo que pueda atribuirse a un solo autor. El torso incompleto de este pensamiento político será analizado según tres unidades estructurales: "posición básica", "doctrina negativa" y "doctrina positiva". Con este marco serán estudiadas las proposiciones más importantes, agrupadas en siete temas: tres de carácter crítico-negativo (acerca del "mal" y del "enemigo") y cuatro de carácter positivo (sobre el "bien" y el "programa").

Esbozo de una ideología

La posición básica

El nacionalismo naciente se encontraba afectado por una notable tensión interna en lo que respecta a su fundamentación filosófica y antropológica. Mientras que los "neorrepublicanos" favorecían una mezcla de escolasticismo y "empirismo organizador" maurrasiano, Lugones defendía un vitalismo irracionalista de tipo nietzscheano. En 1925 escribía a un conocido:

"Antes de la guerra era posible, a mi entender, creer en la libertad, la justicia, la democracia, la igualdad y demás ideologías del racionalismo cristiano.

Después de aquel experimento no veo cómo. El jefe resulta de una necesidad vital y la fuerza es la única garantía positiva de vivir, y en las razas de combate como la humana, la suprema razón es el triunfo de la fuerza. Se nace león o se nace oveja, nadie sabe por qué. Pero el que nace león se come al que nace oveja, sencillamente porque ha nacido león."[33]

Lugones calificaba esta concepción del mundo como "realismo" o "neopaganismo". Durante años se mantuvo en esta tesitura. Para él, la vida era

"incomprensible e inexorable. Nada tiene que ver con el raciocinio humano. (...) La inteligencia o la razón nada estable crean, ni siquiera crean nada. Lo único que crea es el instinto, cuyas satisfacciones llamamos intereses y cuyo agente de realización es la fuerza".[34]

Esta sería la clave de una interpretación radicalmente maquiavélica del acontecer social y político:

"A despecho de la ley, se nace súbdito o libre. Y esta última condición natal es una expresión de potencia. Como toda condición natural, es también ajena a las nociones morales. El hombre libre es sencillamente uno que puede lo que quiere. Ante la naturaleza esto no es bueno ni malo. Es y nada más. Ante la sociedad, es bueno cuando triunfa y malo cuando fracasa."[35]

Con la Primera Guerra Mundial habría comenzado una nueva época histórica, signada por las "verdades" antes mencionadas:

"La ley vuelve a ser una expresión de potencia, no de razón ni de lógica. Es que estamos otra vez en los tiempos guerreros de la fuerza y de la conquista (...)."[36]

Esta filosofía anticristiana, que necesariamente culminaba en la apología de la guerra y del militarismo, naturalmente tenía que disgustar a todo nacionalista católico. Un redactor de *Criterio* criticó al "sombrío" Lugones, porque sostenía que la abolición de la guerra era una cobarde "quimera liberal".[37] Julio Meinvielle concedía que Lugones era "quizá el más inteligente" de nuestros patriotas, pero no aceptaba su agnosticismo y su excesiva admiración del fascismo. El modelo realmente deseable sería el "Estado cristiano", en el que "la espada" se subordinaría a "la religión". Meinvielle detectaba en la filosofía neopagana de Lugones el peligro que representaba, ya que ella también podía ser utilizada como argumento justificatorio de "la dictadura bolchevique". Las verdades últimas, encarnadas en la Iglesia, debían ser las dominadoras de todo poder terreno.[38]

El vitalismo de Lugones siguió siendo un fenómeno aislado. En 1936 también él regresó al cristianismo. Pero un cierto eco de su doc-

trina se halla en muchos nacionalistas. En este sentido puede mencionarse la extraña justificación que el general Uriburu pretendió darle
a su gobierno, en un discurso del 12 de abril de 1931: "Soy el jefe
de una revolución triunfante que está en el gobierno por el hecho de
haber triunfado. (...) La revolución tiene su lógica".[39] Aquí se trata
indudablemente de la lógica de Lugones: el "derecho" del león fuerte
frente a las ovejas débiles.

La doctrina negativa

Crítica de la democracia y del liberalismo. Una crítica despia-
dada de las instituciones democráticas y de la concepción liberal del
mundo formó el núcleo del uriburismo. Las declaraciones oficiales de
Uriburu y de Ibarguren todavía reflejaban una crítica relativamente
cautelosa y parcial. Por una parte, porque estos hombres conservaban
ciertas inhibiciones propias de su pasado liberal (recuérdese su actuación en el PDP); por la otra, porque se veían forzados a mantenerse
compatibles con aliados que pensaban de otra manera. Pero la opinión pública advirtió pronto que en el lenguaje más duro de Lugones
y los neorrepublicanos se manifestaban con más claridad que en los
discursos oficiales las convicciones auténticas del uriburismo.

Si bien Ibarguren ya en 1912 había lanzado una advertencia
acerca de "las vulgaridades de una democracia plebeya"[40], no profundizó este tema en su famoso discurso del 15 de octubre de 1930.
La posición de este autor recién se radicalizó en el curso de los tres
años siguientes. En cuanto a Uriburu, solía criticar en sus arengas la
"demagogia", evitando ataques directos a la democracia como tal. Su
concepto de "demagogia" es vago, de límites imprecisos, excepto en
la afirmación de que ella habría sido típica del yrigoyenismo "in-
moral". En los primeros días de la revolución, el general setembrino
no tuvo más que respeto para la democracia argentina.

"Pueblo de mi patria: ¡El Ejército ha cumplido con su deber! (...) siguiendo su honrosa tradición democrática, se puso de pie como un solo hombre para
reivindicar las legítimas aspiraciones nacionales. (...) A vosotros la Ley Sáenz
Peña os ha dado el arma democrática más poderosa. Ahora envainamos nuestras
espadas y son las urnas las que tienen la palabra."[41]

El Manifiesto Revolucionario declaraba que el gobierno
provisional respetaría la Constitución y las leyes fundamentales, de-
seando además el retorno más rápido posible a "la normalidad".[42]
También en su discurso del 1º de octubre de 1930, el jefe revolucionario se preocupó por presentar a "la democracia y felicidad de la
República" como cosas estrechamente ligadas entre sí. Sin embargo,

pronto cambió el tono. El 15 de diciembre declaró que la dificultad argentina para la democracia se hallaba en la existencia de un 70% de población analfabeta: una exageración fantástica, porque las estadísticas revelaban el 21,2% como el porcentaje auténtico.[43] En su manifiesto de despedida, Uriburu se expresó finalmente "con una franqueza que lastimará muchos oídos":

"Preferimos hablar de principios republicanos y no de principios democráticos, porque es la palabra que emplea nuestra Constitución Nacional y porque la democracia con mayúscula, no tiene ya entre nosotros ningún significado, a fuerza de haberla usado para lo que convenía (...). Pensamos asimismo que la Ley Sáenz Peña, que al decir de su autor era un ensayo, tiene muchas cosas buenas (...) y muchas cosas malas, como ocurre con el voto secreto (...). El voto secreto es precisamente lo que ha permitido el desenfreno demagógico que hemos padecido (...)."[44]

Esta asombrosa apología del "voto cantado" representaba el núcleo de las convicciones de Uriburu, mucho más que la retórica seudodemocrática de los comienzos del régimen setembrino. Los recuerdos de amigos y consejeros de Uriburu lo confirman. Al doctor Juan P. Ramos le había dicho dos meses antes de la revolución que de "los votantes" nada podía esperarse; el pronunciamiento armado era necesario, a fin de que "no siga gobernando la masa irresponsable que corre, a ciegas, atrás de los políticos de Comité".[45]

Lugones ya conducía un ataque frontal contra la democracia desde el comienzo de los años veinte, utilizando no sólo argumentos particularistas —supuestamente "nacionales"—, sino también una crítica de pretensiones universalistas. En 1923 declaró ser "un incrédulo de la soberanía mayoritaria", puesto que le causaba "repulsivo frío la clientela de la urna y del comité".[46] También la voluntad democrática era "expresión de potencia", pero "bruta", carente de "inteligencia". En este hecho residiría "el irremediable contrasentido de la democracia".[47] Para el posterior desarrollo del nacionalismo resultó especialmente importante su tesis de que la democracia era dañina o ajena a los pueblos latinos:

"(...) la democracia adoptada por las naciones latinas, transfórmase inevitablemente en colectivismo (...). El resultado sale igual y consiste en la demagogia proletaria con su bien conocido objeto: la confiscación conducente al pillaje".[48]

Las instituciones argentinas serían "anglosajonas", por lo cual era necesario

"desembarazarse de los elementos extraños (...) es decir, las instituciones extranjeras (...) y la ideología liberal que [la Nación], con excesiva fe, tomó por la libertad misma".[49]

Ocho meses después de la Revolución de Setiembre, Lugones radicalizó sus tesis, acusando al liberalismo de haber producido en "el mundo entero" las tendencias izquierdistas como "derivación fatal". En el fondo, la democracia no sería más que "una forma del comunismo: gobierno de todos y para todos; riqueza de todos y para todos". Dada la "bajeza intelectual y moral de la masa sufragante", habría disminuido la calidad de los parlamentos a partir de la Ley Sáenz Peña[50]; en fin, se trataría de un sistema que "entrega la suerte de la nación al instinto de las turbas inorgánicas".[51]

Estas concepciones encontraron gran aceptación entre los jóvenes ideólogos de *La Nueva República* y de la LR. J. A. Atwell de Veyga utilizaba casi las mismas palabras que Lugones al hablar de la "mortal" crisis del parlamentarismo democrático.[52] Julio Irazusta opinaba que "la democracia sistemática" era "lo más absurdo que hay, el pecado contra el espíritu". La habrían pensado "espíritus sectarios", basados solamente en "rencores". En el plano económico, el resultado de la democracia habría consistido en que "los ricos tengan menos, sin que los pobres tengan más".[53] También se encuentran algunas formulaciones más profundas. Quizá el caso más importante es aquí el artículo "El pueblo y la Política", de E. Palacio, que muestra al menos un intento de entablar una polémica seria con el ideario democrático. Para Palacio, el pueblo no es conservador, ni comunista ni democrático, porque en el fondo "no posee pensamiento discursivo (...) sino difuso". De allí el peligro de "los caprichos populares". Pero, una vez desengañado de la democracia, el pueblo puede olvidar "la borrachera de mitos" y seguir "las ideas de salvación común" que le ofrecerán minorías inteligentes, las que para Palacio se estaban agrupando en *La Nueva República*.

"La experiencia democrática" podía darse ya por "terminada", aunque para el pasado se reconocía algún mérito a la "idea-mito" de la democracia:

"de lo que había en ella de verdad latente —reconocimiento del tercer estado, una mayor elasticidad en las relaciones sociales— ahora sólo quedan en libertad sus consecuencias disolventes".[54]

Pero repentinamente Palacio vuelve al lenguaje del desprecio, típico de Lugones: los votantes radicales serían "la gran meretriz callejera", la masa tendría "una tendencia natural al encanallamiento". Tanto en los sistemas conservadores como en los revolucionarios "los pueblos quieren ser mandados". Esta es la ley "eterna" que el político deberá tener en cuenta.[55]

El ataque pronto se amplió, abarcando todos los aspectos del liberalismo, incluso en lo referente al pluralismo sociocultural. Aquí son especialmente notables los artículos de Julio Irazusta ("Las libertades del liberalismo") y J. Meinvielle ("El Estado gendarme"). Para Irazusta, el liberalismo era "la desorganización general" y la anarquía; la libertad de pensamiento resultaría "innecesaria" y además sería la causa del "relajamiento general de la cultura"; la "ilusoria" libertad de prensa sólo administraría "veneno intelectual" a "las masas". Un lenguaje político muy característico se inaugura: la prensa sería un elemento "de descomposición" de los pueblos; la escuela laica convertiría a los individuos en "esclavos de sus instintos"; la libertad de cultos es interpretada como "una disposición anticatólica". En cuanto al liberalismo económico, habría dañado los intereses obreros y subyugado la nación al "capital extranjero". Una general "esclavitud" sería la "consecuencia lógica aunque inesperada del liberalismo".[56] Meinvielle apoyaba estos ataques contra el sistema educativo y la libertad de prensa; tales libertades serían "patrañas". Al gobierno de Uriburu le exigía la represión "enérgica", no sólo de "la pornografía", sino de las "doctrinas disolventes del liberalismo, socialismo, anarquismo y bolchevismo".[57]

La imagen característica del enemigo. El uriburismo desarrolló una tesis como dogma político central, que habría de tener muy larga vida en el nacionalismo. Se negaba la existencia de una multiplicidad de problemas y adversarios, para afirmar en cambio la existencia de un solo enemigo, capaz de manifestarse bajo muy variadas formas. Conviene analizar detalladamente la génesis y estructura de este importante tema ideológico. Sus primeros esbozos se advierten en las declaraciones imprecisas, pero cargadas de odio, del doctor Ibarguren, cuando advierte acerca del peligro de

"una nueva irrupción demagógica (...) sea de los restos corrompidos del régimen depuesto, sea de intentonas anárquicas extranjeras, disfrazadas con la máscara de la lucha social".[58]

Aquella imagen del "doble enemigo" constituía una formulación todavía muy elemental. El presidente de la LPA, Manuel Carlés, había establecido (ya en 1922), una lista más detallada de los enemigos: "anarquismo", "sindicalismo revolucionario", "socialismo maximalista" y "la moderna filosofía reformista".[59] Faltaba aún la caracterización del enemigo *"único"*. Janbourg, un redactor de *Criterio*, sostuvo a principios de 1930 la audaz tesis de que "prácticamente" resultaban ser "lo mismo" la democracia de Yrigoyen y el régimen de la URSS.[60] Por este tiempo había llegado a parecidas convicciones el poeta Lugones. A través de sus escritos esta distorsión de la realidad penetró en el ideario de la revolución setembrina:

"El izquierdismo como el laborismo inglés y el obrerismo de nuestros radicales viene a ser el socialismo con otro nombre, del propio modo que este último es un sinónimo del comunismo (...)."[61]

Ahora parecía comprensible y reducido a un común denominador todo lo negativo que podía observarse en el espacio delimitado por Moscú, Londres y Buenos Aires. Sobre esta base se produjeron los intentos de los hermanos Irazusta, en el sentido de desarrollar una crítica más profunda del enemigo. Para Julio Irazusta, la "esencia" del socialismo estaría en "el consumo de la riqueza" bajo "el pomposo título de justicia social". Se subrayaba una supuesta conexión con la UCR: el socialismo sería "la sistematización de lo peor que hay en el radicalismo".[62] En cuanto a la supuesta gran afinidad entre la Reforma Universitaria de 1918 y "el Soviet", ya en 1928 la había tematizado Ernesto Palacio.

* Con Rodolfo Irazusta se alcanza la siguiente etapa en el proceso formativo de la imagen del "enemigo único". Seguramente no fue casualidad que esto sucediera a fines de 1930, al difundirse la conciencia de que era imposible cargar en las espaldas de Yrigoyen la exclusiva o principal responsabilidad por la miseria financiera y económica que avanzaba en el país. Es por ello que la UCR sola ya no aparecía como un enemigo tan temible y convincente como poco antes. En 1931 hasta se le reconocería su cualidad "nacional". R. Irazusta introduciría ahora al lector en un nuevo misterio:

"Sabido es que la finanza internacional y el socialismo, lejos de ser potencias antagónicas, son los términos de una enorme organización que tiene por objeto supeditar la vida de las naciones al dominio de un poder superestatal y misterioso (...)."[63]

En otro trabajo el autor definió más claramente esta entidad sombría: tanto las finanzas como el socialismo serían "los instrumentos de la dominación israelita, cuyo poder aumenta día a día". Esta fuerza habría llevado, desde la Revolución Rusa, una "guerra de exterminio" contra el mundo civilizado.[64]

A partir de este momento, el nacionalismo argentino adoptó la tesis de la conspiración universal y el antisemitismo. La novela *La Bolsa*, de Julián Martel (1891) sólo había sido un caso aislado, influido por la lectura del antisemita francés E. Drumont. Pero ahora las afirmaciones extravagantes sobre los judíos salieron del ámbito literario para penetrar en la propaganda política. En la "cuestión judía" pronto se agregaron otros autores a R. Irazusta. Vicente Balda publicó una serie de consideraciones sobre "La guerra judía contra el mundo cristiano". El desempleo y "el nerviosismo general" que reinaban en el mundo tendrían una "causa oculta, que manipula, intensifica y coordina los efectos de las demás causas visibles, con una inteligencia y tenacidad increíbles". Esta causa sería el "Israel carnal" que terminaría por engendrar al "Anticristo".[65]

También mencionó experiencias "históricas", entre ellas los supuestos asesinatos rituales de niños cristianos. Balda citaba al *Judío internacional* de Henry Ford, libro según el cual "el soviet" no era otra cosa que una "imitación del 'kahal' judío". Finalmente se encara el tema de *Los Protocolos de los Sabios de Sión*; para Balda "no cabe duda" de que son auténticos, el producto de "la experiencia secreta acumulada de muchos siglos". Este "programa judío" señalaría también a sus agentes e instrumentos: por un lado "el oro" y "el liberalismo"; por el otro, "demagogia, masonería y revoluciones" además del "reformismo universitario" y la "campaña contra la propiedad".[66]

El eco de tales opiniones no fue, en el público de aquellos años, tan intenso como sus difusores lo hubiesen deseado. Así lo concedió Alberto Molas Terán en un artículo, no sin subrayar lo que a su juicio constituía la dimensión argentina de este peligro:

> "El problema judío se ha planteado en el país, no sólo con respecto a las especulaciones bursátiles (...) sino con relación a las instituciones republicanas y a la estabilidad del patrimonio nacional. El soviet es instrumento de predominio israelita (...) el soviet acecha la oportunidad de instalarse en nuestra tierra."[67]

La interpretación aristocrático-xenófoba de la cuestión social.
¿Cuál era la posición del uriburismo ante los problemas sociales de su tiempo? Ya se ha visto que el liberalismo era considerado como causante o agente reforzador de toda situación de conflicto social. Pero más allá de esto se desarrolló una especie de doctrina social específicamente "nacionalista", en la cual tales problemas se reducían a "resentimientos" traídos del extranjero. Los primeros represéntantes sistemáticos de esta concepción fueron Carlés y la LPA. Ellos declararon que la Argentina era "la sociedad más feliz" del mundo, por lo cual debía ser protegida de "los contagios malsanos del extranjero". En la Argentina ya sería una realidad "práctica" la vigencia de "la igualdad social". Sólo la "virtud" y el "trabajo" darían más éxitos a unos que a otros.[68] ¿Cuál era entonces el origen de los conflictos? Carlés lo veía así:

> "El hijo de razas hostiles piensa y anhela todo lo contrario a lo nuestro, porque el padre le transmitió el odio de clase (...); así, en sociedad odia al selecto; en el trabajo odia al capataz, al técnico y al patrón; (...) y en cualquier cir-

cunstancia odia el orden, el reglamento, la ley, la Constitución (...) que se oponen a su naturaleza de rebelde rústico y taimado. (...) De manera que se comete una maldad importando rencores y felonías europeas a nuestro pueblo leal y amigo."[69]

A mediados de 1923 Lugones adoptó este modelo interpretativo, lo completó y se dedicó a difundirlo con el entusiasmo de un apóstol. Pero ya no se preocupó por alabar condiciones supuestamente idílicas, que no tenían ubicación en su concepción social darwinista ni en su agitación contra Yrigoyen. Lugones dictaminó que existía un "peligro colectivista", porque el país se hallaba "invadido por una masa extranjera disconforme y hostil". Sería intención de los bolcheviques desencadenar también aquí la guerra civil y la revolución social. Si tal cosa llegaba a ocurrir, sería una "guerra interna con extranjeros". Los extranjeros no tendrían derecho a mostrarse descontentos, puesto que "nosotros", no ellos, "ejercemos el gobierno". Contra estos "bandoleros sin ley" e "impúdicos mendigos", sólo habría un remedio: "limpiar el país" de "elementos perniciosos".[70] Además Lugones se declaraba convencido de que los extranjeros tenían la mayor participación en la delincuencia del país: "proxenetas, traficantes de drogas, alcoholistas, vagos y los agitadores de profesión".[71]

A partir de tales elementos y con la tolerancia del radicalismo habría surgido el "soborno electoral" del "obrerismo". Despiadadamente atacó el poeta los esbozos de la legislación social argentina entonces en vigencia. El "obrerismo", que otorgaría "privilegios" a los pobres, sería un concepto "socialista" y por esa razón "antirrepublicano". Sería intolerable que el gobierno pretendiese imponer por ley un sueldo mínimo y la jornada de ocho horas; con estas medidas se produciría "el pillaje sistemático del país" y la violación del "derecho de propiedad", de "la libertad de contratar" y la "de trabajo", con lo cual "queda derogada la Constitución". Lugones creía que la legislación social encarecía de tal modo el costo de la producción, que ello traería la pérdida de mercados para el país y un decrecimiento de su riqueza.[72] En la Argentina, al igual que en los EE.UU., no existirían las clases, por lo cual toda huelga se convertía en un "atentado social", en una "rebelión" contra la sociedad. Para todo esto el poeta creía haber hallado una solución muy sencilla:

"La cuestión social es acá cosa de políticos, que acabaría junto con ellos en un trimestre. Al receso de estos parásitos tendría que corresponder la expulsión de los agitadores extranjeros."[73]

"El problema obrero resuélvese por sí solo, cuando hay trabajo abundante y productivo que permita en consecuencia mejor retribución."[74]

El socialdarwinismo constituía el fundamento último de estos puntos de vista. La propiedad "define el derecho por la victoria, expresión de la vida triunfante"; en cambio las tendencias del reformismo social no serían más que "la compasión por el débil que la vida predestinó a sucumbir".

"Y es mucho mejor constituir mediante esa selección, siquiera ruda y cruel, un país de vencedores de la vida, que una blanduzca colmena de comensales a media ración."[75]

El general Uriburu demostró ser, con su sensibilidad social, un aplicado discípulo de tales enseñanzas. En una alocución en la Escuela Superior de Guerra denunció el salario mínimo, que desde hacía algunos años había sido establecido para los empleados estatales, como una "maniobra electoral" demagógica y dañina, introducida en perjuicio del contribuyente. El parlamentario socialista Nicolás Repetto, que desde 1913 había jugado un papel importante en esa legislación, rechazó mediante una carta estas acusaciones, sin lograr que el rígido Uriburu modificara su punto de vista.[76]

No era muy diferente por ese entonces la opinión de los neorrepublicanos. E. Palacio tronaba contra el "obrerismo bolchevizante" y Julio Irazusta censuraba a la clase obrera por su exagerado "consumo" y su "despilfarro". Exigencias "demagógicas", tales como los impuestos directos, la jornada de ocho horas, el salario mínimo y los seguros sociales, eran duramente criticadas por este autor; se trataría de medidas "calculadas para producir nuestra ruina definitiva".[77] Sin embargo también se escucharon otros tonos: en 1931 Rodolfo Irazusta se alejó de la ortodoxia económica de su hermano y descubrió un tipo muy distinto de "pillaje":

"Toda la legislación tiende a favorecer el crecimiento de los capitales aplicados a la especulación (...) o que se establecen manteniendo una dependencia estrecha del extranjero que les permite ganancias leoninas a costa de la producción nacional. Los hombres de negocios son los agentes de ese capital que (...) soborna a legisladores y ministros cuya complacencia les permite expoliar a la población del país. [...Estos] hombres de negocios no son los agricultores o estancieros que alimentan la economía nacional."[78]

La cuestión de la "dependencia" cobró cada vez más importancia para el desarrollo del nacionalismo a lo largo de los años treinta. La totalidad de la problemática socioeconómica habría de aparecer bajo una luz distinta por esa razón. En el tema uriburista de la economía nacional fuerte podían reconocerse ya los primeros signos de esa tendencia.

La doctrina positiva

Nación, tradición y catolicismo. Uriburu sabía que el heterogéneo conglomerado de sus seguidores necesitaba una unidad orgánico-doctrinaria que aún no poseía.[79] El movimiento necesitaba también contenidos y símbolos positivos. El 1º de octubre de 1930 Uriburu recordó a sus oyentes el hecho de que "los partidos políticos" opositores al "sistema depuesto" no constituían "toda la opinión nacional". Este "resto" era invitado por él a organizar "una nueva agrupación con carácter nacional".[80] También Lugones usaba con preferencia el vago adjetivo "nacional", que por lo menos desde 1870 había aparecido numerosas veces en la vida partidaria argentina. Pero el poeta quiso precisar su sentido: deseaba asegurar la continuidad de la revolución setembrina con "un partido conservador, fundado en las realidades económicas y sociales del país, lo que es decir, nacional de suyo".[81] Ya en 1928 Rodolfo Irazusta había utilizado una formulación parecida: "un gran partido nacional (...) antirrevolucionario, conservador, constitucional".[82] Pero la palabra "conservadorismo" se asociaba, en el lenguaje político corriente, a los herederos del roquismo y a su ideario, equivalente al año 1900 aproximadamente. No era ésta, como se ha visto, la posición de Lugones y de los neorrepublicanos. ¿Qué entendía el poeta por "nación"?

"La nación ejerce imperio jerárquico sobre todos los individuos que la habitan (...). Es que no puede haber libertad, razón ni conciencia contra la patria (...). Todo cuanto la nación puede hacer en su beneficio está bien hecho. Porque este criterio de prosperidad vital confúndese para ella con la verdad y la justicia."[83]

La Constitución de 1853 no había establecido una concepción tan absolutista como ésta; su espíritu y su letra expresaban que determinados derechos de la persona eran intocables. De todas maneras, el helado vitalismo lugoniano no podía ser un sustituto satisfactorio para la abandonada tradición del humanismo liberal. ¿Cuáles bienes culturales debían ser conservados? Lugones intentó relacionar su teoría política con una gran estructura histórica, recomendando el Imperio Romano como modelo; se habría tratado del "mejor gobierno que ha conseguido organizar hasta hoy la humanidad blanca".[84]

Para el futuro del nacionalismo fueron más significativas las formulaciones de *La Nueva República* y de *Criterio*. César Pico no quería aceptar el calificativo de "conservador" para el nuevo nacionalismo; con desprecio mencionó a "la derecha optimista" y al "conservador ingenuo" y "satisfecho".[85] Los neorrepublicanos se habían propuesto como objetivo la "restauración de los principios políticos tradicionales: (...) Orden, Autoridad y Jerarquía".[86] Palacio veía el inicio de una "contrarrevolución" en los espíritus. Pico se ocupó de definir su contenido: se trataría de un regreso a la "cultura grecolatina y católica", la cual sería "esencialmente dogmática, realista, tradicional y religiosa". La Edad Media habría marcado "el cenit de la cultura", destruida luego por Lutero y Descartes. "Felizmente" el autor observaba la creciente potencia de "las reacciones antidemocráticas"; ya se entreveía "una nueva Edad Media" en el horizonte.[87] Esta definición espiritual abría un nuevo frente de lucha contra la democracia. Rodolfo Irazusta se expresó en relación a esto del siguiente modo:

"El igualitarismo democrático no se acomoda con la organización jerárquica de la sociedad católica. (...) La democracia es, por naturaleza, anticatólica. La democracia es pues, incompatible con las instituciones argentinas."[88]

Como tradición filosófico-científica los nacionalistas se entendían insertos en el "realismo" de un Aristóteles y de un Santo Tomás de Aquino. Pero su crítica política y cultural se desarrollaba más bien según el modelo de un platonismo rígido y ahistórico. Así, Palacio censuraba el arte moderno, por haber olvidado "las nociones eternas de Verdad, Bien y Belleza objetiva".[89] Julio Irazusta construyó una antinomia particularmente irreal, al declarar que:

"El perfeccionamiento de la forma de gobierno sólo se puede buscar contra el provecho material en nombre de la verdadera salvación espiritual."[90]

Más elocuente aún fue un periodista de *Criterio*, que consideró que Platón ya había "demostrado" convincentemente que el gobierno del pueblo implicaba el dominio de la "mayoría de los malos", es decir, la más grande calamidad política.[91] Fulgencio Bedoya respondía la pregunta sobre la esencia del nacionalismo argentino según los cánones de la "Revolución Conservadora" europea: se trataría del movimiento de los "restauradores del orden eterno" que eran a la vez "revolucionarios contra los síntomas de muerte".[92]

El Estado corporativo. Para el uriburismo era el Estado corporativo el sistema político que reemplazaría al Estado liberal. En las formulaciones básicas había una gran coincidencia entre los seguidores de Uriburu, si bien los detalles y matices no aparecían idénticos en todos los escritos y discursos. La versión oficial de la idea corporativa se encuentra en las declaraciones de Uriburu y de Ibarguren. Así dijo el General el 1º de octubre de 1930:

"Cuando los representantes del pueblo dejen de ser meramente representantes de comités políticos y ocupen las bancas del Congreso obreros, ganaderos,
agricultores, profesionales, industriales, etc., la democracia habrá llegado a ser
entre nosotros algo más que una bella palabra."[93]

Sin embargo aclaró que estos cambios institucionales no serían
instrumentados por la vía revolucionaria, sino a través de "los medios
que la misma Constitución señala". Este programa era inobjetable;
sin duda una reforma constitucional era posible si se atenía a tales
normas. Pero tampoco resultaba posible ocultar la intención conservadora y la unilateralidad social de estos planes reformistas. El 19 de
julio de 1931, en un discurso a los agricultores de Rosario, Uriburu
criticó una circunstancia que creía remediable con su reforma:

"Las ciudades monopolizan y detentan la dirección de la política, sin
dar asiento en los cuerpos del Estado a los representantes rurales directos (...):"[94]

Al hacerse cada vez más audible la crítica de los sectores liberales y socialistas, Uriburu respondió en tono apologético:

"Estimamos indispensable para la defensa efectiva de los intereses reales
del pueblo, la organización de las profesiones y de los gremios y la modificación de la estructura actual de los partidos políticos (...). Consideraríamos
equivocada la copia de cualquier ley extranjera de corporaciones, porque nuestro sistema debe ser ante todo argentino (...). La agremiación corporativa no es
(...) un descubrimiento del fascismo, sino la adaptación modernizada de un sistema cuyos resultados durante una larga época de la historia justifican su resurgimiento."[95]

En términos similares se expresaba C. Ibarguren, interventor en
Córdoba, pidiendo la representación "de los verdaderos intereses
sociales". También él se defendía de las acusaciones de "fascismo"
y proponía una fórmula de compromiso:

"Por otra parte, en el Parlamento pueden estar representados los partidos
por el sufragio universal y acordarse una representación parcial a gremios que
estén sólidamente estructurados."[96]

La versión oficial del corporativismo era modesta en su tono,
pero también imprecisa, de un modo que no podía sino crear inquietud. ¿Cuál sería el mecanismo según el cual funcionaría este sistema?
Sobre esto escribía Lugones, el portavoz oficioso del uriburismo:

"La reorganización del Estado efectuaríase mediante la representación de
instituciones y asociaciones determinadas, desde la academia universitaria al
gremio manual."[97]

El parlamento lugoniano estaría *exclusivamente* integrado por representantes de tales corporaciones; unas "35 comisiones de productores", una para cada rama económica, prepararían los proyectos de ley. Esta sería "una nueva democracia".[98] En su posterior "Informe Confidencial" para Uriburu, el poeta aseguró que el sentido de esta reforma era garantizar a nivel parlamentario los intereses de agricultores y ganaderos.[99] Sin una expresión tan definida, Lugones ofreció también públicamente este programa a campesinos, ganaderos, comerciantes y empresarios, "sobre todo en el campo". Además se debía elevar la edad mínima para el sufragio de 18 a 22 años e introducir el principio censitario:

> "La facultad de elegir no corresponde a la carga militar, sino a la contributiva: el que concurre al sostén del Estado con los impuestos que paga, tiene derecho a elegir representantes que fiscalicen y regulen la aplicación de ese dinero."[100]

Pero en el sistema "corporativo" o "funcional" el contribuyente sólo votaría dentro de "su gremio". En cuanto al Poder Ejecutivo y la administración pública, Lugones proponía "dos poderes nuevos": el "universitario" y el "militar". Esta "dirección técnica" del país se renovaría y completaría por coopción. El flujo del poder volvería a ser, como en otras épocas, de arriba hacia abajo, a discreción de "los capaces" que gobernaban.[101]

En *La Nueva República* aparecieron las primeras propuestas corporativistas en 1928. R. Irazusta entendía que sólo había "representación fiel" cuando se trataba de hombres "de una misma condición social o profesional". Más tarde reclamó "una república jerárquica que responda a las diferencias efectivas de la sociedad".[102] En noviembre de 1930 aparece la mención de la "necesidad" de un "sistema corporativo" y poco después Meinvielle propone una organización estamental para el agro.[103] En marzo de 1931 R. Irazusta ofreció un programa detallado para estructurar el Estado corporativo. Al igual que Lugones preveía el voto censitario, reduciéndolo por lo demás al nivel municipal; hasta los gobernadores provinciales serían nombrados por el gobierno central. Las "clases campesinas" controlarían el Estado a través de "diputaciones corporativas". El poder político fundamental residiría en un Senado que designaría al presidente de la República. Además de los tradicionales senadores por provincias, esta institución estaría integrada por cinco generales, dos almirantes, un senador por cada universidad, todos los arzobispos, el presidente de la Suprema Corte de Justicia y otros altos funcionarios del Estado. En la "representación popular" recibirían primacía las corporaciones "agrarias" —propietarios y arrendatarios, de los peones no se decía nada— frente al sector "industrial" (empresarios, obreros y artesanos).[104] Las similitudes con la concepción de Lugones son evidentes; pero también se observa que R. Irazusta otorgaba a los militares un papel más modesto en su esquema.

Elitismo y militarismo.[105] Los uriburistas no ponían sus esperanzas tanto en determinadas instituciones o leyes, como en el surgimiento de una nueva elite, una clase dirigente joven, sin desgaste. La idea básica del elitismo —en un contexto todavía integralmente conservador— ya había sido esbozada por Manuel Carlés:

> "Fue y será inevitable que los fuertes, inteligentes y virtuosos triunfen y que los débiles, viciosos y torpes estén a merced de los triunfadores. Esa fue y será la vida real."[106]

Lugones no se contentó con declaraciones de carácter tan general. Desde su famoso y controvertido discurso de Ayacucho ("La hora de la espada", diciembre de 1924) desarrolló, con parecidas bases, su doctrina acerca de la nueva aristocracia militar. Este llamado al soldado era una propuesta de solución para cuestiones políticas muy concretas. La espada, forjadora de la independencia,

> "hará el orden necesario, implantará la jerarquía indispensable que la democracia ha malogrado hasta hoy, fatalmente derivada, porque esa es su consecuencia natural, hacia la demagogia o el socialismo (...)".[107]

Esta convicción se convirtió en agitación revolucionaria en julio de 1930, cuando el poeta arengó a los jóvenes oficiales asistentes a la Cena de Camaradería de las Fuerzas Armadas con las siguientes palabras:

> "El desorden y el relajamiento estorban la marcha de la Nación hacia sus grandes destinos. ¡Ha de interponerse el ejército, para tomar la dirección abandonada (...)!"[108]

Lugones veía en el ejército a "la última aristocracia" que aún ofrecía una posibilidad de defensa contra "la disolución demagógica". El escritor-político había hallado su tema principal. En su *Política revolucionaria* de 1931 declaró:

> "Bástame exponer en este libro la doctrina inspiradora del movimiento del 6 de setiembre (...). Durante siete años desde mis conferencias del Coliseo en 1923, había proclamado casi solo (...) la necesidad de que los militares diesen Gobierno a la Patria."[109]

¿Por qué los militares? Lugones dio varias respuestas muy interesantes a esta pregunta. Las fuerzas armadas constituirían la selección de "los mejores de la nación", "la flor de la juventud" y "la nobleza de la República"; en sus filas se hallaban los capacitados "por instinto" para "conducirse y conducir".[110] En todo esto se mezclaban ideas románticas y tecnocráticas:

"(...) debido a su preparación científica y administrativa, su espíritu de sacrificio, su vida ordenada, su punto de honor y su disciplina, la oficialidad moderna forma de suyo el mejor cuerpo gubernativo que puede concebirse".[111]

Esta nueva teoría del Estado —"la reacción autoritaria"—, en la cual ya no existía diferencia entre el poder civil y el militar, era el resultado de una postura combativa en dos frentes: por un lado, contra el peligro interno ("demagogia, socialismo y liberalismo extremo")[112], por el otro, contra la amenaza externa. "Todos" los recursos debían estar siempre preparados para la posibilidad de una guerra. En una palabra, el gobierno militar aparecía como "impuesto por la seguridad de la nación".[113] Justamente el papel político interno del poder armado fue subrayado por Lugones con insuperable crudeza:

"Jerarquía, disciplina y mando son las condiciones fundamentales del orden social, que no puede, así, subsistir sin privilegios individuales, empezando por la propiedad, célula de la patria; lo cual supone cierta dosis de iniquidad en el sistema, o sea su imperfección inevitable, y con ello la necesad de conservarlo a la fuerza. Siempre habrá individuos predestinados a trabajar para otros y a padecer por ellos. (...) Las llaves de la paz son de oro y hierro y no están en los parlamentos ni en las urnas de sufragar."[114]

Esta glorificación de la jerarquía culminaba en la figura de un jefe de Estado militar-carismático:

"La política no es una ciencia ni una filosofía. Es un arte. Vale decir, una actividad en la cual predomina el acierto distintivo, o, si se quiere, la inspiración: dones, por cierto, personalísimos y escasos."[115]

El surgimiento de un personaje de este tipo ya lo había previsto el poeta en 1924, cuando invocaba el "destino" que reservaba "una vacante"

"al jefe predestinado, es decir, al hombre que manda por su derecho de mejor, con o sin la ley, porque esta (...), confúndese con su voluntad (...)".[116]

La forma de gobierno basada en el "consentimiento" sería "inadecuada" al carácter latino:

"La autoridad no es para nosotros un resultado deliberativo, sino una imposición de la superioridad personal. No concebimos al jefe, sino en el general o en el caudillo."[117]

Formulaciones elitistas aparecen muchas veces en los escritos de los jóvenes nacionalistas. R. Irazusta comprobaba en 1928, con gran satisfacción, que la Constitución de 1853 hablaba de representantes, pero no utilizaba expresamente el término "democracia".[118] En el mismo año, un redactor de *Criterio* había invitado a "los mejores elementos de la sociedad" a darse, de una vez por todas, "una organización permanente, sistemática".[119] Algo más tarde interpretó E. Palacio al grupo de sus amigos como el núcleo de esa organización:

"Pero somos una minoría que representa la voluntad de vivir de la República. En nosotros se debate la patria misma contra las potencias de muerte."[120]

F. Bedoya continuó este pensamiento: la "elite escogida y diminuta" sólo necesitaba hacerse "un poco más numerosa y fuerte" para lograr la "salvación de la patria". En el momento oportuno el pueblo "nos seguirá a nosotros".[121] Sobre el carácter autoritario de esta conducción no había muchas dudas. Meinvielle adoptó expresamente la idea lugoniana del gobierno militar dos meses después del golpe de Uriburu[122]; E. Palacio ya había hecho críticas al rol de la representación popular en trabajos anteriores. La "masa" sólo en raras ocasiones sería capaz de elegir al hombre adecuado; su obra se encontraría expuesta a los cambiantes humores del pueblo, por lo que el jefe de Estado debía "salvarla", reduciendo la participación popular en el gobierno.[123]

Rodolfo Irazusta justificó la dictadura de Uriburu como inevitable y "provisoria", ya que la solución definitiva era para él la "república jerárquica" y corporativa. Su hermano Julio recordaba a sus lectores que "la historia registra varias dictaduras excelentes".[124] Sin embargo, resultaba evidente que los neorrepublicanos sostenían la primacía de una elite ideológica, postulado que no era fácil de conciliar con el tajante militarismo de Lugones. Estas diferencias formarían un importante foco de conflictos en la evolución posterior del nacionalismo. El propio Uriburu era, por razones obvias, un adherente de las tesis lugonianas en este asunto. No ignoraba que su gobierno provisional debía apoyarse ante todo en las fuerzas armadas. Su juramento del 8 de setiembre de 1930 mencionaba en primer lugar a "vosotros, soldados de la Patria", y sólo en segundo término al "pueblo soberano". Más adelante se hicieron cada vez más frecuentes sus solicitudes políticas dirigidas hacia sus camaradas. En tono amenazador dijo el 15 de diciembre en la Escuela de Guerra:

"(...) es necesario que el país entienda que tiene obligaciones para el cuerpo de oficiales que jugándolo todo, como acabo de decir, ha cumplido con un alto deber patriótico. Estos deberes los señalaré en su momento, con una franqueza ruda a la cual están poco acostumbrados nuestros hombres políticos (...)".[125]

Y el 25 de marzo de 1931 utilizó una formulación que contraponía una especie de elite militar, dispuesta "a defender la Patria" a "los intereses de los partidos"[126], con lo cual prácticamente Uriburu adoptaba el esquema de Lugones.

La economía nacional fuerte. Lugones dedicó extensas partes de su libro sobre *La Grande Argentina* a la problemática económica. Con sus propuestas esperaba solucionar tensiones sociales y darle un fundamento material a la política exterior argentina. No se trataba aquí de aventuras expansionistas —tema favorito de los nacionalismos europeos de la época— sino de la convicción de que era conveniente para todos los interesados una colaboración efectiva con los estados vecinos. Una "confederación internacional" entre la Argentina, Chile, Paraguay, Uruguay y Bolivia debía ser el objetivo a largo plazo de esta política.[127]

En lo económico, Lugones reclamaba una conducción política "empírica", para lo cual recomendaba a los Estados Unidos como modelo. Allí la "abolición de la pobreza" ya estaría lograda, habiendo creado además la economía robusta la base necesaria para una poderosa fuerza armada.[128] Ante las frecuentes críticas que los latinoamericanos hacían a ese país "nacionalista y conservador", el poeta respondía lo siguiente:

"Afirmo además, que no existe una sola prueba concluyente del 'imperialismo capitalista' de aquel país."[129]

Lugones denunciaba tres características negativas de la economía argentina: la "monocultura", "el latifundio" y "el librecambio".[130] Como remedio proponía la protección y fomento de la pequeña y mediana propiedad, el incremento controlado de la inmigración y la radicación de capitales extranjeros con el fin de crear las industrias que el país necesitaba. Ninguna de estas propuestas era muy original; numerosos publicistas y políticos argentinos habían expresado parecidas ideas. Relativamente novedosa era en cambio la queja sobre el subdesarrollo industrial y la dependencia de la nación:

"La subordinación de nuestros productos a la cotización impuesta desde el extranjero, es un estado colonial, sometido a otra deficiencia concurrente: los ramos fundamentales de toda industria nacional, es decir, la siderurgia y la construcción, dependen del suministro extranjero de hierro y hulla, que poseemos pero no explotamos; con lo que todo nuestro progreso industrial hállase a discreción de los países proveedores."[131]

En esta línea de pensamiento Lugones desarrolló diversas ideas modernizantes, que se encontraban en extraña contraposición con sus concepciones políticas. Reclamaba el surgimiento de "la industria metalúrgica y la forestal"; la construcción de carreteras y elevadores de granos; el establecimiento del crédito agrario y el fortalecimiento del cooperativismo, y por último, el aumento de la protección aduanera para nuestras nacientes industrias.[132] Pero al mismo tiempo se oponía a un alto nivel de intervencionismo estatal, vicio que criticaba en la administración de los gobiernos radicales. No debían ponerse trabas a las empresas extranjeras, y la nacionalización del petróleo sólo le parecía "una moda izquierdista", ya que sería un hecho comprobado que el Estado siempre era "pésimo administrador":

"El Estado industrial y comerciante debe ir desapareciendo para atenerse por completo a su tarea gubernativa."[133]

En conexión con su estrategia del desarrollo, Lugones volvía al tema del "obrerismo". La política social de la UCR le parecía dañina para la economía. Criticaba el otorgamiento de la jornada de ocho horas y del salario mínimo a los cañeros tucumanos, argumentando que ello encarecía el azúcar y "arruinaba" "la industria madre de Tucumán".[134] Es que:

"El obrerismo artificial (...) por notorios motivos de propaganda política y de sentimentalismo superficial o descaminado, ha promovido toda una legislación socialista que reacciona ciegamente contra el capital, aumentando su retracción con la hostilidad y el riesgo."[135]

Algunos colaboradores de *La Nueva República* manifestaron desde fecha temprana su hostilidad hacia el "liberalismo económico", una doctrina que Rodolfo Irazusta ya consideraba como un instrumento de la "dominación anglosajona" en 1930. Con ello comenzó la campaña de este autor contra "la plutocracia extranjera que domina la economía y las finanzas internacionales". También su hermano Julio denunciaba el "enfeudamiento al capital extranjero", aunque la profundización del tema no se produciría hasta los años de la presidencia de Justo. Pero se notaba la diferencia con la posición de Lugones. En otro punto había coincidencia: también Julio Irazusta sostenía una postura pragmática, que contrastaba con la rigidez ideológica de los neorrepublicanos en materias políticas y culturales:

"Nosotros no tenemos doctrina económica, pues lo consideramos innecesario y aun perjudicial. La política económica de un pueblo debe depender de sus necesidades temporarias y variar según las circunstancias."[136]

En 1928 los neorrepublicanos exigían la construcción de carreteras, fábricas de armamentos y astilleros, así como la creación de un banco agrícola.[137] Tres años después, el mismo Lugones se había acercado al intervencionismo estatal, dejando a la vera del camino algunas de sus ideas de *La Grande Argentina*. Ahora pedía la "intervención directa" en las operaciones de los frigoríficos. Esta exigencia fue mencionada por segunda vez en el "Manifiesto de la Acción Republicana" (9 de julio de 1931), con la formulación más dura de "intervención permanente". Allí también se hablaba de la "nacionalización" de las usinas hidroeléctricas. Es probable que Lugones se haya visto influido por Rodolfo Irazusta cuando agregó su firma a este documento.

Consideraciones críticas

El nacionalismo uriburista se concebía a sí mismo como un fenómeno específicamente argentino, pero además de eso, como la expresión nacional de una nueva época de la historia mundial. Esta segunda perspectiva conduce inmediatamente a la pregunta acerca de las similitudes con ciertos modelos europeos. El "mundo" era para los argentinos de entonces sinónimo de Europa. El tema tenía sus dificultades; de ninguna manera se quería renunciar al apoyo ideal proporcionado por autores famosos y naciones gloriosas, pero tampoco deseaban los nacionalistas aparecer como meros imitadores. Dos "modelos" tuvieron un papel preeminente desde los comienzos: Maurras y su Action Française y Mussolini y el fascismo.[138] Poco antes de la Revolución de Setiembre un diputado del PDP se había burlado del maurrasismo de los neorrepublicanos, recordándoles que los argentinos no teníamos a "un Duque de Orléans" a quien ofrecerle el trono, y que si se trataba de instaurar una dictadura, ello no era ninguna "novedad" para Sudamérica.[139] Rodolfo Irazusta ensayó una defensa no muy convincente — "no creemos en las doctrinas de la Action Française"[140] — pero el golpe era doloroso. Es cierto que los neorrepublicanos no querían una monarquía para la Argentina —esto hubiera sido el colmo de los despropósitos— pero las coincidencias en muchos temas ideológicos eran fáciles de reconocer. También ellos criticaban el moderno derecho sucesorio, defendían apasionadamente "la jerarquía" y el "orden social", luchaban contra "liberalismo, democracia, socialismo, comunismo y anarquismo", creían cada vez más en una conspiración de extranjeros, protestantes, judíos y "la alta finanza"; y deseaban instaurar el Estado corporativo. Así como Maurras esperaba la restauración francesa de un nuevo general Monk, los nacionalistas argentinos ponían sus esperanzas en el general Uriburu.[141]

Hubo en esta cuestión algunos desacuerdos internos. Lugones no apreciaba mucho a Maurras y llamó "imitadores" a los periodistas de *La Nueva República*. Estos devolvieron el dardo preguntando al poeta si sus "intentos fascistas" no merecían con mayor razón ese reproche. Pero la escaramuza pronto fue olvidada porque las coincidencias —como lo destacaron los neorrepublicanos— y la común "crítica de la democracia mayoritaria" —como lo confirmó Lugones— resultaron mucho más importantes que tales pequeñeces.[142] De todas maneras, los acontecimientos italianos dejaron su huella. En Lugones esto ya se pudo observar en 1922 y 1923. Al recomendar en uno de sus discursos la "limpieza" del país de "elementos dañinos" aludió a la "heroica reacción fascista", conducida por el "admirable Mussolini".[143] Algunos años después adoptó la disyuntiva fascista: "Roma o Moscú":

> "Lo que define entonces el dilema fascista es el viejo conflicto entre civilización y barbarie; o sea entre la 'cosa romana' (...) y el comunismo de la horda asiática. (...) Pueblos enteros, como Italia, han renunciado al liberalismo y están mucho mejor que bajo aquel régimen."[144]

Si bien Lugones condenaba severamente el sistema soviético, lo encontraba útil para determinadas argumentaciones: la URSS, junto con dictaduras de derecha como las de Mussolini y Primo de Rivera, le servían como testigo contra el parlamentarismo:

> "La crisis social y política, empezada con la guerra, resuélvese en todas partes por un recobro de autoridad. Así en la Rusia de los Soviets y en la España del Directorio. (...) Por ello fracasa el liberalismo en el mundo entero. La libertad ya no interesa. Lo que se busca es el dominio. (...) La experiencia revela que la solución del problema social no está en la concesión, sino en la fuerza. Lenín en Rusia y Mussolini en Italia han suprimido la lucha de clases mediante la imposición de la autoridad."[145]

Lugones fue el primer teórico importante del uriburismo que relacionaba incondicionalmente su doctrina con el espíritu de una nueva "época del autoritarismo", en la cual naturalmente optaba por la versión "civilizada" (el fascismo) contra la "bárbara" (el comunismo). Un tercer camino no le parecía posible. En la revista *Criterio* aparecían diversos enfoques de estas cuestiones. En 1928 el escritor Manuel Gálvez dedicó un largo artículo a la "Interpretación de las

dictaduras". Allí afirmaba que las "modernas dictaduras contrarre-
volucionarias" de Europa eran un fenómeno "exclusivamente
grecolatino". Mencionó a Portugal, España, Italia, Grecia y Polonia;
también Francia aspiraría a la dictadura. Después de alabar a
Maurras, observó que el socialismo "nunca" arraigaría "en los
pueblos de tradición grecolatina". Con Mussolini "por primera vez un
gobernante se pronunciaba contra la democracia y el liberalismo político". Todas las otras dictaduras serían una consecuencia del "triunfo del fascismo italiano".

> "Y todas restablecen el orden jerárquico, imponiendo el respeto al poder,
> reponiendo a la Iglesia en su verdadero lugar, estableciendo la enseñanza reli-
> giosa, combatiendo la inmoralidad [...Ellas son] una tendencia hacia la política
> clásica, es decir, hacia la política en que todo está ordenado y equilibrado, en
> que lo espiritual prima sobre lo material, en que la razón no es dominada por el
> instinto (...)."[146]

En estos regímenes, los medios serían "insignificantemente violentos" y sólo "transitorios", comparados con la práctica de los "revolucionarios". Finalmente Gálvez expresaba su esperanza en una
pronta "restauración de la política clásica" en la Argentina. Esta interpretación tenía una base filosófica distinta a la de Lugones, pero
llegaba a conclusiones políticas muy similares: en la Italia fascista se
creía ver el modelo de la deseada "restauración romana, latina"
(Lugones, R. Irazusta, Gálvez) o "revolución conservadora" (César
Pico, adoptando una terminología alemana).
    Otros observadores se mostraban menos entusiastas. El sacerdo-
te jesuita J. Aspiazu revisó en diciembre de 1928 la idea y las realizaciones del Estado corporativo en Europa. También él saludaba la
superación del "Estado liberal-agnóstico" por obra del Duce, pero
consideraba que tanto en Italia como en España se acentuaban excesivamente los derechos del Estado. Concluía advirtiendo que, si el
corporativismo no seguía la fórmula cristiana, podía llegar a convertirse en un "socialismo de Estado".[147] La preocupación por diferenciar una posición específicamente católica en lo político-social se observa también en Julio Meinvielle. Consideraba que existía una vía
intermedia entre liberalismo y fascismo: "el Estado cristiano", al
cual debía aspirarse con preferencia.[148] Pero también el fascismo
constituía para Meinvielle una forma de gobierno aceptable, incluso
le asignaba el segundo lugar en su escala valorativa. Sólo le criticaba
su carencia de una metafísica:

> "Los estadistas vieron pronto que las lloronas ideologías liberales y so-
> cialistas no hacían más que amparar todas las corrupciones de la multitud
> desenfrenada, amenazando precipitar en el caos el patrimonio de las naciones, y

que era de toda urgencia reafirmar la función de gendarme que (...) compe-
te al Estado. El fascismo es un fenómeno perfectamente explicable, dada la
evidente crisis de autoridad y la orfandad metafísica que aqueja a las inteligen-
cias."[149]

Otro colaborador de la revista se mostró mucho más crítico.
Guillermo Sáenz escribió en abril de 1929 un artículo contra Maurras[150] y un año después afirmó que los "popolari" católicos y no los
fascistas eran los verdaderos salvadores de Italia del peligro bolchevique. Con indignación informaba sobre la violencia de los escuadristas contra el Partido Popular y sobre la duradera hostilidad del fascismo hacia la Acción Católica.[151] Esta crítica parcial del movimiento fascista no surtió efecto en las filas del nacionalismo argentino.
La Edad Media y el Estado cristiano podían ser alabados, pero eran
sólo ideas y memorias históricas, frente a las que se erguía la Italia
del haz lictorio, potencia real y moderna.

Mientras que los Acuerdos de Letrán (1929) contribuyeron
—por razones comprensibles— a mejorar la imagen del fascismo en los
círculos católicos, ocurría algo similar con ciertas instituciones para-
militares del régimen, las cuales impresionaron a algunos oficiales argentinos. En la *Revista Militar* aparecieron, desde junio de 1930, una
serie de entusiastas artículos sobre la Opera Nazionale Balilla. Allí se
mencionaba "la jerarquía y disciplina" que caracterizaban "todos los
actos del fascismo" y se decía que los pequeños "balillas" eran ins-
truidos en sus deberes para darles "un corazón italiano" y hacerlos
ingresar luego en la MVSN (Milizia Volontaria per la Sicurezza Nazionale). En cuanto a las Fuerzas Armadas, se hacía hincapié en el
provecho que sacaban de "la obra extraordinaria" de la ONB, ya que
recibían reclutas física y moralmente sanos, provistos de un "gran
espíritu militar y patriótico".[152]

En su "Informe Confidencial" Lugones exigía "ejercicios militares" en las escuelas primarias y secundarias, bajo la dirección de
oficiales del ejército.[153] El programa nacionalista del 9 de julio de
1931 repetía este reclamo.[154] En este clima ideológico se produjo la
creación de la Legión Cívica Argentina.

El filofascismo de los uriburistas muy difícilmente puede considerarse un fenómeno accidental o secundario. Los textos muestran
con nitidez las importantes *funciones* que el modelo fascista tenía
en el marco de la ideología del uriburismo:

1) La tradicional creencia en el progreso, propia del liberalismo
y del socialismo, podía ser seriamente cuestionada con el ejemplo
italiano. Al revés de lo que se suponía generalmente hasta 1920, aparecían regímenes autoritarios de derecha, demostrando su vigencia
posible como fenómenos "post-liberales", no como meras supervi-

vencias del pasado. La vida intelectual y política argentina había reaccionado en forma imitativa frente a las transformaciones europeas del siglo xix; los uriburistas continuaban esa tradición. Lugones, Meinvielle y Gálvez entendían que la esencia del fascismo era su lucha victoriosa contra el liberalismo y el socialismo, justamente los adversarios fundamentales del uriburismo. Mussolini reforzaba la confianza de los revolucionarios setembrinos en la victoria definitiva de sus concepciones.

2) El hecho de que estas novedades hubiesen surgido teóricamente en Francia (Maurras) y prácticamente en Italia (Mussolini) y España (Primo de Rivera) —es decir, en el círculo cultural latino-católico— aumentaba su poder de atracción en un país que, como el nuestro, también pertenece a esa parte de la Civilización Occidental. Crecía así la aparente solidez del argumento lugoniano que presentaba al parlamentarismo y al socialismo como fenómenos ajenos a la latinidad.

Pasando a su dimensión interna, el uriburismo se autointerpretaba como una respuesta auténticamente argentina a los problemas del país. ¿Pero qué lugar específico cabía asignar a este heterogéneo conglomerado de ideas en el panorama político nacional? Revisando sus temas más importantes, puede comprobarse que se trató de una respuesta determinada (de carácter extremo) dentro de la mentalidad defensiva, frente a tres tensiones estructurales de la sociedad. Estas eran: a) el problema de la participación política de las masas; b) la "cuestión social"; c) el conflicto entre laicismo y tradicionalismo católico. Una cuarta tensión, cuyos polos estaban constituidos por una economía agraria dependiente y el poder de los grandes estados industriales, empezó a ser tematizada por el uriburismo, pero no jugó un papel decisivo sino años después.

Si se lo descompone en sus elementos constitutivos, el uriburismo no se muestra muy novedoso. El antimodernismo de Goyena (v. páginas 29-31) es el antecedente de la posición de César Pico en la materia; el miedo a las multitudes, ocasionalmente manifestado por Estrada y Rodó, se convierte en tema fundamental para Lugones, Uriburu e Ibarguren. En 1920, Carlés generalizó la simplificación según la cual todo agitador era extranjero; luego Lugones la difundió sin descanso. La mezcla de democracia, subversión y reforma universitaria postulada por Bustos y Ferreyra es adoptada por Ernesto Palacio diez años más tarde. Lo nuevo en el nacionalismo uriburista es la radicalización de todos estos elementos y su estructuración en un conjunto agresivo. La "solución" de las tensiones y problemas detectados apunta dogmáticamente a la discriminación y represión de los supuestos "causantes". Como tales aparecen grupos políticos y sectores sociales que son ubicados como *inferiores*: "el populacho"; *exteriores*: el inmigrante "ingrato"; y *de izquierda*: la UCR, los socialistas, anarquistas y comunistas.

Si bien formalmente el uriburismo se oponía a la concepción de la lucha de clases, en realidad también la predicaba, claro está que con otros argumentos y en sentido contrario, es decir de arriba hacia abajo. El tema nacional integrador no ocupa el lugar predominante en este sedicente nacionalismo. Sobre las intenciones subjetivas pueden establecerse diversas hipótesis y sin duda había también motivos idealistas en el corporativismo que se propugnaba. Pero era evidente que el Estado corporativo uriburista no podía sino convertirse en núcleo de cristalización del más extremo conservadorismo. En primer lugar, porque la doctrina equivalía a un descargo casi total del conservadorismo y de las clases altas en lo referente a las causas y responsabilidades de los problemas nacionales. En segundo lugar, porque contenía una especie de campaña de relaciones públicas dirigida a determinados grupos e instituciones. Para los partidos conservadores se tenía la atractiva consigna de la abolición de la Ley Sáenz Peña; las Fuerzas Armadas eran celebradas como "aristocracia" a la que se prometía una función conductora en el Estado; se buscaba impresionar a la Iglesia ofreciéndole una mayor influencia en la educación y en la sociedad; finalmente, se apelaba al elitismo tradicional de los académicos, pretendiendo institucionalizarlo en un Senado estamental. Para los estratos medios urbanos, los empleados, obreros y peones no había ofertas concretas, fuera de la dudosa perspectiva de una industrialización sin seguridad social y de las vagas formulaciones sobre nación, tradición y lucha contra el materialismo.

Junto a este núcleo ultraconservador aparecían en el uriburismo algunas tensiones y aun contradicciones, que después de 1930 habrían de acentuarse. El próximo capítulo se ocupará de las dificultades surgidas con la práctica del gobierno; por ahora se hará hincapié en la problemática interna de la doctrina propiamente dicha:

1) El *programa industrialista* del uriburismo no guardaba una relación clara ni convincente con el marcado agrarismo del Estado corporativo.

Más que dudosa resultaba la idea de una industrialización impulsada por un régimen dirigido por terratenientes, teniendo en cuenta que todas las experiencias de las naciones de industrialización tardía no fueron exitosas sin altas barreras aduaneras e intervencionismo estatal. Y esto era justamente lo contrario del barato Estado librecambista que era el ideal de los grupos agrarios más poderosos. Toda la concepción se basaba en la hipótesis de que sin la interferencia de los sindicatos y partidos democráticos las elites económicas hallarían armoniosamente la correcta solución nacional. En general las ideas económicas del uriburismo parecían improvisadas y contradictorias. El intervencionismo estatal yrigoyenista fue primero duramente censurado, pero luego se solicitaron medidas de ese tipo para la industria de la carne; Lugones exigía libertad para el capital internacional, pero R. Irazusta hacía duros comentarios sobre la "plutocracia extranjera".

2) La *concepción del enemigo* respondía visiblemente a modelos preexistentes. Hasta su toma del poder el uriburismo difundía la imagen homogénea del enemigo izquierdista... pero en 1931 ya resultaba evidente que la crisis debía tener, al menos en parte, otros artífices distintos a los entonces impotentes radicales y socialistas. La demonización propagandística de estos sectores no podía ser revisada a fondo, ya que tal procedimiento hubiese despojado a la Revolución de Setiembre de su "legitimidad". El uriburismo se vio prácticamente forzado a buscar una nueva explicación, es decir, una imagen del enemigo capaz de conectar la "agitación del populacho" con los aspectos negativos del capitalismo. Aquí se ofrecía un antiguo prejuicio y la ya madurada "doctrina" del antisemitismo europeo. El admirado Maurras no era ajeno a esta temática. Las tesis correspondientes de R. Irazusta, V. Balda y A. Molas Terán —totalmente carentes de originalidad y espíritu crítico— son ilustrativas de este desarrollo. Con "el judío" se había encontrado el nexo ideal: en la Argentina existía una considerable minoría hebrea —con socialistas y capitalistas (!)—, fácil de identificar a través de sus apellidos alemanes y rusos. Si bien la propaganda antisemita no tenía profundas raíces argentinas, parecía ofrecer muchas ventajas para el nacionalismo naciente. Una de ellas era una capacidad potencial para impresionar a sectores de la población que anteriormente no habían encontrado nada atractivo o convincente en la imagen que el uriburismo pintaba del enemigo.

3) Ya se ha mencionado la *antinomia filosófica* entre el social-darwinismo (Lugones) y el escolasticismo de los neorrepublicanos. Una síntesis resultaba imposible, y a lo largo de los años treinta logró imponerse la posición católica, desapareciendo así esta contradicción del nacionalismo de la primera hora.

4) Bastante contradictoria se presentaba también la *metodología nacionalista del análisis político*. A pesar de sus frecuentes alabanzas al "realismo" y al empirismo, los uriburistas no produjeron entre 1923 y 1932 ni un solo libro que tuviese como base una investigación metódica de la sociedad, economía, política o historia de las ideas argentinas. Aparte de los usuales sarcasmos y generalizaciones dogmáticas, solían preferir el método platónico, según el cual se medían los fenómenos contemporáneos con un criterio no muy transparente de valores "eternos", que culminaba en juicios severísimos.

En realidad la ideología uriburista era una estructura todavía incompleta. Dentro de ella se encontraba más desarrollada la parte negativa, referida al enemigo que se quería combatir. No ocurría lo mismo con la doctrina positiva, algo vacilante. Por esta razón resultaba más fácil construir un "autoritarismo" (Lugones) o un "Estado-gendarme" (Meinvielle) y no una concepción del desarrollo nacional sobre los fundamentos de tales ideas. A ello hay que agregar que prácticamente todas las propuestas de modernización económica del uriburismo no eran su monopolio intelectual y menos aún se encontraban en una relación convincente con los elementos elitistas y antidemocráticos de la doctrina. Estos últimos ocupaban el primer plano y aparecían como el núcleo firme y característico del conjunto.

NOTAS

[1] Véase V. Gutiérrez de Miguel: *La Revolución Argentina. Relato de un testigo*, Madrid, 1930, pág. 223.

[2] Juan E. Carulla: *Al filo del medio siglo*, Paraná, 1951, pág. 208.

[3] Ibid., págs. 166-168 y 181.

[4] V. ibid., pág. 179.

[5] Véase Julio Irazusta: *Memorias: Historia de un historiador a la fuerza*, Buenos Aires, 1975, págs. 188 y 191.

[6] Véase Carlos Ibarguren: *La inquietud de esta hora*, Buenos Aires, 1975, en Biblioteca del Pensamiento Nacionalista Argentino (BPNA VI), págs. 427-441.

[7] Ibarguren recibió por esa obra el 1er. Premio Nacional de Literatura para el año 1930.

[8] Véase J. Irazusta: *Genio y figura de Leopoldo Lugones*, Buenos Aires, 1969; E. Zuleta Alvarez: *El Nacionalismo Argentino*, Buenos Aires, 1975 (2 vols.), I, Cap. 4; y L. Lugones: *El Payador y Antología de Poesía y Prosa* (Selec., Notas y Cronología, G. Ara), Caracas, 1979.

[9] Véase L. Lugones (h.): *Mi padre. Biografía de L. Lugones*, Buenos Aires, 1949, pág. 333.

[10] Véase Carlos Ibarguren (h.): *Roberto de Laferrère. Periodismo-Política-Historia*, Buenos Aires, 1970, págs. 24 y 35-39.

[11] Recuerdos de R. de Laferrère en 1941 (ibid., págs. 36-37).

[12] Véase J. E. Carulla: op. cit., pág. 174.

[13] Véase J. Irazusta: *Memorias...*, pág. 181. Una detallada presentación de la historia de *La Nueva República*, en E. Zuleta Alvarez: *El Nacionalismo...*, I, Caps. 6 y 7.

[14] J. E. Carulla: op. cit., pág. 175. Uriburu difundía la revista en el círculo de oficiales con que conspiraba.

[15] Rodolfo Irazusta nació en 1897; Julio Irazusta en 1889; Ernesto Palacio en 1900; Juan E. Carulla en 1888, y Tomás Casares en 1895.

[16] J. E. Carulla: op. cit., págs. 146-147.

[17] Véase J. Irazusta: *Memorias...*, págs. 92 y 179. También E. Zuleta: *El Nacionalismo...*, I, págs. 206-207.

[18] Véase E. Zuleta: *El Nacionalismo...*, I, págs. 216-217. Además Federico Ibarguren: *Orígenes del Nacionalismo Argentino, 1927-1937*, Buenos Aires, 1969 (Palabras iniciales) y E. Palacio en *Criterio*, N° 33, 18 de octubre de 1928.

[19] Véase A. Espezel Berro: "Un fragmento", en *Universitas*, N° 38, julio-setiembre de 1975 (recuerdos de los participantes de los "Cursos de Cultura Católica").

[20] Ibid., págs. 23-26 (recuerdos de Mario Amadeo).

[21] Ibid., pág. 15 (recuerdos de B. Anzoátegui).

[22] Véase E. Zuleta: *El Nacionalismo...*, I, págs. 189-190; J. Mejía: "Las tres etapas de *Criterio*", en *Criterio*, N° 1777/78, 24 de diciembre de 1977, págs. 671-672. También C. A. Floria y M. Monserrat: "La Política desde *Criterio*" (ibid., págs. 762-764).

[23] Véase *Criterio*, N° 9, 3 de mayo de 1928 y N° 33, 18 de octubre de 1928.

[24] Véase C. Ibarguren: *R. de Laferrère...*, pág. 41. En realidad, Lugones ya pensaba fundar una "Agrupación Patriótica" en 1923, pero no pudo concretar el anhelo por falta de eco. (Véase L. Lugones (h.): op. cit., pág. 327).

[25] V. Gutiérrez de Miguel: op. cit., págs. 103-107, reproduce el manifiesto de la Liga Republicana.

[26] V. ibid., págs. 103 y 107-109.

[27] J. E. Carulla: op. cit., pág. 184.

[28] Segundo manifiesto de la Liga Republicana (12 de agosto de 1929) en V. Gutiérrez: op. cit., págs. 109-110.

[29] Según datos de Laferrère en *La Fronda* del 7 de setiembre de 1934 (C. Ibarguren: *R. de Laferrère...*, págs. 41-51).

[30] Véase J. Beresford Crawkes: *553 Días de Historia Argentina (6 de setiembre de 1930-20 de febrero de 1932)*, Buenos Aires, 1932, pág. 96; y J. M. Rosa (h.): *Historia Argentina...*, XI, págs. 108-109.

[31] M. Carlés, discurso del 12 de julio y cartel del 6 de octubre de 1931, en V. Gutiérrez: op. cit., págs. 93-95.

[32] Véase J. M. Rosa (h.): *Historia Argentina...*, XI, págs. 111-112.

[33] Cit. en Lucas Ayarragaray: *Cuestiones y problemas argentinos contemporáneos*, Buenos Aires, 1930, págs. 193-195.

[34] Leopoldo Lugones: *La Patria Fuerte*, Buenos Aires, 2a. ed., s/f. (1a. ed., 1930), págs. 40 y 112.

[35] Leopoldo Lugones: *La Grande Argentina*, Buenos Aires, 1962 (1a. ed., 1930), págs. 222-230.

[36] Ibid., págs. 229-230.

[37] Véase "L. Lugones, sombrío propagandista", en *Criterio*, N? 114, 8 de mayo de 1930.

[38] Véase Julio Meinvielle: "La defensa del Estado", en *Criterio*, N? 140, 6 de noviembre de 1930, y N? 141, 13 de noviembre de 1930.

[39] Uriburu en Santa Fe, cit. en J. M. Rosa (h.): *Historia Argentina...*, XI, pág. 247.

[40] Véase BPNA VI (Carlos Ibarguren: "La Inquietud...", pág. 292.

[41] Discurso de Uriburu (6 de setiembre de 1930), en J. Beresford: op. cit., pág. 168.

[42] El manifiesto revolucionario en J. V. Orona: *La Revolución del 6 de septiembre*, Buenos Aires, 1966, págs. 208-209.

[43] Véase J. M. Rosa (h.): *Historia Argentina...*, XI, pág. 225 y Nota 22.

[44] Véase J. V. Orona: op. cit., pág. 227.

[45] Véase Carlos Ibarguren: *La historia que he vivido*, Buenos Aires, 1977 (1a. ed., 1955), págs. 384-385 y J. P. Ramos: "Democracia Nueva" (*Cuaderno Adunista* N? 1), Buenos Aires, 1932, págs. 5-6.

[46] Primer discurso en el Teatro Coliseo, en L. Lugones: *Antología de la prosa* (Selec. y com. de L. Lugones (h.)), Buenos Aires, 1949, págs. 365-377.

[47] V. artículo en *La Nación* (28 de noviembre de 1926).

[48] L. Lugones: *La Patria Fuerte*, pág. 93.

[49] L. Lugones: *La Grande Argentina*, pág. 23.

[50] Ibid., págs. 223-224.

[51] De "Política Revolucionaria", en L. Lugones: *Antología...*, págs. 463-67.

[52] Véase *Criterio*, N? 132, 11 de setiembre de 1930.

[53] *La Nueva República* (31 de enero y 15 de marzo de 1928), en PPN I (*El Pensamiento político nacionalista*. Antología, selección y comentario por Julio Irazusta, Buenos Aires, 1975, 3 tomos), págs. 59-63 y 79-82.

[54] E. Palacio, en *Criterio*, N? 80, 12 de setiembre de 1929.

[55] Ibid., y *Criterio*, N? 81, 19 de setiembre de 1929.

[56] PPN II, págs. 142-148.

[57] V. *Criterio*, N? 148, 1? de enero de 1931.

[58] Discurso del 15 de octubre de 1930, en BPNA VI (Carlos Ibarguren: *La Inquietud de esta hora...* y otros escritos). [Biblioteca del Pensamiento Nacionalista Argentino, Buenos Aires, 1975] págs. 300 y 302.

[59] Manuel Carlés: *Definición de la Liga Patriótica Argentina*, Buenos Aires, 1922, págs. 4 y 9.

[60] V. *Criterio*, N? 112, 24 de abril de 1930.

[61] De "Política Revolucionaria", en L. Lugones: *Antología...*, págs. 464-465.

[62] Julio Irazusta: *La Nueva República* (3 de noviembre de 1931), en PPN III, págs. 178-180.

[63] *La Nueva República* (14 de octubre de 1931), en PPN III, pág. 79.

[64] *La Nueva República* (8 de noviembre de 1930), en PPN II, págs. 125-127.

[65] V. *Criterio*, N° 152, 29 de enero de 1931.

[66] "El Plan Judío contra el mundo cristiano", en *Criterio*, N° 162, 9 de abril de 1931 y N° 170, 4 de junio de 1931. Los "kahales" fueron en realidad instituciones de autogobierno de las comunidades judías en la Polonia del siglo XVII. La tesis antisemita sobre la existencia de un "Kahal supremo" mundial carece de toda base seria.

[67] "¿Por qué niegan a Dios los judíos del Soviet?", en *Criterio*, N° 196, 3 de diciembre de 1931.

[68] Véase Manuel Carlés: op. cit., págs. 7, 14, 21, 24 y 28-29.

[69] Ibid., págs. 12-13.

[70] V. "Ante la doble amenaza" (1923), en L. Lugones: *Antología...*, págs. 365-377.

[71] L. Lugones: *La Grande Argentina*, págs. 177-179.

[72] Ibid., págs. 146-148 y 149-154.

[73] Ibid., pág. 154.

[74] Ibid., pág. 198.

[75] L. Lugones: *La Patria Fuerte*, págs. 80-81 y 111.

[76] Discurso de Uriburu del 15 de diciembre de 1930. Véase V. Gutiérrez, op. cit., pág. 254, y Nicolás Repetto: *Mi paso por la política*, Buenos Aires, 1957, págs. 20-23.

[77] *La Nueva República* (3 y 6 de noviembre de 1931), en PPN III, págs. 178-180 y 209-212.

[78] *La Nueva República* (15 de octubre de 1931), en PPN III, págs. 85-88.

[79] Sobre esto véase la carta de Uriburu a L. de la Torre (4 de diciembre de 1930), cit., en Lisandro de la Torre: *Obras de L. de la Torre*, Buenos Aires, 1952 (3 tomos), I, pág. 228.

[80] Cit. en V. Gutiérrez: op. cit., págs. 247-254.

[81] De "Política Revolucionaria", en L. Lugones: *El Payador...*, págs. 308-9.

[82] V. *La Nueva República* (11 y 28 de abril de 1928), en PPN I, págs. 96-104.

[83] L. Lugones: *La Patria Fuerte*, págs. 45-46.

[84] L. Lugones: *La Grande Argentina*, pág. 227.

[85] "Derechas e izquierdas", en *Criterio*, N° 21, 25 de julio de 1928.

[86] *La Nueva República* (1° de diciembre de 1928), cit. en Federico Ibarguren: *Orígenes del Nacionalismo...*, pág. 21.

[87] Artículos de César Pico en *La Nueva República* (1º de enero de 1928) y *La Nación* (25 de diciembre de 1927), reproducidos en PPN I, págs. 27-29 y 31-39. Véase también *Criterio* Nº 7, 19 de abril de 1928, y Nº 8, 26 de abril de 1928.

[88] *La Nueva República* (5 de mayo de 1928), en PPN I, págs. 106-110.

[89] En *Criterio*, Nº 1, 8 de marzo de 1928.

[90] *La Nueva República* (7 de noviembre de 1931), en PPN III, pág. 223.

[91] Janbourg, en *Criterio*, Nº 112, 24 de abril de 1930.

[92] *La Nueva República* (26 de julio de 1930), en PPN II, págs. 87-89.

[93] Cit. en M. de Lezica: *Recuerdos de un nacionalista*, Buenos Aires, 1968, pág. 53. Formulaciones más duras habría utilizado Uriburu en conversaciones con oficiales (junio de 1930). Véase J. M. Rosa (h.): *Historia Argentina...*, XI, pág. 122.

[94] Cit. en M. de Lezica: op. cit., pág. 54.

[95] Véase J. V. Orona: op. cit., pág. 227.

[96] Discurso del 15 de octubre de 1930, en BPNA VI, págs. 299-312.

[97] L. Lugones: *La Grande Argentina*, pág. 210.

[98] Ibid., págs. 156 y 212.

[99] V. "Informe Confidencial", en L. Lugones: *El Payador...*, págs. 315-17.

[100] De "Política Revolucionaria" (ibid., págs. 308-309 y 313).

[101] V. "El Estado equitativo" (1932) en F. Ibarguren: *Orígenes del nacionalismo...*, págs. 119-124; además L. Lugones: *La Grande Argentina*, págs. 211 y 227.

[102] *La Nueva República* (28 de abril de 1928), en PPN I, pág. 104 y el número del 2 de agosto de 1930, en PPN II, págs. 108-109.

[103] V. *Criterio*, Nº 148, 1º de enero de 1931.

[104] *La Nueva República* (7 de marzo de 1931), en PPN II, págs. 152-165.

[105] Con el término de "militarismo" no se designa aquí una voluntad belicista a un expansionismo violento, sino la tendencia de asignarle a las Fuerzas Armadas un papel directivo en la sociedad, lo que ocurre a costa de una disminución del poder civil. También: "el traspaso de principios y pautas de conductas específicamente militares a áreas vitales para las que esos principios no resultan adecuados" (H. P. Bahrdt, cit. en *Handlexikon zur Politikwissenschaft*, ed. A. Görlitz, Reibeck b. Hamburg, 1973, vol. I, pág. 251).

[106] M. Carlés: op. cit., pág. 22.

[107] L. Lugones: *Antología...*, págs. 457-462.

[108] Cit. en L. Lugones (h.): op. cit., págs. 343-344.

[109] L. Lugones: *El Payador...*, pág. 307.

[110] Véase L. Lugones: *Antología...*, pág. 453; L. Lugones: *La Grande Argentina*, pág. 211, y L. Lugones: *La Patria Fuerte*, págs. 11 y 39.

[111] L. Lugones: *La Grande Argentina*, pág. 211.

[112] De "El Estado equitativo", cit. en F. Ibarguren: *Orígenes del Nacionalismo*, págs. 119-124.

[113] "Normalidad constitucional" (1931), en PPN III, págs. 174-177.

[114] L. Lugones: *La Patria Fuerte*, págs. 39-40.

[115] L. Lugones: *La Grande Argentina*, pág. 227.

[116] Discurso de Ayacucho, en L. Lugones: *Antología...*, págs. 457-462.

[117] L. Lugones: *La Grande Argentina*, pág. 229.

[118] *La Nueva República* (11 y 28 de abril de 1928), en PPN I, págs. 96-104.

[119] *Criterio*, N° 2, 15 de marzo de 1928.

[120] *La Nueva República* (28 de junio de 1930), en PPN II, págs. 65-66.

[121] *La Nueva República* (26 de julio de 1930), en PPN II, págs. 87-89.

[122] V. "La defensa del Estado", en *Criterio*, N° 140, 6 de noviembre de 1930.

[123] E. Palacio, en *Criterio*, N° 80, 12 de setiembre de 1929.

[124] V. *La Nueva República* (2 de agosto de 1930), en PPN II, págs. 108-109 y PPN III, pág. 143.

[125] Cit. en J. M. Rosa (h.): *Historia Argentina...*, XI, pág. 225.

[126] Ibid., pág. 242.

[127] Véase L. Lugones: *La Grande Argentina*, págs. 165-169.

[128] L. Lugones: *La Patria Fuerte*, págs. 52-53 y 63.

[129] Ibid., pág. 109.

[130] L. Lugones: *La Grande Argentina*, pág. 157.

[131] Ibid., pág. 33.

[132] Ibid., págs. 94, 127 y 158.

[133] Ibid., pág. 44.

[134] Ibid., pág. 88.

[135] Ibid., pág. 36.

[136] Las opiniones de Rodolfo y Julio Irazusta (*La Nueva República*, 2 de agosto y 27 de diciembre de 1930), en PPN II, págs 102-103.

[137] V. "Programa de Gobierno" (20 de octubre de 1928), en PPN I, págs. 156-173.

[138] Véase E. Palacio: *Historia de la Argentina*, págs. 364-365 y C. Ibarguren: *La historia...*, págs. 520-522.

[139] Cit. en PPN II, pág. 107.

[140] V. PPN II, págs. 108-109.

[141] Para estos diversos aspectos de la doctrina de la Action Française, véase E. Nolte: *Der Faschismus in seiner Epoche*, München, 1971, págs. 150, 156, 164-182; Charles Maurras: *Encuesta sobre la Monarquía*, Madrid, 1935, págs. 619-620, y Ch. Maurras: *Mis ideas políticas* (trad. cast. de J. Irazusta), Buenos Aires, 1962, págs. 181-225, 236-242.

[142] Esta polémica tuvo lugar en abril de 1928. Véase J. Irazusta: *Genio y figura de Leopoldo Lugones*, Buenos Aires, 1969, pág. 114.

[143] "Acción", en L. Lugones: *Antología...*, pág. 374.

[144] L. Lugones: *La Patria Fuerte*, págs. 79, 83 y 118.

[145] L. Lugones: *La Grande Argentina*, págs. 229-230.

[146] V. *Criterio*, N° 32, 1° de octubre de 1928.

[147] V. *Criterio*, N° 45, 10 de enero de 1929.

[148] "La defensa del Estado", en *Criterio*, N° 140, 6 de noviembre de 1930.

[149] "El Estado Gendarme", en *Criterio*, N° 148, 1° de enero de 1931.

[150] "El Vaticano, el Fascismo y la Action Française", en *Criterio*, N° 57, 4 de abril de 1929.

[151] "Católicos y fascistas en Italia", en *Criterio*, N° 119, 12 de junio de 1930.

[152] "La Obra Nacional Balilla" (artículo sin firma), en *Revista Militar*, junio de 1930, N° 353, págs. 915, 923 y 943.

[153] "Informe...", en L. Lugones: *El Payador...*, págs. 315-317.

[154] Véase F. Ibarguren: *Orígenes del Nacionalismo*, págs. 74-77.

EL FRACASO DEL URIBURISMO

Teoría y práctica

El papel relevante que desempeñaron Lugones y los neorrepublicanos en la preparación intelectual del clima revolucionario de 1930 es un hecho indiscutible. Pero en esta labor no eran los únicos. La agitación contra Yrigoyen no era menos intensa por parte de conservadores, radicales "antipersonalistas" y socialistas independientes.[1] Estas fuerzas contaban con mayores recursos financieros y mejores contactos institucionales que los jóvenes nacionalistas. En la conducción militar del movimiento también se daba esa dualidad: al lado de Uriburu y sus seguidores tuvo una actuación destacada el ex ministro de Guerra, general Agustín P. Justo, quien no sólo poseía prestigio en el ejército, sino también en los partidos de la oposición. Esta ala "justista" de la Revolución de Setiembre podía caracterizarse ideológicamente como de tendencia liberal-conservadora.

En la Revolución de 1930 triunfó una heterogénea coalición antiyrigoyenista, cuyo programa común en realidad se agotaba en el mencionado adjetivo: el presidente y la UCR debían ser despojados del gobierno. Un testigo, el futuro presidente Ortiz, se lamentó en aquellos días del hecho de que la revolución nunca hubiese logrado darse "un programa político".[2] De manera adicional se la interpretó también como contrarrevolución preventiva frente a una supuesta amenaza anarco-bolchevique. Lugones probablemente creía con sinceridad en tal cosa, pero los políticos conservadores, más realistas, difícilmente habrán tomado en serio semejantes temores. De todas maneras puede decirse que la mentalidad defensiva surgida entre 1916 y 1930 formó el sustrato psicológico común a todos los revolucionarios setembrinos. Matías Sánchez Sorondo, flamante Ministro del Interior de Uriburu, formuló el objetivo fundamental:

"La Revolución tiene un programa: (...) colocar a la República en condiciones constitucionales y legales que hagan imposible la regresión al estado político y social creado por el sistema y a los procedimientos a que puso fin el movimiento del 6 de setiembre."[3]

El ala liberal-conservadora tomó pronto las posiciones más importantes en el nuevo gobierno. Hasta los ministros de Guerra y Marina (general Medina y almirante Renard) demostraron en su momento que eran uriburistas de poca consistencia. El fenómeno fue comentado con aprobación por el embajador norteamericano Bliss:

> "El Gobierno Provisional está compuesto por patriotas honestos (...). Todos ellos son conservadores. El derrocamiento de Yrigoyen puede describirse acertadamente más bien como una restauración que como una revolución (...)."[4]

Después que los acontecimientos del año 1931 —las elecciones bonaerenses— demostraron la permanencia del poderío electoral de la UCR, el sector liberal-conservador se decidió por la siguiente estrategia: a) vuelta al sistema tradicional del roquismo, es decir, al fraude, haciendo imposible un retorno del radicalismo al poder por las vías normales; b) uso de las Fuerzas Armadas —políticamente "purgadas"— como reaseguro militar de la nueva legalidad ficticia. Con una constante prédica relativa al "orden" y al "profesionalismo", además de una propaganda que presentaba a una UCR "corrupta" y "socializante", se confiaba en mantener la lealtad de los militares al régimen setembrino. Con algunos refinamientos adicionales, esta estrategia fue exitosamente realizada desde fines de 1931 hasta mediados de 1943. En amplios sectores de la población produjo un profundo desengaño y creciente resignación. Por otra parte, se trataba de un movimiento en dirección a la resistencia más débil, porque esta política no entraba en conflicto con ninguno de los principales intereses establecidos de la sociedad, y representaba a su vez la mentalidad dominante del "viejo régimen" (anterior a 1916), época embellecida por intencionadas nostalgias. Con razón se ha hablado de una "restauración de los conservadores", caracterizada por un anémico liberalismo jurídico carente de base democrática.[5]

Pero la mentalidad defensiva había originado también otro conglomerado ideológico: el uriburismo. Este quería un "cambio de sistema", una revolución "auténtica" sobre la base de un proyecto nacional muy diferente. Los seguidores del general Justo añoraban los tiempos de Roca; Lugones y los neorrepublicanos parecían empeñados en restaurar los fundamentos institucionales anteriores a 1789. Una orientación tan utópica y extrema logró desarrollar un significativo poder de atracción en el ámbito de la juventud académica, que no se sentía seducida por el elegante cinismo de muchos políticos conservadores. Además, en el plano de las ideas los uriburistas podían demostrar que los peligros del yrigoyenismo y de la izquierda ya germinaban en la Argentina de Roca. Un mundo realmente "sano" debía ser restaurado. Pero partiendo de semejante perspectiva no resultaba sencilla la elaboración de una propuesta estratégica. La alianza con el conservadorismo era considerada simplemente como una necesidad pasajera, ya que el uriburismo creía superados los postulados de aquella fuerza. ¿Pero podía esperarse un retiro voluntario de la escena? ¿De qué tipo, y cuán duras debían ser las medidas contra la UCR y la izquierda? Frente a estos interrogantes insoslayables el uriburismo no tenía respuestas precisas. A lo largo de continuas oscilaciones se perfilaron dos tendencias en su seno.

En primer lugar existía una línea relativamente moderada, representada por Uriburu, Carlos Ibarguren y Sánchez Sorondo. A ella le bastaba una combinación no muy clara entre corporativismo y parlamentarismo, por lo que no buscaba una ruptura con los aliados liberal-conservadores. Uriburu pensaba coronar su obra con la elección de Lisandro de la Torre como presidente de la República: una idea ingenua, nacida de una vieja amistad, que fracasó ante la actitud negativa del líder demoprogresista. Ibarguren comenzó a realizar sus ideas corporativas como interventor en Córdoba: fueron creados una Junta Económica y un Consejo Económico de la Provincia (diciembre de 1930), pero no lograron éxitos en la lucha contra la crisis ni despertaron el eco público esperado. Algunos intelectuales como Carulla, varios periodistas de *Criterio*, la LdM y oficiales como Pedro Pablo Ramírez, E. Kinkelín y Juan Bautista Molina pueden considerarse adheridos a esta línea, aunque en los militares mencionados ello ocurría más por disciplina que por simpatía, pues esta última estaba del lado del uriburismo "duro".

El ala "dura" encontraba su expresión en Lugones, *La Nueva República* y la LR. Este grupo prefería una dictadura más prolongada y deseaba prescindir de los partidos establecidos —"esas bandas parasitarias"[6] —, exigiendo la instauración del Estado corporativo integral. Para ello consideraban suficiente el apoyo de las Fuerzas Armadas y de las agrupaciones nacionalistas.

Rodolfo Irazusta ocupaba una posición sumamente independiente dentro del marco general de esta tendencia.

Si en octubre de 1930 se tenía en cuenta a todos los uriburistas de realce, podía comprobarse que no habían recibido cargos decisivos. R. de Laferrère fue secretario de prensa de la intervención en Córdoba[7]; E. Palacio y Atwell de Veyga fueron a San Juan; Atilio Dell' Oro Maini ocupó dignidades en Santa Fe y luego en Corrientes. Podrían agregarse los interventores de Mendoza (José María Rosa) y La Rioja (almirante Moneta).

En cambio los ministerios, la mayor parte de la burocracia estatal, los periódicos más influyentes y las instituciones económicas de rango estaban en manos conservadoras. El uriburismo se veía forzado a intensificar sus esfuerzos para constituirse en fuerza de gran peso. Leopoldo Lugones —en la cumbre de su prestigio político— habló el 3 de octubre como delegado de Uriburu en una cena de los "revolucionarios de setiembre". En tono condescendiente declaró que los planes del general "excluyen la miseria de un partido oficial. Ni lo necesita como vencedor, ni lo desea como político que no es y que tampoco quiere ser".[8] Poco después redactó un "Informe Confidencial" para Uriburu, en el cual se oponía frontalmente a las elecciones propuestas por conservadores y socialistas:

> "Es cuestión de vida o muerte. Si el radicalismo nos gana las elecciones convocadas por nosotros mismos, triunfa la contrarrevolución y vamos todos a la cárcel."[9]

Junto a las reformas corporativas e industrialistas ya mencionadas, aparecen en dicho informe propuestas tendientes a una represión más intensa de la oposición. La justicia y la administración debían ser completamente limpiadas de "cómplices del yrigoyenismo y del comunismo". Lo mismo exigía Lugones para las Universidades, donde "los malos" ocupaban cátedras que corresponderían a "los buenos". La prensa debía ser disciplinada: periodistas como Adolfo Dickmann (de *La Vanguardia*) y Natalio Botana (de *Crítica*) debían ser "deportados o encarcelados".[10] En marzo de 1931 el poeta continuó su prédica en el libro *Política revolucionaria*, en el cual elogiaba los supuestos logros del nuevo gobierno[11], pero volvía a criticar el afán electoralista, que traería solamente un "nuevo desorden social".

Mucho más cáustico fue Rodolfo Irazusta el 1º de octubre de 1930, en una carta a su hermano Julio. Encontró carente de "inteligencia" al nuevo gobierno y lamentó la impresión del partidismo y clasismo que su composición dejaba en el ánimo del observador. Al definirlo como un "gobierno de Jockey Club", de conservadorismo moderado, creía posible una próxima "oposición abierta" por su parte.[12] A esto último no se llegó. En cuanto a la práctica concreta del gobierno, dio un lugar preponderante a las medidas policiales y de "limpieza" política recomendadas por Lugones. Hubo numerosas cesantías de funcionarios[13] y se iniciaron procesos por corrupción que terminaron de manera poco airosa para el gobierno, que no pudo demostrar las culpas supuestamente enormes que se atribuían al radicalismo. Mientras que Lugones ofrecía una apología global del nuevo régimen, contrastaba la actitud de Rodolfo Irazusta, dedicado a una crítica leal. Sostuvo que no bastaba la caída del líder radical, que debía avanzarse hacia una "rebelión" contra "las organizaciones extranjeras" que dominaban el comercio internacional de la Argentina. El "liberalismo infiltrado" estaría intentando el bloqueo de este desarrollo de la Revolución de Setiembre. En cambio, creía ver en Brasil un gobierno cuyos jefes estarían demostrando "una osadía intelectual y destreza política verdaderamente envidiables".[14] Irazusta proponía concretamente que Uriburu convocase a un gran "Cabildo Abierto" de "todas las clases, partidos y regiones" para legitimar a través de esa asamblea sus reformas de fondo.[15]

A pesar de las despectivas afirmaciones iniciales de Lugones, Carulla inició en noviembre de 1930 la organización de un nuevo Partido Nacional, apoyado por el Ministro del Interior. Según la concepción originaria, debía ser el lugar de encuentro entre personalidades destacadas del uriburismo —entre ellos Carulla, Videla Dorna, Alberto Viñas y Carlos Silveyra— y "calificados representantes del comercio, la industria y la universidad", a fin de conformar los equipos dirigentes de un futuro partido de masas. Así se produjo en Buenos Aires la fundación de una oficina central y veinte comités de distrito.[16] Pero las ligas juveniles nacionalistas no veían con simpatía el proyecto y los conservadores no deseaban ser manipulados por el uriburismo. A principios de 1931 se iniciaron las "deserciones". Los conservadores bonaerenses dirigieron una convocatoria a sus correligionarios del interior, y a mediados de 1931 lograron realizar su unificación a través del Partido Demócrata Nacional (PDN). Matías Sánchez Sorondo y sus amigos sólo pudieron formar un ala uriburista relativamente moderada y débil en el seno del PDN.[17]

Los consejeros más optimistas de Uriburu lograron imponer su criterio de llamar a elecciones provinciales en ese año, un "experimento" que Carlos Ibarguren y los "duros" consideraban peligroso. Lugones advirtió que era posible una victoria de la UCR —"la venganza de la anarquía"— y aseguró que tales esperanzas eran articuladas abiertamente por "el populacho más soez".[18] El comentario de R. Irazusta fue el siguiente:

"El país ha entrado de nuevo en uno de esos períodos vergonzosos que se llaman campañas electorales (...). La elección tiene la virtud de destapar las bajas pasiones de los hombres."[19]

También él veía a la "anarquía" como probable consecuencia. Las elecciones del 5 de abril en la provincia de Buenos Aires dieron 216.000 sufragios a los radicales, 185.000 a los conservadores y 41.000 al socialismo. El efecto fue como la explosión de una bomba. El 15 de abril renunció el gabinete y en la oficialidad se impusieron los adherentes del general Justo. El nuevo Ministro del Interior, Octavio S. Pico, comenzó a orientar su acción en ese sentido. Las elecciones de la provincia de Buenos Aires fueron "anuladas".

El desconcierto en las filas nacionalistas fue grande. Un observador del ala moderada que escribía en *Criterio* trató de minimizar la significación de las elecciones —"sólo" eran "regionales"—, pero reconoció que ahora existía una "incógnita obsesionante":

"o la masa no tuvo participación efectiva el 6 de setiembre y fue simple compar-
sa (...) o el sistema electoral vigente —lo que es cierto de todas veras— no respon-
de por su mecanicismo al verdadero reflejo de la clase que debe dirigir los destinos de un país, y no ser dirigida".[20]

El 15 de abril la Liga Republicana publicó un manifiesto llaman-
do a estrechar filas en torno a Uriburu. El jefe del gobierno debía
conservar el poder "hasta el logro de los fines revolucionarios". También estos comicios habrían confirmado la desconfianza de la LR
frente a las "mayorías organizadas".[21] El mismo Uriburu pareció haber perdido el valor. El 9 de junio publicó un "Proyecto para la reforma constitucional" en el cual denunció por enésima vez la "demagogia" del radicalismo, que con su "turba famélica ignorante y grosera" constituiría el mayor peligro para la patria. En dicho proyecto
solicitaba una mayor descentralización a favor de las autonomías
provinciales y una ampliación de los poderes de la Suprema Corte,
tradicional reducto conservador. En este "programa de la Revolución"[22] no había ni una sola línea referida al corporativismo, con lo
cual la posición del general como jefe de los nacionalistas no resultaba por cierto reforzada. Comenzó en aquellos días su transformación
progresiva en una sombra política, aunque algunos leales intentaron
construir el mito del héroe traicionado, que le sobrevivió algunos
años.

La Concordancia —una coalición de conservadores (PDN), socialistas independientes y radicales antipersonalistas— postuló el binomio A. P. Justo-Julio Roca (hijo) para las más altas magistraturas de
la Nación. Todos los medios del gobierno fueron puestos a disposición de esta fórmula política. Mientras la UCR se veía cada vez más
trabada en sus movimientos se formaba la Alianza Civil de centro-iz-
quierda, con las candidaturas de Lisandro de la Torre (PDP) y Nicolás
Repetto (PS).

Uriburu oscilaba entre el ala moderada y el sector duro de sus
adherentes. Por un lado no perdía del todo las esperanzas de que su
corporativismo lograse una última chance con la victoria de la
Concordancia; por el otro propició la creación de un nuevo instrumento de poder: la Legión Cívica Argentina (LCA). Esta nueva versión del concepto unificador de agosto de 1930 se efectivizó a partir
de febrero de 1931, gracias a la tarea conjunta de oficiales como Juan
Bautista Molina (secretario del Presidente), E. Kinkelín y L. Monte-
negro, y de civiles como Floro Lavalle y J. E. Carulla. El tema fundamental del uriburismo —la supuesta amenaza de la extrema izquierda— fue decisivo. para el desarrollo y la autointerpretación de la
LCA. En diciembre de 1930 se habían producido algunos atentados
con bombas en Buenos Aires, al parecer como venganza por las ejecuciones de anarquistas. Al mismo tiempo, fue descubierto y

ahogado un intento golpista de suboficiales radicales en Córdoba. El Departamento policial ocupado del caso —Orden político y social—, encabezado por L. Lugones (hijo) declaró que todos esos hechos respondían a una sola "confabulación anarco-radical". Pruebas convincentes de ello jamás fueron presentadas. En febrero de 1931 se comunicó el descubrimiento de una nueva intentona revolucionaria de la UCR, pero ésta parecía más irreal que la anterior. Desde entonces circularon duras acusaciones contra Lugones (h.) por los apremios ilegales que parece haber tolerado en su área de competencia.[23]

La LCA —una milicia voluntaria entrenada por militares— tenía innegables similitudes formales con la Milizia Volontaria per la Sicurezza Nazionale de la Italia fascista. Concebida como "reserva" excepcional, para el ejército y la policía, se dirigía contra "el peligro público" del Klan radical, una agrupación que en la mente de Carulla había adquirido dimensiones descomunales.[24] También en este contexto Uriburu habló de "la defensa de la Patria y del orden (...) contra el sistema que ha envenenado el país en los últimos tiempos" y mencionó, en su habitual estilo hiperbólico, la supuesta "ofensiva general" del "comunismo ruso".[25] El 20 de mayo de 1931 la LCA fue reconocida por el gobierno como asociación legal "apolítica". Cómo debía entenderse esto último lo clarificó el discurso de Uriburu ante 10.000 legionarios, cinco días después:

"Como jefe de la revolución soy vuestro jefe (...). Saludo en vosotros a la fuerza cívica que condensa y expresa con fervor el espíritu genuino de la Revolución de Setiembre (...) y la defenderéis con vuestra vida (...). Vais a (...) bregar para que la reconstrucción constitucional que el país reclama se asiente sobre reformas fundamentales que hemos planteado (...):"[26]

En determinados momentos pareció que Uriburu lanzaría la "segunda revolución" —por fin la suya propia— con la ayuda de la LCA. Carulla le prometió alistar 100.000 hombres en el plazo de cinco meses, promesa que no pudo cumplir. En una conversación privada el iracundo general afirmó que ejercería presión sobre el futuro Congreso con "70.000 legionarios", demostrando que también era capaz de hacer "una revolución de arriba".[27] Pero los toques de clarín del jefe claudicante no se repitieron. La LCA no pudo convertirse en el crisol de todas las organizaciones nacionalistas. Laferrère, el jefe de la LR, se negó a disolver los restos de su agrupación porque consideraba —no sin razón— que la Legión Cívica era una "masa enorme, incoherente, sin alma ni disciplina", un "plagio" de la LR, nacido al amparo del oficialismo y no de la lucha.[28] También un núcleo de la LdM conservó su independencia, conducido por Rafael Campos. El propio Carulla cedió a la tentación de un mando autónomo, formando en 1932 la Agrupación Teniente General Uriburu (AGU).

La Concordancia era demasiado "liberal" para los nacionalistas, pero no les quedaba más alternativa que apoyar a esa coalición. Las Fuerzas Armadas no querían erigir una dictadura por tiempo indeterminado, y esta decisión explica el retroceso de Uriburu ante los riesgos de una segunda revolución. Un intento de este tipo habría chocado con la resistencia activa de los justistas. Como seguía vigente la amenaza de nuevas rebeliones radicales, resultaba demasiado peligrosa la aventura de un conflicto interno en el bloque antiyirigoyenista. Además era dudoso el potencial combativo de los "legionarios", mal armados y bisoños, frente a un par de regimientos regulares. Para los uriburistas acérrimos sólo quedaba la posibilidad de continuar, con renovada tenacidad, en el camino de la unificación programática y orgánica. En este sentido se dio un paso con el "Manifiesto de la Acción Republicana" (9 de julio de 1931).[29] Allí reaparecieron los conocidos temas antiliberales junto con un amplio programa económico.[30] Pero el detallado proyecto corporativo, publicado por R. Irazusta sólo cuatro meses antes ni siquiera fue mencionado. Presuntamente no se quería disminuir el atractivo de la convocatoria con este polémico tema. "Acción Republicana" fue una iniciativa común de L. Lugones y los neorrepublicanos —los hermanos Irazusta, Palacio, Pico y A. de Veyga. Pero eran más significativas aún las numerosas firmas que faltaban en el documento. ¿Dónde quedaba el apoyo de Carulla, Ibarguren, Laferrère, Campos y los jefes de la LCA? Acción Republicana fue otro llamado sin eco.

En julio de 1931 se produjo el sangriento levantamiento radical del teniente coronel Gregorio Pomar en Corrientes. La mayor parte del ejército no lo acompañó. El ya mencionado Jefe de Policía Lugones volvió a hablar de una conspiración "radical-anarquista".

"Ha existido la promesa firme y ofrecida por los personalistas, de que la ciudad de Buenos Aires sería entregada al saqueo y al desmán de las turbas anarquistas (...). Desde luego no estaban excluidos de este plan de pillaje los comités radicales, cuyos caudillos aprestábanse a entrar en acción levantando masas de populacho, cuyo objeto primordial hubiera sido el asalto, el saqueo y probablemente la exterminación de todas aquellas personas que (...) resultaran elementos peligrosos para el desarrollo del plan ulterior del Partido Radical."[31]

Seis días después intervino Uriburu en esta campaña difamatoria, acusando a los consejeros de Alvear de conspirar "hasta con comunistas".[32] Pero quien mayor provecho sacó de los sucesos fue Justo. El coronel J. B. Molina comprometió a los oficiales uriburistas a apoyar la candidatura del general-ingeniero[33] y se produjeron masivas medidas represivas contra la UCR. Alvear y otros dirigentes se vieron forzados a abandonar el país; locales partidarios y periódicos fueron clausurados y 2000 activistas detenidos. A los adherentes al "régimen derrocado el 6 de setiembre" les fue negado el derecho de presentarse como candidatos.[34] Era la aceptación tácita de la doctrina que por entonces difundía burlonamente Leopoldo Lugones:

"¿La Constitución? ¡Si ella ha sido derogada por la revolución del 6 de setiembre! De ella no ha quedado más que una tapera cuyos materiales son utilizados discrecionalmente por el gobierno provisional, en lo que pueden tener de utilizables. Constitución es conjunto de poderes y ellos no existen, sino un gobierno revolucionario encargado de reconstruir el país (...)."[35]

Todos estos hechos produjeron en el nacionalismo un fenómeno notable: Rodolfo Irazusta inició su solitaria marcha hacia la revisión ideológica, un camino que sólo muchos años después hallaría comprensión en sectores más amplios del movimiento nacionalista. El historiador E. Zuleta Alvarez ha estudiado detalladamente este desarrollo, que será resumido aquí en dos temáticas fundamentales[36]:

1) *El descubrimiento de la justificación histórica del radicalismo.* Además se produjo en R. Irazusta una reconsideración de las cualidades democráticas de este partido desde una óptica muy especial; la democracia de masas, de tipo cesarista ya no le parecía tan negativa:

"Reconocemos que al ciudadano argentino le gusta votar (...) el pueblo quiere a un jefe al cual pueda ofrecer el concurso de su voluntad colectiva, busca siempre a un hombre que le inspire confianza y cuando lo encuentra, lo autoriza a tomarse facultades extraordinarias. El pueblo lo quiere así y hace bien."[37]

Quedaba olvidado el elitismo antes tan celebrado, llegando este autor a expresar que nunca podía irse contra "la voluntad del pueblo".[38]

2) *El desmoronamiento de la figura de Uriburu como conductor.* Irazusta denunciaba ahora su "crueldad" contra sus enemigos políticos y reconocía haberse equivocado cuando lo había creído el hombre de la reconciliación "salvadora y definitiva". La Revolución no había salvado a nadie y los conservadores la habrían "deshonrado".[39]

Zuleta Alvarez ha explicado esta transformación como el corolario de la creciente importancia que daba R. Irazusta a la problemática del imperialismo. Esto sin duda es cierto. Desde esa nueva perspectiva aparecían como sumamente cuestionables la panacea del Estado corporativo y las supuestas cualidades "nacionales" de las "elites". Pero también es necesario preguntarse si el nacionalismo "revisionista" de Irazusta no perseguía además el objetivo de impresionar a radicales desconcertados y de proporcionar así un nuevo apoyo a los oficiales sin tropa de *La Nueva República*. Ambos factores —el convencimiento auténtico y ciertas consideraciones tácticas— pueden haber jugado un papel. Lo último solamente tenía sentido a largo plazo, porque habría significado un autoengaño suponer que un par de artículos podrían borrar tres años de propaganda antiyirigoyenista.

En 1931-1932 este revisionismo fue un caso aislado. Los correligionarios de R. Irazusta también se sentían desilusionados, pero consideraron que ahora el enemigo principal era la Alianza Civil, por lo que apoyaron públicamente a Justo. Julio Irazusta continuó sus ataques contra el sufragio universal[40] y se mantuvo apegado a posiciones conservadoras en el terreno económico-social. Afirmó que la oligarquía ("sobre todo abogados") "nada" tenía que ver con los "poseedores de la tierra", ya que éstos eran:

"la verdadera fuerza de conservación, la suma de intereses particulares más coincidentes con el interés general del país".[41]

Las otras dos fuerzas positivas eran para él "el ejército" y "el clero". El impuesto a la herencia le parecía un atropello estatal a la propiedad privada y encontraba admirable el mayorazgo propio del Antiguo Régimen.[42] Cuatro días antes de las elecciones nacionales de noviembre subrayó la tesis de que "las masas", por sus altos consumos eran las responsables de la crisis mundial, agregando esta interesante reflexión:

"Hoy por hoy la mejor colocación de capitales sería que ellos contribuyeran a la obra de destrucción del liberalismo socialista o socialismo liberal que ha desorganizado las condiciones económicas del mundo.[43]

El autor neorrepublicano concluyó que los capitalistas que no entendían esto debían ser salvados "a pesar suyo". En aquellos meses se produjo también un hecho lamentable: Rodolfo Irazusta comenzó a utilizar el tema antisemita en una durísima campaña contra el binomio de la Alianza Civil. De Repetto llegó a afirmar que era un sirviente de "la finanza judía internacional".[44] En cuanto a Julio Irazusta, consideraba que el programa de aquella fuerza política era "derrochador", porque pedía el seguro social y el seguro de desempleo; más adelante debía temerse una "repartición del capital". De la Torre no sería más que un "blasfemo notorio".[45] Similares acusaciones aparecieron en *Criterio* y en la prosa del interventor J. M. Rosa: la Alianza aparecía allí siempre como "demagógica", "sectaria" y aun "inconstitucional".[46] Su objetivo sería la "destrucción del edificio social".[47] Justo recibía las alabanzas de L. Lugones, que lo recomendaba al electorado como "el único candidato", "auténtico" argentino y continuador de la Revolución de Setiembre.[48]

Bajo las condiciones imperantes la UCR decidió no concurrir a los comicios. El 8 de noviembre de 1931 triunfó la fórmula Justo-Roca con el fraude sistemático. Ya en diciembre la policía había secuestrado los documentos de miles de radicales, y además las Juntas Electorales estaban integradas por hombres adictos al gobierno. Por último jugó un papel la LCA, organismo demasiado débil para efectuar la revolución uriburista, pero apto para intimidar al ciudadano corriente.[49] En un triste epílogo a estos acontecimientos, R. Irazusta se burló de Lisandro de la Torre, quien había declarado que no había habido verdaderas elecciones. El escritor neorrepublicano le respondió al "líder judío-demócrata" que efectivamente no habían tenido lugar "elecciones judías".[50]

El general Agustín P. Justo asumió la presidencia de la República en febrero de 1932. Uriburu publicó un último manifiesto, en el cual volvió a mencionar su "democracia orgánica" o corporativa, que encomendaba como tarea futura a su sucesor. Este no respondió en forma alguna y Uriburu falleció el 21 de abril de 1932, a consecuencias de una operación, en París. En sus exequias (27 de mayo) se reunió un pequeño núcleo de fieles, entre los que se destacaban el magnate azucarero Robustiano Patrón Costas y el teniente coronel E. Kinkelín. El uriburismo, en el sentido estricto del término, había finalizado. Por un breve tiempo el joven nacionalismo había creído que "su" revolución estaba en marcha. En realidad la restauración conservadora había iniciado su predominio, que habría de durar más de una década.

El uriburismo en la historiografía

Antes de continuar con el desarrollo histórico del nacionalismo se recordarán brevemente otras tesis e interpretaciones relativas a este fenómeno que ocupa, sin lugar a dudas, un lugar decisivo en la dimensión político-ideológica de la crisis argentina contemporánea. En primer lugar se trata del problema de la real significación histórica del propio Uriburu. Tanto en la historiografía más antigua, como en la más reciente, se habla continuamente de un hombre "débil", "ingenuo", indeciso y carente de "ideas políticas claras". Marisa Navarro Gerassi y Miguel Angel Scenna han entendido su fracaso como la consecuencia lógica de su carácter: él se habría cerrado los caminos a sí mismo, o no habría sabido utilizar "la chance que se le ofrecía".[51] A mi entender, esta interpretación no valora en su debido

peso la relación de fuerzas político-sociales que entonces se dio. Esa
constelación no era favorable a los planes de Uriburu. Ya se ha visto
que la mayoría de sus supuestas debilidades en la acción, así como las
imprecisiones de su mensaje ideológico, estaban estrechamente
ligadas a los avatares de la heterogénea y oscilante coalición de las
fuerzas que hicieron posible la Revolución de Setiembre. Quizá una
personalidad verdaderamente excepcional podría haber impuesto su
voluntad aun en tales condiciones, pero prácticamente nadie sostiene que Uriburu haya poseído un carácter de ese tipo.[52] Lo que aquí
se dice puede fundamentarse también con las memorias de un testigo generalmente muy poco recordado: Enzo Valenti Ferro, miembro
prominente de la LCA. Este puntualizó que la revolución setembrina
no pudo apoyarse, ni antes ni después de su victoria, en una "gran
fuerza política" que fuese la "fiel" representante de su doctrina, que
para él era el programa corporativo uriburista. La LCA y las otras
agrupaciones que simpatizaban con este programa encontraron obstáculos "insuperables" en la ambición y el "egoísmo" de los "partidos democráticos" que negaron su colaboración. Por eso:

"Si el gobierno provisional hubiese adoptado el procedimiento que algunos
espíritus inquietos reclamaban, habría estallado fatalmente la guerra civil en la
Argentina."[53]

Leopoldo Lugones y su literatura política constituyen, desde la
década del veinte, otro tema polémico cuyo interés se mantiene vigente. En estas páginas se ha interpretado su doctrina básicamente
como un "militarismo integral", siguiendo la formulación de Zuleta
Alvarez.[54] Este estudioso ofrece un buen análisis del pensamiento
lugoniano, si bien en ocasiones no resultan convincentes ciertas identificaciones entre el narrador y el tema. Por otra parte, ese análisis no
destaca con suficiente nitidez el acento crudamente socialdarwinista
y clasista de la polémica de Lugones.[55] Otras interpretaciones han
dado lugar a juicios algo apresurados y superficiales. M. Navarro Gerassi habla de un antiliberalismo sin atenuantes en Lugones; en
cambio Alain Rouquié piensa que este ideólogo aún se hallaba in-
merso en la tradición liberal-conservadora de la Argentina.[56] Las
fuentes proyectan una imagen más diferenciada. La estructura característica del ideario del poeta está dada por la separación entre el
liberalismo económico, al que Lugones siguió adhiriendo en lo esencial, y la democracia política, la cual rechazó de plano, suplantándola
por concepciones autoritarias y militaristas. Además de esto Lugones
abandonó la base histórico-filosófica del liberalismo: la idea del progreso lineal y continuo. Todo este conglomerado carece de poder de
convicción para un observador que lo analiza como teoría pura, con
pretensión de rigor y coherencia. Pero se trató en realidad de una res-

puesta apasionada y partidista a una profunda crisis política, social y económica. Esta perspectiva explica la vigencia histórica del pensamiento lugoniano. El desarrollo político argentino y latinoamericano de los últimos cincuenta años ha demostrado que la concepción de Lugones ha ejercido una persistente fascinación sobre importantes sectores de la sociedad. Esta circunstancia quita validez a los juicios exclusivamente despreciativos, que se concentran en el "caos intelectual" y las "contradicciones" del poeta-político.

Existe también una serie de trabajos en los cuales predomina una tendencia apologética. A menudo se pretende ubicar a Lugones en las más curiosas categorías políticas, silenciando al mismo tiempo los aspectos menos agradables de su pensamiento. B. Tello ve en Lugones a un "realista político", sin explicitar o fundamentar adecuadamente tan vaga calificación. Cúneo se reduce a una confesión de impotencia intelectual, al afirmar que el poeta "no era de izquierda ni de derecha". Juan M. Palacio reconoce que Lugones fue un opositor de la "democracia de los medios", pero cree que habría postulado "una democracia social".[57] Esta última expresión, referida a un acérrimo crítico de los salarios mínimos, hace pensar en el lenguaje "Ingsoc" de la novela *1984* de George Orwell. No menos extraña es la impresión que produce el juicio de M. Falcoff, según el cual "sólo L. Lugones (...) consiguió integrar plenamente la noción política de nacionalismo con las demandas de independencia económica y de justicia social". (!?) [58]

En lo referente al círculo de los neorrepublicanos, se tiene un excelente estudio en la obra de Zuleta Alvarez. Quizá su tesis central, que subraya el papel crítico e independiente de los neorrepublicanos en general y de R. Irazusta en particular, está excesivamente acentuada. La "revisión" de R. Irazusta fue un fenómeno aislado, cuya repercusión en el espectro total del nacionalismo no fue muy grande. Por otra parte los temas de la conspiración mundial y del antisemitismo, así como la postura de los Irazusta en las elecciones de noviembre de 1931 no están prácticamente integrados en la interpretación de Zuleta Alvarez.

¿En qué tradición política argentina debe ubicarse el uriburismo? Al respecto se han emitido algunas apreciaciones que gozan de inmerecido crédito. Federico Ibarguren afirmó en sus memorias que "la tradición hispano-federal" era la base del nacionalismo de 1930.[59] La primera parte de esta formulación puede aceptarse, pero la segunda sólo corresponde a determinadas corrientes de los tardíos años 30, de ninguna manera al uriburismo. El federalismo argentino del siglo xix estaba profundamente enraizado en el pueblo y sostenía reivindicaciones protodemocráticas y autonomistas. En cambio el uriburismo fue un fenómeno esencialmente antidemocrático, producido por un pequeño sector de intelectuales y oficiales de la ciudad

de Buenos Aires. En estos rasgos coincidía con la tradición del unitarismo del período 1820-1830. También podría postularse una
curiosa similitud entre el golpe del 1° de diciembre de 1828 y los hechos del 6 de setiembre de 1930. En ambos casos jugó un papel central el temor ante una supuesta "dominación de la plebe".[60] La tesis
de Ernesto Palacio sobre la "exacta" coincidencia de los neorrepublicanos con los fines y móviles del "radicalismo tradicional"[61]
tampoco puede ser aceptada. Aquí se pretende minimizar la participación en el derrocamiento de Yrigoyen como si se tratase sólo de un
lamentable accidente. Pero el radicalismo fue, desde sus orígenes, una
forma popular y democrática del liberalismo argentino; sus representantes creían en el pueblo y también en el progreso. En los
nacionalistas de 1930 no se daba ni una ni otra creencia sino todo lo
contrario. Pretender ver aquí similitudes notables en objetivos y motivaciones políticas parece un exceso de audacia.

NOTAS

[1] Véase J. M. Rosa (h.): *Historia Argentina. Orígenes de la Argentina Contemporánea*, Buenos Aires, 1970, XI, 1a. Parte, Cap. 2.

[2] Carta del 13 de marzo de 1931, en J. M. Rosa (h.): op. cit., XI, pág.
348.

[3] Cit. en M. de Lezica: *Recuerdos de un nacionalista*, Buenos Aires, 1968,
pág. 48.

[4] Bliss al Secretario de Estado (7 de setiembre y 14 de setiembre de
1930), en *Foreign Relations of the United States*, Washington 1945 y 1961-72
(FRUS 1930), Vol. I, *The American Republics*, págs. 379 y 385.

[5] Véase C. A. Floria y C. A. García Belsunce: *Historia de los argentinos*,
Buenos Aires, 1975, II, pág. 340.

[6] *La Nueva República* (2 de agosto de 1930) en *El Pensamiento político
nacionalista*. Antología, selección y comentario por Julio Irazusta, Buenos Aires,
1975, 3 tomos (PPN II), págs. 108, 109.

[7] Allí colaboraban también otros jóvenes nacionalistas. Véase E. Zuleta
Alvarez: *El Nacionalismo argentino*, Buenos Aires, 1975 (2 vols.), I, pág. 248.

[8] Cit. en Dardo Cúneo: *Leopoldo Lugones*, Buenos Aires, 1968, pág. 95.
También A. Canedo: *Aspectos del pensamiento político de Leopoldo Lugones*,
Buenos Aires, 1974, pág. 125.

[9] Véase L. Lugones: *El Payador...*, pág. 315.

[10] Ibid., págs. 315-317.

[11] Ibid., pág. 308 (de "Política Revolucionaria").

[12] Julio Irazusta: "Estudios Histórico-Políticos. El Liberalismo y el Socialismo. Otros Ensayos Económicos" (Diversos escritos aparecidos entre 1932 y

1950). Biblioteca del Pensamiento Nacionalista Argentino (BPNA II), Buenos Aires, 1973, págs. 445-446.

[13] Véase E. Palacio: *Historia de la Argentina*, Buenos Aires, 1957, pág. 371.

[14] Rodolfo Irazusta, en *La Nueva República* (8 de noviembre de 1930), en PPN II, págs. 122-123.

[15] *La Nueva República* (20 de diciembre de 1930), cit. en E. Zuleta Alvarez: *El Nacionalismo...*, I, págs. 246-247.

[16] Véase Juan E. Carulla: *Al filo del medio siglo*, Paraná, 1951, págs. 213-214.

[17] Véase A. M. Mustapic: "La crisis de legitimidad de 1930", en *Criterio*, Nº 1764 (mayo de 1977), págs. 263-266.

[18] Véase L. Lugones: *Antología de la prosa*. Selec. y com. de L. Lugones (h.), Buenos Aires, 1949, págs. 464-467.

[19] V. *La Nueva República* (1º de diciembre de 1930), en PPN II, págs. 136-140.

[20] *Criterio*, Nº 163, 16 de abril de 1931.

[21] Cit. en C. Ibarguren (h.): *Roberto de Laferrère. Periodismo-Política-Historia*, Buenos Aires, 1970, pág. 53.

[22] Véase J. V. Orona: *La Revolución del 6 de Setiembre*, Buenos Aires, 1966, págs. 135-138.

[23] Véase J. M. Rosa (h.): *Historia Argentina...*, XI, pág. 232.

[24] Juan E. Carulla: op. cit., pág. 210.

[25] Carta a Laurencena (julio de 1931), cit. en J. Beresford Crawkes: *553 Días de Historia Argentina (6 de setiembre de 1930-20 de febrero de 1932)*, Buenos Aires, 1932, págs. 388-389.

[26] Cit. en J. M. Rosa (h.): op. cit., XI, págs. 272-273.

[27] Lisandro de la Torre, en J. A. Ramos: *Revolución y contrarrevolución en la Argentina*, Buenos Aires, 1965, II, págs. 375-376.

[28] Véase C. Ibarguren (h.): op. cit., pág. 54.

[29] Véase Federico Ibarguren: *Orígenes del Nacionalismo Argentino, 1927-1937*, Buenos Aires, 1969, págs. 74-75, y E. Zuleta Alvarez: op. cit., I, págs. 274-275.

[30] Véanse págs. 68-70.

[31] Declaración de la prensa (27 de julio de 1931), cit. en J. Beresford Crawkes: op. cit., págs. 410-416.

[32] En "La palabra del general Uriburu", Buenos Aires, 1933, págs. 129-132.

[33] Véase Robert A. Potash: *El Ejército y la política en la Argentina, 1928-1945. De Yrigoyen a Perón*, Buenos Aires, 1971, pág. 112.

[34] Decretos del 24 de julio y 7 de octubre de 1931, en J. M. Rosa (h.), op. cit., XI, pág. 327.

[35] Declaración en Córdoba (a mediados de 1931), cit. en D. Cúneo: op. cit., pág. 97.

[36] Véase E. Zuleta: *El Nacionalismo...*, I, págs. 268-273.

[37 y 38] V. *La República* (5 de noviembre de 1931), en PPN III, págs. 203-205.

[39] *La Nueva República* (29 de octubre de 1931), cit. en E. Zuleta: *El Nacionalismo...*, I, pág. 269.

[40] V. *La Nueva República* (28 de octubre y 7 de noviembre de 1931) en PPN III, págs. 143 y 223.

[41] Artículo no publicado en aquel tiempo (marzo de 1931), en PPN II, págs. 166-168.

[42] V. *La Nueva República* (enero de 1931), en PPN II, págs. 142-148.

[43] V. *La Nueva República* (4 de noviembre de 1931), en PPN III, págs. 189-199.

[44] Rodolfo Irazusta en *La Nueva República* (15 de octubre de 1931), en PPN III, págs. 85-88.

[45] V. *La Nueva República* (3 y 6 de noviembre de 1931), en PPN III, págs. 178-180 y 209-212.

[46] V. *Criterio*, Nº 181 (20 de agosto); Nº 188 (8 de octubre) y Nº 191 (9 de noviembre de 1931).

[47] J. M. Rosa (padre): *Resurgimiento de un pueblo*, Buenos Aires, 1932, pág. 79.

[48] V. "El único candidato", cit. en A. Canedo: op. cit., pág. 137.

[49] Véase Nicolás Repetto: *Mi paso por la política*, Buenos Aires, 1957, págs. 17-20; L. de la Torre: *Obras de Lisandro de la Torre*, Buenos Aires, 1952 (3 tomos), I, pág. 231, y H. Sanguinetti: "Política y Estado" (en la década de 1930), en *Todo es Historia*, mayo de 1976, pág. 29.

[50] V. *La Nueva República* (10 de noviembre de 1931), en PPN III, pág. 235.

[51] En este sentido: M. Navarro Gerassi: *Los nacionalistas*, Buenos Aires, 1969, pág. 78; M. A. Scenna: *Los militares*, Buenos Aires, 1980, pág. 161; E. Zuleta: *El Nacionalismo argentino*, Buenos Aires, 1975 (2 vols.), I, pág. 242; J. M. Rosa (h.): *Historia Argentina...*, XI, págs. 117 y 209, y N. Repetto: op. cit., págs. 12-13.

[52] En J. M. Rosa (h.): *H. Argentina...*, XI, pág. 224 se menciona un supuesto "carisma" de Uriburu. El autor no fundamenta tal apreciación de manera convincente.

[53] Enzo Valenti Ferro: *La Crisis Social y Política Argentina*, Buenos Aires, 1937, págs. 157-159.

[54] E. Zuleta: *El Nacionalismo...*, I, págs. 160-161.

[55] Breves notas sobre este tema, en J. M. Rosa (h.): *H. Argentina...*, XI.

[56] M. Navarro Gerassi: op. cit., págs. 44 y 51-52; también A. Rouquié: *Pouvoir Militaire et Société Politique en République Argentine*, Paris, 1978, pág. 216.

[57] Véase B. Tello: *El Poeta Solariego. Síntesis poético-política de Leopoldo Lugones*, Buenos Aires, 1971, pág. 106; D. Cúneo: op. cit., pág. 54, y Juan M. Palacio: "La Revolución de 1943", en Revista *Temática Dos Mil*, N? 7, 1980, pág. 41.

[58] N. Falcoff y R. H. Dolkart: *Prologue to Perón, Argentina in Depression and War, 1930-1943*, Berkeley, 1975, pág. 125.

[59] Federico Ibarguren: *Orígenes del Nacionalismo...*, pág. 13.

[60] El tema es tocado en E. Zuleta: *El Nacionalismo...*, I, pág. 272.

[61] Ernesto Palacio: *Historia de la Argentina*, Buenos Aires, 1957, pág. 365.

III
Desarrollo y diferenciación del Nacionalismo

LA "DECADA INFAME"

Economía, sociedad y Estado

La polémica expresión del periodista José Luis Torres —"década infame"— también se ha difundido en la historiografía. En una formulación más neutral, el período que va desde Justo hasta Castillo puede considerarse el de la "restauración neoconservadora".[1] La problemática global de aquellos años ha sido vista por Falcoff y Dolkart de este modo:

"El dilema argentino encuentra sus raíces —a nuestro parecer— en la abrupta desaparición de las condiciones que posibilitaron la emergencia de la moderna república a fines del siglo XIX. Esas condiciones eran: la existencia del Imperio Británico como un mercado principal de alimentos, la división internacional del trabajo y el movimiento relativamente libre de bienes y servicios a través de las fronteras nacionales."[2]

Ya en el período 1914-1930 se hicieron notar algunas tendencias que ponían en peligro la perduración de dichas condiciones. En la década del treinta y a partir de una conjunción de factores nacionales e internacionales se produjo una profunda alteración de las perspectivas económicas. El proceso puede caracterizarse así:

1) La economía agropecuaria argentina —extensiva y de bajos costos— llegó a sus límites geoclimáticos. En 1914 había 24.586.000 ha cultivadas (3,1 per cápita); en 1937 eran 28.116.000 (solamente 2,08 per cápita).[3] Aún quedaban enormes superficies desaprovechadas, pero no podían convertirse en productivas sin considerables inversiones: caminos, diques, canales, fertilizantes, etc. Además, las inversiones agrarias para la mecanización disminuyeron: de 518 pesos m/n (valor 1950) por ha en 1930-1934 a 470 pesos m/n en 1935-1939 y a 396 pesos m/n en 1940-1944.[4]

2) El creciente consumo nacional de alimentos disminuyó proporcionalmente el excedente disponible para la exportación. En el período 1920-1935 la producción agraria retrocedió del índice 100 a 92,6, y el consumo interno aumentó de 100 a 105. En comparación con el lapso 1925-1929, la exportación per cápita de 1935-1939 disminuyó en un 22%.[5]

3) El empeoramiento de los términos del intercambio se hizo evidente. Entre 1890 y 1935 la relación entre los precios de materias primas y productos industriales cayó del 96,3% al 67,3% en desmedro de los intereses argentinos. Entre 1925-1929 y 1930-1934 la pérdida del poder adquisitivo fue del 40%.[6]

En los sectores directivos de la economía argentina se seguía rindiendo un culto teórico al liberalismo manchesteriano, pero bajo la presión de las circunstancias el gobierno del general Justo inició un dirigismo pragmático. En el funcionamiento de este sistema era difícil diferenciar los objetivos de la administración pública de los intereses de los terratenientes conservadores. La política económica tendió primordialmente a la regulación de los precios y la producción, a la centralización financiera y a la moderada incentivación de la industria liviana.[7] Entre las medidas más importantes conviene recordar la introducción del control de cambios, el Acuerdo Roca-Runciman (1933), la fundación del Banco Central y del Instituto Movilizador de Inversiones Bancarias (1935), la unificación y centralización del régimen impositivo; la "coordinación" del transporte y el establecimiento de las Juntas Reguladoras de la producción.

Con el Acuerdo Roca-Runciman[8] se reafirmaron los lazos que unían a la Argentina con la economía británica. Esta se comprometía a continuar sus compras de carne a cambio de un tratamiento favorable del comercio inglés y a la renuncia argentina a desarrollar una industria frigorífica propia. Estos lineamientos generales poco se alteraron con el Acuerdo Malbrán-Eden de 1936. El Banco Central, planeado por una comisión presidida por Sir Otto Niemeyer, vicepresidente del Banco de Inglaterra, se estableció con un directorio de 14 miembros de los cuales sólo tres eran argentinos. Explícitamente liberada de todo control estatal, esta institución tenía vastas atribuciones referidas a la moneda, el crédito, el comercio exterior y el control de divisas. Además influía en el gobierno en su carácter de organismo consultor en asuntos económicos. El Instituto Movilizador auxilió con créditos a largo plazo a muchos bancos privados y a sus distinguidos clientes, con lo cual el ente no tardó en ser considerado como un instrumento de corrupción política.[9] La "coordinación del transporte" fue una de las medidas más polémicas de la década. En 1936 se formó una Corporación del Transporte de la Ciudad de Buenos Aires, ente monopólico con apoyo estatal, que afectó los intereses de las empresas argentinas de microómnibus en beneficio de las empresas tranviarias y de subtes pertenecientes al capital británico. En cuanto a las Juntas Reguladoras, su establecimiento comenzó en 1933. En ellas predominaron grandes terratenientes e importantes intermediarios, orientando la fijación de precios y cuotas de producción para numerosos artículos de consumo: cereales, productos lácteos, carnes, mate, algodón, vino, azúcar, etc. La política de estos organismos suscitó repetidas críticas, porque a menudo los intereses sectoriales desplazaban el fin aparente de una regulación global orientada hacia el bien común. La concentración de capitales y una política de precios altos para el consumidor caracterizó la actividad de varias de las mencionadas Juntas.[10]

Si se revisan las estadísticas de la época[11], se advierte la existencia de tres períodos: el primero (desde 1930 hasta 1933/34) se encuentra signado por la recesión; 1934/35-1939 es el lapso en el cual se da la reactivación y el *take-off* de la industrialización. Este último proceso se acelera a partir de 1940, impulsado por las restricciones que la Guerra Mundial impuso al comercio exterior.

1) *El desarrollo del PBN* (1929-1942)

Año	Pesos m/n per cápita (valor 1960)
1929	38.000
1930	35.507
1931	32.284
1932	30.680
1933	31.513
1934	33.489
1935	34.705
1936	34.577
1937	36.693
1938	36.553
1939	37.281
1940	35.951
1941	37.108
1942	38.215

La recuperación fue lenta. Hubo que esperar hasta 1942 para que la economía argentina resultara más productiva que en 1929. Si no se tiene en cuenta el crecimiento de la población, el proceso parece más acelerado.[12] De todos modos el crecimiento del Producto Bruto total fue, entre 1935 y 1939, de un 3% (promedio), y de un 3,5% entre 1940 y 1944. Compárese esto con el 6,13% de la etapa 1900-1929.[13]

2) *Estadísticas relativas a la industrialización* [14]

a) *Crecimiento de la producción industrial* [15]
(Indice-base: 1943 = 100)

1935	74,2
1939	90,6
1942	95,7

b) *Empresas y valor de la producción* [16]

Año	N° de empresas	personal	valor de la prod.
			(en millones de pesos m/n)
1935	40.606	590.000	3458
1939	53.927	785.000	5127
1942	60.500	955.000	7300

c) *Cambios estructurales de la composición del PBN* [17]

	1930-1934	*1940-1944*
Agricultura	25%	25%
Industria	24,5%	27,5%

El proceso de industrialización estuvo signado por la improvisación y la fuerte dependencia de las importaciones. Determinadas ramas de la industria —metalúrgica, química, minería, astilleros y fabricación de maquinaria— quedaron muy por debajo de la demanda. En cambio fue notable el desarrollo en textiles, madera, muebles, industria alimenticia y electrotécnica.[18] Si se revisan los créditos otorgados por el Banco Central entre 1935 y 1945 se advierte que continuaba la posición privilegiada del sector agropecuario. Este recibió 1387 millones de pesos m/n (el 90,3% de los créditos); la industria textil recibió 53 millones y la metalúrgica sólo 44. Los frigoríficos, que en un 85% no eran de capital nacional, recibieron 69 millones.[19] La concentración de capitales se hizo notar también en la industria: en 1935 el 70% de los establecimientos ocupaba el 18% de la mano de obra y producía sólo el 7% del total; en cambio, al 1,3% de los establecimientos correspondían el 34% de los trabajadores y el 57% de la producción total.[20]

Más características aún eran las condiciones oligopólicas predominantes en el campo, el comercio, las finanzas y los transportes. Según el censo de 1937, 20.000 propietarios (de un total de 1.200.000) poseían más del 70% de la tierra; al 2% de las estancias correspondía el 42% de los vacunos.[21] En la Mendoza de 1935, menos del 1% de las bodegas concentraba el 33% del capital invertido.[22] Un cartel de cuatro empresas —Bunge y Born, Dreyfus, La Plata Cereal y L. E. Ridder— controlaba más del 80% de la exportación del trigo y del lino argentinos. Bunge y Born —rama de la Antwerp Trading Company— poseía en la Argentina unos 40 establecimientos, con una superficie total de 800.000 ha.[23] Prominente era también el trust Bemberg, una empresa cervecera que en 1942 poseía 1.500.000 ha y 30 establecimientos diversos, entre ellos una línea tranviaria, una inmobiliaria, dos institutos de crédito y una fábrica textil. Las ganancias de la empresa en 1940 —500 millones de pesos m/n— eran casi equivalentes a un tercio de los ingresos fiscales de 1939.[24]

Los intereses económicos extranjeros ejercían una influencia muy considerable en el país. Si bien la participación del capital extranjero en el total de los capitales productivos retrocedía —entre 1929 y 1934 de un 32% a un 27,2%— se produjo también en esa década una sensible pérdida de divisas. En forma de intereses, dividendos y pagos de la deuda pública salieron del país 3000 millones de dólares (valor 1970). Con razón un economista ha hablado del excesivo peso de los compromisos financieros, producto de una "irracional" política de endeudamiento y de la especial "estructura de las inversiones extranjeras".[25] A pesar de la progresiva decadencia de las empresas ferroviarias inglesas, con un 68% de la red argentina en sus manos, seguían ocupando un lugar destacado en la economía nacional.[26] El complejo que controlaban estas empresas incluía ocho compañías de transporte automotor, varias centrales eléctricas, almacenes y facilidades portuarias en Buenos Aires y La Plata, varios comercios mayoristas, hoteles y 4720 km^2 en propiedades. En la industria frigorífica existía una hegemonía compartida por Gran Bretaña y los EE.UU. En términos globales, un 58% de la producción argentina de alimentos correspondía a empresas extranjeras.[27] Los servicios de energía eléctrica eran controlados por la Electric Bond and Share Company en el interior del país, y por dos *holdings* internacionales en Buenos Aires: SOFINA y Motor Columbus.[28] El capital inglés tenía también una notable participación en el agro y en las explotaciones madereras. Seis empresas de ese origen, encabezadas por La Forestal poseían 2.859.000 ha de tierra. Estas eran las realidades que formaban la base de afirmaciones como las que en octubre de 1930 hizo Sir Malcolm Robertson:

"Un país que no pertenece al Imperio debe considerarse parte de él. Este país es la Argentina."[29]

Hasta la Segunda Guerra Mundial, Inglaterra fue la potencia económica cuyos intereses pesaban más que ninguna otra en la Argentina. Por otra parte, en casi todas las áreas decisivas —transportes, deuda pública, frigoríficos, comercio y servicios públicos— la competencia norteamericana aumentaba continuamente, habiéndose impuesto ya en la radio y en los teléfonos.[30] El sistema hegemónico británico se había estructurado en el siglo xix de tal modo que Inglaterra constituía "el centro de una red internacional", basada en "relaciones privilegiadas" con Europa, América del Norte y América del Sur.[31] La Argentina era, para muchos observadores, un *Dominion* tácito u "honorario", con ventajas especiales para sus terratenientes. Toda esta estructura estaba siendo minada en el siglo xx, por el avance arrollador de la exportación norteamericana y alemana.

Las condiciones de la vida económica no podían dejar de ejercer su influencia en lo social y lo político. Los rasgos oligopólicos y dependientes de los sectores claves de la economía ya existían a fines del siglo xix, pero sólo después de 1930 se convirtieron en una gran área de tensiones percibidas por la sociedad argentina. Hasta el desencadenamiento de la crisis mundial, la euforia del crecimiento y el factor equilibrante del proceso de democratización política habían contribuido a que pasaran más o menos inadvertidas las consecuencias preocupantes de este tipo de estructura y de desarrollo. La década del 30 recibió su sello característico de la combinación de dos crisis, la económica y la política, de modo tal que la problemática distributiva y la pérdida del consenso sobre la legitimidad, reforzándose recíprocamente a través de la interacción continua, crearon la situación que C. A. Floria ha resumido así:

"La lucha por el poder prevalece sobre los medios. La crisis de la legitimidad constitucional hace que se viva, en rigor, una suerte de 'país corporativo' en el que todas las fuerzas sociales, grupos de interés y factores de poder defienden sus derechos e intereses sin preocuparse por la suerte del sistema institucional."[32]

Dentro de este panorama, la confrontación de intereses no deja de mostrar una "forma" reconocible en el predominio de una determinada constelación de poder. Para un enfoque realista de esta situación puede utilizarse un modelo conceptual de las elites —políticas, burocráticas, industriales, agrarias, intelectuales, militares— como el que propone Marshall R. Singer:

"Los 'pluralistas', empezando por los autores de los *Federalist Papers* y siguiendo en nuestros días con Harold Laski, David Easton, V. O. Key y (...) David Riesmann, sostienen (...) que las decisiones [en una sociedad] emergen de una competencia entre diversos grupos interactuantes, preocupados por intereses particulares. (...) Más que como una sola pirámide, propongo que se visualice a la sociedad como una serie de pirámides funcionales. (...) Cualquier grupo u organización, dotado de la capacidad de ejercer una influencia significativa, debe ser considerado, funcionalmente, como una institución política, sin que importe su denominación formal. [...Por ejemplo:] En un país predominantemente agrario, un grupo de grandes terratenientes será probablemente una de las más importantes instituciones políticas del país —de facto—, más allá del hecho de que se lo llame así o no."[33]

Mientras que los órganos constitucionales perdían peso y prestigio propios, se advierte que en la Argentina de aquellos años las decisiones básicas eran tomadas en el espacio acotado por una especie de triángulo del poder real, cuyos componentes ("elites") —fuertemente entrelazados— pueden caracterizarse brevemente como sigue: 1) *la elite terrateniente y empresaria argentina*, con el claro predominio de los sectores tradicionales; 2) *la burocracia estatal* y el aparato partidario de la Concordancia y 3) un conjunto de grandes *empresas extranjeras* en posiciones claves de la economía. En cuanto a las Fuerzas Armadas —"ultima ratio" del régimen frente a la UCR— se mantenían en la ilusión de una ética profesional superficialmente apolítica, situación que se alteró cuando se agravaron las relaciones internacionales a partir de 1941. Desde entonces, la elite militar volvió a jugar un papel más activo en la vida pública. A lo largo de la década fueron aumentando las dificultades para mantener la imagen seudodemocrática del régimen, que en su estructura efectiva podría quizá ser caracterizado como un autoritarismo oligárquico con parlamentarismo residual.[34]

Las líneas fundamentales de la política exterior argentina eran consecuentes con esta realidad sociopolítica. La postura independiente de los diplomáticos argentinos —Carlos Saavedra Lamas y José María Cantilo— en las conferencias panamericanas (Montevideo 1933, Buenos Aires 1935 y 1936, Lima 1938, Panamá 1939 y La Habana 1940) fue la respuesta a las poco amistosas disposiciones aduaneras y sanitarias de los Estados Unidos, los cuales prácticamente cerraban ese mercado para las carnes argentinas. A partir de 1941 la política neutralista de Castillo fue a menudo condenada con pasión, considerándosela expresión de un supuesto filonazismo de los terratenientes. Más acertado parece el juicio de Sergio Bagú, que la consideró como la característica de un "régimen híbrido", dispuesto a esperar la decisión de la lucha para luego entonces definirse. A diferencia de los Estados Unidos, Gran Bretaña no se preocupó mucho por la neutralidad argentina, ya que fundamentalmente le interesaba la continuación de un suministro regular de alimentos y materias primas, como secamente observó Lord Milne en 1939.

En el sentido material, y por elementales razones geográficas y económicas, la Argentina no fue neutral en la Segunda Guerra Mundial, sino que colaboró activamente con el esfuerzo bélico británico. Contra esto nada pudieron hacer los intereses alemanes radicados en el país, los cuales carecían del apoyo de una gran marina de guerra.[35]

Dentro del triángulo del poder real anteriormente mencionado era notable la estrecha red de relaciones personales, producida por la concentración de funciones y dignidades en un pequeño círculo de figuras influyentes. Como ejemplos característicos[36] pueden recordarse los casos de Saavedra Lamas —catedrático, diplomático y abogado de la empresa "Puerto de Rosario"—; Guillermo Leguizamón —miembro de la delegación argentina que gestionó el Acuerdo Roca-Runciman, vinculado a la Buenos Aires Southern Dock Co. y a otras grandes empresas—, Federico Pinedo —Ministro de Hacienda (1933-1935) y abogado de SOFINA—; William R. Roberts —miembro del Directorio del Banco Central, cuyos negocios incluían bancos, frigoríficos, bodegas y estancias de propiedad inglesa—, y Miguel J. Culaciati —Ministro del Interior (1940-1943) y abogado de la corporación Bunge y Born—. La poca transparencia de los asuntos públicos de la década se vio acompañada por la pérdida de prestigio del Congreso, la Suprema Corte y los gobiernos provinciales.[37] Numerosos funcionarios y empresas se vieron envueltos en escándalos, que comenzaron con las investigaciones de los frigoríficos en 1935, continuaron con los problemas de la concesión de la CHADE (1934 y 1936) y culminaron con las relaciones de los ministros Groppo y Culaciati con evasiones impositivas de la compañía Bemberg, y con el famoso escándalo del Palomar, que afectó al Ministro de Guerra, general Márquez.

Después del fracaso de repetidos levantamientos armados se impuso en la conducción de la UCR la línea de Marcelo T. de Alvear, más dispuesta a las concesiones (1935). El fin de la abstención electoral de los radicales no alteró el mecanismo del fraude oficialista. La oposición no podía controlar efectivamente los resultados de los comicios, y la acción de bandas intimidatorias, así como de "policías bravas", completaba el cuadro.[38] Con el asesinato del senador demoprogresista Enzo Bordabehere (1935) el nivel público de la década alcanzó uno de sus puntos más bajos. Si en el plano político los principales perdedores de esos años fueron radicales y socialistas, en el plano social la carga más pesada de la depresión fue llevada por obreros, peones, pequeños campesinos, arrendatarios y empleados. Se vivieron situaciones extremas. En 1933 el consumo británico de trigo, azúcar, papas, queso y manteca registraba 173, 46, 105, 34 y 9,8 kg per cápita, mientras que las cifras argentinas correspondientes eran 143, 26, 65, 1,3 y 0,9 kg. Un prestigioso médico consideraba que un tercio de la población sufría de desnutrición crónica.[39] La expectativa de vida era en Buenos Aires 15 años inferior a la de Londres. Chocantes resultaban también las asimetrías regionales: mientras en la capital del país se consumían 130 kg anuales de carne por habitante, a las provincias norteñas correspondían sólo 29,1 kg Por eso no resultan aceptables juicios apologéticos, como el siguiente de Falcoff y Dolkart:

"Cualquiera sea nuestro pensamiento sobre las políticas concretas encaradas en los años 30, el hecho es que —desde un punto de vista técnico— la Argentina estuvo mejor gobernada que en cualquier época anterior."[40]

Nutridos contingentes de hombres de campo buscaron en las ciudades, especialmente en la Capital Federal, mejores condiciones de trabajo y de vida. La población urbana, que ya en 1914 era el 53% del total, llegó al 60% en 1940. Pero la incipiente legislación social conservó también allí el carácter de una intención legislativa que sólo en muy escasa medida se traducía en realidades.[41] Si bien el producto bruto volvió a crecer después de 1935 en forma definida, los salarios reales se mantuvieron estancados. En la mayoría de los años de la "década infame" permanecieron por debajo del nivel de 1929.[42] Después de 1936 las huelgas se hicieron más frecuentes, pero esto no produjo un mejoramiento sustancial para la mayoría de los asalariados.[43] Por otra parte, también era bajo el grado de organización de este sector. En 1940 había unos 2.600.000 obreros y empleados, y más de 1 millón de trabajadores rurales, pero sólo 472.000 personas se habían agrupado en sindicatos. Surgía de todas estas circunstancias un clima psicosocial que será de decisiva importancia para la interpretación de las transformaciones y excesos ideológicos de aquellos años. La experiencia traumática de la década en realidad ya nunca habría de borrarse por completo de la conciencia de los argentinos. Nuestro tradicional orgullo ingenuo —"Dios es argentino"— y la fe en el progreso ilimitado se resquebrajaron. La dolorida letra del popular tango de Discépolo —*Yira, yira*— es uno de los reflejos de la amarga experiencia de los estratos inferiores de la sociedad en el período comentado.

Los nacionalismos de los años treinta

Desde mediados de la década del treinta el término "nacionalismo" ya no se puede considerar como sinónimo de "uriburismo". Jóvenes provenientes del radicalismo comenzaron a reivindicar aquella denominación, sin renunciar por ello a sus raíces políticas. De esta manera se desarrollaron las dos principales corrientes nacionalistas que la mayoría de los historiadores y politólogos ha reconocido desde entonces en la Argentina. Para caracterizar sus diferencias se han utilizado diversas expresiones. Se habla así de nacionalismo "nostálgico y tradicionalista" o "aristocrático", "de derecha" por un lado, y de "nacionalismo de izquierda", "dinámico" o "populista" por el otro.[44] También el presente estudio se apoya en tal esquema, profundizando la distinción a partir de los términos en que la estableció Arturo Jauretche, quien definió al nacionalismo de FORJA como "una línea política que obliga a pensar y dirigir el destino del país en vinculación directa con los intereses de las masas populares". En cambio la corriente enraizada en el uriburismo traía en su seno "fobias antipopulares y antidemocráticas" y "un sentido restaurador sin visión proyectiva".[45] En ese aspecto deben entenderse las distinciones que en los capítulos correspondientes se harán entre nacionalismo "populista" y "restaurador".

Enrique Zuleta Alvarez ha introducido una nueva precisión terminológica, al distinguir el "nacionalismo doctrinario" del "republicano", entendiendo a estas dos variantes como ramas dentro de un movimiento general de tendencia derechista. Los "republicanos" fundaron un partido y se preocuparon por darle soluciones prácticas a los problemas nacionales, mientras que los "doctrinarios" (la LCA por ejemplo) se mantuvieron en posiciones "utópicas" y "dogmáticas", imitando "formas europeas" y soñando con un golpe militar.[46] Esta clasificación puede aceptarse como una subtipología dentro de la corriente que aquí se denomina "restauradora". Es cierto que Zuleta Alvarez parece acentuar más de lo conveniente las diferencias, dejando además a grupos como FORJA fuera de su estudio.

El aporte que esa extensa obra significó para el conocimiento del nacionalismo fue muy valioso, pero no introduce cambios sustanciales en la clasificación más generalmente usada. Los "republicanos" pueden ser ubicados en ella, como forma de transición y zona de contacto entre los "doctrinarios" (restauradores extremos) y los populistas.

M. Goldwert y H. Stausberg han tratado de utilizar el marco conceptual de Snyder para el caso argentino.[47] Creo que este no ha sido un experimento exitoso. Según la mencionada interpretación, desde Mitre y Sarmiento hasta el general Justo se extendería la línea ideológica de un "nacionalismo liberal"; en cambio Rosas, Uriburu y Perón constituirían cumbres del "nacionalismo integral". El gran inconveniente de estos términos está en el hecho de que no surgieron de los propios fenómenos históricos. En la Argentina puede detectarse algo así como la primera de las tendencias señaladas, pero siempre se la ha denominado "liberal" a secas. El término "integral" no resulta más transparente que las denominaciones usuales ("de derecha", "restaurador"). Por otra parte, ni Uriburu ni Perón se autocalificaron de "integralistas". Goldwert sostiene que "el nacionalismo integral (...) rechazaba la simpatía y la cooperación con otras naciones [y postulaba] el chauvinismo, el militarismo y el imperialismo".[48] Ni él, ni otros investigadores han aportado pruebas convincentes de que la política de Uriburu —y menos aún la de Perón— hayan correspondido a un esquema de ese tipo.

Para un historiador. tiene mucho sentido la exigencia metodológica de no crear terminologías alejadas de los usos vivientes cuando ello no es estrictamente necesario. Por esa razón es aconsejable mantener la diferenciación entre "restauradores" y "populistas". El contenido concreto de estos términos se mostrará con creciente precisión en el análisis de los próximos capítulos. Por de pronto cabe recordar su uso frecuente en las organizaciones de la época en cuestión. Ya antes de 1930 el uriburismo hablaba insistentemente de una "restauración", y en 1936 una de sus agrupaciones sucesoras adoptó esa denominación. En cuanto a los radicales de FORJA, desde su primer manifiesto (28 de junio de 1935) propagaron el objetivo de la "soberanía popular" como uno de sus postulados básicos.[49]

NOTAS

[1] Véase C. A. Floria y C. A. García Belsunce: *Historia de los argentinos*, Buenos Aires, 1975 (2 vols.), II, pág. 311.

[2] N. Falcoff y R. H. Dolkart: *Prologue to Perón. Argentina in Depression and War, 1930-1943*, Berkeley, 1975, pág. X.

[3] L. de Sagastizábal: "Economía y Sociedad" (en la década de 1930), en *Todo es Historia*, Nº 108, mayo de 1976, pág. 62.

[4] Véase U. Birkholz: "Zur Sociologie des Peronismus", Marburg, 1971 (Trabajo de licenciatura), Cuadro 18.

[5] Véase P. Broder, H. A. Gussoni y otros: *Desarrollo y estancamiento en el proceso económico argentino*, Buenos Aires, 1972, pág. 26, y M. R. Lascano: *El crecimiento económico, condición de la estabilidad monetaria en la Argentina*, Buenos Aires, 1970, pág. 28.

[6] Véase P. Broder, H. A. Gussoni y otros: op. cit., pág. 26, y D. Boris y P. Hiedl: *Argentinien, Geschichte und Politisch Gegenwart*, Köln, 1978, págs. 46 y 187 (Nota 7).

[7] D. Boris y P. Hiedl: op. cit., pág. 47, habla, con alguna exageración, de una "política sistemática de créditos".

[8] Recuérdese que el vicepresidente Julio Roca (h.) era el jefe de la delegación argentina en la negociación, y Walter Runciman el ministro británico de Comercio.

[9] Véase E. Díaz Araujo: *La Conspiración del '43. El GOU, una experiencia militarista en la Argentina*, Buenos Aires, 1971, Cap. VI y J. M. Rosa (h.): *Historia Argentina...*, XII, págs. 85-90.

[10] Véase L. de Sagastizábal: op. cit., págs. 64-65.

[11] Véase F. Daus: *El desarrollo argentino*, Buenos Aires, 1969; J. C. Vedoya: "Colofón Estadístico", en *Todo es Historia*, N? 100, setiembre 1975; D. Boris y P. Hiedl: op. cit., M. R. Lascano: op. cit., y P. Broder, H. A. Gussoni y otros: op. cit.

[12] Véase D. Boris y P. Hiedl: op. cit., pág. 50.

[13] Véase M. R. Lascano: op. cit., págs. 24 y 40; P. Broder, H. A. Gussoni y otros: op. cit., pág. 22.

[14] Véase L. de Sagastizábal: op. cit., F. Daus: op. cit., y D. Boris y P. Hiedl: op. cit.

[15] Estadística de la CEPAL en L. Randall: "Lies, Dam Lies, and Argentine GDP", en *Latin American Research Review*, vol. XI, 1976, N? 1, pág. 143.

[16] Véase A. Ciria: *Partidos y poder en la Argentina moderna (1930-1946)*, Buenos Aires, 1964, pág. 85.

[17] D. Boris y P. Hiedl: op. cit., pág. 47.

[18] Juicios críticos sobre la modadlidad de este desarrollo ya fueron hechos por Aldo Ferrer en *La economía argentina*, Buenos Aires, 1963 y coinciden recientemente D. Boris y P. Hiedl: op. cit., pág. 49.

[19] Véase E. B. Astesano: *Historia de la Independencia Económica*, Buenos Aires, 1949, pág. 291.

[20] Véase L. de Sagastizábal: op. cit., pág. 67.

[21] Ibid., págs. 64-65 y U. Birkholz: op. cit., pág. 78.

[22] L. de Sagastizábal: op. cit., pág. 65.

[23] Véase José L. Torres: *Los Perduellis-Los enemigos internos de la Patria*, Buenos Aires, 1973 (1a. ed. 1943), págs. 119-120; E. Díaz Araujo: op. cit., págs. 156-162, y A. Ciria: *Partidos y poder...*, pág. 300.

[24] Véase J. L. Torres: op. cit., págs. 183-188.

[25] M. R. Lascano: op. cit., pág. 34. La problemática de la deuda externa es también analizada por W. M. Beveraggi Allende: *El Servicio del Capital extranjero y el control de cambios. La experiencia argentina de 1900 a 1943*, México-Buenos Aires, 1954.

[26] E. Díaz Araujo: op. cit., pág. 164 y M. Panaia, R. Lesser y P. Skupch: *Estudios sobre los orígenes del peronismo* (2do. tomo), Bs. As., 1973, pág. 64.

[27] Véase U. Birkholz: op. cit., págs. 47-48.

[28] Véase J. M. Rosa (h.): *Historia Argentina...*, XII, págs. 95-97.

[29] Ibid., pág. 67.

[30] Véase E. B. Astesano: op. cit., pág. 288.

[31] Un enfoque desapasionado y agudo a la vez de este fenómeno se encuentra en George Lichtheim: *Imperialismus*, München, 1972; la cita en cuestión, pág. 69.

[32] J. C. Floria en su exposición para las Jornadas de Historia Argentina Contemporánea, Universidad de Belgrano, Buenos Aires, octubre de 1979.

[33] M. R. Singer: "The Foreign Policies of Small Developing States", en J. N. Rosenau, K. W. Thompson, G. Bord: *World Politics*, N. York, 1976, págs. 278, 284 y 286.

[34] Véase Natalio Botana: "La crisis de legitimidad en Argentina y el desarrollo de los partidos políticos", en *Criterio*, N? 1604 (2 de setiembre de 1970).

[35] Para la temática de la política exterior: G. Ferrari: "La política exterior argentina" (Jornadas de Historia Argentina Contemporánea, Universidad de Belgrano, 1979); A. Ciria: *Partidos y poder...*, págs. 100-106, y J. M. Rosa (h.): *Historia Argentina...*, XII, págs. 197-210 y 300-318.

[36] Véase José L. Torres: *La oligarquía maléfica*, Buenos Aires, 1973 (1a. ed., 1953), págs. 150-151; y J. M. Rosa (h.): *Historia Argentina...*, XII, págs. 69, 175-176; José L. Torres: *La década infame*, Buenos Aires, 1945, pág. 173; J. L. Torres: *Los Perduellis...*, págs. 244-252; A. Ciria: *Partidos y poder...*, págs. 322, 324, 330 y 334; E. Díaz Araujo: op. cit., Cap. VI.

[37] Véase A. Ciria: *Partidos y poder...*, Cap. X.

[38] Ibid., R. A. Ferrero: *Del fraude a la soberanía popular (1938-1946)*, Buenos Aires, 1976, págs. 22-26. Además: E. Díaz Araujo: op. cit., págs. 172-183.

[39] Véase Raúl Scalabrini Ortiz: *Política británica en el Río de la Plata*, Buenos Aires, 1937, págs. 196-198.

[40] N. Falcoff y R. H. Dolkart: *Prologue to Perón...*, pág. 47.

[41] Para este problema, véase A. Ciria: *Partidos y poder...*, pág. 341.

[42] V. estadísticas en M. Murmis y J. C. Portantiero: *Estudios sobre los orígenes del peronismo* (1er. tomo), Buenos Aires, 1971, pág. 85.

[43] Ibid., pág. 89.

[44] A. Whitaker y D. Jordan: *Nationalism in Contemporary Latin America*, N. York, 1966, págs. 53-63; M. Navarro Gerassi: *Los nacionalistas*, Buenos Aires, 1969, págs. 15-16 y 138-145; N. Falcoff y R. H. Dolkart: *Prologue to Perón...*, págs. 123-126.

[45] Arturo Jauretche: *Forja y la Década Infame*, Buenos Aires, 1974, págs. 21-23.

[46] Véase E. Zuleta Alvarez: *El Nacionalismo Argentino*, Buenos Aires, 1975 (2 vols.), II, págs. 828-830.

[47] L. J. Snyder: *The Meaning of Nationalism*, New Brunswick, 1954.

[48] M. Goldwert: *Democracy, Militarian and Nationalism in Argentina, 1930-1966*, Austin, 1972, págs. XVII-XVIII. (Hay edición castellana.)

[49] A. Jauretche: *Forja...*, pág. 87.

EL NACIONALISMO RESTAURADOR

Organizaciones principales (y años de auge)	Agrupaciones menores ("aliadas")	Publicaciones periódicas	Ideólogos, propagandistas y "líderes"
LCA (1931-1936)	FONA, AGU, LdM	*Combate, Bandera Argentina*	L. *Lugones*, general J. B. *Molina*, E. Valenti Ferro, J. Carulla, almirante *Renard*, C. Ibarguren
ANA-ADUNA (1932-1936)	AGC, LCM, MCN, CNM, FUNA, ANED, LN	*Aduna, Cuadernos adunistas*	J. P. *Ramos*, H. Sáenz y Quesada
AdC (1936-1943)	AJASN, SONA, CPACC, FAJNS	*Crisol, Clarinada, El Pampero*	E. *Osés*, C. Silveyra, W. Degreff
UNES-AJN (1936-1943)	SUA, PNSA	*Alianza*	T. Otero Oliva, J. Queraltó, R. Doll, B. Lastra
BALUARTE RESTAURACION (1933-1935 y 1936-1941)		*Baluarte, El Restaurador, Sol y Luna, Nueva Política*	J. Meinvielle, C. Pico, J. B. Genta, A. Ezcurra Medrano, H. Llambías, H. Wast, J.C.Goyeneche J.C.Villagra, M. Sánchez Sorondo
UNA-PATRIA (1941-1943)		*Cabildo, Hechos*	M. *Fresco,* L. Castellani
LR-Fortín (1929-1936/ 1941)		*La Fronda, El Fortín*	R. de Laferrère
AA (1941-1943)		*Choque*	Lisardo Zía, general B. *Pertiné*
FFF-UNF (1935-1939)		*Arx*	Nimio de Anquín
RENOVACION (1941-1943)			A. Ruiz Guiñazú
UCN (1942-1943)		*Liberación*	E. Gutiérrez Herrero
PL (1942-1943)		*Nuevo Orden, La Voz del Plata*	R. y J. *Irazusta,* E. *Palacio,* general B. *Menéndez*

ABREVIATURAS

AA: Afirmación Argentina
AdC: Amigos de *Crisol*
AGC: Agrupación Granaderos a Caballo
AGU: Agrupación General Uriburu
AJASN: Agrupación de la Juventud de la Acción Social-Nacionalista
ANA-ADUNA: Acción Nacionalista Argentina-Afirmación de una Nueva Argentina
ANED: Acción Nacionalista de Estudiantes de Derecho
CNM: Corporación Nacionalista de Medicina
CPACC: Comisión Popular Argentina contra el Comunismo
FAJNS: Falange Argentina de las Juventudes Nacional-Sindicalistas
FFF-UNF: Frente de Fuerzas Fascistas-Unión Nacional Fascista
FONA: Federación Obrera Nacionalista Argentina
FUNA: Federación Universitaria Nacionalista Argentina
LCA: Legión Cívica Argentina
LCM: Legión Colegio Militar
LdM: Legión de Mayo
LN: Legión Nacionalista
LR: Liga Republicana
MCN: Milicia Cívica Nacionalista
PL: Partido Libertador
PNSA: Partido Nacional-Socialista Argentino
SONA: Sindicato Obrero Nacionalista Argentino
SUA: Sindicato Universitario Argentino
UCN: Unión Cívica Nacionalista
UNA-PATRIA: Unión Nacionalista Argentina-Patria
UNES-AJN: Unión Nacionalista de Estudiantes Secundarios - Alianza de la Juventud Nacionalista

EL NACIONALISMO RESTAURADOR

Los intelectuales y el movimiento[1]

¿Fue realmente el nacionalismo restaurador un movimiento? ¿Acaso no estuvo desde su origen desgarrado por rivalidades y cismas? Esto último constituyó una constante de su historia a nivel orgánico. Pero hay que tener en cuenta otro plano, en el cual los resultados fueron diferentes. Hacia 1940 había surgido una estructura ideológica de gran coherencia interna, al menos aparentemente; muchas de sus concepciones habían logrado ganar adeptos en importantes círculos de la sociedad argentina. Los numerosos "jefes" y sus agrupaciones no lograron conquistar el poder, pero sus temas hallaron creciente eco en la opinión pública. No se hará en estas páginas la detallada descripción de las —aproximadamente— cuarenta organizaciones nacionalistas que integraron el nacionalismo restaurador de aquellos años. Ello sólo cansaría al lector, sin contribuir a aclarar los problemas esenciales. Para la referencia cómoda, puede utilizarse la sistematización del gráfico de página 116. En este capítulo serán presentados los personajes más destacados del movimiento; las cuestiones relativas a la práctica política serán estudiadas posteriormente.

El año 1936 se destaca como un hito importante en la evolución del nacionalismo restaurador. Las dos grandes organizaciones de clara filiación uriburista[2] —la LCA y la ANA— no habían logrado los éxitos que sus seguidores esperaban. La gimnasia revolucionaria de 1935 y 1936 resultó ser un callejón sin salida. Ni la conducción civil —Lugones y Juan P. Ramos—, ni la militar —el general J. B. Molina y el almirante Renard— habían podido crear un nacionalismo unificado. Las pretensiones de los militares mencionados se basaban en sus estrechas relaciones con el fallecido Uriburu, pero no podían sustentarse en logros notables, sea en el aspecto organizativo, sea en el de la producción ideológica. En esto último eran L. Lugones y C. Ibarguren las figuras más destacadas de la primera mitad de la década. En agosto de 1933 el poeta redactó un programa nacionalista para un efímero intento de coalición —la Guardia Argentina— pero ese escrito señaló también el fin de la literatura política de Lugones. Surgieron otras voces. Entre las más detalladas exposiciones del programa de la LCA figura la de E. Valenti

Ferro (1934), cuya similitud con los postulados corporativistas de la Acción Nacionalista Argentina (ANA) era muy grande.

Juan P. Ramos, un prestigioso jurista y académico[3], fundó en 1932 la ANA (luego ADUNA), junto con Carlos Obligado, Alberto Uriburu y otros uriburistas. Al retirarse dos años después el desilusionado Lugones de la política activa, comenzó Ramos a ocupar el papel de ideólogo mayor y organizador principal de los nacionalistas. Su posición pareció fortalecerse al producirse la adhesión del teniente Oliveira Cézar, dirigente de la Legión Nacionalista (LN), una milicia que competía con la LCA. Pero esta última organización continuó siendo el cuerpo paramilitar más fuerte, y además no renunció a su autonomía. En mayo de 1936, al planear el general Molina un golpe, fue honrado Ibarguren —y no Ramos— con la tarea de redactar el correspondiente "programa nacionalista". Ibarguren ya había hecho una gran impresión con su ensayo *La inquietud de esta hora*. En cuanto a Ramos, se retiró a la vida privada en noviembre de 1936.

Intelectuales en busca de una organización y de un general, y oficiales politizantes que con cierta condescendencia escuchaban hoy a éste y mañana a aquel escritor: esta situación fue la pauta básica en el movimiento nacionalista. Los intelectuales seguían una estrategia doble: por un lado intentaban establecer contactos firmes con una de las numerosas organizaciones, y por el otro conservaban una cierta apertura hacia otros nucleamientos, a fin de asegurar para sus ideas las más amplias oportunidades de difusión. Todos los nacionalistas de la época creían en el próximo derrumbe del parlamentarismo en la Argentina, pero el número de los que competían por la esperada herencia era tan grande que muchos optaban por apostar a más de uno de los autodesignados "líderes". E. Osés, J. Meinvielle y M. Sánchez Sorondo fueron ejemplos típicos de este comportamiento.

Enrique P. Osés fue una de las figuras más destacadas de este período, si bien su imagen se desdibujó rápidamente a partir de 1943. La causa de esto puede deberse al hecho de que no fue autor de obras extensas u originales. No puede olvidárselo en cambio como agitador y orador capaz, así como organizador. A partir de 1938-1939 logró imponer su liderazgo en sectores considerables del nacionalismo restaurador. Entre 1929 y 1932 había dirigido la revista *Criterio*, presentándose como decidido sostenedor de un reformismo social en el sentido de las encíclicas *Rerum Novarum* y *Quadragesimo Anno*. Pero al convertirse en colaborador de Molas Terán en el diario *Crisol*, Osés fue arrastrado por la creciente oleada filofascista y antisemita. Luego de la muerte del fundador de este órgano, Osés pasó a ser el director, convirtiéndolo en el diario nacionalista más difundido del país. A esto se agregó una agrupación —Amigos de *Crisol* (AdC)— y una editorial propia. Con el estallido de la guerra Osés multiplicó sus actividades fundando *El Pampero*, diario que hasta 1944 logró aun mayores éxitos que *Crisol*. Desde 1935-1936 Osés mantenía también estrechos contactos con la UNES, Restauración, y otras agrupaciones menores, especialmente de Córdoba, Santa Fe y Mendoza.[4] Habiéndose hecho famoso por sus editoriales, este dirigente sistematizó sus ideas en 1936 a través de un programa de 19 puntos y del libro *Medios y fines del Nacionalismo* (1941).

Especialmente interesante fue la personalidad literaria de Ramón Doll. Conocido primero como crítico socialista, fue evolucionando hacia el nacionalismo a mediados de los años treinta. Sus escritos irónicos y apasionados aparecieron en *Crisol*, *El Pampero*, *Alianza*, *Nuevo Orden* y *La Voz del Plata*. Gozó de la estima de Osés y de los jóvenes de la AJN y jugó un papel en dos importantes intentos de unificación nacionalista (1941 y 1942). No escribió obras de gran aliento, pero sus breves ensayos fueron muy leídos: *Hacia la Liberación*, *Del Servicio Secreto Inglés al judío Dickmann* y *Acerca de una Política Nacional* (los tres de 1939). Fue autor de uno de los pocos estudios nacionalistas sobre el comunismo soviético: *Itinerario de la Revolución Rusa de 1917* (1943).

El presbítero Julio Meinvielle —doctor en Filosofía y Teología— perteneció a la generación uriburista de 1930. Junto a sus actividades parroquiales y de organización de grupos de Scouts en Buenos Aires, logró convertirse, con su obra escrita, en el principal teórico del nacionalismo restaurador. Escribió para *La Fronda*, *Ortodoxia*, *Baluarte*, *Arx* y *Crisol*, pero su repercusión profunda se debió a cuatro libros: *Concepción Católica de la Política* (1932), *Concepción Católica de la Economía* (1936), *El judío* (1936) y *Los tres pueblos bíblicos en la lucha por la dominación del mundo* (1937). De interés más circunstancial son en cambio: *Un juicio católico sobre los problemas nuevos de la política* (1937), *Entre la Iglesia y el Reich* (1937), *Qué saldrá de la España que sangra* (1937) y *Hacia la Cristiandad* (1940). La influencia ideológica de Meinvielle resultó especialmente marcada en los nucleamientos de *Baluarte* y *Restauración*, pero también alcanzó a otras organizaciones y pudo superar la etapa crítica de la Segunda Guerra Mundial.

Menos dogmático que el de Meinvielle se mostraba el pensamiento político del jesuita Leonardo Castellani (1899-1981).[5] También él logró un eco que sobrepasó el período que interesa en este contexto. Escritor, periodista, psicólogo, pedagogo, teólogo y filósofo pudo presentar en todas estas funciones aportes interesantes —aunque no siempre convincentes— a la vida intelectual argentina. Su significación para el nacionalismo se basó en sus artículos de *Cabildo* (1943-1945) y en libros como *Conversación y crítica filosófica* (1941), *El nuevo gobierno de Sancho* (1941) y *Crítica literaria* (1945).

Rasgos muy distintos caracterizan la figura del doctor Manuel Fresco, en quien se concentran todas las contradicciones de la década. Nacido en 1888, inició en 1919 una carrera política como diputado provincial conservador en la provincia de Buenos Aires. Actuó en el Congreso Nacional entre 1932 y 1934, y en 1936 alcanzó —en comicios fraudulentos— la primera magistratura de la más importante provincia argentina. Allí combinó una incipiente legislación social con la dura represión de los partidos opositores. Pero Fresco aspiraba a más: nada menos que a la unificación de las agrupaciones nacionalistas bajo su jefatura. Sus buenas relaciones con sectores influyentes de la sociedad y con el aparato del conservadorismo bonaerense parecían augurar posibilidades muy promisorias para ese propósito. Pero la dudosa fama de este administrador de fraudes y corruptelas políticas siguió siendo un fuerte obstáculo para la mayoría de los nacionalistas. Sin duda, esa no era la imagen brillante que se deseaba para el líder máximo. En setiembre de 1941 Fresco organizó su propio partido, la Unión Nacionalista Argentina-Patria. El diario *Cabildo* fue el vocero de esta tendencia. Fresco se consideraba a sí mismo un teórico, además de gobernante práctico, de modo que publicó sus discursos: *Ocho meses de campaña electoral* (1936), *Conversando con el pueblo* (1937-1938), *Cuatro años de gobierno* (8 tomos, 1941) y otros escritos. Finalmente presentó sus nuevas convicciones en un *Ideario nacionalista* (1943). L. Castellani escribió una crítica muy positiva al respecto[6], pero el eco público no fue grande. Para las ambiciones de Fresco —así como para las de muchos otros— la Revolución de 1943 resultó fatal. El ex gobernador de Buenos Aires dejó de ser uno de los principales actores de la escena política nacional.

Ernesto Palacio y los hermanos Irazusta formaron un pequeño grupo de alto nivel intelectual que se expresó a través de las revistas *Nuevo Orden* (1940-1942) y *La Voz del Plata* (1942-1944). En los años treinta produjeron una serie de ensayos y artículos fundamentales, en los que delinearon con creciente nitidez su posición heterodoxa dentro del nacionalismo restaurador. La culminación de esta evolución se halla en sus *Bases de un programa nacionalista* (1942). Ya en 1935 E. Palacio había publicado una crítica apenas disimulada de la "plutocracia" argentina en su *Catilina*; en 1939, con *La historia falsificada* fue más claro aún. Los hermanos Irazusta presentaron en 1934 un verdadero clásico de la literatura nacionalista: *La Argentina y el Imperialismo Británico*. La influencia de esta obra se agigantó con los años. Hacia 1940 todos los nacionalistas la consideraban como una piedra básica de su ideario común. Pero este éxito doctrinario no tuvo un correlato equivalente en la significación concreta del Partido Libertador (PL), fundado por Rodolfo Irazusta y sus amigos en 1942. Julio Irazusta se dedicó a partir de 1935 a los estudios históricos *(Ensayo sobre Rosas)*, convirtiéndose en una de las más destacadas personalidades del naciente "revisionismo". La fundación del Instituto de Investigaciones Históricas Juan M. de Rosas (1938) y la aparición del primer tomo de la monumental *Vida Política de Juan M. de Rosas a través de su correspondencia* (1941) de Julio Irazusta constituyeron jalones decisivos en el desarrollo de esta corriente historiográfica.

Otros publicistas del nacionalismo restaurador ejercieron su actividad en una especie de segundo plano, si se los compara con la trascendencia de las personalidades que acabamos de recordar. Muchos de ellos —aunque no todos— pasaron al olvido después de la Segunda Guerra Mundial, si bien sus aportes doctrinarios en la década del treinta fueron importantes. Entre los que infructuosamente trataron de reivindicar funciones independientes como "jefes" figuraron Oliveira Cézar (con su Legión Nacionalista), Roberto de Laferrère (con los restos de la LR) y Juan E. Carulla (con su Agrupación Teniente General Uriburu). Pero ya hacia 1936 era evidente que el general Molina y las organizaciones más fuertes (LCA y UNES-AJN) no podían ser desplazados.

Uno de los problemas teóricos más difíciles del movimiento resultaba de la ardua tarea de armonizar la definición de los objetivos nacionales con las influencias del universalismo cristiano y la moda del fascismo europeo. El doctor Nimio de A ıquín, un filósofo con veleidades políticas que desde 1935 dirigía el Frente de Fuerzas Fascistas de Córdoba, realizó aportes muy polémicos a esa temática, especialmente en su artículo "Liberalismo subrepticio y libertad cristiana" (marzo de 1941). Parecidas interpretaciones —de carácter más o menos fascistoide— fueron desarrolladas por Marcelo Sánchez Sorondo, redactor de la revista *Nueva Política* (1940-1943) y autor de *La clase dirigente y la crisis del régimen* (1941); H. Llambías y César Pico ("Carta abierta a J. Maritain sobre la colaboración de los católicos con los movimientos de tipo fascista", 1937). La cuestión también fue considerada por Alejandro Ruiz Guiñazú en *La Argentina ante sí misma* (1942). Juan Queraltó, jefe de la UNES-AJN, y Bonifacio Lastra mezclaban concepciones cristianas y fascistas en un nivel que correspondía más bien a la agitación callejera.

En la temática del tradicionalismo y de la Hispanidad se destacaron varios autores, todos ellos basados en las ideas centrales de Meinvielle. A. Ezcurra Medrano, J. C. Villagra, J. C. Goyeneche, Mario Amadeo y Héctor Sáenz y Quesada publicaron los correspondientes trabajos en *Baluarte, Sol y Luna* y *Nueva Política*. Desde 1941 esta problemática se convirtió en el núcleo de la obra de Jordán Bruno Genta. Los escritos de este filósofo aparecieron reunidos en 1945 en el libro *Acerca de la libertad de enseñar y de la enseñanza de la libertad*.

El interés de otros publicistas se centró en la llamada "cuestión judía", a la que se acostumbraba relacionar con el comunismo. Aquí también señalaron el camino las concepciones de Meinvielle. Entre 1935 y 1942 el conocido escritor Gustavo Martínez Zuviría (Hugo Wast) publicó tres novelas antisemitas —*El Kahal, Oro* y *666*—, de las cuales la segunda alcanzó 21 ediciones hasta 1955. Con parecidos argumentos, pero bajo una forma supuestamente científica apareció en 1939 *Los judíos* de Virgilio Filippo, quien colaboraba con el profesor Carlos M. Silveyra, director de la revista *Clarinada*. Por último debe mencionarse a Walter Degreff, un amigo de E. Osés que escribió libros de tendencia abiertamente nacionalsocialista: *Judiadas* (1936) y *Sión, el último imperialismo* (1937). El área económica atrajo el interés de un número relativamente reducido de autores del nacionalismo restaurador. Teótimo Otero Oliva logró cierta fama en la ANA y luego en la AJN con sus trabajos, destacándose su *Esquema de un plan de política y economía nacionalista* (1936). Héctor Bernardo y Juan P. Oliver, dos colaboradores de *Nueva Política*, se ocuparon de la problemática corporativista y de la economía en general.

La ideología

La cosmovisión básica

Lugones había intentado darle al nacionalismo un fundamento socialdarwinista. Con Meinvielle y los neorrepublicanos se impuso en cambio una cosmovisión basada en un tradicionalismo católico estricto. Sin embargo, algunos residuos de la dura filosofía vitalista nunca desaparecieron del todo de la doctrina nacionalista. Este elemento es muy evidente en Carlos Ibarguren:

"La generación de la posguerra repudia el intelectualismo que dominó a fines del siglo xix y que ahora es reemplazado por el impulso vital (...) Hay una exaltación de los sentimientos religiosos y patrióticos. Una onda espiritualista, impregnada de neomisticismo aparece y late en la juventud. Todas las construcciones racionalistas, positivistas, cientificistas, son rechazadas para dar lugar a la concepción 'bergsoniana' de exaltar una intuición de la vida que debe ser vivida más que representada, actuada más que pensada. (...) La voluntad de potencia predicada por Nietzsche, es decir, la energía que nos lleva (...) a extender nuestra vida en el universo, dominando a todas las fuerzas y seres que impiden esa expansión, tal voluntad empuja a la juventud de la posguerra."[7]

Tales ideas fueron recibidas por las milicias y los periódicos nacionalistas con gran entusiasmo.[8] En hombres como E. Osés no era raro encontrar una mezcla entre un cristianismo paralizado en moldes autoritarios y el lenguaje del desprecio fascista:

"La pacificación de los espíritus hay que buscarla en la conformidad y adecuación de nuestra vida a los dictados de la moral superior que está toda en la Verdad. El hombre es un animalito imbécil y pretencioso, egoísta y malvado."[9]

Meinvielle echaba de menos "la visión teológica" en el libro de Ibarguren, pero también él sufrió la influencia de las tendencias irracionalistas de la época. En su obra clásica sobre la política criticaba la democracia por ser el producto de una "época refleja" de la historia:

"Lo cual señala la inferioridad de esta forma ante las otras. Porque la reflexividad es un síntoma evidente de enfermedad, ya que supone que el hombre se mira más a sí mismo que al ser exterior."[10]

El realismo tomista terminó por convertirse en la filosofía "oficial" del nacionalismo. Esto no sólo debía testimoniar el estrecho parentesco de la Argentina con el círculo cultural latino, sino también servir de base a la pretensión nacionalista de ser la encarnación regional de la verdad eterna. Las doctrinas de la Modernidad —el empirismo inglés, el racionalismo francés, el materialismo marxista— fueron severamente condenadas. La mayoría de los ideólogos del nacionalismo restaurador —Meinvielle, Casares, Ezcurra Medrano, Llambías, Villagra— consideraban que el realismo tomista siempre había formado el núcleo intelectual de la tradición nacional. La penetración de las corrientes iluministas desde fines del siglo xviii era lamentada como un accidente histórico. Se partía del supuesto de que este mal paso no había alterado la "esencia" tradicional del país. El despertar del nacionalismo era interpretado como el inicio de un proceso, a través del cual la auténtica cosmovisión argentina habría de reconquistar su posición dominante en la cultura, la sociedad y la política. Meinvielle se refirió repetidas veces a esto, lamentando "la descomposición del mundo moderno" en el plano filosófico, y recomendando como único método para "el estudio de la política", el sometimiento "con humildad" a la sabiduría invariable encarnada en la obra de Santo Tomás de Aquino.[11]

En las obras de Meinvielle naturalmente se citaba también a otros autores, tales como los papas León XIII y Pío XI, además de destacados tradicionalistas como de Maistre, La Tour du Pin, Barruel, A. Cochin, Le Play y Berdiaeff. Una versión especialmente dogmática del "tradicionalismo filosófico" fue desarrollada por Juan C. Villagra:

"Nada más cierto (...) que la absoluta impotencia del hombre para crear algo en el orden social. La facultad verdaderamente legislativa no le pertenece, y la eficacia de sus determinaciones no pasa de un poder puramente reglamentario de las leyes divinas que forman la constitución natural de los pueblos, y que encuentran su expresión normal en las tradiciones, en las costumbres, en la opinión pública y en los prejuicios seculares."[12]

Villagra contraponía esta concepción al "delirio del liberalismo individualista". La tradición no era un producto de la "libertad" o la "voluntad", sino de la "riqueza y la sabiduría de las generaciones". Los nacionalistas argentinos —"un movimiento restaurador"— debían entender a la tradición universal como "el gobierno temporal de la Providencia". En este esquema la Iglesia era interpretada como depositaria y suprema representación humana de esos valores tradicionales. Como parte integrante de este universalismo podía descubrirse "una cualidad tradicional argentina".[13] Lo que el autor no expresaba claramente era quién resultaba encargado de la concreta determinación de esa cualidad nacional. El lector recibía la impresión de que esa tarea era monopolio exclusivo del movimiento nacionalista. Los valores del "pasado" —"Patria, Fe, familia, sangre, tradición, raza"— eran continuamente glorificados por la literatura del movimiento.[14] En cuanto a la relación entre tradición y mundo moderno, siempre aparecía en términos de negación radical: J. C. Goyeneche por ejemplo, opinaba que "nuestra época" lamentablemente aún sufría el lastre de muchos "errores y valores muertos", entre ellos el liberalismo y el socialismo.[15] En algunos escritores se declaraba al platonismo como el modelo adecuado para la ciencia política. Así, Leopoldo Marechal escribió lo siguiente:

"Tradicionalmente la Política es o debe ser una hermana menor de la Metafísica, vale decir una aplicación del Orden Celeste al Orden Terrestre: la constitución del Estado también se basa en principios inconmovibles, en un exacto conocimiento del hombre y de sus destinos naturales y sobrenaturales (...) y en un sentido riguroso de las jerarquías."[16]

En 1941 Jordán B. Genta exigía la instauración de un sistema educativo "clásico", según la concepción platónica tendiente a la formación de almas "armónicas", que "reposan en la verdad y permanecen inmunes a los cambios e influencias exteriores".[17] En un discurso a un grupo de oficiales Genta extremó esta doctrina hasta el misoneísmo más intransigente:

"Todo es viejo, enseña Aristóteles (...). Las cosas nuevas, aquellas que no están en ninguna memoria, tienen la inconsistencia del puro accidente; sólo existen en el instante fugacísimo de su aparición. El principio de la Revolución, Señores Jefes y Oficiales, es esa preferencia de lo nuevo y lo extraño. (...) Es la negación del ser. (...) No es posible introducir la menor innovación, el cambio más mínimo en el orden fundamental de la realidad."[18]

Concepciones de este tipo muy difícilmente pueden conciliarse con las condiciones históricas del nacionalismo en un país iberoamericano. Lo natural en un nacionalista es sentir orgullo por los logros de *su* pueblo en el pasado. Si se tomaba a los autores citados al pie de la letra, los argentinos —y todos los pueblos modernos— no tenían otra tarea cultural fuera de la repetición de los dogmas fijados por algunos pensadores griegos y medievales hace muchos siglos. Revisando la historia argentina a partir de las Guerras de la Independencia sólo podía comprobarse entonces —con inquietud— que sus grandes hombres y principales instituciones eran inseparables de las doctrinas supuestamente "erróneas" de la modernidad. Nimio de Anquín, jefe de los fascistas cordobeses, sacó la consecuencia lógica: la Argentina existente debía ser sacrificada en aras de los principios eternos:

"(...) el rechazo en block es urgente (...) hemos tenido el infortunio de nacer bajo el signo de los principios de 1789. (...) Nuestro comienzo es absoluto, sin enlace con el pasado político argentino".[19]

Su conclusión era tajante: era necesaria la oposición a "la tradición abominable de nuestra patria". A diferencia de la mayoría de sus correligionarios nacionalistas, Anquín no subestimaba la fuerza real que las tendencias modernas "aún" poseían. Mucho más optimistas resultaban las apreciaciones de Ezcurra Medrano:

"¿Estamos nosotros en el difícil caso de Alemania? ¿O los ochenta años de liberalismo injertados en nuestra historia requieren el genio de un Mussolini para ser rectificados? Ni una cosa ni la otra (...) la restauración de la tradición católica es entre nosotros lógica y naturalmente inseparable de la reacción política antiliberal."[20]

Los hermanos Irazusta trataron de limar las aristas demasiado cortantes de este conflicto, utilizando formulaciones bastante vagas, tendientes a señalar el camino de una síntesis pragmática de tradición y modernidad. De todos modos eran claramente reconocibles las diferencias con las posiciones extremas de Villagra, Genta y Anquín:

"Porque la salvación es posible. Sus fórmulas han sido propuestas en un imponente cuerpo doctrinario de doctores divinos y humanos; y los casos que prueban la posibilidad de su realización se están produciendo a nuestra vista en el resto del mundo. (...) la doctrina política tradicional, después de indicar las líneas generales de la restauración del orden —reanudar con la tradición eterna de la humanidad, innovar conservando y conservar innovando, restablecer la primacía de lo político sobre lo económico, reimplantar las jerarquías espirituales destruidas o subvertidas, etc.— nos incita al abandono de los sistemas rígidos, a la consideración de la política como ciencia de lo particular y concreto (...)."[21]

Pero la polarización ideológica no podía superarse tan sencillamente. Si se postulaba el "tradicionalismo" como clave de todos los valores, y se lo contraponía a la idea del progreso, se hacía necesaria una reinterpretación profunda de la historia nacional y universal. Y esto se hizo.

La idea de la historia

Forma y dinámica de la Historia Universal. En la década del treinta Julio Meinvielle desarrolló una teología de la historia, en la cual ocupaban el primer plano como fuerzas fundamentales Dios y la humanidad, en términos generales, y las religiones, en un sentido más restringido:

"La historia es una lucha eterna entre los derechos de Dios sobre las creaturas y la soberbia de la creatura sobre los derechos de Dios (...). Entre la ciudad de Dios y la ciudad del hombre, con el triunfo final de la Ciudad de Dios."[22]

Cuatro "pueblos bíblicos" se estarían disputando desde hace siglos el dominio del mundo: "paganos, judíos, musulmanes y cristianos". Otras sociedades sólo alcanzarían significación histórica en sus relaciones con las mencionadas comunidades religiosas. Así, los africanos, como "descendientes de Cam", llevarían el peso de la "maldición de Noé":

"(...) serán un pueblo, pero un pueblo inferior, disminuido, siempre a remolque de otros pueblos. Y en efecto, los negros africanos (...) no influyen en la historia. Es un pueblo maldito".[23]

La concepción de la historia de Meinvielle pretende ser cristiana y racista a la vez. Se pueden encontrar antecedentes de esta actitud frente a los hombres de color en la teología que predominaba en el Sur de los Estados Unidos antes de 1865, pero no en las tradiciones del pensamiento argentino sobre la materia. Los antagonistas fundamentales eran para Meinvielle cristianos y judíos, entre los que se habría entablado una lucha "irreductible y decisiva", porque no serían sólo dos religiones, sino dos caminos opuestos en política, en economía y en todas las manifestaciones de la vida. El teólogo tenía esperanzas de que tarde o temprano los nuevos "paganos" (materialistas occidentales, agnósticos, etc.) y los musulmanes habrían de pasar al bando cristiano.[24] Entonces quedaría aislado "el judío", supuesto originador de todas las rebeliones contra Cristo, y se produciría la guerra final de la historia. Sobre estos fundamentos Meinvielle construyó su tesis de la conspiración mundial judía, de la que se hablará más adelante.

Esta idea de la historia era aceptada por la mayoría de los nacionalistas restauradores. Pero no respondía a la pregunta acerca de los motores políticos y sociales de los procesos históricos específicos.

De allí que se debió completar con una interpretación secularista, cuyos elementos esenciales eran el "caudillo" o "héroe", la "elite" o "minoría" y las "masas". La influencia —generalmente indirecta— de los teóricos europeos —Pareto, Mosca, Michels, Maurras y Spengler— es aquí fácil de reconocer. El antecedente inmediato lo constituían L. Lugones y los neorrepublicanos de la década del veinte.[25] Una de las formulaciones más claras e influyentes de esta visión cíclica y elitista de la historia fue la de Carlos Ibarguren. En 1934 declaró que la creencia en el progreso estaba definitivamente "muerta". La evolución de los pueblos trazaba círculos, cuyas etapas siempre recurrentes eran el "orden", la "decadencia-caos" y la "revolución-dictadura":

"Las tiranías trascendentales representan la etapa postrera de la descomposición de una sociedad o la inicial de una violenta de transformación. (...) Tal acción debe necesariamente ser violenta; en ella finca la dictadura que así implantada impide la disolución total y permite que en el seno de la sociedad, comprimida por la fuerza, maduren los gérmenes nuevos que darán otras formas y otros frutos en un lento proceso."[26]

"Jefes", "héroes" y "dictadores" jugaban un papel extraordinario en el pensamiento nacionalista, mientras que "las masas" aparecían como simples comparsas. Pero la imagen de los "jefes" no era del todo coherente. Para algunos aparecían con rasgos exclusivamente tradicionales, en otras descripciones se destacaban características más modernas. Héctor Llambías idealizaba a un monarca de tipo más bien feudal, a quien asignaba como misión primordial "el mantenimiento del orden de las clases":

"(...) al pueblo le es dado por Dios mismo el poder soberano del Jefe (...) el Jefe del pueblo (...) es la parte más excelente y noble. (...) naciendo la necesidad del poder soberano de la viciosa inclinación dominante en el pueblo, mal puede residir en todo el pueblo".[27]

Para J. B. Genta el "héroe" lo era casi todo. La costumbre, la ley y el Estado se originaban en su acción; su aparición implicaba "la entrada de la razón y de la justicia en la existencia". Su violencia siempre estaría "justificada", porque respondería a la necesidad de "restaurar la Ley olvidada".[28] En cambio el "caudillo" de Federico Ibarguren mostraba cualidades relativamente "modernas" y demagógicas. Según el modelo fascista —Ibarguren mencionaba expresamente a Mussolini y a Hitler— el caudillo proclamaba "la Buena Nueva revolucionaria" que había recibido de "filósofos, poetas y pensadores". El poseía "el raro arte de movilizar las grandes pasiones populares en provecho de la nueva causa".[29] Pero con las masas "fanatizadas" no bastaba. Este caudillo militar era "ungido por la milicia tenaz y resuelta de los más convencidos, vale decir, por una minoría lúcida, con instinto político".[30]

Las agrupaciones más dogmáticas del nacionalismo eran las que subrayaban más intensamente la función de tales minorías. Para Nimio de Anquín "el derecho de las minorías fuertes" se encontraba muy por encima de las demandas de las "mayorías débiles". El "puño viril" de las minorías "libres, inteligentes, fuertes" escribía la historia.[31] En 1941 Marcelo Sánchez Sorondo dedicó a este tema un opúsculo que se encontraba determinado decisivamente por el entonces triunfante Nuevo Orden. Para este autor la política era un asunto de "pocos", porque para ella se necesitaba "una suma de virtudes aristocráticas". Los "mejores" no debían esperar hasta ser reconocidos como jefes por las demás personas. Ellos, "la perfecta minoría de los mejores", "se proclaman a sí mismos". Su misión natural era gobernar. En Europa ya habría tomado el poder una nueva elite de este tipo; también para la Argentina habría llegado la hora de la joven "clase dirigente":

"una clase dirigente lejos del poder, contra el poder, no se prepara sino en esas vigilias tensas y seguras de que hablaba José Antonio. Mas la tarea es perentoria porque los acontecimientos no esperan".[32]

Modelos del pasado. En busca de un mundo sano, los nacionalistas se internaron en el lejano pasado. Ya los neorrepublicanos —César Pico en primer lugar— habían celebrado los méritos de la *Edad Media*.[33] En los años treinta la glorificación de esta época se convirtió en un componente firme de la ideología restauradora. Tanto teóricos importantes como Meinvielle, Ezcurra Medrano y Castellani, como agitadores del tipo de Lastra y Degreff se ocuparon del tema:

"El cristianismo realizó el tipo ideal de la sociedad política, en la cual se armonizaban los derechos de Dios y los del César (...) La sociedad política medieval es un organismo (...) rebosante de salud, porque era obra de la sociedad espiritual que con sus dones del Cielo inspiraba y creaba desde adentro el orden normal de la vida humana."[34]

En otra obra, Meinvielle, el autor de estas líneas, sostenía que en la Edad Media "el hombre vivía en paz consigo mismo y vivía en paz con sus hermanos". Habría existido "orden sin violencia", porque cada parte de la sociedad se mantenía en el lugar que le correspondía.[35] Con todo, el cuadro idílico presentaba algunas contradicciones. En un artículo el mismo ideólogo escribía:

"La grandeza espiritual está unida con vínculos metafísicos a la espada (...) la Edad Media es mística y guerrera, como toda grandeza espiritual."[36]

El orden no aparecía desprovisto de una dosis de violencia. Pero lo que realmente fascinaba a los nacionalistas restauradores era la supuesta "armonía social" de la Edad Media. Ezcurra Medrano hablaba de "esa Edad feliz", en la cual las corporaciones aseguraban "la paz social" y ofrecían al obrero "socorro, trabajo y representación política".[37] Degreff se mostraba convencido de que en aquellos tiempos no existían "la vejez, la enfermedad desamparada" o "la desocupación".[38]

El Imperio Español y el período colonial de nuestra historia jugaban también un papel importante como modelos sociales y políticos. Este último período se interpretaba como una prolongación de la Edad Media sobre suelo americano. Especialmente entusiasmado se manifestaba J. C. Villagra, del grupo de Baluarte:

"Los creadores del viejo reino del Plata (...) enseñan al mundo (...) cuáles son los institutos del orden querido por Dios: monocracia, libertad de las repúblicas naturales, servidumbre, privilegios, derechos de conquista. Ese orden (...) realizaba la normal y perfecta expresión de la Política natural. Al mismo tiempo un pueblo amante de Dios exaltaba el sacerdocio hasta el poder teocrático (...). Nosotros queremos restaurar, perfeccionando, lo que fue."[39]

En esta línea escribían los redactores de *Sol y Luna* y *Nueva Política*. Federico Ibarguren concretó el contenido de la tradición noble con el término "Contrarreforma".[40] Para otros nacionalistas, la armonía colonial aún sobrevivía, siquiera parcialmente, en el interior del país:

"Allí, en las casonas de los grandes patios abiertos con sus aljibes (...) todos hemos sentido alguna vez la Patria (...). Familia patriarcal, padre con autoridad y mando, madre cristiana, devota y recogida. Costumbres puras y vida austera. Pobreza noble."[41]

Quien admiraba la Edad Media sólo podía sentir lo mismo con respecto a la época colonial. Pero la lógica interna de esta historia ideologizada no podía sino tropezar con las dificultades que surgían del hecho de las Guerras de la Independencia. Si la época de los gobernadores y virreyes representaba a la "verdadera" Argentina, ¿cómo debía juzgarse a los próceres de aquellas guerras, a San Martín y a Belgrano por ejemplo? Tales contradicciones llevaban irremediablemente a un resquebrajamiento de la conciencia nacional realmente existente en el pueblo argentino. Los nacionalistas populistas tenían en esta cuestión una posición diferente a la de los restauradores. Las polémicas que desde entonces giraron alrededor de la mencionada problemática, continúan jugando un papel en la política cultural y educativa de nuestro país.

El tercer modelo histórico de los nacionalistas alcanzó su status definitivo a fines de la década del treinta. Se trataba de Juan Manuel de Rosas y su época. En 1930 se había iniciado la revisión de los juicios "consagrados" sobre esta figura, sobre todo gracias al libro de Carlos Ibarguren.[42] Dos aspectos del régimen rosista eran especialmente interesantes para el nacionalismo. En primer lugar, Rosas había realizado una política exterior altiva e independiente, en la cual logró rechazar dos intervenciones armadas de Francia e Inglaterra. En esto se integraba en la línea de los próceres de la Independencia. En segundo lugar, su política interior aparecía fuertemente impregnada por las tradiciones hispano-coloniales, hecho que repetidamente subrayaron los ultratradicionalistas del nacionalismo. En Rosas podían encontrar aspectos admirables tanto los restauradores como los nacionalistas de tendencia populista. Con todo, el avance del "rosismo" no fue tan arrollador como podría suponerse en base a las anteriores consideraciones. Existía un tercer aspecto de este fenómeno histórico que no podía sino despertar la inquietud del sector uriburista del nacionalismo: Rosas había sido el ídolo de las clases bajas, y sus enemigos más enconados se encontraban en los sectores "oligárquicos". Es por esta razón que el senador Benjamín Villafañe, político conservador filonacionalista, nada quería saber de Rosas. Un miembro de la LCA escribía en 1937 lo siguiente:

"Bajo el imperio del sufragio universal la República sufrió el despotismo sanguinario de Rosas; bajo su imperio, y el del voto secreto y obligatorio, el despotismo y la vesanía de Hipólito Yrigoyen, transmitida a la plebe, (...)."[43]

Esta tendencia se fue debilitando con el tiempo. Las organizaciones más recientes —Baluarte-Restauración, UNES-AJN, AdC y

PL— mostraban creciente entusiasmo por lo que se refería a la época rosista. El así surgido "revisionismo histórico" ha producido, a lo largo de los decenios, resultados valiosos para la investigación. Junto a estos logros positivos también es necesario reconocer algunos efectos de otro tipo. Estos se refieren al hecho de que la literatura nacionalista del período 1932-1943 se dedicaba a una apologética rosista con fines políticos muy precisos, los cuales poco tenían que ver con la historiografía pura. Porque la glorificación del dictador fue utilizada conscientemente como arma en la guerra ideológica contra el liberalismo y como anuncio de un futuro líder. Ya en 1933 J. C. Villagra escribía estas líneas:

"los actos todos de aquel gran federal revelan un sentido reaccionario de las cosas que lo colocan no muy lejos del tipo político modelo (...). Don Juan Manuel debe ser considerado como el gobernante restaurador, en una parte considerable, del sistema político tradicional argentino".[44]

Claro está que también se oyeron algunas voces que pedían moderación, especialmente la del historiador nacionalista más importante:

"(...) el gobierno de Rosas me parece haber llenado, hasta donde se lo permitieron las circunstancias, el ideal del gobierno. El bien común (...) de ninguna manera mejor se alcanza que por la armoniosa colaboración de todos los elementos que componen la sociedad, como sucedió en nuestro país durante aquella época (...). Pero tampoco tengo empacho en declarar que hoy, por hoy, aquí y ahora, soñar con dictaduras basándose en el precedente de Rosas, es no comprender ni el pasado ni la actualidad argentinas".[45]

Tales palabras de sensatez fueron la excepción y no la regla. Los nacionalistas se sintieron deslumbrados, cuando descubrieron que la oleada mundial de dictaduras de extrema derecha de su tiempo tenía —aparentemente— un predecesor argentino. Ni el ya citado Julio Irazusta logró sustraerse completamente a la fascinación de estas imágenes. En su *Ensayo sobre Rosas* pintó el cuadro impresionante de un desarrollo hipotético de la Argentina, partiendo de la suposición de una derrota de los liberales en 1852:

"(...) llegábamos al siglo xx con la organización tradicional de la sociedad que habíamos mantenido mejor que la mayoría de las naciones, con la aceptación popular, y entonces, dada la fuerza material que habríamos conservado, acaudillábamos la revolución mundial que hemos visto empezar en nuestros días (...)".[46]

Federico Ibarguren era mucho más tajante en sus juicios. Para él, Rosas encarnaba la concepción política que nos había legado "la

España católica e imperial". El luchó "titánicamente" contra "la ideología de la Revolución Francesa", y gobernó con un "concepto medioeval casi monárquico". Ibarguren esperaba la aparición de un nuevo Rosas en el país, porque creía en la existencia de una "ley universal" de la historia, cuyo contenido sería el siguiente:

"(...) el pasado, al encarnarse y ser interpretado por un personaje vigoroso, recobra su señorío, y tomando impulso en el hecho revolucionario que lo negaba, resucita al conjuro de una política personal y restauradora".[47]

La Edad Moderna como decadencia. La idea iluminista del progreso no podía ocupar un lugar en esta concepción de la historia. Se partía de la tesis de que una serie de revoluciones relacionadas entre sí había destruido, por etapas, el mundo "sano" de la Edad Media. Así, toda la modernidad se encontraba bajo el signo de la decadencia. La formulación clásica de esta idea se encuentra en los textos de Meinvielle, con un esquematismo que tiene notable similitud con la doctrina platónica sobre la corrupción del Estado ideal:

"Pero este admirable organismo, por la acción corruptora anidada en las entrañas del hombre, se va perdiendo y (...) las formas, principio de ser y perfección, van desapareciendo en escala descendente. (...) Tres son las revoluciones esenciales que destruyen el edificio de la Cristiandad: la revolución religiosa de Lutero (...). La revolución política de 1789 (liberalismo) (...) y la revolución comunista de la URSS en la que (...) no puede quedar sino el caos, la esclavitud oprobiosa (...).'[48]

Estas revoluciones serían levantamientos contra el "orden natural" de las cosas, orden que debe ser entendido como conjunto de estructuras jerárquicas. Lo más excelso del hombre —su vida religiosa— se encuentra encarnado en el clero, por lo que Meinvielle reclama para este estamento el rango más elevado de la sociedad. En segundo lugar estaría la vida política encarnada en la aristocracia. La función directiva en la economía —"burguesía"— ocuparía el rango siguiente, encontrándose en cuarto y último lugar el estamento "obrero", dedicado a la producción material.[49] Las mencionadas revoluciones significarían el levantamiento —"metafísicamente" condenable— de un estamento inferior contra su inmediato superior. Así se habría llegado: 1) al protestantismo, rebelión "de la nobleza contra el sacerdocio"; 2) a la Revolución Francesa, rebelión "de la burguesía contra la nobleza"; 3) a la Revolución Rusa, levantamiento del "artesanado" contra la "burguesía".[50] Se habría alcanzado con esto último el punto más bajo de la historia humana. Esta "regresión cultural" sería el "momento crítico" inmediato "a la muerte". Aun así le era dado al hombre reaccionar contra las tendencias decadentes del mundo moderno y contemporáneo:

> "De esta suerte, todas las fuerzas que se pueden escalonar por grados desde el protestantismo al comunismo forman, quizás sin saberlo y sin quererlo, un frente único de revolución que marcha hacia el caos. Frente a estas fuerzas revolucionarias, que gravitan todas hacia Moscú, se encuentra la Iglesia Católica."[51]

Sin alteraciones fundamentales se encuentra esta interpretación grandiosa y sombría de nuestro tiempo en otros autores nacionalistas, los que a menudo se referían expresamente a las obras de Meinvielle. Esto puede apreciarse releyendo a Ezcurra Medrano, Genta, Degreff, Federico Ibarguren y Osés. La concepción de Meinvielle tenía un solo defecto: en ella el término "revolución" tenía una connotación claramente negativa. Pero el nacionalismo restaurador no deseaba renunciar al uso de esta palabra mágica. Una salida al dilema ofrecía la tipología que proponía W. Degreff:

> "Las revoluciones del signo menos son las grandes devastadoras de los pueblos, (...) con ellas llegan los instintos bajos, crueles, salvajes, a la superficie (...) tienden a la destrucción de los valores culturales, [y] religiosos que son reemplazados por nuevas ideologías extrañas, abstractas. (...) En las revoluciones del signo más obran las energías renovadoras de los pueblos, renacen sus virtudes adormecidas, olvidadas o ultrajadas; (...)."[52]

Degreff consideraba que la Francesa y la Rusa eran las más grandes entre las revoluciones negativas, pero exaltaba a las revoluciones fascista y nacionalsocialista como ejemplos luminosos de la segunda categoría mencionada. A fin de destacar y precisar el sentido positivo de este tipo de transformación política, los nacionalistas emplearon a menudo una fórmula compuesta: la de la "revolución restauradora".

La imagen del enemigo

Liberalismo y democracia. La actitud antidemocrática de los nacionalistas restauradores se mantenía con absoluta continuidad desde los orígenes uriburistas. La polémica contra el liberalismo y la democracia se profundizó durante la "década infame" y fue difundida con un gran esfuerzo propagandístico, utilizando argumentos que en gran medida ya se encontraban en los textos de Uriburu, Lugones y los neorrepublicanos. Esta polémica puede analizarse, estructurándola en cinco unidades temáticas:

1) El sufragio secreto establecido por la Ley Sáenz Peña era criticado por ser supuestamente contrario al "valiente" carácter nacional. Este sistema constituiría "un arma cobarde y alevosa, por cuanto se esgrime desde la impunidad y sin ningún control posible". En este contexto el redactor de *Crisol* lamentaba la "deslealtad" que habrían mostrado en unas elecciones provinciales de 1935 los empleados públicos. Siendo éstos 100.000, el partido conservador gobernante sólo había obtenido 30.000 votos. Indignado se preguntaba el periodista: "¿Por qué votaron esos empleados contra quien les da subsistencia?"[53] El gobernador Fresco a menudo utilizaba este argumento contra el voto secreto que no sería de "hombres libres" ni "dignos".[54]

Para Valenti Ferro era el camino a la "traición", porque facilitaría "combinaciones" políticas poco limpias, liberando al elector de la "responsabilidad" frente a sus conciudadanos.

2) Se sostenía también que el sufragio universal conducía al predominio de la "plebe". Al igual que el anterior, este argumento pertenecía al arsenal ideológico de la Concordancia, formándose así un puente o lazo de unión entre el gobierno y los nacionalistas restauradores. En su famoso libro de 1934, Carlos Ibarguren había atacado el sufragio universal —"ciego, igualitario e irresponsable".[55] Casi todos los nacionalistas importantes coincidían en este juicio. Meinvielle advertía a sus lectores que Santo Tomás de Aquino consideraba a la democracia como una forma "corrompida" de gobierno:

"Nada más deplorable (...) y opuesto al bien común de la Nación que la representación a base del sufragio universal. Porque el sufragio universal es injusto, incompetente, corruptor."[56]

Para el conservador-nacionalista Villafañe, este sistema era responsable del surgimiento de "nuevos bárbaros", habiéndose llegado, con los radicales, al "imperio de los inferiores".[57] Con preocupación se registraba el hecho de que las mayorías argentinas no renunciaban voluntariamente a la Ley Sáenz Peña:

"Si se realizase entre nosotros un plebiscito, sin duda el 80% de la masa popular se inclinaría decididamente por el mantenimiento del sufragio universal, con el agravante de que el referéndum evidenciaría el ánimo de las masas en el sentido de hacer extensivos los derechos políticos al sexo femenino."[58]

Valenti Ferro continuaba sus comentarios con citas extraídas de una serie de figuras extranjeras y nacionales que se habían manifestado alguna vez contra ese sistema: para Valenti Ferro, la causa "principal" de "nuestra crisis social y política". Aparecen allí Saavedra Fajardo, J. Stuart Mill, J. de Maistre, E. Echeverría, J. B. Alberdi, Vicente Fidel López y D. F. Sarmiento. De nuevo se enarboló la fantástica afirmación sobre el "66%" de analfabetos en el país.[59] Un especialista en este juego con cifras imaginarias era el profesor Carlos M. Silveyra: aseguraba que en la Argentina había "1.023.330" "delincuentes, judíos y analfabetos" con derecho al voto. Sumados los "amorales izquierdistas" y "masones" se tenía "2 millones" de ciudadanos peligrosos, capaces de formar "la mayoría electoral democrática".[60]

3) Una y otra vez se repetía que la democracia no era más que una etapa en la marcha hacia el comunismo. En 1933 la Liga Republicana adhirió a la conocida tesis de Lugones, de que el "liberalismo licencioso" de nuestras instituciones "nos entrega desarmados a las fuerzas del socialismo extremo y de la anarquía".[61] Era también un tema favorito de Fresco:

> "El comunismo espera hacer del voto secreto el instrumento bárbaro que ponga en acción la hoz y el martillo (...). No podemos entregar el uso de un arma tan destructora como el voto secreto a los perturbadores (...)."[62]

Valenti Ferro y Osés compartían esta opinión. En cuanto al sufragio femenino, que ya había sido establecido en San Juan, era difamado como una medida "soviética".[63] Todavía en 1942 escribía Marcelo Sánchez Sorondo:

> "Dios nos libre de gobiernos respetuosos del mito de la voluntad del soberano. Porque acaban por convertir al soberano en miliciano."[64]

4) Se afirmaba que la democracia no era más que un fenómeno propio del siglo xix. Supuestamente superada por el tiempo, esta forma de gobierno se encontraría desorientada e impotente ante los desafíos del presente. Agitadores como Lastra hablaban del "fofo, dormilón y castrado" Estado liberal.[65] Con tonos triunfales pontificaba Carlos Ibarguren:

> "Después de la guerra [1914-1918], los Parlamentos van secándose, aún cuando todavía no se van callando. (...) Sería interminable la compilación de hechos, de los juicios y de los estudios que comprueba la bancarrota de la democracia liberal, emitidos por pensadores, profesores, estadistas y políticos de todos los países del mundo y de las más diversas tendencias."[66]

5) Por último se afirmaba que liberalismo y democracia eran fenómenos exclusivamente anglosajones y anticatólicos, es decir, incompatibles con lo argentino. En este contexto se atacaba las liber-

tades de prensa y de culto, así como la política inmigratoria liberal, como peligros para la tradición y la esencia popular. Con *Historia de la Argentina* (1938), de Ernèsto Palacio, este tipo de argumentación se convirtió en el hilo conductor de una interpretación "revisionista" del pasado y del presente, la cual a menudo cristalizó en fórmulas de extremo dogmatismo. Con especial énfasis se pretendía "demostrar" que catolicismo y democracia eran irreconciliables. En cuanto al liberalismo, Meinvielle sostuvo lo siguiente:

"con sus decantadas libertades de pensamiento y de prensa, es repudiable en un régimen ajustado a las normas católicas. Por otra parte, hace imposible una discreta regulación política. Porque si todo el mundo puede pensar, decir e imprimir cuanto sus apetitos exijan, se creará una atmósfera pública reacia a toda regulación y se ampararán legalmente las teorías y prácticas subversivas del orden social más elemental".[67]

Por eso Meinvielle, Casares, Ezcurra Medrano, Anzoátegui y muchos otros criticaron duramente la idea relativamente difundida, de que una síntesis entre fe católica y política liberal era posible. Osés afirmaba que los católicos no podían apoyar "el Estado demoliberal"[68], y *Clarinada* no dejaba ningún fenómeno negativo imaginable fuera de la lista de los supuestos y reales pecados de la "democracia liberal":

"Coloca a la Iglesia en dependencia del Estado (...). Crea una civilización mecánica y no espiritualista. (...) Difunde el adulterio con el divorcio. (...) Mata la inocencia de las criaturas con sus cines, teatros y playas. (...) Produce la miseria, el hambre y la desesperación de miles de hombres honestos y trabajadores (...). Con la libertad del pensamiento abre las puertas al comunismo. (...) Divide a los argentinos en partidos políticos antagónicos (...) semilleros de ventas de hombres y de patria. Deja a las Malvinas en manos extranjeras. (...) Supedita la producción nacional al imperialismo extranjero."[69]

Nimio de Anquín llegó a darle a esta condena una formulación teológica: una sociedad liberal no podía ser "salvada", porque estaría corrompida hasta la médula, siendo la encarnación de la "Ciudad del Diablo".[70] Naturalmente gozaban de mayor difusión argumentos de tipo secular. En agosto de 1933 las agrupaciones nacionalistas publicaron una declaración en la que atacaban a la Constitución de 1853 por ser una simple "copia" de la ley fundamental de los Estados Unidos, dando además por evidente de que ese instrumento ni siquiera allí seguía siendo útil.[71]

En la exacta descripción y valoración de las influencias institucionales extranjeras no todos los nacionalistas coincidían. Una parte de los autores siguió desarrollando el tema lugoniano de los inmigrantes "dañinos" mientras que otros vieron en el imperialismo anglosajón al verdadero beneficiario de la constitución liberal. A la primera tendencia pertenecían la LCA y sus aliados:

"La influencia perniciosa de la intervención extranjera en la función del sufragio está probada en nuestro país por el crecimiento del socialismo y demás partidos antiargentinos. (...) el caudal electoral de los mismos está constituido en sus dos terceras partes por extranjeros. (...)."[72]

Sobre la base de tales consideraciones se proponía una "descalificación electoral a perpetuidad" de quienes profesaban "ideas disolventes" como las del socialismo.[73] Con una franqueza rayana en el descaro, H. Sáenz y Quesada introducía el concepto de lucha de clases en su polémica antidemocrática, tendiente a justificar el "fraude patriótico". Este no sería más que la "reacción instintiva" de la "gente decente" o "clase rectora":

"No es otra la causa del llamado fraude electoral: recurso subconscientemente defensivo de la clase rectora (...) contra los modos, arrebatos y costumbres que amenazaban el ser mismo de la Argentina. (...) El tiempo dirá si la reacción que apunta hará triunfar el legítimo anhelo de vivencia de los argentinos auténticos. (...) La democracia carece de antecedentes en nuestra tierra."[74]

A fines de la década del treinta esta clase de polémica se hizo menos frecuente, La crítica "antiimperialista" de la democracia adquirió cada vez más importancia en las filas nacionalistas. Osés declaraba en 1936 que la democracia había facilitado "la entrega" de la Nación a los "trusts"; en vez de libertad para los ciudadanos habría libertad para "explotar al pueblo". En cuanto a los partidos políticos, no serían más que agentes a sueldo del "capital internacional".[75] Ramón Doll consideraba las constituciones estadounidense y argentina como instrumentos de la "opresión plutocrática". Nuestra Carta Magna sólo habría sido usada para "preparar los caminos y los canales de invasión exterior". En la Argentina el Poder Ejecutivo sería en realidad "todopoderoso"; en cambio Congreso y Suprema Corte "no arraigan en la nación". Serían "figuras jurídicas" postizas y "sombras", al igual que las "autonomías provinciales".[76] Especial desprecio reservaba Doll para el Poder Judicial:

"contrastaba su displicencia hacia los derechos individuales de la población con la rigurosa defensa del capital importado (...) poco le debe el país a la Corte".[77]

Los hermanos Irazusta y sus seguidores no participaron de la virulenta polémica antidemocrática que se acaba de resumir, si bien entre 1927 y 1931 habían sido destacados representantes de tales ideas. Esta transformación ha sido cuidadosamente estudiada por Zuleta Alvarez en su obra sobre el nacionalismo. Con todo, considero que los textos que se refieren a este tema no son tan unívocos, como la interpretación de ese investigador daría a entender. Sin duda hay que aceptar que los hermanos Irazusta habían comprendido que una difamación sistemática de la democracia sólo servía para reforzar el dominio del bloque conservador, y que en ello no había ventaja alguna para un auténtico movimiento nacionalista. Pero esta es una reflexión a un nivel instrumental o táctico de la política.[78] No puede en cambio considerarse resuelto el problema que podría señalarse con la siguiente pregunta: ¿Habían revisado los Irazusta sus principios básicos en esta materia? Existen algunos textos que despiertan dudas en tal sentido. En 1941 Rodolfo Irazusta comentaba su campaña periodística de 1927-1930, aclarando que su "intención" había sido "quebrar el prestigio de un sistema que creíamos y *seguimos creyendo* perjudicial al país, (...)".[79] La posición del grupo que terminó por formar el Partido Libertador fue resumida de esta manera por E. Palacio: "No hacemos, pues, cuestión del sistema político y nos oponemos expresamente a la adopción de recetas exóticas para resolver nuestros problemas".[80] La configuración precisa de la democracia "argentina" que en ese mismo párrafo postulaba Palacio no resultaba del todo transparente, pero de todos modos esta posición marcaba una importante diferencia con el resto del nacionalismo restaurador. Los Irazusta aceptaban una concepción básica de ese tipo, pero rechazaban como un gran error la furia antidemocrática de la propaganda nacionalista, convirtiéndose así en un puente entre el nacionalismo de ultraderecha y la corriente "populista".

Librecambio, imperialismo y "plutocracia". La polémica "antiimperialista" y antibritánica se convirtió en el tema más popular del nacionalismo en la década del treinta. La tendencia fue delineada por el Manifiesto de la Liga Republicana del 22 de mayo de 1933, la declaración de principios de la Guardia Nacionalista del 12 de agosto de 1933 y el libro de Julio y Rodolfo Irazusta, *La Argentina y el Imperialismo Británico* (1934). El contenido esencial de dichos textos puede resumirse en las siguientes cuatro tesis:

1) Se hizo la comprobación de que el librecambio y el "liberalismo económico" en general habían fracasado en todo el mundo. Se proponía una economía distinta, concentrada en el crecimiento del mercado interno.[81] Pero se registraba con preocupación el hecho de que las autoridades argentinas seguían apegadas al "ídolo" del librecambio.

2) El predominio del liberalismo manchesteriano durante 80 años parecía haber convertido al país en una "colonia"[82] del "capitalismo extranjero".[83]

3) Esta dependencia se hacía particularmente visible en la vida comercial y financiera.[84] El poco digno desarrollo de las tratativas que culminaron en el Pacto Roca-Runciman habría demostrado que la diplomacia argentina aceptaba voluntariamente esta situación colonial[85]:

> "La economía pastoral nos hace dependientes de Inglaterra. (...) Así como Inglaterra se reserva los medios de seguir su política de librecambio imperial, nosotros no nos reservamos nada para contrarrestarla con el proteccionismo, o nacionalismo económico."[86]

4) Todo esto se interpretaba como el último eslabón de una cadena de procesos históricos. Desde el final de las guerras civiles del siglo xix se habría establecido una "oligarquía", cuyo programa "internacionalista" serviría —en primer lugar— a los intereses capitalistas de Gran Bretaña. Luego de derrocar a Rosas, esta oligarquía de comerciantes, banqueros y juristas convirtió al país en "objeto de especulación" para los extranjeros.[87] Ni siquiera el caudillo que fue Yrigoyen pudo quebrar este poder:

> "Los dos presidentes populares dejaron intacto el armazón de dominio antipopular de sus antecesores. Continuaron tolerando el liberalismo ideológico y el comercialismo extranjerizante y la oligarquía mantuvo el control de las finanzas y de la prensa."[88]

Luego vino la "Revolución" de 1930, cuya consecuencia fue la plena "restauración" de los oligarcas.

El impacto del libro de los hermanos Irazusta fue grande, porque sus tesis antiimperialistas se basaban sobre una considerable información histórica y política. Ya no se trataba de las diatribas o de los artículos más o menos chispeantes que hasta entonces habían caracterizado la literatura nacionalista. Esta interpretación de la sociedad argentina constituía un desafío intelectual, al que había que dar respuestas meditadas, aunque no todo lector necesariamente debía coincidir con formulaciones tan extremas como esta: "todo este régimen da libertades al extranjero y somete al criollo".[89] Si bien todos los nacionalistas adoptaron las tesis básicas de la interpretación irazustiana, existieron siempre algunas controversias sobre determinados aspectos, tales como el concepto de "oligarquía". Avelino Fornieles, periodista de *Baluarte*, saludó con entusiasmo la obra de los Irazusta, pero no aprobó su severo juicio sobre la revolución de Uriburu. Fornieles supuso que el nacionalismo se impondría "por el curso natural de los acontecimientos". Por otra parte:

"Si bien es cierto que el actual gobierno actúa con el apoyo de las viejas tendencias y es un producto de ellas, es cierta y real la responsabilidad, el empeño de mejorar la situación (...) la reorganización del Estado desquiciado."[90]

Este optimismo desapareció ante la progresiva revelación de los abusos económicos y políticos de la "década infame". Por otra parte es interesante el hecho de que los Irazusta tenían un rasgo que distinguía su posición de la del antiimperialismo de izquierda; consideraban que los ganaderos no pertenecían a la oligarquía gobernante: carecerían de toda influencia en la vida pública.[91] Pero aun con esta reducción del potencial conflictivo que encerraba el término no se dieron por satisfechos todos los nacionalistas. Valenti Ferro, representante de la ortodoxia uriburista de la LCA y la ANA, llamó a la oligarquía "inverosímil fantasma", supuestamente inventado por "demagogos". Aquí consideraba arteramente atacada a una minoría "constructiva" a la que la historia "no ha hecho aún justicia".[92] En cuanto al "peligro del capitalismo extranjero" sería otro "fantasma" de origen izquierdista: la Argentina necesitaría "quizás por mucho tiempo, de ese capital foráneo que todo lo ha hecho en nuestro país".[93]

Este último eco de las opiniones lugonianas de 1930 fue apagándose a fines de los años treinta. Incluso Fresco, que se calificaba como "conservador y nacionalista", sazonaba sus discursos con ataques contra el "capitalismo imperialista", la "tiranía plutocrática" y la "burguesía parasitaria". Casi en la misma oración elogiaba el Pacto Roca-Runciman.[94] Tales contradicciones y oscilaciones eran características de importantes sectores del nacionalismo. Investigaciones detalladas sobre las relaciones entre política y economía fueron realizadas primordialmente por el núcleo de los hermanos Irazusta y por los nacionalistas populistas. El aporte de las demás organizaciones se redujo a los trabajos de Otero Oliva, Doll, J. P. Oliver y H. Bernardo. El primero de los autores nombrados publicó en 1935 una fundamentada crítica de los dudosos métodos contables y de la política de precios de determinadas compañías, especialmente de la CHADE, la Unión Telefónica y los frigoríficos. Favorecidas por el gobierno y amparadas por la justicia, dichas empresas podían efectuar esas maniobras ante la ausencia de una legislación efectiva al respecto. Además Otero Oliva destacó el hecho de que en nuestro país no se observaba una política financiera favorable a la industria nacional: no se otorgaban créditos a largo plazo.[95] Muy controvertida era también la política económica de Yrigoyen. Mientras que los Irazusta presentaban una imagen relativamente positiva de este presidente y de su movimiento, permanecía la mayoría de los nacionalistas restauradores aferrada a su hostilidad tradicional contra la UCR. Así, para Juan P. Oliver, Yrigoyen había sido un "liberaloide", puesto que nada había hecho contra los monopolios extranjeros.[96]

Otra fuente de ambigüedades en el nacionalismo estaba dada por el uso impreciso del término "capitalismo". Algunos textos parecían condenar el capitalismo en todas sus manifestaciones; otros establecían distinciones. Meinvielle se pronunció en forma muy dogmática; para él sólo existían dos formas económicas básicas:

"la cristiana, que usa de las riquezas para subir a Dios y la moderna o capitalista (sea liberal o marxista), que abandona a Dios para esclavizarse en la riqueza".[97]

El capitalismo sería como "la erupción" de toda una "familia de pecados": "violencia, falacia, perjurio, fraude y traición". Esto se notaría especialmente en las finanzas, ya que todo interés sería "usura". Meinvielle afirmaba que el capitalismo sólo había producido una pequeña "oligarquía de multimillonarios", dañando a todos los demás estratos sociales. De todas maneras, "la crisis actual del capitalismo" sería su "crisis definitiva".[98] En cambio Osés y Degreff establecían una diferencia fundamental entre el pernicioso "capitalismo prestamista" y el capitalismo creador de los industriales.[99] Osés hablaba preferentemente de las "fuerzas plutocráticas" y cuando quería ser más preciso, del "capital judío-inglés".[100] Desde 1940-1941 se agregó el "imperialismo yanqui". Pero nunca propugnó una condenación global del capitalismo, la cual automáticamente habría implicado un acercamiento a las posiciones de la izquierda.

Socialismo, comunismo y sindicalismo. Todos los nacionalistas restauradores consideraban que la izquierda en general y el comunismo en particular eran los peores enemigos de la nación. Aquî se continuaba la tradición uriburista, con pequeñas alteraciones en determinadas acentuaciones. La polémica con el marxismo era pasionalmente conducida por la prensa nacionalista, pero no culminó en una gran obra definitiva. *El comunismo en la Argentina* de C. Silveyra no podía aspirar a tal rango. La calidad informativa y crítica de la mayoría de estas publicaciones era muy inferior al óptimo nivel que en esta temática ya solían presentar los artículos de *Criterio* en aquellos años.

El liberalismo era considerado como débil y decadente, pero todo lo contrario se pensaba del comunismo en el que se veía una temible posibilidad futura. De esta apreciación de la situación nacía la convicción de que el ciudadano ya no podía votar por cualquier partido: "sólo" quedaría la alternativa entre "comunismo o nacionalismo".

"El comunismo. He aquí una tendencia fuerte y poderosa que se yergue frente a la nuestra, como que serán, posiblemente, las únicas que quedarán frente a frente en el terreno, en su oportunidad."[101]

Apenas si transcurrió un año de la década en cuestión en que no hubiese anuncios de agrupaciones nacionalistas sobre una inminente "sublevación de una muchedumbre extranjera" o una "revolución social comunista".[102] En 1936 Meinvielle declaró estar convencido de la cercanía de "la revolución proletaria" en "todo el mundo".[103] Siguiendo el uso establecido por Lugones, se entendía el término comunismo de un modo muy genérico y vago, asignándose, por otra parte, una exagerada influencia a "Moscú" en la realidad política argentina. Este reduccionismo conceptual a ultranza se evidencia con mucha claridad en el siguiente texto de Meinvielle:

"¿Existe irreductibilidad entre el liberalismo y el socialismo? Ninguna. En primer lugar, porque el liberalismo conduce al bolchevismo. (...) En segundo lugar, porque en una y otra ideología la condición humana es, en lo cualitativo, considerada del mismo modo. Uno y otro privan de religión a los individuos: el liberalismo porque (...) en él impera la idea laica; el socialismo, porque en nombre del materialismo sólo hace posible la confesión atea. Y ambos privan de lo moral: porque el liberalismo rompe los frenos que detienen los instintos, y el socialismo impulsa todos los movimientos infrarracionales. (...) Liberales y socialistas son hijos de un mismo padre, el lacayo Juan Jacobo [Rousseau]."[104]

Siguiendo este enfoque, Julio Irazusta esbozó una crítica del socialismo. Aceptaba como "exacta" para las condiciones de la época la "parte crítica" del Manifiesto Comunista de 1848; en aquel tiempo el socialismo habría sido "una rebeldía justa". Pero el socialismo y el obrerismo se habrían "prolongado inoportunamente hasta nuestros días", produciendo "tantos males". Entre ellos, la crisis mundial de la economía:

"Esta triste situación se debe a la identidad fundamental de los dos sistemas [liberalismo y socialismo] (...) porque tanto la libre concurrencia en la libertad de trabajo, como la posesión en común de los medios de producción se basan en la misma doctrina de utilitarismo desenfrenado y de crudo materialismo."[105]

El socialismo parlamentario de Europa Occidental y la "oligarquía leninista" de Rusia eran para Irazusta sólo "parásitos del capitalismo" y "obstáculos" en el camino de una necesaria y sana acumulación de capitales.

Los nacionalistas restauradores también intentaron difundir la imagen de un radicalismo argentino supuestamente "infiltrado" por comunistas. Muy pobres eran los datos concretos de que disponían para ello, pero ya en los años veinte éste había sido un instrumento difamatorio utilizado como arma propagandística por el conservadorismo. *Crisol* anunciaba que "los cabecillas radicales" estaban "aliados a Moscú".[106] El viejo rumor sobre el "complot anarco-radicalcomunista" contra "Dios, Patria y Familia"[107] encendía la fantasía de los nacionalistas, pero a fines de los años treinta perdió poder de convicción para muchos. Más adelante aparecieron también críticas más diferenciadas de la UCR.

También el sindicalismo era considerado como parte del conjunto enemigo. En 1934 un orador de la ANA declaró que los "agitadores gremiales", instrumentos del "anarquismo, del sindicalismo revolucionario o del comunismo" eran los principales responsables de que no se llegara a una colaboración de las clases.[108] El lenguaje de Osés era más duro:

"Los sindicatos de corte marxista y democrático no significan otra cosa que gravosos organismos burocráticos o peligrosas bandas de asesinos."[109]

El mencionado autor "sabía" también que la mayoría de las huelgas tenían su origen en "agitadores pagados directamente por Moscú"[110], opinión que compartía el gobernador M. Fresco:

"Estoy convencido de que las huelgas en la mayoría de los casos constituyen una etapa pseudo legal de la revolución social. Como táctica, se practican para disciplinar y apreciar las fuerzas de que dispone el comunismo."[111]

A esto se sumaba la extraña idea de que "los liberales" ya habían "sobrecargado ciertas concesiones obreras"[112], por lo cual muchos nacionalistas restauradores consideraban perjudicial o imposible un mayor progreso de la legislación social. En este delicado tema no existía una posición clara y unívoca en la corriente ideológica indicada, circunstancia que se examinará luego con más detalle.

En 1932 y 1936 el prominente senador Matías Sánchez Sorondo trató de lograr la aprobación de una ley anticomunista en el Congreso. En las exposiciones pertinentes denunció a todas las organizaciones sindicales como "subversivas", comenzando por la FORA anarquista (85.000 miembros) y la CCS comunista (20.000 miembros), hasta terminar con las confederaciones socialistas-sindicalistas como la CGT (294.000 afiliados), la USA y la COA. En relación con el proyecto, pintó este panorama de la sociedad contemporánea:

"Antes de la aparición del partido Socialista, antes de la iniciación de la lucha de clases, antes de que los socialistas lanzaran (...) todos sus venenos en el alma del pueblo, la Argentina no conocía la división de clases. Era una sociedad oligárquica, muy bien, pero era una sociedad patriarcal. (...) Esta es una ley de reacción. ¡Sí, de reacción contra el delito, contra la barbarie, contra la destrucción de la sociedad cristiana!"[113]

En cuanto a Rusia, puede decirse que los nacionalistas tampoco llegaron a elaborar una posición coherente sobre el régimen que allí existía. En 1934 Meinvielle había dicho que en la URSS la riqueza era acumulada por "la avaricia marxista" en "la oligarquía de una minoría proletaria".[114] Diez años después su juicio no era el mismo:

> "De aquí que no sea simple táctica la razón de la propaganda comunista hecha en nombre de la libertad y de la democracia. (...) Rusia ha llevado a sus consecuencias más lógicas el desarrollo del igualitarismo, anidado en los conceptos de libertad y democracia."[115]

Ramón Doll intentó cerrar la laguna informativa sobre la Unión Soviética con su ensayo acerca del bolcheviquismo (1943). Su tesis central —referida a la enorme distancia existente entre el "mito comunista" y la "realidad" soviética— fue presentada con bastante poder de convicción. El juicio global de Doll era finalmente el siguiente:

> "Suponemos que el comunismo sigue siendo para gran parte de las masas desheredadas una de las ilusiones que, de tiempo en tiempo, remueven la humanidad ofreciéndole un porvenir mejor; ilusión alimentada por una propaganda falsa, razonada por medio de sofismas filosóficos y científicos que han quedado como los últimos residuos vitales del siglo xix, y calentada en la llama viva de una Revolución que (...) bajo la costra de la ideología marxista, dejó al pueblo ruso en la misma miseria, ignorancia y explotación que reinaron en la época zarista. Salvo en lo que se refiere a las fuerzas militares, las que reduplicó hablando de pacifismo."[116]

La tesis de la conspiración universal. La tesis según la cual existiría un enemigo único en el fondo y diverso en sus manifestaciones, dedicado a una vasta y permanente conspiración universal, había surgido ya en la fase uriburista del nacionalismo. Los orígenes de esta concepción se remontan al pensamiento contrarrevolucionario europeo y serán revisados en otro capítulo de este libro. La literatura antisemita alcanzó su máxima difusión en la "década infame", con las obras de Meinvielle, Doll, Wast, Filippo y Degreff. Entre las publicaciones periódicas, las que más participaron de esta campaña fueron *Crisol, Bandera Argentina, Clarinada, El Pampero* y *Nueva Política.* La tesis de la conspiración universal se convirtió en un elemento fundamental de la ideología restauradora. Solamente el grupo en torno a *Nuevo Orden* y *La Voz del Plata*, liderado por los hermanos Irazusta, desdeñó este tipo de polémica, dedicándose más bien a la problemática del imperialismo, sobre la base de argumentos racionales y empíricos. Pero para la mayoría de los nacionalistas restauradores era muy grande el atractivo de una tesis capaz de reducir a un común denominador al peligro de la izquierda y al "capital anglosajón".

Ya en febrero de 1932, el coronel (luego general) J. B. Molina mandó una nota a la LCA en la que la "raza judía" era caracterizada como:

"verdadera máquina infernal, destinada a establecer con el más grosero materialismo, la tiranía del oro en el mundo. Los judíos no se asimilan, en todo momento y en todo lugar son judíos".[117]

El prestigio de la tesis de la conspiración fue asegurado por los libros de J. Meinvielle, quien durante algún tiempo fue docente en los Cursos de Cultura Católica. El judío aparecía como manipulador a escala mundial y núcleo motor de todo lo negativo:

"He aquí el papel que le toca (...) desempeñar (...) al judío que queda judío y no quiere reconocer a Cristo (...): será entonces el agente de la iniquidad (...). Y todo lo malo que se perpetre en los veinte siglos de historia cristiana debe ser primera y principalmente judaico."[118]

Esta "acción judaica" no era evidente a los ojos de mucha gente, porque se realizaría "en la sombra", siendo los gobiernos sólo "títeres" de los judíos. Estos siempre habrían tenido los mismos fines:

"1. (...) Los judíos, llevados por un odio satánico buscan la destrucción del cristianismo; 2. (...) conspiran contra los Estados cristianos que les dan albergue; 3. (...) se apropian de los bienes de los cristianos; y 4. (...) los exterminan, arrebatándoles la vida, cuando pueden."[119]

En este contexto mencionaba Meinvielle los supuestos "asesinatos rituales" de niños cristianos. El Antiguo Régimen había podido "controlar" a los judíos y por eso ellos fundaron la masonería y pusieron en marcha la Revolución Francesa. Luego surgieron también otros "instrumentos" suyos:

"con el *capitalismo* los judíos se apoderan de las riquezas de todos los pueblos. (...) Con el *liberalismo* y el *socialismo*, los judíos, dueños de las riquezas del mundo, envenenan a todos los pueblos, pervirtiendo su inteligencia y corrompiendo su corazón. (...) Con el *comunismo* los judíos exterminan a sus opositores y sujetan a los cristianos a un yugo de esclavos imposible de romper".[120]

Los judíos no se dedicarían a trabajos productivos, sino exclusivamente a la manipulación del "oro" y de los papeles financieros.[121] Sólo la "usura" sería la base de su influencia. Alfred Rosenberg habría demostrado en un discurso "de valor extraordinario" (Nuremberg, Asamblea Anual del Partido Nacionalsocialista, 1936) que "desde Moscú" los judíos dirigían la campaña de "satanización de los pueblos".[122] Poco menos tremenda era la imagen de la Argentina que presentaba Meinvielle:

"(...) la dominación de este pueblo, aquí y en todas partes, va cada día siendo más efectiva. (...) Buenos Aires, esta gran Babilonia, nos ofrece un ejemplo típico. (...) Los judíos controlan aquí nuestro dinero, nuestro trigo (...), nuestras carnes, nuestras incipientes industrias (...) y al mismo tiempo son ellos quienes siembran y fomentan las ideas disolventes contra nuestra Religión, contra nuestra Patria y contra nuestros hogares; son ellos quienes fomentan el odio entre patrones y obreros cristianos".[123]

La obra de Meinvielle sobre "el judío" fue muy elogiada por Osés en *Crisol*, y sus tesis aceptadas y difundidas por otros autores nacionalistas. Se creía estar en posesión de una confirmación científica de las concepciones popularizadas por Hugo Wast. Este escritor había comenzado en 1935 la publicación de una serie de novelas antisemitas, en las que se mencionaba un "gobierno mundial" secreto: el Kahal. Sus cinco miembros poseerían el control de las finanzas mundiales y de la gran prensa, operando desde su sede en Londres.[124] Wast quería presentar estos libros como una especie de ilustración popular acerca de la amenaza hebrea y creía realmente en la existencia del mencionado Kahal. El autor también consideraba posible una revolución manipulada por judíos en Buenos Aires, después de la cual esta ciudad sería declarada "capital del futuro reino de Israel":

"Y esta es la razón por la que en todos los pueblos, el grito contra el que se ha levantado constante y enérgicamente la voz de los Papas ' ¡muera el judío!' haya querido ser sinónimo de ' ¡viva la patria!'."[125]

Hasta un crítico tan culto como Leonardo Castellani emitió juicios positivos sobre la novela *Oro* de Wast: se trataría de una obra que animaría a la reflexión sobre "el hecho judío". Pero en el nacionalismo restaurador se multiplicaban las acusaciones contra judíos y masones, enlazándolas con la ofensiva "antiimperialista". La fundamentación seria de estos ataques brillaba por su ausencia. Sofía S. de Boronat, colaboradora de *Crisol* y afiliada a la Sección Argentina del Partido Fascista Ruso declaró que el Servicio Secreto británico, la Liga de las Naciones y la "finanza internacional" sólo eran agentes de "la judeomasonería mundial".[126] Otro propagandista sostenía que el "70% " de la industria argentina estaba dominado por el "oro judío".[127] Filippo denunciaba la secreta "penetración" hebrea en Entre Ríos, Catamarca, Jujuy y Salta[128]; Osés afirmaba que los "cinematógrafos, libros, emisoras, modas, música e ideas" judíos corrompían nuestro país, siendo además los empresarios judíos culpables de la miseria nacional.[129] En este tema se destacaba por la audacia de sus formulaciones el periodista R. Doll. Fuertemente impresionado por las novelas de Wast, llegó a sostener que "tres cuartas partes de la riqueza argentina" eran judías y la otra cuarta parte "protestante".[130] Toda la historia latinoamericana se encontraría signada por una monstruosa conspiración:

"(...) fuimos traicionados y arteramente espiados por el enemigo inglés, masón y judaico (...). El imperialismo anglojudeomasón en la Argentina (...) es el instrumento inteligente, previsor, intencionado de la política inglesa".[131]

El enemigo único —"la hidra tricefálica cuyas cabezas son la masonería, el judaísmo y la finanza internacional y cuyo cuerpo es el Imperio Británico"— habría elaborado y realizado el plan de bloquear la independencia económica y el ascenso a categoría de potencia de un país católico y latino como lo es el nuestro. A esto se habrían sumado los EE.UU., una nación "inficionada con la sífilis judaica".[132]

Otros propagandistas —especialmente C. Silveyra y V. Filippo— acentuaban más la supuesta estrecha relación entre comunismo y colectividad judía. Así, se acusaba a esta última de gran número de crímenes políticos: habrían fracasado con Bismarck, pero el presidente norteamericano Garfield, el ministro zarista Stolypin, el alemán Gustloff y el nacionalista rumano Codreanu pertenecerían a la lista de sus víctimas.[133] También otros hechos probarían su peligrosidad política:

"Constatad cuáles son los grandes barrios judíos, e inquirid cuáles son los resultados de las elecciones. Donde hay más judíos hay triunfo socialista revolucionario."[134]

La tesis de la conspiración mundial recibió diversas formulaciones sintéticas y agitatorias en *Crisol* (1936) y *Clarinada* (1937). En esta revista escribió Silveyra que su objetivo era un

"Programa de lucha sin cuartel contra ese ejército de alimañas, integrado por fuerzas aparentemente heterogéneas: materialismo, liberalismo, marxismo, comunismo, socialismo, anarquismo, ateísmo, masonería, etc., pero que están unidos en la misma finalidad: la destrucción de la civilización cristiana, y que obedecen al mismo comando que las dirige desde las tinieblas: el judaísmo."[135]

La obra fundamental de la bibliografía antisemita —los tristemente célebres *Protocolos de los Sabios de Sión*— era citada y comentada muy frecuentemente por los nacionalistas restauradores. El proceso de Berna (1934-1935), en el cual fueron presentadas pruebas importantes impugnando la autenticidad de los "Protocolos", fue un acontecimiento altamente molesto para estos círculos. Comenzó una polémica en la que se utilizaron los argumentos más grotescos. La mayoría de los antisemitas (argentinos y extranjeros) sabían que sin esa pieza "documental" la tesis de la conspiración universal perdía mucho de su credibilidad. Osés eligió el camino audaz de afirmar que no era "importante" averiguar si los "Protocolos" eran auténticos o no; su "contenido" estaría confirmado por "hechos" visibles. A esta posición adherían H. Wast y Filippo. Osés mencionaba además otras fuentes supuestamente insospechables: el "material poderoso y auténtico" que manejaba el Führer y el *Manual de la Cuestión Judía* del doctor T. Fritsch, "conocido sabio antisemita".[136] W. Degreff reconocía que los "Protocolos" tenían una relación directa con las novelas de H. Gödsche y M. Joly, pero insistía que esos escritores habrían utilizado una "fuente" auténtica: el *Discurso del rabino* de Asher Ginzberg.[137] Lo que Degreff no decía era dónde se podía consultar ese "documento". El profesor Silveyra no se preocupaba por esta polémica; para él los "Protocolos" seguían siendo auténticos. No sólo los publicaba por capítulos en *Clarinada*, sino que decidió completarlos con una supuesta carta "de Karl Marx a Baruch Levi" —una falsificación increíblemente burda— en la cual el remitente declaraba que su doctrina comunista no era más que una máscara para ocultar el dominio de "la raza judía".[138]

Se planteaba otro problema muy importante para los nacionalistas restauradores: había que demostrar que el antisemitismo era una "auténtica" tradición hispano-argentina, no simplemente una moda ideológica traída desde Francia o Alemania en fecha muy reciente. A esta cuestión dedicó H. Sáenz y Quesada un artículo en *Nueva Política*. Si bien allí pudo mencionar la novela *La Bolsa*, de J. Martel y algunos párrafos iracundos de Sarmiento, el autor debió confesar que ésas habían sido reacciones ocasionales "sin doctrina". La tradición decisiva debía buscarse para él en la expulsión de los judíos de España, ordenada por los Reyes Católicos en 1492. Después habrían venido 150 años de "grandeza española". Los españoles y los argentinos de la época colonial habrían sentido la misma "repulsión física contra el pueblo extranjero y parásito" que los alemanes del Tercer Reich. El "pueblo" habría conservado durante largo tiempo un fuerte "racismo espontáneo" de carácter "católico", que fue alterado por las erróneas teorías liberales durante el siglo xix.[139]

La mayoría de los autores —sobre todo eclesiásticos como Meinvielle y Filippo— sostenían el antisemitismo en los planos religioso, económico y político. En principio aceptaban y aun veían favorablemente la conversión de los judíos. H. Wast consideraba posible y deseable una conversión voluntaria y masiva de este tipo. Pero la agitación vulgar encabezada por *Crisol* y *Clarinada* se presentaba con otros rasgos. Allí se caricaturizaba a los hebreos como figuras bestiales o degeneradas, siguiendo el estilo que había dado triste notoriedad al diario *Der Stürmer* del fanático Gauleiter Streicher. Se llegaba a afirmar la existencia de tendencias supuestamente "hereditarias" en el pueblo judío, tales como "el soborno, la falsificación, el perjurio y la traición". Toda convivencia entre cristianos y judíos sería "imposible".[140] Pero realmente insuperables eran las declaraciones cargadas de odio que Osés publicaba en *Crisol*:

"(...) las leyes, la avaricia (...), la servilidad hipócrita, el rastrerismo y aún cierto olor particular que emana de su cuerpo, demuestran que el hebreo pertenece a una raza distinta (...). La raza judía es tan dañina a la humanidad como los piojos y otras sabandijas. De esto resulta que nosotros justificamos en cierto modo su persecución o su extrañamiento".[141]

Aún debe ser citado un último ejemplo de esta clase de periodismo. Es de esperar que después de Auschwitz esos párrafos se hayan convertido en un recuerdo constante y vergonzoso para los colaboradores de *Crisol*. En 1936 podía leerse lo siguiente junto a una caricatura antisemita:

"Después de verlos, oírlos y olerlos, se comprende que el único error de Hitler al quemar libros semitas, consistió en no incluir a sus autores en la hoguera."[142]

Los objetivos

Estado y política internacional. El corporativismo siguió siendo un ingrediente fundamental de la concepción del Estado que tenían los nacionalistas restauradores de la "década infame".[143] Siguiendo los lineamientos del uriburismo, se veía a la Argentina futura como un "Estado fuerte", con una representación "corporativa" o "funcional". Estas formulaciones eran repetidas por numerosas publicaciones, si bien un análisis preciso del contenido de esos conceptos no era fácil de hallar. Una de las explicaciones más difundidas era la del profesor Juan P. Ramos, quien comenzaba por señalar que "los políticos" y sus partidos no eran más que falsificadores de la voluntad popular. El sistema existente no permitiría la auténtica representación de los intereses de "los jefes y oficiales" de las Fuerzas Armadas, los "profesores", "los ganaderos, agricultores, industriales y comerciantes".[144] En la cámara corporativa cada categoría socioeconómica sólo dispondría de un voto, con lo cual "ninguna clase o grupo predomina sobre las otras".[145] De este Estado "fuerte y justo" se esperaba también una decidida acción contra las "fuerzas disolventes".[146] Repetidas declaraciones subrayaban este rasgo represivo del "nuevo" Estado: sería "absolutamente necesaria" la desaparición de "la oposición sistemática".[147]

En 1934 Carlos Ibarguren declaraba que la corporación era la base de la "democracia funcional"[148], sin clarificar la estructura del sistema. Su programa de 1936 no arrojó nueva luz sobre este problema.[149] Otros escritores como Valenti Ferro y R. Martínez Espinosa presentaron esbozos de la constitución deseada. Allí se proponía reducir las autonomías provinciales y reforzar el poder "central" de la nación; ciudadanos naturalizados debían ser "revisados" nuevamente y el concepto de "libertad" recibía una nueva interpretación:

> "Al igual que el Fascismo italiano, el nacionalismo argentino se embandera con la única libertad que puede considerarse cosa seria: la libertad del Estado y la del individuo dentro de las necesidades de aquél."[150]

Las elecciones quedarían circunscriptas al área profesional. Fresco lo formuló de esta manera: "todos votan, pero sólo en su estamento y sólo sobre los problemas de su estamento".[151] Junto a la cámara corporativa existiría un consejo de Estado, integrado por representantes "por derecho propio": "el Rector de la Universidad, el Presidente de la Unión Industrial, el de la Bolsa de Comercio, etc."[152] Martínez Espinosa subrayaba las atribuciones del Jefe del Estado en desmedro de las de la cámara corporativa que no debía ser permanente.[153] La influencia de Lugones era aun más evidente en Héctor Llambías, para quien el "Ejecutivo fuerte" no debía apoyarse primordialmente en las fuerzas organizadas de la economía, sino más bien en "la inteligencia política" (que no estaría en los partidos) y en el ejército, "resto de nobleza funcional".[154] Meinvielle señalaba que la "república corporativa y autoritaria" o "democracia jerárquica" correspondía al modelo ideal del Estado. Luego de citar y comentar a Santo Tomás de Aquino llegaba a esta conclusión:

> "La participación de todos los ciudadanos en el gobierno es de suyo, buena; la participación aritmética igualitaria es mala, porque conduce al gobierno de una clase, y precisamente de la menos capacitada. Será necesario, entonces, templar el régimen democrático (...). Esta temperación se logrará compensando la exigua cantidad de buenos, de sabios y de ricos, con un aumento de sus derechos políticos, proporcional a su función social."[155]

En todos los autores citados reaparece continuamente la motivación básica del uriburismo: el miedo a una posible "tiranía" de la "plebe".[156] Se elaboró en consecuencia una teoría de la soberanía, en la cual los comicios y las resoluciones apoyadas en mayorías no tenían cabida. El poder soberano del Estado se derivaba en cambio del "bien común", de los "intereses nacionales" o del "orden":

> "Poco importa conocer cómo y con qué derecho se ha introducido un régimen, pues desde que la multitud social le presta tácitamente su aprobación, ha llegado a ser una institución legítima."[157]

Las consecuencias autoritarias de esta concepción quedan transparentes en el siguiente texto del doctor Tomás D. Casares, importante jurista de la época:

"Mientras haya una autoridad, el primer deber de ella es mantener la integridad del ser social en orden al bien común, cualquiera sea el número de los que disientan y pretendan otro bien y otro orden. Las mayorías no pueden decidir nunca lícitamente el destino de las sociedades, en lo que se refiere a lo esencial de ese destino."[158]

El programa nacionalista de 1936 seguía esos lineamientos, suprimiendo toda mención de la soberanía del pueblo:

"1. Los intereses de la nación constituyen el supremo orden público argentino. (...) Nadie puede invocar derechos contra el orden público argentino."[159]

En ninguna parte aparecía una definición precisa de esos intereses ni se revelaba quiénes, a través de qué procedimientos, eran los encargados de determinarlos. En todo caso se entreveía a una minoría autoritaria y autodesignada como depositaria de esos poderes.

En la doctrina restauradora del Estado también aparecía ocasionalmente el concepto del "totalitarismo". Si bien juzgaba excesiva la versión mussoliniana, Meinvielle aceptaba un totalitarismo "sano y necesario". A estas interpretaciones confusas se integraba el aporte del escritor español José María Pemán, que en 1940 propugnaba un "totalitarismo cristiano".[160] En relación con esta apología del régimen franquista se encontraba también un artículo de Luis G. Martínez Villada, aparecido en la revista *Arx*. Allí se mencionaban los aspectos racistas del nacionalsocialismo como "excesos", pero se aceptaba "la severidad de la disciplina" de esos regímenes, si ellos servían a fines cristianos:

"En el Estado cristiano alcanza, pues, la plenitud el carácter de totalitario, porque, en él, el hombre es dirigido por las dos espadas hacia la plenitud de sus fines. (...) a medida que la represión interior crece, la represión exterior disminuye, pero si aquella se debilita, esta última debe venir con la suplencia de la fuerza."[161]

Osés hablaba indistintamente del Estado "totalitario"[162], "fuerte" o "autoritario". Para él, sólo una "política totalitaria" podía poner fin a la "injusticia" y darle "bienestar" a la "mayoría".[163] En su prédica se defendía el totalitarismo cada vez más con argumentos "populares", como un necesario instrumento de lucha contra la "oligarquía" y el "imperialismo". Por otra parte, propagandistas como Silveyra, subrayaban los méritos de esos regímenes como respuesta "práctica y eficaz" frente al desafío del comunismo.[164] B. Lastra y algunos otros nacionalistas establecían diferencias entre un orden "autoritario" y otro "totalitario", declarándose partidarios del primero.[165]

Los hermanos Irazusta y Ernesto Palacio no querían discutir sobre las reformas constitucionales. Ya no creían en el Estado corporativo, el cual, bajo las condiciones dadas, no podía ser sino el instrumento de algunas empresas oligopólicas, predominantemente extranjeras.[166] Este desinterés hacia "recetas generales" basadas en teorías fue severamente condenado —como "empirismo"— por restauradores netos del tipo de Llambías, Ruiz Guiñazú y Nimio de Anquín.[167] Julio Irazusta definió la posición de su grupo de este modo:

"(...) lo que importa más ahora no es decidir o uniformar opiniones acerca de la organización que se daría a la patria liberada de sus opresores extranjeros, sino realizar la liberación impostergable (...)".[168]

Esto no quiere decir que se hubiese producido una profunda división en el nacionalismo restaurador. Se trataba de una cuestión de estrategia. Irazusta no criticaba los fundamentos de las ideas autoritarias de Llambías sino que simplemente las consideraba impregnadas de un teoretismo prematuro. Para él la absoluta prioridad cronológica correspondía a la lucha contra las potencias hegemónicas.

La política exterior sólo alcanzó cierta significación en el programa nacionalista a fines de los años treinta. Lugones había dado el primer paso en el manifiesto de la Guardia Argentina, en el cual se burlaba del "hueco americanismo", proponiendo en cambio "la unidad económica del Plata".[169] En 1940 estas aspiraciones se expresaban en fórmulas definitivas y en el marco de una concepción "antiimperialista", a través de textos como el siguiente, adoptado por la Alianza de la Juventud Nacionalista:

"Deseamos un mayor acercamiento con los pueblos hermanos de Iberoamérica y un estrechamiento de relaciones con las naciones de nuestra raza y de nuestra cultura. Damos nuestra voz de alerta contra el peligro de los imperialismos extranjeros, ya se manifiesten por su penetración económica o por su infiltración ideológica."[170]

Entre los objetivos señalados a la política exterior no faltaba —no podía ser de otra manera— el reclamo genuinamente nacional de la devolución de las Islas Malvinas.[171] Además, en los años cuarenta se hizo más fuerte la idea de que nuestro país tenía una "misión" especial en el ámbito internacional. Así, *Nueva Política* publicaba las siguientes consideraciones:

"La Argentina tiene un destino que cumplir en Sud América (...) reunir en un haz coherente y sólido a las naciones que formaron el antiguo Virreinato del Río de la Plata y aún a Chile y Perú, no con el propósito de (...) dominio absorbente, sino para formar así un poderoso bloque espiritual y económico que será el núcleo del futuro desenvolvimiento común hasta alcanzar la categoría de potencia."[172]

Esta concepción iberoamericanista se desarrolló conscientemente como respuesta al panamericanismo que propagaban los Estados Unidos. La Argentina debía jugar un rol de vanguardia, para que América Latina "viva libremente".[173] A partir de la instauración del franquismo en España, las concepciones relativas a la formación de un bloque de naciones se ampliaron en dirección a la península. El iberoamericanismo se conjugó con la propaganda hispanista que difundía la Falange y se convirtió en un tema importante de la ideología nacionalista. Sobre esto se verán más detalles posteriormente.

Estructura social, "justicia social" y "cuestión judía". Los teóricos de la ANA y la Legión Cívica unían la idea de la "jerarquía" a su imagen del Estado fuerte. Sobre esta base Meinvielle desarrolló un modelo de sociedad estamental, del que ya se habló en relación con su teoría de las revoluciones.[174] Propugnaba una estructuración de la sociedad en cuatro estamentos, cada uno caracterizado por funciones y derechos especiales.[175] Esta pauta fundamental se postulaba como de validez universal. Los sacerdotes serían los maestros de la verdad; el segundo estado, antiguamente llamado "nobleza", estaría encargado de la conducción política; el tercero se ocuparía de la dirección económica, y el cuarto de la "función económica de ejecución" (trabajo material).[176] La movilidad social no era negada explícitamente, pero tampoco mencionada, tratándose de una idea en el fondo ajena al pensamiento de Meinvielle. En cuanto a la problemática socioeconómica de la distribución, este autor la juzgaba un asunto secundario, utilizando argumentos muy viejos:

"Es necesario comprender, sobre todo, que la diversidad de condición natural social y de fortunas es cosa enteramente secundaria delante de la dignidad de la persona humana llamada a participar de la Visión Divina."[177]

Aun más anacrónica resultaba la concepción de J. C. Villagra, según el cual la Argentina necesitaba una "aristocracia de sangre":

"familias realmente argentinas, antiguas, nobles o por lo menos sin mezcla de mala raza".[178]

En este contexto se asignaba a las instituciones corporativas el rol de elemento "democrático". Pero "la primacía legislativa" quedaría reservada a "la unión del monócrata y del colegio aristocrático". Esto significaría "la restauración de un orden de justicia". Muchos nacionalistas restauradores aceptaban estas ideas como una parte sustancial de la doctrina, pero pronto comprendieron que era prudente no hablar demasiado de ello. Tales temas se adaptaban poco a propósitos de propaganda, ya que sólo podían suscitar ecos positivos en círculos restringidos de la sociedad. El elitismo siempre fue defendido, pero en los años cuarenta los discípulos de Meinvielle acentuaron su preferencia por las aristocracias "abiertas", las cuales incorporarían en su seno a "los mejores" de todos los estratos sociales.[179]

En forma paralela se podía observar que crecía la importancia del tema de la "justicia social" en la propaganda nacionalista. Esta apertura hacia la problemática social sólo tenía raíces muy débiles en el uriburismo y representaba en realidad el intento de integrar en la ideología nacionalista algunos trozos de la temática "izquierdista", cuyo poder de atracción sobre amplios sectores de la población era innegable. Mientras que hasta 1931 la expresión "justicia social" sólo había sido utilizada en sentido negativo por el nacionalismo, se advierten connotaciones positivas en su uso a partir de 1933-1934. Como ideal terminaron por aceptarla la LCA, la LN y la UNF, así como muy acentuadamente Osés y sus seguidores, la AJN, UNA-Patria y Renovación. ¿Qué entendían bajo esa denominación? Como respuesta se presenta una lista de exigencias, que pueden considerarse el programa de política social del nacionalismo restaurador:

1) La formación y fomento estatal de una sólida clase media de propietarios, especialmente en el campo.[180]

2) El seguro social para los trabajadores, al menos en los oficios "peligrosos"[181], pero preferentemente en todas las ramas de la economía y en todas las situaciones de la vida.[182]

3) Construcción de viviendas baratas para obreros.[183]

4) Creación de una "Magistratura del Trabajo", a fin de resolver pacíficamente los conflictos entre el capital y el trabajo. Esta exigencia generalmente venía conectada con la prohibición absoluta de *lock outs* y huelgas.[184]

5) Contratos colectivos de trabajo.[185]

6) El control estatal y/o "corporativo" de la relación entre salarios y costo de la vida, a fin de asegurar el nivel de vida de la población.[186]

Algunas organizaciones como la AJN y el PL exigían aun más: alimentación gratuita de los escolares (sobre todo en provincias po-

bres); jardines de infantes costeados por el Estado; el reconocimiento
jurídico del derecho a obtener trabajo; vacaciones pagas para los empleados y la apertura de los estudios superiores a los sectores económicamente débiles de la población.

Los programas nacionalistas solían mostrar un interés especial
por un trato justo para agricultores y arrendatarios, artesanos y
pequeños comerciantes. Se les aseguraba que el nacionalismo los pro-
tegería, no sólo del gran capital "internacional" o "judío", sino también de los "latifundistas".[187] Pero no había unidad en lo referente
a las medidas concretas propugnadas. La LCA hablaba de la "expropiación" de las tierras no cultivadas, con una indemnización conveniente para los terratenientes; Meinvielle sostenía una posición parecida.[188] Pero en el programa de la AJN (1940) se hablaba simplemente de "división" de los latifundios, sin mención alguna de indemni-
zaciones.[189] Y Osés, con su habitual retórica ampulosa, amenazaba
con "la confiscación de todos los bienes raíces, títulos, valores, dinero mal habido, por dolo, usura, dumping, etc."[190]

Por último existía —según el nacionalismo restaurador— una
"cuestión judía" en la sociedad argentina. Por lo menos 300.000 personas de origen hebreo vivían en nuestro país, y sobre ellos diversos
autores publicaron sus reflexiones. La mayoría exigía una legislación
"especial" para esta colectividad.[191] L. Castellani, decidido a fundamentar una posición inconfundible en esta materia, se distanció en
1939 de las medidas nacionalsocialistas con estas palabras:

"El problema existe; pero la solución 'nazi' tiene los caracteres inhuma-
nos e imprudentes de la mentalidad pagana."[192]

En cambio encontraba adecuada la política propuesta por Hilaire Belloc: reglar su "estado social", "racional y cristianamente por
una legislación especial". Porque esto

"No es herir la igualdad (...), desde que son un pueblo, como ellos mismos
confiesan o proclaman, especial. La igualdad de ley consiste en tratar igualmente
las cosas iguales. (...)"[193]

Se trataba básicamente de impedir o reducir al mínimo los contactos entre cristianos y judíos. Y así declaraba la Alianza de la Juventud Nacionalista:

"Denunciamos el problema judío como uno de los más graves que tiene
la República. (...) Es imperioso cerrar en absoluto la entrada de judíos al país y
respecto de los que ya están dentro tomar medidas apropiadas para concluir con
su perniciosa influencia en el gobierno, en la economía y en la cultura."[194]

La opinión negativa de Castellani sobre la política racista del Tercer Reich no encontró mucho eco. En 1936 Meinvielle había citado con gran satisfacción a J. Pradzynsky, un eclesiástico polaco, quien opinaba que las famosas leyes raciales de Nuremberg se encontraban "bajo muchos conceptos en plena concordancia con las instituciones apostólicas".[195] Párrafos de este tipo constituían fuertes apoyos ideológicos para el ala extrema del nacionalismo antisemita, intensamente activa en la AJN. E. Osés no trepidaba en reclamar: 1) el establecimiento de guetos y signos de identificación para judíos; 2) la prohibición de todo contacto entre cristianos y judíos; 3) la exclusión de los judíos del servicio público y de la universidad.[196] Según Osés, todo esto se justificaba con antiguas disposiciones de la Iglesia, siendo por ello totalmente aceptable para los católicos. Aun más duras, eran las medidas que Osés exigía en su "programa nacionalista":

"La privación a los judíos de los siguientes derechos: la ciudadanía; la explotación de la tierra, sea directa o indirectamente; el ejercicio de cualquier función o empleo en el Estado o en entidad privada que tenga relación con el Estado; la participación (...) en cualquier empresa de producción."[197]

Para Osés y Degreff incluso esto no pasaba de ser el programa "mínimo". La verdadera "solución" que propugnaban comprendía la "confiscación" de los bienes y la "expulsión" de los judíos. ¿Adónde habrían de dirigirse? Degreff —siguiendo el criterio de varios jerarcas nacionalsocialistas— recomendaba la isla de Madagascar como "hogar" apropiado, pero de ninguna manera aceptaba que fuera Palestina la región elegida.[198]

Agrarismo, industrialización e independencia económica. Acerca de la orientación que debía darse a la economía nacional no existía acuerdo total en el nacionalismo restaurador. J. Meinvielle sostenía en los años treinta un agrarismo extremo:

"en un régimen económico ordenado, la producción de la tierra y sus riquezas debe obtener primacía sobre la producción industrial, la vida del campo sobre la vida urbana".[199]

La economía debería ser "patriarcal, rural, doméstica". Meinvielle criticaba el uso cada vez más intensivo de máquinas, ya que eso producía desocupación. En este contexto veía también con desagrado los procesos de industrialización de la India y de Rusia.[200] Esta posición tan radicalmente tradicionalista no logró mucho apoyo. Las exigencias de modernización económica formuladas por Lugones fueron adoptadas por las organizaciones nacionalistas. Ya en 1933 los

"Propósitos" de la Guardia Argentina hablaban de "estímulo industrial", "protección adecuada" y "grandes obras públicas de salubri-
dad, regadío, vialidad (...) luz y fuerza baratas", además de otros
adelantos.[201]
        T. Otero reclamaba "crédito a largos plazos" para la indus-
tria.[202] Un poco después el centro de gravedad de la polémica se desplazó hacia la cuestión del subdesarrollo de la siderurgia argentina y
de las ramas metalúrgica y minera en general. El tema se hallaba
estrechamente unido a la pobreza y escasez de población en vastas
regiones del Norte y Sur del país. Allí se conocía la existencia de recursos minerales, mientras que razones climáticas obstaculizaban una
estrategia tradicional de crecimiento, basada en la producción agropecuaria.[203] Un periodista de *Cabildo* escribía, con comprensible indignación, lo siguiente:

> "Un 60% de las partidas de nuestras importaciones son de origen mine-
> ral, cuya materia prima es el hierro, el plomo, el manganeso, el cobre, el estaño,
> etc., materias todas que atesora el subsuelo argentino."[204]

Otra faceta de este problema estaba dada por las necesidades de
una industria de armamentos, cuestión que desde hacía años se estu-
diaba en las Fuerzas Armadas. Decía Fresco al respecto que la explotación de nuestros yacimientos minerales era "impostergable", criticando la incapacidad del gobierno en comparación con el "ejemplo
de las explotaciones de hierro y acero del Brasil".[205] Con creciente
lucidez se subrayaba la conexión entre industrialización e "independencia económica". El grupo conducido por los hermanos Irazusta
reclamaba en 1942 —entre otras cosas— lo siguiente:

> "2º Fomento de las industrias necesarias para nuestra autonomía económi-
> ca, principalmente las indispensables para la defensa nacional y las que usen ma-
> teria prima del país.
> 3º Reducción del comercio exterior al intercambio de nuestros excedentes de
> producción por artículos que el país no produzca o no le convenga producir en
> gran escala".[206]

La "independencia", "reconquista" o "liberación" económica[207] se convirtió en un tema central del nacionalismo. Osés incluso
hablaba de una posible "autarquía".[208] Sin embargo, en general no
se interpretaba este término en el sentido estricto de una economía
absolutamente cerrada. En cuanto al más popular lema de la "independencia económica", era entendido como un conjunto de disposiciones y mecanismos tendientes a desplazar las empresas extranjeras
—a menudo favorecidas por tratados— de sus posiciones hegemónicas
en importantes sectores de la economía nacional. Muchas de las medidas propugnadas mostraban una clara tendencia hacia el dirigismo

estatal. Agrupaciones como la AJN habían llegado al convencimiento de que sólo el poder concentrado en un Estado nacionalista podía quebrar el predominio de los oligopolios extranjeros. Un Estado de este tipo, con nuevas atribuciones de control y planificación, era, por otra parte, la consecuencia lógica del amplio programa social que algunas organizaciones habían adoptado y que ha sido comentado en el capítulo precedente.

Ante todo se pedía la "nacionalización" del comercio de carnes y granos.[209] En esto coincidían la mayoría de los nacionalistas. T. Otero formuló un "primer" principio de la economía nacionalista, según el cual "los mercados de consignación o por mayor, las bolsas de comercio, las Cámaras de frutos del país" debían ser "exclusivamente oficiales o dirigidas por entidades mixtas".[210] El Estado se ocuparía del proceso de formación de los precios. Los frigoríficos y los elevadores de granos serían administrados por una gran sociedad mixta, dirigida por funcionarios del Gobierno y agricultores.[211] En 1934 Valenti Ferro sólo había hablado modestamente de una "limitación" de las ganancias de empresas extranjeras; Otero, H. Bernardo y Osés reclamaron luego mucho más: "eliminación" de los "trusts agrícolas"[212], "nacionalización del crédito"[213] y control estatal "del petróleo".[214] En esto último —así como en otras cosas— se advierte una vuelta a las concepciones del radicalismo yrigoyenista. En los discursos de algunos nacionalistas crecían continuamente las atribuciones del Estado. Así, en 1936 Osés exigía:

"El control por el Estado de toda la actividad privada (...) que repercuta, aunque sea indirectamente en la vida pública; (...) La estatización de todos los 'trusts' y empresas de servicios públicos."[215]

Para T. Otero Oliva, el Estado nacionalista tendría, entre otras, las siguientes tareas: "controlar la producción y el consumo por la explotación mixta y por la intervención directa (...) según las circunstancias"; "determinar los precios de venta de cualquier producto (...)"; "aumentar o no los salarios (...)"; "la fijación de las utilidades o rentas máximas (...)" y la nacionalización de "todos los comercios, industrias o sociedades que se creyeran convenientes (...)".[216]

Sin embargo, otros autores no deseaban otorgar las funciones decisivas de la dirección económica a la burocracia estatal, sino a las ya mencionadas "corporaciones". Especialmente J. Meinvielle y grupos como Restauración y Renovación sostenían esta posición:

"El régimen corporativo es precisamente aquel que quiere promover la organización de todas las fuerzas sociales (...). En el orden económico [...surgen así] reglas variables dictadas por el mismo cuerpo profesional que aseguran la lealtad y seguridad del oficio."[217]

Según esta concepción quedarían limitadas las intervenciones estatales a épocas de crisis. Meinvielle se manifestó también contrario a "expropiaciones"; creía más prudente "dejar los bienes en manos de los que se encuentran al presente".[218] Las divergencias con los dirigistas extremos se acentuaban más aún en lo referente a las finanzas. Un Estado como el que exigían Otero, Osés y la AJN no podía cumplir sus numerosas y amplias funciones económicas y sociales sin una gran masa de empleados públicos; al menos esa es una regularidad histórica verificable. Y un Estado así no puede ser barato. A pesar de esto, Meinvielle y otros nacionalistas mantenían una vieja exigencia uriburista que resultaba incompatible con las circunstancias recién mencionadas: el Estado sería un "parásito", cuyos costos debían reducirse:

"Sus presupuestos son enormes; los impuestos crecen cada día, de suerte que equivalen a la simple expropiación."[219]

Guardia Argentina ya se había opuesto a "toda imitación socialista" en 1933 y Valenti Ferro no vaciló en reclamar una reducción "del 50%" en los gastos del Estado.[220] Para muchos fieles uriburistas el sentido real del "corporativismo" fue expresado con insuperable claridad en 1936, en una alocución que el vicealmirante Daireaux dirigió a la LCA. Dijo allí que con el "corporativismo uriburista"

"evitaríamos que centenares de leyes demagógicas, verdaderos cheques en blanco librados contra el contribuyente y el productor (...) salieran anualmente del Congreso Nacional y de las Legislaturas provinciales para ametrallar las fuerzas vivas de la Nación".[221]

El doctor Gutiérrez O'Neill, un teórico de esta tendencia, realizó en aquel tiempo una investigación sobre las "realizaciones corporativas" en el mundo. Llegó a la conclusión de que las variantes fascista y nacionalsocialista tendían más bien hacia un "socialismo de Estado", por lo que recomendaba el "modelo portugués" de Salazar —mucho más conservador— para el movimiento nacionalista de nuestro país.[222]

Los hermanos Irazusta seguían ubicados en una posición bastante pragmática, la cual, por otra parte, no dejaba de estar envuelta en cierta nebulosidad. Se aceptaban todas las formas económicas "según las circunstancias de tiempo y lugar"[223].

"Si distinguimos entre la índole nacional o extranjera de la empresa (...) se verá que en ciertos casos la ventaja de la administración estatal es evidente. (...) En términos generales no estamos teóricamente ni a favor ni en contra de la intervención del Estado en la economía. (...) estamos en contra de ella para todo lo que se refiere a las industrias que el capital [nacional] ya sabe explotar privadamente. Y a favor de ella en la mayoría de las industrias que explota el capital extranjero (...). Seríamos partidarios de que en ciertos casos tales industrias volvieran a la explotación privada, una vez que el capital nacional se hubiese orientado hacia la colocación en aquellas empresas."[224]

Iglesia, Estado y cultura. Todos los textos importantes del nacionalismo restaurador propugnaban la instauración del Estado "cristiano", concepto que básicamente se entendía como lo opuesto al entonces existente Estado "liberal" o "agnóstico".[225] En relación con esta idea se planteaba el problema de los no-cristianos, más específicamente el de los no-católicos. ¿Debía desaparecer el principio de la tolerancia religiosa consagrado en la Constitución de 1853? Esta posición extrema no era sostenida por dos teóricos destacados como Meinvielle y Castellani, si bien ambos expresaban su admiración principista por la sociedad medieval, homogénea y autoritaria en su contextura religiosa. Decía Meinvielle que el Estado no debía ser "indiferente" frente a la religión, pero que podía ser "tolerante".[226] Castellani advertía lo siguiente:

"Si en la magnífica unidad europea de la Edad Media, el Bien Común (...) exigió la intolerancia, el Bien Común de las modernas sociedades diversificadas y religiosamente divididas milita en contra de ella."[227]

Otros autores no coincidían con esta visión realista y abierta. Valenti Ferro exigía el alejamiento de los no-creyentes de los cargos públicos, y se oponía al voto femenino, supuestamente por tratarse de un postulado "anticristiano".[228] Osés y muchos otros compartían este criterio. Los miembros de la agrupación Restauración deseaban que el Estado asumiera una actividad militante en lo religioso, una concepción que se vio reforzada al consolidarse el régimen de Franco en España. Ezcurra Medrano escribía al respecto:

"El Estado deberá ser profundamente católico. (...) Llamará a los cargos públicos a hombres que reconozcan o respeten siquiera los derechos de la Iglesia. Tributará a ésta los honores debidos, reprimirá a sus enemigos, a los violadores de sus leyes, a los autores de cismas y herejías, y secundará su acción en la reforma de costumbres, multiplicación de asilos y obras de piedad, y conversión de infieles."[229]

El autor sacaba otras conclusiones de esta posición, que realmente era, en muchos aspectos, incompatible con la concepción liberal del Estado:

"Es evidente que un Estado así, confesor y protector de la verdad, no podrá ser liberal con el error. (...) De allí la necesidad de restringir la inmigración de pueblos de creencias exóticas y de prohibir en absoluto toda propaganda religiosa fuera de la católica. Cuando un mal se tolera, lo menos que debe impedirse es su aumento."[230]

La última de las formulaciones citadas se encuentra repetida en numerosos textos. Osés declaraba que en el Estado "ético" nacionalista "el error" no podía pretender tener derechos.[231] "Error" incluía para los nacionalistas una amplia gama de fenómenos, desde el agnosticismo y el ateísmo hasta el liberalismo y otras ideas más o menos políticas. En cuanto al sistema educativo, se propugnaba una especial influencia de las Fuerzas Armadas y de la Iglesia en el mismo. La Guardia Argentina pedía una "representación militar permanente" en todos los "cuerpos directivos de la instrucción pública"[232]; en la formación de maestros debían volver a ser tema principal el catecismo y la historia de la Iglesia.[233] La Universidad era acusada de ser un foco de influencias "marxistas", por lo cual Meinvielle reclamaba decisiones tajantes:

"Es necesario persuadirse que en ciertos saberes, como en los filosóficos, o de ellos dependientes, no puede haber neutralidad. Si la cultura no es católica, será iluminista o materialista."[234]

Sobre el contenido concreto de una Universidad reformada según tales principios informaba el profesor J. B. Genta en 1941, declarando que doctrinas "disolventes" como el "evolucionismo" y el "economicismo" en la interpretación de la historia debían ser "desterradas".[235]

Otro tema importante en la polémica nacionalista era el de la prensa.

La mayoría de los autores la encontraban demasiado libre o —como se decía entonces— demasiado influida por "la izquierda" y "los judíos". Solamente los hermanos Irazusta y su grupo defendían el principio de la libertad de prensa.[236] La LCA exigía una reglamentación "severa"[237] y Fresco, haciendo referencia a modelos europeos, llegó a declarar que "los tiempos" habían "cambiado", haciéndose necesaria la instauración de una prensa "regulada por el Estado". En este aspecto subrayaban algunos autores como Ezcurra Medrano la necesidad de proteger "la moral" de la población.[238] En la generación más joven de los militantes del nacionalismo restaurador se hizo cada vez más evidente la simpatía hacia la concepción totalitaria de una cultura uniformada desde el poder. Bruno Jacovella sostuvo que los Estados totalitarios no impedían pensar libremente:

sólo prohibían "publicar" determinadas cosas. El poder de esos regímenes, era "a veces sumamente brutal", pero los escritores de esos países deberían someterse humildemente, porque allí gobernaban

"movimientos que tienen del bien común una visión más clara y completa que cada uno de los grupos culturales en que se divide (...) la sociedad".[239]

El nacionalismo restaurador en la época del fascismo

La influencia de la "Revolución Conservadora"

Cinco escritores europeos, pertenecientes a la línea de pensamiento que se definió como "Revolución Conservadora", ejercieron una influencia poderosa y duradera en el nacionalismo argentino. Se trata de Charles Maurras, Hilaire Belloc, Oswald Spengler, Nicolai Berdiaeff y Ramiro de Maeztu. El impacto de sus obras ya se había hecho perceptible en el grupo de *La Nueva República* (1927-1931), pero la época de su verdadero auge fue la década del treinta, período en que la ideología del nacionalismo restaurador alcanzó lo que se podría considerar su forma "clásica". La tónica general del mencionado movimiento —especialmente desarrollado en la Alemania de Weimar, pero también presente en Francia, España y otras naciones europeas— se puede esbozar con las siguientes palabras de uno de sus representantes alemanes, Edgar Jung:

"Llamamos Revolución Conservadora a la restauración de todos aquellos valores y leyes elementales, sin los cuales el hombre pierde la relación con la Naturaleza y con Dios y la capacidad de construir un orden verdadero. En vez de la igualdad se instaura el auténtico valor; en vez de la tendencia 'social', la integración justa en la sociedad escalonada; en lugar de la elección mecánica, el surgimiento orgánico de los líderes; en vez de la coerción burocrática, la responsabilidad interior de la verdadera autogestión; en vez de la felicidad de la masa, el derecho de la comunidad del pueblo."[240]

Charles Maurras (1868-1952), la personalidad más famosa del "nacionalismo integral" francés debe ser mencionado en primer término.[241] Maurras, cofundador de la Action Française (1899), logró despertar con su literatura política y su periodismo apasionado un fuerte eco en la intelectualidad de derecha, no sólo en su país, sino también en Italia, España y Latinoamérica, especialmente en la Argentina. Entre 1925 y 1927 la Action Française entró en conflicto con la Iglesia, pero esta circunstancia no tuvo como consecuencia un retroceso visible del "maurrasismo" entre los nacionalistas argentinos. Julio Meinvielle comentó el problema con las siguientes palabras:

"Aquí no censuramos a Charles Maurras, sino sólo a algunos de sus discípulos, por cuanto creemos que el pensamiento del mismo Maurras es indemne a toda censura."[242]

Julio Irazusta advertía acerca de una adopción "literal" de estas doctrinas, pero no por ello dejaba de considerar a su autor como un "maestro de la metodología política":

"En efecto, es la cabeza política más grande del siglo. (...) El caudal de ideas (...), que Maurras lanzara a circulación es incalculable. Su obra puede considerarse como una especie de Suma política de los tiempos modernos. Pero en esa grandeza hay una tragedia. El país a que estaba destinada no la aprovechó, mientras los vecinos sacaban de ella a manos llenas inspiraciones que habían de utilizar contra Francia. Por ejemplo Mussolini, quien ha reconocido la influencia del maurrasismo sobre el fascismo al admitir que si bien podía decirse del último que Maurras lo había engendrado, él, Mussolini, lo había puesto en la cuna."[243]

Crisol, el diario nacionalista más difundido de los años 30, recibía regularmente el periódico *Action Française* de París y comentaba con admiración los artículos antisemitas de Léon Daudet. Durante la Guerra Civil Española, Maurras defendió con entusiasmo la causa de Franco, y en 1940 la del régimen de Vichy, todas decisiones en las que naturalmente sus seguidores argentinos lo imitaron. Las obras que mayor influencia tuvieron en nuestro país fueron *Encuesta sobre la Monarquía* (1900, con traducción castellana en 1935), *El porvenir de la inteligencia* (1905); *Diccionario político y crítico* (Selección de P. Chardon, 1931-1934); *Mis ideas políticas* (1937) y *Francia sola* (1941). Entre los precursores ideológicos de la Action Française —los cuales a menudo también eran citados por los nacionalistas argentinos— se encuentran Joseph de Maistre, el Marqués de La Tour du Pin y el escritor antisemita Edouard Drumont.

Joseph Hilaire Belloc (1870-1953) nació en St. Cloud (Francia) y fue educado en Inglaterra, donde se convertiría en un destacado escritor católico. Entre sus obras históricas pueden mencionarse una *Historia de Inglaterra* (1925-1927) y biografías de Robespierre, Cromwell y Napoleón. Sus ideas políticas y económicas tomaban como modelo una imagen idealizada de la Edad Media, esquema que también impresionó a los nacionalistas de nuestro país. En este sentido hay que recordar tres libros: *El estado servil* (1912); *Los judíos* (1922) y *La crisis de nuestra civilización* (1937, la traducción castellana apareció en 1939). A juicio de Leonardo Castellani, esta última obra era "el mejor comentario" de la doctrina social de la Iglesia.[244]

Oswald Spengler (1880-1936) también dejó en el círculo cultural latino una honda huella con su grandioso y sombrío libro sobre *La decadencia de Occidente* (1918 y 1922). Especialmente José Ortega y Gasset hizo notar a los lectores de habla hispana la importancia de la obra spengleriana. Junto a este libro principal —que en nuestro país fue más mencionado que efectivamente leído— se difundió también el pequeño volumen *Años decisivos* (1933). Allí también había unas líneas sobre "el dictador argentino Rosas", una "poderosa figura de estilo prusiano", que habría representado a la "aristocracia" contra el "jacobinismo". La influencia ideológica de Spengler se limitó a la temática elitista y antiliberal, ya que su cosmovisión esencialmente neopagana no podía ser armonizada con el catolicismo profesado por los nacionalistas argentinos.

Nicolai A. Berdiaeff (1874-1948) se desempeñó por un breve tiempo posterior a la Revolución Rusa como profesor de Filosofía en la Universidad de Moscú. A causa de sus convicciones religiosas debió abandonar su país en 1922. En las cercanías de París fundó la Academia para la Filosofía de la Religión, y en los años veinte y treinta fue considerado una de las personalidades más importantes de la vida espiritual europea. Su anticomunismo y su visión de una nueva Cristiandad lo convirtieron en un autor favorito en los círculos nacionalistas de la Argentina. De sus libros de aquella etapa —*Una nueva Edad Media* (1924), *El sentido de la Historia* (1925) y *Verdad y mentira del Comunismo* (1932)— merece ser especialmente destacado el primero. Meinvielle, Ezcurra Medrano y A. Ruiz Guiñazú se apoyaron expresamente en Berdiaeff en su valoración positiva de la dictadura fascista como paso previo a la instauración de la "nueva Edad Media".[245]

Ramiro de Maeztu (1875-1936) fue el periodista y escritor hispano cuyo desarrollo ideológico muestra un curioso paralelismo con la evolución de L. Lugones. Como éste, Maeztu abandonó el liberalismo después de la Primera Guerra Mundial (véase su libro *La crisis del Humanismo*, 1919) y se convirtió en un resuelto defensor del tradicionalismo monárquico. Muchos temas de las obras de Maurras, Belloc y Berdiaeff fueron difundidos por Maeztu en los círculos de la derecha española. También en América Latina tuvieron resonancia sus artículos y ensayos. Convencido adherente del dictador Miguel Primo de Rivera, se desempeñó entre 1928 y 1930 como embajador en nuestro país. *La Prensa, Criterio* y *Crisol* publicaron varios de sus trabajos. Para el nacionalismo restaurador alcanzó extraordinario relieve con su *Defensa de la Hispanidad* (1934). Entre 1931 y 1936 fue el teórico más importante de Acción Española, una organización que a partir de 1937 se integró junto con los carlistas y la Falange en el

partido único de Franco. Maeztu fue fusilado por los republicanos
durante la Guerra Civil.

Julio Irazusta declaró que el libro de Maeztu significó para la
"contrarrevolución en España" lo mismo que la "Encuesta sobre la
monarquía" para "la contrarrevolución en Francia". Sobre esta base
se podía construir también en nuestro país "la doctrina de la restauración del orden" porque él "nos aclara ideas que nosotros habíamos
pensado y nos da otras que no, reuniéndolas a todas en un sistema
orgánico de admirable arquitectura, (...)".[246]
De hecho no hay ningún tema esencial del nacionalismo restaurador argentino que no pueda encontrarse en los cinco autores que
han sido mencionados. Esta filiación intelectual fue reconocida por
muchos de ellos —J. Irazusta, Meinvielle, Valenti Ferro, Sánchez Sorondo, C. Pico y L. Castellani—, mientras otros la confirmaron por
vía indirecta. Esta comprobación debilita considerablements la tesis
del nacionalismo según la cual este movimiento político sería la única
tendencia política argentina basada en las "realidades" de la nación.
Este estrecho parentesco ideológico está presente en *siete temas* fundamentales:

1. El "tradicionalismo"

La versión argentina que Meinvielle y J. C. Villagra dieron de
esta doctrina ya había sido totalmente elaborada por Maistre,
Maurras y Maeztu. El jefe de la Action Française había declarado que
en la historia "lo esencial" se mantenía inalterado y Maeztu sostenía
que "las ideas de ayer" volvían a ser "las de hoy".[247] En esta temática le correspondía a J. de Maistre el lugar de honor: en 1934 M.
Amadeo destacó la importancia de este precursor como maestro del
"amor a la tradición".[248] Vemos que el uso de concepciones platóni-
cas en la polémica antidemocrática no fue un logro original de argentinos como Marechal y Genta. Ya en Berdiaeff se podía leer lo siguiente:

"¿Qué es el parlamento, sino la elevación del conflicto al nivel de la ley,
sino la victoria de las opiniones sobre el 'saber' —utilizo estas palabras en el sentido de Platón (...)?[249]

2. El maniqueísmo como filosofía de la historia

El esquema de Meinvielle, en el que la lucha entre Dios y el De-
monio implicaba también sólo dos elecciones posibles para la vida política, se encontraba ya prefigurado en Berdiaeff. Para este autor, el
bolchevismo era "la religión del Diablo" o la "satanocracia", y su
visión del futuro no daba cabida sino al combate de dos protagonis-

tas: "el comunismo" y "la Iglesia de Cristo".[250] La misma "alternativa" fue propugnada por Maeztu en 1932: o "la cruz", o el signo
"de los soviets", "todo lo demás" le parecía "sin porvenir".[251]

3. El elitismo y el culto del líder

Estos temas, particularmente desarrollados por Marcelo Sánchez
Sorondo y Federico Ibarguren en la Argentina, correspondían a las
ideas de Maurras ("jefes, santos y héroes"), Spengler y Maeztu. En
una forma más sutil se las encuentra a menudo también en Berdiaeff,
quien sostuvo que "el principio de la 'acción directa' (...) derrocará la
vieja política", en el cercano porvenir surgiendo "nuevas monar-
quías" con "rasgos predominantemente cesaristas".[252] Sin duda las
formulaciones más tajantes eran las de Spengler: sólo "los estamentos" —la nobleza y el sacerdocio— estarán en condiciones de hacer
"historia mundial en su más alta potencia". El pueblo de épocas civi-
lizadas como la presente sería solamente "masa" amorfa.[253] Berdiaeff prefería una "aristocracia espiritual", la cual según Meinvielle
estaría representada por el clero, pero la "clase dirigente" de Sánchez
Sorondo correspondía al mundo heroico y agonal descripto por
Spengler:

> "No hay pueblos políticamente dotados. Sólo hay pueblos que se encuen-
> tran firmemente dominados por la mano de una minoría gobernante (...).
> La última raza en forma, la última tradición viviente, el último líder que
> esté apoyado por factores, ellos cruzarán la meta como vencedores."[254]

4. La idealización de la Edad Media

De las tres épocas históricas que aparecían como ejemplares en
el nacionalismo restaurador argentino, sólo el período rosista fue un
aporte original. El prestigio ideológico de la Edad Media se originó en
una simplificación de la concepción de Berdiaeff, y la idealización de
la época imperial española se debía sobre todo a Maeztu. En este contexto también debe mencionarse la admiración de Spengler hacia el
absolutismo de Felipe II. Los nacionalistas argentinos de los años 30
no habían realizado investigaciones propias sobre aquellos fenómenos
del pasado europeo. Les bastó entonces con aceptar juicios como el
de Berdiaeff:

> "Todavía nos falta mucho hasta alcanzar las cumbres de la cultura espiri-
> tual del Medioevo. Nuestro tiempo es una época de decadencia."[255]

Maeztu unificaba ambos modelos en su doctrina:

> "La Edad Media se fundaba en una armonía de sociedades (...) que era
> también un equilibrio de principios en el que se contrapesaban la autoridad y la

libertad, el poder espiritual y el temporal, el campo y las ciudades, los reinos y el Imperio. (...) En España vivimos la Edad Media hasta muy entrado el siglo XVIII."[256]

Para los siglos XVI y XVII el autor español reservaba especiales elogios. En aquel tiempo:

"la sociedad española estaba organizada en un sistema de persuasiones y disuasiones que estimulaba a los hombres a ponerse en contacto con Dios, a dominar sus egoísmos y a dar de sí su rendimiento máximo".[257]

A partir de estas consideraciones concluía que no sólo los "pueblos hispánicos" debían buscar "su futuro" en éste, "su propio pasado". Para "todos los pueblos de la Tierra" debía convertirse la España "clásica" en "el modelo".[258]

5. La modernidad como rebelión y decadencia

Los nacionalistas argentinos encontraron en los mencionados autores un rico material relativo a esta interpretación. Solamente la posición de Berdiaeff resultaba más matizada. Spengler y Maurras —a diferencia de Meinvielle— extendían su aprecio hasta la primera mitad del siglo XVIII; pero luego comenzaba también para ellos la "decadencia" de la cultura occidental o de la "Diosa Francia" respectivamente. La imagen global de los últimos 150 años estaba impregnada de hondo pesimismo. Maurras aportó el esquema interpretativo que en la Argentina fue utilizado por primera vez por el uriburismo: la "revolución" contemporánea sería la obra de "extranjeros", quienes habían alquilado a "demagogos" y "vagabundos". Así se habría desposeído a la "parte laboriosa y propietaria" del país. Valenti Ferro, publicista de la Legión Nacionalista Argentina, citaba a Spengler como autoridad, al afirmar que desde 1789 se debía lamentar el creciente predominio de "la plebe".[259] Pero también Berdiaeff escribió párrafos como éste:

"Los principios espirituales de la Modernidad están agotados (...) El día racional de la historia se acerca a su ocaso."[260]

Maeztu acuñó un término que habría de difundirse también en nuestro país: definió a las fuerzas revolucionarias de los tiempos modernos como fenómenos "extranjeros", los cuales constituían la "Antipatria". La Revolución:

"sigue siendo el anhelo del hombre natural de escapar a las disciplinas de la civilización (...) se prefiere llamar progreso a lo que no es sino el deseo de dejarse caer".[261]

6. La imagen del enemigo

Entre los autores de la Revolución Conservadora estaba difundida la imagen de un enemigo esencialmente único, aunque diferenciado en sus manifestaciones, dedicado a una conspiración universal. Esta tesis, que desempeñaba el importante papel de tema unificador de la ideología restauradora, se remonta a los inicios de la Edad Contemporánea. Su desarrollo puede resumirse en tres períodos[262]:

a) *Período formativo*. En determinados círculos del pensamiento contrarrevolucionario francés surgió la mencionada tesis como explicación y respuesta al desafío de la Revolución Francesa. En 1797 el abate Barruel publicó sus *Memorias para servir a la historia del jacobinismo*, sosteniendo la existencia de una vasta conspiración de la Masonería, la cual sería la responsable directa de todos los sucesos revolucionarios de la época. El 1º de agosto de 1806, en una carta del capitán Jean B. Simonini a Barruel, aparece la primera formulación de la teoría que asignaba a los judíos el papel fundamental en esta conspiración. Joseph de Maistre la retomó en un Memorándum confidencial al Zar de Rusia (diciembre de 1811), afirmando que todas las "sectas", incluso la judía, formaban "un monstruo compuesto de todos los monstruos; si no lo matamos, nos matará".

b) *Período de consolidación* (aproximadamente 1850-1910). En esta etapa, caracterizada por el vertiginoso avance de la industrialización, las periódicas crisis económicas y el crecimiento de movimientos izquierdistas, la teoría de la conspiración universal fue ampliada, incluyendo, además de masones y liberales a socialistas, anarquistas y "capitalistas financieros". Los judíos pasaron —definitivamente— a ocupar el centro de esa temática como "manipuladores" ubicuos. Autores particularmente influyentes en esta etapa fueron Gougenot des Mouseaux (*El judío, el judaísmo y la judaización de los pueblos cristianos*, 1869) y el abate Chabauty (*Los francmasones y los judíos. Sexta edad de la Iglesia según el Apocalipsis*, 1881). En 1845 un hombre proveniente de la izquierda, A. Toussenel, inauguró la variante "anticapitalista" del antisemitismo con su libro *Los judíos, reyes de la época*. Sus ideas fueron retomadas luego por A. Tilloy (*El peligro judeo-masónico: el mal, el remedio*, 1897) y E. Drumont (*La Francia judía*, 1886). Este último autor influyó en Daudet y Maurras, y —a través de ellos— en nuestro país. Hacia esa época se sumaron numerosos publicistas alemanes a la tesis de la conspiración judía, y los escritores más importantes eran los siguientes: H. Gödsche (*Biarritz*, 1868), Otto von Glagan (*La estafa de la Bolsa en Berlín*, 1874-1875), W. Marr (*La victoria del judaísmo sobre el germanismo*, 1879), Theodor Fritsch (*Catecismo antisemita*,

1887), Houston S. Chamberlain (*Las bases del siglo* xıx, 1898) y H. Class (*Si yo fuese el Kaiser*, 1912). También fue esta la etapa en que aparecieron los famosos *Protocolos de los Sabios de Sión*, compuestos por encargo del general Ratschovski, jefe de la Sección Exterior de la "Ojrana" (policía secreta zarista) entre 1897 y 1899. Estos Protocolos fueron publicados primero por P. A. Kruschevan y G. W. Butmi en Rusia (1903-1905), y la edición que mayor difusión mundial alcanzó fue la del místico ruso Sergei Nilus (1905), traducida a numerosos idiomas a partir de 1917. Al terminar esta etapa, la teoría de la conspiración universal había alcanzado su forma "clásica".

c) *Período de reactualización y propagación masiva* (1918-1939). Las sucesivas conmociones de la Primera Guerra Mundial, la Revolución Rusa y la Gran Depresión, constituyeron el mejor caldo de cultivo político, económico y psicosocial para la reactualización y propagación del antisemitismo sistemático. No es casualidad que a partir de este momento fuese Alemania, país particularmente afectado por las mencionadas crisis, el centro ideológico de la tesis de la conspiración. Ya el 9 de julio de 1918 el príncipe Otto zu Salm-Horstmar dijo en la Cámara Alta de la Legislatura de Prusia que existía una confabulación judeo-masónica con una concepción "democrática" y "angloamericana" del mundo, dirigida a la destrucción de la concepción "germano-aristocrática". En 1919 el tema fue ampliado por F. Wichtl en la obra *Masonería Mundial, Revolución Mundial, República Mundial*. Henry Ford publicó *El judío internacional* (1920) y el resentido general E. Ludendorff se convirtió en un fanático de estas ideas (*Destrucción de la Masonería a través del descubrimiento de sus secretos*, 1927; *La Guerra Total*, 1935). Una multitud de traducciones de los "Protocolos" inundó Europa: monseñor Ernest Jouin los editó en Francia (1920) y en Alemania fueron publicados por Alfred Rosenberg. Este colaborador de Hitler escribió ocho trabajos sobre el tema entre 1919 y 1923, hasta culminar, siete años después, en su farragoso "Mito del siglo xx". Rosenberg creyó encontrar en los Protocolos "la explicación" de "fenómenos actuales" que de otro modo le resultaban "incomprensibles". En esta transición de la extrema derecha tradicional al nacionalsocialismo fueron importantes también los libros del ruso emigrado F. V. Winberg (*La encrucijada*, 1922) y del poeta alemán Dietrich Eckart (*El bolchevismo desde Moisés a Lenín. Una conversación mía con Hitler*, 1924). En este último texto la "conspiración" se convierte en la clave explicativa del devenir histórico: el judío es acusado de ser culpable "de todas las injusticias sociales" y de "todas" las grandes revoluciones de la historia. Hitler habría de popularizar esta tesis en sus arengas contra la "hidra mundial judía" y su obsesiva obra de 1925: *Mi lucha*.

Los ·pensadores europeos adeptos a la tesis de la conspiración que más influyeron en el nacionalismo restaurador argentino fueron Maurras, Maeztu y Spengler. Berdiaeff y Belloc tenían posiciones más moderadas pero no muy alejadas de dicho esquema. Algunos autores argentinos que se ocupaban asiduamente del tema —Degreff, Mein-vielle, Silveyra y Filippo— citaban ocasionalmente también a ciertos publicistas ya mencionados, tales como J. de Maistre, Barruel, H. Ford, E. Jouin, A. Rosenberg, W. Marr y T. Fritsch. Lo cierto es que la Revolución Conservadora repudiaba "el principio de la soberanía del pueblo" y el gobierno según "la mayoría de sufragios".[263] Liberalismo, democracia, capitalismo, socialismo y comunismo fueron interpretados como diferentes etapas de un solo error: el "individualismo igualitario".[264] La polémica contra la "plutocracia" y la "alta finanza", con la finalidad de desprestigiar a la democracia, utilizaba en nuestro país la argumentación de Maurras, Belloc y Spengler. Para el autor alemán, "democracia" y "plutocracia" tendrían el "mismo significado", ya que:

"Todos los conceptos del liberalismo y del socialismo sólo lograron ponerse en movimiento gracias al dinero y en función de los intereses del dinero."[265]

Para Maurras existían cuatro grupos dedicados a una conspiración interminable contra Francia y la tradición: "los cuatro estamentos confederados": extranjeros, protestantes, masones y judíos. Maeztu se ocupaba de los dos últimos sectores mencionados, en los siguientes términos:

"La Inquisición se justifica plenamente. Los judíos españoles en 1492 eran dirigidos por hombres poderosos que acariciaban el pensamiento de alzarse con España por Israel (...)"
"Que la Masonería es la organización mundial de la revolución es una de las cosas mejor sabidas de la historia moderna. (...) También sabemos que en todos los países está la Masonería al servicio de la raza de Israel. Lo que no sabemos ahora es si las mentalidades que dirigen la Masonería han acordado precipitar la revolución comunista en el mundo o hacer alto, en espera de mejor ocasión."[266]

Por estas "revelaciones" V. Filippo creyó que los judíos habían tenido parte de responsabilidad por la muerte de Maeztu.[267] Pero un análisis especial debe dedicarse a la posición de Belloc en la llamada "cuestión judía". Su libro sobre el tema —un ensayo contradictorio— supera en calidad a la literatura corriente del antisemitismo. Su poco clara propuesta, tendiente a la "separación" y al "reconocimiento" de la "diferencia" entre judíos y cristianos[268], lamentable-

mente fue entendida por los nacionalistas restauradores en el sentido
de la discriminación medieval. De manera que esta obra de un
escritor consagrado tuvo el poco feliz efecto de darle un tono "dis-
tinguido" y "cristiano" al prejuicio antisemita. Porque Belloc
también habló de "vasallos de la finanza judía", y de "estrechas relaciones" con la Masonería. Reconocía que los judíos no habían "originado" el capitalismo y el socialismo, pero los consideraba sus usu-
fructuarios:

> "El movimiento bolchevique fue un movimiento judío (...) y todos estos
> dirigentes, sin excepción, fueron judíos (...) y todo lo que siguió se hizo cum-
> pliendo órdenes directas de judíos (...). Y esto explica esa semialianza entre fi-
> nancistas judíos por un lado y la conducción judía de la revolución por el otro,
> ese hecho que se encuentra en todo el mundo."[269]

Si bien Belloc comentaba que la gran mayoría de los hebreos
nada tenía que ver con este asunto, la posible consecuencia modera-
dora de esto quedaba anulada por otros pasajes ambiguos. En un
párrafo juzgaba como "poco sensatos" a los antisemitas, y un par de
páginas más adelante elogiaba su "documentación" —una "poderosa
biblioteca de revelaciones"— considerándola "intacable".[270]

7. Los objetivos

El nacionalismo restaurador argentino adoptó todos los objetivos políticos, sociales y económicos de la Revolución Conservadora
europea, con la única (y lógica) excepción de la monarquía heredi-
taria. La sociedad "jerárquica", el estado autoritario de liderazgo, la
disolución de los partidos, el ordenamiento corporativo, la posición
de la Iglesia en el esquema del poder, el control de la prensa, todo
esto podía encontrarse en los autores que aquí se comentan. Sus seguidores argentinos sólo efectuaron leves alteraciones en la acentuación de algunos aspectos, practicando además un eclecticismo que
tendía a borrar los matices diferenciales, por ejemplo, los que existen
entre las posiciones de Maeztu y Berdiaeff. Spengler entusiasmaba
con su crítica demoledora contra los partidos y su apología de la
aristocracia; Belloc convencía con sus exigencias de un "control
público de los monopolios"[271] y de una mayor defensa del pequeño
comerciante[272]; Maurras, Berdiaeff y Maeztu presentaban esbozos
globales de la "restauración" futura. En este contexto se ubican imágenes plásticas, como la que Meinvielle extrajo de La Tour du Pin
para caracterizar la "Civitas Christiana":

> "El monarca sobre su trono (...) el artesano en su taller, el campesino en su
> arado, lo mismo que el obispo en su cargo pastoral, cada uno se sentía protegido
> al mismo tiempo que obligado por las reglas de su estado (...)."[273]

Las concepciones de Berdiaeff, relativas a las "asociaciones corporativo-profesionales", a la "voluntad orgánica del pueblo" y a los "gobiernos fuertes"[274] se repiten textualmente en las publicaciones del nacionalismo argentino. También la sedicente solución "española" de los problemas sociales se constituyó en un modelo para Meinvielle y los sectores ultratradicionalistas del nacionalismo:

"Yo seré duque y tú criado; pero yo puedo ser mal duque y tú buen criado (...) y no sabemos cuál de los dos ha de ir al cielo, pero sí, que por encima de las diferencias de las clases sociales están la caridad y la piedad que todo lo nivelan."[275]

En cuanto al Estado, Maeztu exigía una conducción "autoritaria" del mismo, por lo menos entre los "pueblos hispánicos".[276]

Este ideario forma desde los años treinta el núcleo firme del nacionalismo restaurador argentino. Pero no menos importante que la solidez de esta influencia autónoma resulta el hecho de que estos autores también ofrecían una apología del fascismo, que resultaba especialmente seductora, por el prestigio intelectual y la distinción literaria que la enmarcaban. La categoría del "protofascismo", aplicada por Ernst Nolte a la Action Française, es perfectamente utilizable para la historia de los efectos ideológicos de las obras citadas en nuestro país. Entre la multiplicación de las dictaduras derechistas en sus diversas variantes y la difusión creciente de las ideas de Maurras, Maeztu y Berdiaeff existió una correlación. Si bien estos escritores eran brillantes, los nacionalistas deseaban conocer modelos políticos vivientes. Especialmente después de 1933 se interpretó a los autores conservadores como profetas y precursores de las nuevas dictaduras, y recibieron sólo críticas ocasionales por su excesivo teoretismo. Así ocurrió con Ramón Doll, que encontraba muy interesantes las doctrinas maurrasianas, pero también rígidas y llenas de "exageraciones".[277] Con mayor precisión se expresó Marcelo Sánchez Sorondo; reconocía en Maurras a "nuestro inspirador, pero la doctrina sola no podía fundar el Nuevo Orden":

"Al talento de Maurras le faltó descubrir la multitud, que luego, desde su balcón, hallaba el genio de Mussolini."[278]

Ello no quitaba el hecho de que el propio Maurras fuese un admirador de la "obra de Mussolini". Veía una "anarquía domada", el "orden restablecido", la "monarquía respetada", la "religión restaurada", la "fuerza militar, naval y aérea desarrollada" y el entusiasmo ardiente de una "bella juventud".[279]

Por su parte Spengler criticaba algunos aspectos del fascismo pero admiraba intensamente a la persona del Duce:

"Mussolini no es un jefe de partido, a pesar de haber sido jefe de obreros, sino el señor de su país (...). Mussolini es ante todo estadista, helado y escéptico, realista y diplomático. El realmente gobierna solo. El lo ve todo —la más rara cualidad en un gobernante absoluto."[280]

Berdiaeff se expresó del siguiente modo:

"Vivimos en una época del cesarismo, y sólo pueden imponerse personas del tipo de un Mussolini, quien es ciertamente el único estadista creador de Europa."[281]

Aun más precisas resultaron las manifestaciones de Maeztu. En 1932 saludó en las columnas de *La Prensa* el avance de "las nuevas derechas".

Sobre el "próximo triunfo" del nacionalsocialismo ya no cabían discusiones.[282] Tres años después disculpó la violencia del régimen nazi, considerándola "relativamente mínima".[283] Finalmente declaró que Italia y Alemania eran los modelos de la moderna contrarrevolución:

"Lo que no vio el General Primo de Rivera es que para implantar en España algo análogo al Estado italiano, lo primero que hacía falta era un fascio de verdad. (...). De ahí la necesidad de constituir un instrumento parecido al fascio italiano o al nacionalsocialismo alemán, capaz de hacer frente por sí solo a la revolución social y constituir la fuerza que impulse, el día de mañana, a la contrarrevolución a depurar el Estado de revolucionarios para que (...) sea posible reengancharnos al hilo de la tradición española."[284]

El modelo italiano

La influencia ideológica de la Italia fascista fue, entre 1932 y 1936, un factor decisivo en la evolución del nacionalismo restaurador. Los comienzos de este proceso se remontaban a la década precedente, pero hasta los años treinta no se consolidaron las condiciones que facilitaron el pleno desarrollo de esa influencia. En 1932 habían sido superadas las tensiones con el Vaticano y la "fascistización" de Italia había sido completada en lo fundamental. La propaganda presentaba al corporativismo como la exitosa superación de la lucha de clases y de la crisis económica mundial. Algo más tarde, los simpatizantes del Duce vieron en la conquista de Etiopía (1935-1936) un nuevo signo del poderío de la nueva Italia y de la debilidad de los Estados democráticos y liberales. El propio Mussolini expresó en 1930 la pretensión universalista de su movimiento:

"Hoy confirmo el hecho de que el fascismo, como idea, doctrina y realización es universal: es italiano en sus instituciones particulares, pero universal en su espíritu. (...) Puede predecirse por ello una Europa fascista, que orientará sus instituciones según la doctrina y la práctica fascistas. (...) El fascismo satisface hoy las exigencias del carácter universal. De hecho, él resuelve el problema de las relaciones entre Estado e individuo, grupos y grupos organizados."[285]

En 1932 la "Doctrina del Fascismo" recogió esta concepción y afirmó tajantemente que el siglo xx era el siglo de "la autoridad", de "derecha", en otras palabras: "un siglo fascista".[286] Si bien a partir de 1936 fueron la España "nacional" y el Tercer Reich los actores que ocuparon el centro del escenario político mundial, los nacionalistas argentinos no perdieron su interés por el modelo más antiguo que era Italia. Esto quedó demostrado en los viajes de Federzoni y Pavolini a Sudamérica, en el año 1937. Los jerarcas fascistas fueron acogidos por un público numeroso. En las regiones brasileñas y argentinas densamente pobladas por inmigrantes italianos también había tenido éxito la "fascistización", impulsada por la ola de entusiasmo que acompañó a la Guerra de Etiopía. En las asambleas visitadas por los citados personajes predominaba naturalmente este sector de la población. El órgano oficial del Partido —*Gerarchia*—, comentaba con satisfacción el discurso que Pavolini pronunció en el Teatro Opera de Buenos Aires, donde hubo abundantes "vivas al Rey-Emperador y al Duce", así como "canciones fascistas". Por otra parte se reconocía el hecho de que todos los hijos de inmigrantes "se convertían en argentinos".[287] Por esa razón el régimen se dirigía, más allá de la colectividad italiana, al espectro total de los simpatizantes iberoamericanos. Federzoni declaró que todo anticomunista debía tener también una postura favorable hacia el fascismo. Contra el peligro mundial bolchevique se alzaría sólo una fuerza viviente: "la nuova luce viene da Roma".[288]

En 1938 la *Enciclopedia Italiana* se ocupó, en un artículo extenso, del problema del "Fascismo en el mundo". En todas partes advertía la copia de leyes italianas: Hungría, Polonia, Rumania, Grecia, Portugal y Brasil habrían tenido en cuenta "los resultados del fascismo" en su reordenamiento. Esto se haría especialmente evidente en el creciente papel económico del Estado y en el general reforzamiento del Poder Ejecutivo. Existían por otra parte,

"movimientos políticos que son más o menos similares al fascismo en las premisas teóricas, en los programas de acción, y en las formas de organización y a menudo también en el nombre".[289]

El autor del trabajo sólo hacía una advertencia a estos movimientos, sobre "imitaciones superficiales". De todos modos, el fascismo no sería un artículo "material" de exportación, sino un fenómeno "espiritual", que se expandía "libremente". Después de palabras elogiosas para José Antonio Primo de Rivera, Franco y Salazar, el autor pasó revista a los efectos de "la idea fascista" en América del Sur; en el caso específico de la Argentina mencionó al Partido Fascista Argentino, ANA, LCA y Restauración.

El PFA fue fundado en 1932 por H. Bianchetti en Avellaneda (Provincia de Buenos Aires), pero su florecimiento fue breve. Poco podía hacer al lado de la ya establecida LCA; además carecía de buenas conexiones con la policía y constituía un ejemplo clásico de una ingenua tendencia a la copia literal: su revista se llamaba *Camisa Negra*. Por estos motivos se produjo una escisión a principios de 1934, y surgió una agrupación autónoma, el Fascismo Argentino de Córdoba, que vestía camisas azules.[290] Esta organización se presentó como la única versión "auténticamente argentina" del fascismo, y logró adhesiones considerables, mientras que el PFA perdía toda importancia. El grupo cordobés se fusionó con la delegación regional de la ANA en marzo de 1935, adoptando primero el nombre de Frente de Fuerzas Fascistas y más tarde (1936) el de Unión Nacional Fascista. Hasta fines de esa década se constituyó en una de las organizaciones más importantes del nacionalismo restaurador del Interior, con una fuerza de irradiación que llegó hasta Mendoza. Bajo la conducción de Nimio de Anquín, la UNF fue respetada por las grandes organizaciones de Buenos Aires —LCA, ANA, UNES— como una fuerza asociada que gozaba de iguales derechos; pero el objetivo ambicioso que reflejaba su nombre —la "unión" de todos los fascistas a nivel "nacional"— no pudo ser alcanzado.

La influencia ideológica de Italia no estaba atada al destino del PFA o de la UNF. Libros y folletos fascistas, en parte, traducidos al castellano, así como el servicio de noticias de Roma Press fueron hechos accesibles a todas las organizaciones nacionalistas importantes. La Biblioteca de Crisol ofrecía la *Doctrina del Fascismo* junto a las obras de Irazusta, Degreff, Meinvielle y otros autores argentinos. La recepción de esta literatura fue muy positiva. La tesis mussoliniana del "fascismo universal" y la exigencia de que se debía "aprender" de Italia fueron inmediatamente adoptadas por publicaciones como *Crisol, Bandera Argentina, Clarinada* y *Nueva Política*. La LCA defendía una posición muy clara al respecto:

"Ante la elección de los caminos a seguir, entre la Rusia que fue de los Zares y la Italia de los Césares, nuestra mirada debe estar fija en Roma, hoy como ayer el faro del mundo. No nos inquieta que se nos llame importadores de regímenes extranjeros. (...) las doctrinas políticas, como todas las ciencias, son universales y no privativas del territorio donde han tenido origen."[291]

Los propagandistas de la ANA elogiaban con especial énfasis el corporativismo fascista y declaraban lo siguiente:

> "Nos identificamos con el fascismo por esta identidad de régimen, pero nos diferenciamos en la forma y medios empleados para implantarlo y en la idiosincrasia de los jefes (...)."[292]

La precaución que el general Uriburu había tenido en este delicado tema de las identificaciones fue dejada de lado. Crecían las voces que exigían abandonar la ambigua fórmula de la "democracia funcional"; la "profunda adhesión hacia el fascismo", demostrada por Uriburu en sus discursos, sería un compromiso para sus continuadores. El nacionalismo debía convertirse en "el fascismo argentino".[293] Para Mussolini no había alabanza que alcanzase: se llegó a compararlo con el general San Martín.[294] En cuanto a la institucionalización del corporativismo, *Crisol* la comentó en noviembre de 1934 con estas palabras:

> "Ayer (...) Benito Mussolini inauguró la primera sesión del Consejo Nacional de las 22 Corporaciones (...). El creador del régimen fascista (...) ha llegado al coronamiento de su prodigiosa obra. La actuación íntegra del Estado fascista (...) es el suceso de mayor trascendencia positiva (...) del siglo, por el camino que abren su universalidad y su profundo contenido humano a todos los países del mundo."[295]

¿Cuál era exactamente ese "camino"? Para Alejandro Ruiz Guiñazú, que consideraba a Mussolini "la más grande figura política del siglo xx", los siguientes "elementos" del fascismo tenían validez de soluciones totales o parciales a la problemática universal: "la concepción totalitaria del Estado", el "sistema corporativo y sindical", "la concepción heroica de la vida" y "la restauración de las nociones de jerarquía, responsabilidad y autoridad".[296] En enero de 1935 se fundó en Roma un Instituto de Estudios Corporativos. Filofascistas de Irlanda, Francia, Suiza, Austria, Bélgica, Portugal y la Argentina se contaron entre los colaboradores de la primera hora.[297] La influencia de esta escuela del pensamiento económico-social se hizo especialmente visible en la obra de Héctor Bernardo. Este autor alababa a tradicionalistas como La Tour du Pin, pero declaraba también que el modelo fascista constituía la única solución práctica para los problemas de este siglo:

> "Pretender en las actuales circunstancias suscitar un fenómeno corporativo de tipo medieval es ignorar las condiciones reales (...) del mundo capitalista moderno (...). En cuanto al corporativismo de Estado, el ejemplo más acabado es el italiano."[298]

También la conquista de Etiopía encontró comprensión en las filas de los nacionalistas restauradores: se trataría sólo de una "obra civilizadora". Tesis de este tipo eran difundidas por asociaciones como Amigos de Italia, la cual contaba al gobernador M. Fresco entre sus socios más activos. Para la gran mayoría de los nacionalistas argentinos el fascismo aparecía como la realización de la "contrarrevolución" que habían anunciado Maurras y Maeztu. Un entusiasta no vaciló en presentar a este movimiento "romano" y "cristiano" como la "mayor" revolución "de la Historia", después de la transformación "máxima" que fue la de Jesucristo. En el fondo, el fascismo sería "la Revolución del Cristianismo contra las fuerzas radiadas de la Historia".[299]

Ultratradicionalistas como Meinvielle y Ezcurra Medrano sostenían una posición algo más cautelosa. El fascismo les parecía aun no del todo impregnado por el espíritu católico, pero la dirección general de su marcha se acercaba a lo deseable:

> "De hecho hay que reconocer que el fascismo (...) es, por ahora, el único movimiento de realización concreta que restaura los principios tradicionales de economía política. Su misma violencia de medios se justifica cuando se abren los ojos a la realidad del momento, que es un momento de violencia. (...) Si la violencia no impone el orden, la violencia impondrá el desorden."[300]

Ezcurra Medrano, por su parte, opinaba que los "errores doctrinarios" del fascismo habían sido corregidos en la práctica por el "genio" de Mussolini. Los nacionalistas argentinos que adherían a un estricto "integrismo" religioso mantenían una cierta distancia entre sus preferencias políticas y el "Estado totalitario" mussoliniano, pero esta situación aparecía más bien como una tensión subterránea. Muchas manifestaciones visibles acentuaban más las convergencias que las diferencias. El observador de hoy se sorprende ante la facilidad con que hombres como Meinvielle, Filippo y Castellani defendieron los proyectos de legislación discriminatoria para los judíos. Pero es necesario recordar que justamente esta variante del antisemitismo —"civilizada" en comparación con la versión nacionalsocialista— se convirtió en la política oficial del fascismo a fines de los años treinta. Lamentablemente el régimen pudo contar con el apoyo ideológico de algunos eclesiásticos para esto. *Civiltà Cattolica* publicó en mayo de 1937 un artículo en el que se hablaba de la "mentalidad judía", un "peligro permanente para el mundo"; también se proponía la implantación de guetos. En agosto de 1938 un sacerdote publicó una serie de artículos muy duros contra los judíos, en *Il Regime Fascista*, y poco después Roberto Farinacci, uno de los jerarcas del ala filonazi del fascismo, se atrevió a sostener en *Il Popolo d'Italia* que los fascistas habían recibido su "conciencia antisemita" de la Iglesia (!).[301]

Argumentos casi idénticos integraban la polémica antisemita de los nacionalistas restauradores en la Argentina.

Personalidades muy respetadas como Carlos Ibarguren contribuyeron a difundir una imagen idealizada del fascismo. Ibarguren lo interpretaba como un sistema "productivo y solidario", en el cual se protegerían y se fomentarían "los intereses de todas las clases".[302] Políticos conservadores cercanos al nacionalismo, tales como Fresco y Matías Sánchez Sorondo, subrayaban el tema anticomunista en su apología:

"El Fascismo llegó en Italia como una solución de defensa de la sociedad contra el ataque de los grupos disolventes. Por eso es un absurdo hablar de los extremismos de derecha. (...) ¡Extremismo porque las fuerzas atacadas se defienden y emplean más o menos rigor, más o menos violencia en la represión!"[303]

La postura del grupo que se expresaba en la revista *Nuevo Orden* era mucho más diferenciada, porque los hermanos Irazusta tenían una sana desconfianza frente a supuestos "modelos". Pero tampoco ellos pudieron sustraerse del todo a una corriente tan poderosa en aquella época. Rodolfo Irazusta compartía la opinión generalizada de que la "revolución fascista" era "lo más trascendental que ha ocurrido en lo que va del siglo"; su hermano Julio veía en Mussolini a un discípulo del admirado Maurras, y E. Palacio concluía con razón que "la mayoría de los nacionalistas somos, en mayor o menor grado, filofascistas".[304]

La Guerra Civil Española y el franco-falangismo

En la década del veinte fue Manuel Gálvez uno de los primeros intelectuales argentinos que volvió a dirigir el interés de sus compatriotas hacia España, la Madre Patria. Las grandes expectativas de Gálvez se manifestaron en las siguientes palabras:

"Y por su fe en Cristo, por su desdén de los bienes materiales, por su coraje y su quijotismo podrá [España] algún día, tal vez no remoto, ser la salvadora de Europa, por lo menos de la Europa latina."[305]

En febrero de 1934 José Antonio Primo de Rivera y Ramiro Ledesma Ramos firmaron el acta de unificación de la Falange Española con las Juntas de Ofensiva Nacional-Sindicalista. A partir de entonces el activismo de este pequeño movimiento logró despertar alguna atención en nuestro país. Osés saludó cuatro meses después a la Falange, llamándola, no sin razón, "movimiento fascista en España".[306] Al comenzar en julio de 1936 la Guerra Civil Española con el levan-

tamiento del Ejército, la Falange y el Carlismo, se produjo un fulmi-
nante entusiasmo por la terminología falangista. Así, dos agrupaciones nacionalistas de Santa Fe se unificaron bajo la denominación de
Falange Argentina de las Juventudes Nacional-Sindicalistas (FAJNS).
El rol de España fue ahora importante para todos los nacionalistas
restauradores. Las arengas del general Franco parecían confirmar la
profecía de Gálvez:

> "Es la lucha en defensa de Europa, y una vez más, cabe a los españoles
> la gloria de llevar en la punta de sus bayonetas la defensa de la civilización, de
> mantener una cultura cristiana."[307]

Esta guerra correspondía a las expectativas del nacionalismo
argentino por una serie de razones:

1) En España se había convertido en realidad la anunciada y deseada polarización entre "fascismo" y "frente rojo". El centro político no pudo ejercer una influencia notable sobre los acontecimientos. El activismo de muchos nacionalistas militantes intentó producir
más tarde una polarización parecida en nuestro país... actitud que
encontraba correspondencia en el extremo opuesto del espectro
ideológico.

2) Aparentemente había surgido con el franco-falangismo una
versión estrictamente católica del fascismo. Meinvielle y otros teóricos vieron en ello una confirmación de sus tesis. Nimio de Anquín
acuñó al respecto una fórmula muy clara: "Pero el fascismo aún no
está completado doctrinariamente porque debe ser teocéntrico (...)
Este fascismo es el que se está gestando en España con sangre de már-
tires y al que nosotros pertenecemos".[308]

3) La rápida intervención germano-italiana a favor de los "nacionales" fue celebrada como la primera gran acción coordinada de
los fascismos en la lucha mundial contra el peligro "rojo" y "democrático". Osés expresó con rara sinceridad sus prejuicios sociales
cuando declaró que la Guerra Civil Española mostraba que "no se
deja impunemente en libertad a las llamadas clases proletarias".[309]

4) Las concepciones falangistas acerca de la Hispanidad reinter-
pretaban en términos de poder una constelación de realidades culturales. Para todos los pueblos de raíz hispánica había allí una idea
movilizadora que prometía vagamente un papel decisivo en la política mundial. En el franco-falangismo y el nacionalismo restaurador
esta idea cumplía una función similar a la del "Impero" en la visión
geopolítica del fascismo italiano.

Es muy conocida —y ha sido estudiada en otros trabajos— la ola
de adhesiones que ambos bandos de la fratricida guerra española lo-

graron despertar en nuestro pueblo, unido por hondos lazos de familia, lengua y tradición a la Península. Para la historia de las ideas políticas resulta particularmente significativo un capítulo de aquella confrontación: la polémica entre Meinvielle y el famoso filósofo católico Jacques Maritain. A partir de sus discursos en el Congreso Internacional de Escritores, realizado en Buenos Aires (1936) y de la publicación de su libro sobre el *Humanismo integral*, Maritain asumió una posición que despertó la ira de muchos tradicionalistas ante lo que interpretaban como una especie de traición. Maritain rechazó los sueños de una restauración medievalizante y propugnó una síntesis de la democracia y del cristianismo, llegando hasta mostrarse bien dispuesto hacia los judíos y claramente "antifascista". En 1937, al emitir este autor una dura crítica del argumento franquista relativo al carácter de "Cruzada" del conflicto español, se produjo la fuerte réplica de Meinvielle y César Pico. La estudiosa del período que más se ha interesado por esta problemática —Noreen Stack— llega a la conclusión de que este es el punto de partida de la dicotomía entre el ala restauradora y el ala liberal-pluralista del catolicismo argentino.[310] Es necesario destacar que la "defección" de Maritain constituyó un duro golpe para el nacionalismo restaurador, que hasta ese momento siempre había sostenido orgullosamente que "todos" los intelectuales católicos compartían sus posiciones básicas. Este ya no era el caso.

La tesis central de los críticos de Maritain era la aceptación convencida de una "colaboración de los católicos con los movimientos de tipo fascista". En 1937 César Pico publicó un pequeño trabajo con este título[311], en el cual declaraba que en esencia el fascismo no era más que el reforzamiento del Estado con su "violencia defensiva" contra el comunismo. Se trataría de una fuerza restauradora "del orden":

"El fascismo (...) se presenta como una reacción contra las calamidades adscriptas a la democracia liberal, al socialismo y al capitalismo, reacción que, instintiva en su origen, va en pos de una doctrina que la justifique. De hecho algunas veces esa doctrina se ha formulado con proposiciones erróneas, y ha sostenido el totalitarismo, pero ello no ha ocurrido siempre (...). Ni Oliveira Salazar, ni Dollfuss, ni muchos fascistas de la misma Italia (...) ni los movimientos nacionalistas de España y de la América Latina pueden calificarse de totalitarios."[312]

Pico subrayaba los logros positivos de esos regímenes y concluía por ello afirmando que el católico "puede y debe" colaborar con un movimiento que parecía ser la única fuerza anticomunista dotada de eficacia. A partir de esa cooperación surgiría, en una etapa posterior, la "nueva Edad Media" que anunciara Berdiaeff.[313] Dos años después de esta publicación Pico criticó duramente a los católicos liberales

—"mezquinos círculos disidentes"— por su defensa de la democracia
y por sus "fútiles reparos contra el glorioso movimiento de la España
nacional". En este sentido encontró "particularmente repugnante" la
actitud de Georges Bernanos.[314] En la misma corriente que Pico se
expresó Meinvielle muy claramente:

"El demoliberalismo que vivimos desemboca inexorablemente en el comunismo. Si no se quiere que así acaezca hay que torcer violentamente su corriente
(...). Así quebró Dollfuss el peligro marxista en Austria, así la España Católica
está restaurando sus valores eternos. (...) Una política cristiana, como realización inmediata, no está sino en las manos de Dios. Pero una política tipo fascista
está en manos de los hombres y debe ser realizada si no queremos vernos preci-
pitados en una catástrofe irremediable. Al menos así es indispensable en países
como el nuestro, donde la falta de instituciones tradicionales ofrece un campo
propicio para que a la sombra del demoliberalismo arraigue un estado de con-
vulsión comunista."[315]

Meinvielle desarrolló luego apasionadamente el tema de la "Cru-
zada", proclamado por el cardenal Gomá y Tomás y oficializado por
Franco. Esperaba ver el surgimiento de la versión "cristiana" del
Estado fascista en España:

"Cuando Maritain se imagina que ambos bandos en España luchan por conquistas temporales está profundamente equivocado (...). Los comunistas luchan
por el odio a Cristo; los nacionalistas por Cristo, cuyo amor no quieren dejarse
arrebatar. (...) Es una guerra entonces santa no sólo psicológicamente sino obje-
tivamente porque (...) nos va a dar una España Cristiana (...). Con la guerra española comienza la reconquista cristiana del mundo apóstata."[316]

Esta interpretación de los acontecimientos naturalmente fue
muy bien recibida por los comités de solidaridad con la España "nacional" que actuaban en Buenos Aires. Especialmente activas se mostraron la Organización Monárquica Española de Beneficencia, la
Agrupación Tradicionalista Española y la sección extranjera de la Falange, que editaba la revista *¡Arriba!*. Las manifestaciones multitu-
dinarias de aquellos años mostraban el colorido cuadro de la ansiada
coalición nacionalista-fascista de magnitud mundial. Así, en el mitin
del 21 de noviembre de 1936 aparecieron no sólo las agrupaciones
argentinas —LdM, LR, LCA, ANA, UNES, AdC, UNF, etc.— sino
también una delegación de carlistas en sus uniformes de la milicia
"requeté". Osés fue uno de los oradores principales. Alabó a Mussolini, Hitler y Salazar, pero destacó muy especialmente la España de
Franco, ya que ésta se hallaba "más cerca de nosotros". Esa España
y el nacionalismo argentino tendrían idénticos fines. El acto terminó
con una parte del ritual franco-falangista recién inaugurado: el nombre de José Antonio Primo de Rivera, que acababa de morir fusilado

por los republicanos, fue pronunciado y respondido por el " ¡Presente!" de los asistentes.[317]

Al finalizar la Guerra Civil ocupó el primer plano ideológico el tema de la "Hispanidad". R. de Maeztu había dado una formulación clásica de esa idea en 1934 y prácticamente al mismo tiempo ella fue recogida por la Falange y por el nacionalismo argentino. Maeztu definía la Hispanidad como "una comunidad permanente", basada, no ya en la raza o el territorio, sino en "el habla y el credo".[318] Este círculo cultural —España, Portugal e Iberoamérica— se daría progresivamente instituciones políticas similares y destruiría a cuerpos "extraños" en su seno, tales como el liberalismo y el socialismo. En la literatura política española y argentina de esos años la idea de Hispanidad era relacionada frecuentemente con otros conceptos falangistas, tales como los de "Imperio" y "totalitarismo cristiano". Así, Héctor Llambías ofrecía a España la entusiasta colaboración argentina en "el proyecto imperial-cristiano". El objetivo era la unidad "cultural y política" de todas las "naciones ibéricas". Sáenz Quesada hablaba de una "liga hispánica".[319] Especial interés en esta temática mostraban *Sol y Luna, Nueva Política* y la *Revista de Estudios Políticos* de Madrid. Juan C. Goyeneche, uno de los más decididos defensores de esta idea, recibió en 1942 una invitación del Consejo de la Hispanidad y estudió Historia en la Universidad de Madrid. Interesado también en cuestiones de la política práctica, pudo establecer contactos con el jefe de la Fuerza Aérea Española, general J. Vigón, con Serrano Suñer y aun con el propio Franco. Ya en 1941 Goyeneche había afirmado que el sentido profundo de la Hispanidad debía buscarse en la "contrarrevolución, o restauración cristiana". España habría comenzado la "reconquista espiritual de América".[320] Parecidos conceptos relativos a la Hispanidad habían sido vertidos por Charles Maurras durante la Guerra Civil Española.[321]

Existió también una posición más cautelosa y realista. A fines de 1942 César Pico publicó un importante artículo en el que escribía lo siguiente:

> "La hispanidad aparece así como la sociedad supranacional en que conviven los individuos de Hispanoamérica. Es como una prolongación de España que nos permite participar de Europa a través de España."[322]

Pero a diferencia de Goyeneche, Pico no confundía los hechos del presente con los planes para el futuro. Reconocía que la Hispanidad no representaba aún una fuerza decisiva en la política mundial: políticamente carecía de forma. Era necesario crear una "confederación" con un "consejo" supremo; sin instrumentos de este tipo quedaban privados de eficacia práctica los lazos lingüísticos y religiosos.

A la España de Franco el autor dirigía una advertencia cortés e interesante: la Hispanidad debía concretarse "a la altura de los tiempos", como lo exigía Ortega y Gasset; "pero si España se anquilosa en el pasado y no afirma también los valores requeridos por el presente", los hispanoamericanos se verían obligados a buscar "otros" contactos con Europa.[323]

El "Tercer Reich"

Alemania, el Eje y América Latina (1933-1943). Desde fines de la década del treinta existen interpretaciones contrapuestas acerca de la significación histórica de las relaciones entre la Alemania nacional-socialista y la Argentina. A. Tejera, C. Mendoza, S. Santander, Fernández Artucio, K. Kannapin, M. Kossok y A. Frye han visto en un apoyo supuestamente planificado por parte de los alemanes el factor decisivo que explicaría la relativa fuerza de los "fascistas" argentinos durante la Segunda Guerra Mundial. Tanto un importante sector de la colectividad germana de nuestro país, así como las agrupaciones nacionalistas habrían sido —en última instancia— agentes del Tercer Reich, es decir, peones en el ambicioso proyecto de establecer regímenes "marionetas" de carácter fascista en Sudamérica, tendientes a arrebatar a los Aliados importantes posiciones estratégicas y económicas. Por último, también en este continente se habría querido ganar "espacio vital" para el Reich.[324] La investigación más reciente, representada por Ebel, Schröder y Pommerin, ha llegado en esta problemática a conclusiones bastante diferentes. Según los trabajos de estos autores, el Tercer Reich realizó en lo fundamental una política latinoamericana realista, centrada en intereses de tipo comercial. La famosa "Quinta Columna" fue una leyenda, y el esfuerzo propagandístico, si bien creció a partir de 1941, no resultó muy exitoso. "Un interés especial, es decir de política exterior, de política de poder del Tercer Reich" en esta región del mundo no puede ser documentado.[325] Esta evaluación también es compartida por M. Navarro Gerassi y E. Zuleta Alvarez en sus obras sobre el nacionalismo, el que aparece como parcialmente "filonazi", pero en lo esencial como una fuerza autónoma. Los resultados más importantes de la investigación sobre las relaciones germano-argentinas de esos años pueden resumirse en los siguientes cuatro puntos:

1) Alemania intentó —en el marco de la política iniciada por la Delegación Comercial Alemana para Sudamérica (1934)— ganar una participación creciente en las exportaciones de materias primas argentinas y en nuestro comercio de importación de artículos industriales. Hasta 1939 los alemanes obtuvieron respetables éxitos en

esto, proceso que naturalmente se vio acompañado por crecientes tensiones con los intereses británicos y estadounidenses afectados.[326]

2) A partir de 1939 y especialmente después de Pearl Harbor, el apoyo a la neutralidad de los Estados latinoamericanos era un interés lógico de la política exterior alemana.

3) Entre 1938 y 1939 las relaciones diplomáticas con la Argentina se vieron negativamente afectadas por la conducta irresponsable de la "Organización Extranjera" del Partido Nacionalsocialista (NSDAP/AO) la cual combatía abiertamente las "tendencias asimilatorias en los países latinoamericanos".[327] De allí resultaron continuos conflictos con las autoridades argentinas, que no podían tolerar la formación de una colectividad alemana con una politización racista en el país.[328] Después de 1939 el Ministerio Alemán de Relaciones Exteriores logró reducir la acción de la NSDAP/AO a límites más razonables. El 15 de mayo de 1939 el Presidente Ortiz disolvió la Sección Argentina ("Landesgruppe") de esa organización por decreto. En realidad siguió funcionando, de manera modesta, como Federación de Círculos Alemanes de Beneficencia y Cultura.

4) A diferencia de lo que era habitual en su estilo de mando, Hitler no dio al Ministerio de Relaciones Exteriores directivas especiales para la política latinoamericana. El dictador mostró en general muy escaso interés por esta parte del mundo.[329]

Los trabajos de Ebel y Pommerin nos proporcionan un cuadro claro y completo de los aspectos diplomáticos y económicos de las relaciones germano-argentinas del período. Pero el plano ideológico-propagandístico de estas relaciones, el cual tiene preeminencia en el marco de este libro, ha recibido muy poca atención hasta hoy, y debe ser planteado ampliamente. Quizá el mejor punto de partida para el análisis lo proporcionan las directivas generales que Goebbels, Ministro de Propaganda del Tercer Reich, dio a sus equipos encargados del exterior en setiembre de 1933.[330] Allí se subrayaba en primer lugar la necesidad de justificar las exigencias revisionistas de Alemania frente al Tratado de Versalles. Pero el jerarca también mostró interés en la difusión de la bibliografía nacionalsocialista, y señaló que los movimientos fascistas de otros países debían ser tratados como "aliados naturales de Alemania". Sin embargo, esta tarea de los propagandistas jugó hasta 1939 un papel relativamente subordinado si se lo compara con el interés principal de tipo económico —fuertemente impulsado por el Ministerio de Relaciones Exteriores—, y por la "política de afianzamiento de la estirpe" ("Volkstumspolitik") que perseguía la NSDAP/AO. La Argentina de esos años presentaba con respecto a esos tres objetivos básicos —el de propaganda, el económico y el "nacional"— una mezcla compleja de condiciones favorables y desfavorables. Estas pueden resumirse en los tres párrafos siguientes:

a) En comparación con sus compañeros ideológicos —Italia y "España Nacional"— Alemania poseía una posición económica envidiable, basada en su gran capacidad industrial, tecnológica y especialmente militar. Relaciones más estrechas con el Tercer Reich podían muy bien ser una oferta atractiva para la Argentina. En este contexto es necesario recordar la clara actitud germanófila que caracterizaba al Ejército Argentino. Oficiales alemanes habían desempeñado una función importante (entre 1900 y 1919) en la formación de los militares argentinos a través de la Escuela Superior de Guerra y de cursos de perfeccionamiento en Alemania. En los años veinte el general W. Faupel, un amigo de Uriburu, fue consejero militar en nuestro país, y en el Tercer Reich llegó a ocupar el prestigioso cargo de Director del Instituto Iberoamericano de Berlín.[331]

b) En las áreas de política cultural e ideología, Italia y España estaban en mejor posición que Alemania, si deseaban profundizar su influencia en el país. Familias italianas y españolas constituían la raíz reciente de la mayoría de los argentinos, mientras que el elemento étnico alemán estaba débilmente representado. La propaganda de los Estados latinos no se veía obstaculizada por barreras idiomáticas; la comunidad de las convicciones religiosas también favorecía la acción cultural de esos países. El Partido Nacional Fascista y la Falange también tenían sus secciones argentinas —con las infaltables camisas negras y azules— pero eran muy cuidadosos en sus apariciones públicas y no se oponían al proceso de "argentinización", que justamente en esas colectividades avanzaba rápidamente y sin tropiezos. En cambio la política de segregación del NSDAP/AO, el pensamiento del racismo "nórdico" y las tendencias anticristianas del nacionalsocialismo dificultaban el desarrollo de una actitud germanófila en amplios sectores de la población argentina. Por esas razones pronto los diplomáticos alemanes advirtieron que la única manera de ejercer una influencia ideológica eficaz sobre los nacionalistas argentinos, consistía en coordinar una estrategia común con España e Italia.

Racismo y anticatolicismo debían ser velados, a fin de mostrar un frente convincente de potencias fascistas y "nacionalistas". A partir de 1939 estos datos de la realidad fueron aprovechados por la propaganda alemana en proporciones crecientes.

c) A pesar de sus éxitos, la posición económica de Alemania en suelo argentino (capitales por valor de 36 millones de pesos m/n en 1939) seguía siendo relativamente débil en comparación con la de sus principales competidores y adversarios. Los capitales británicos sumaban 5400 millones de pesos, y las inversiones estadounidenses 1771 millones.[332] En la competencia con los Estados Unidos Alemania logró algunos progresos hasta 1939, ya que Inglaterra contemplaba con benevolencia una situación en que su gran rival en el mercado sudamericano se veía dificultado por la acción de un tercero en discordia. Pero no era compatible con la estrategia de Hitler el lanzamiento de una decidida política antibritánica, cosa que hubiera correspondido a las esperanzas de los nacionalistas argentinos. Además, tal política sólo habría podido realizarse por medio de instrumentos revolucionarios en la Argentina de entonces. El cuadro que en 1940 pintó el embajador von Thermann en uno de sus informes confidenciales a Berlín era exagerado en la formulación y en algunos detalles, pero no se alejaba totalmente de la realidad en lo esencial:

"(...) grandes empresas, tales como ferrocarriles, frigoríficos y obras hidroeléctricas, así como una gran parte de la agricultura y la ganadería están en manos inglesas. Esta influencia económica es utilizada políticamente, de manera que Argentina es claramente una esfera de interés inglesa. Según una tradición firme, políticos influyentes y representantes de la economía [del país] son directores, empleados de alto nivel o consejeros legales de las empresas inglesas aquí afincadas, es decir, ellos dependen de Inglaterra por su interés personal; esto también vale para el actual gobierno (...). De acuerdo a todo esto, la prensa y la radio son influenciadas por los ingleses en gran escala, utilizando sumas millonarias".[333]

Teniendo en cuenta las condiciones reseñadas, Alemania se concentró entre 1933 y 1939 en el comercio por una parte y en la acentuación de la común lucha "occidental" contra el comunismo mundial por la otra. Los "aliados naturales" que había en la Argentina no fueron tomados muy en serio. El 12 de diciembre de 1939 el embajador alemán escribía sobre ellos lo siguiente:

"De la formación de un partido en el sentido italiano de la palabra fascismo no puede hablarse en relación con estos grupos; y menos aún si se piensa en un movimiento del tipo del nacionalsocialismo alemán (...)."[334]

Un juicio despectivo similar sobre los nacionalismos latinoamericanos se encuentra en un trabajo del entonces famoso geopolítico Karl Haushofer. El veía en Alemania, Italia y Japón la encarnación de "la idea nacionalsocialista" en el mundo, una idea que se estaba convirtiendo en un "movimiento mundial". Mencionaba "imitaciones" en Sudáfrica, Irlanda, Suiza y China y concedía a España la posibilidad de elegir este "camino de salvación". Todos estos movimientos tendrían como base Estados "racialmente homogéneos, superpoblados y pobres en espacio". Pero estas "condiciones esenciales" no estaban dadas en América Latina, los Estados Unidos, gran parte de Africa y la Rusia asiática.[335]

Las autoridades alemanas sólo mostraron cierto interés por aquellos "nacionalistas" argentinos que eran al mismo tiempo funcionarios o personajes de cierto relieve, los cuales justamente por eso generalmente no adoptaban actitudes antibritánicas. Una figura típica era en este sentido el doctor Matías Sánchez Sorondo, el ex ministro del Interior de Uriburu, que ahora apoyaba a Justo. Entre 1932 y 1943 se desempeñó como senador, vicepresidente del Senado, presidente del Banco de Buenos Aires, presidente de la Comisión Nacional de Cultura, asesor legal del Banco Español del Río de la Plata, presidente del Instituto Nacional de Cinematografía y miembro del directorio de la Franco-Argentina Comercial y Financiera. Entre sus distinciones se contaban la Legión de Honor y la Orden del Imperio Británico.[336] Impresionado por la postura anticomunista del nacionalismo restaurador, Sánchez Sorondo cultivaba buenas relaciones con el general J. B. Molina y otras personalidades del movimiento. Como desde hacía años se había hecho famoso por su decidida apologética del fascismo, fue invitado en marzo de 1937 por Mussolini y Franco para realizar un viaje por Italia y España. Después de algunos trámites la Embajada Alemana en Buenos Aires y la Embajada Argentina en Berlín lograron que el senador recibiera también una invitación oficial de Alemania, haciéndose cargo de la mitad de los gastos del viaje el Ministerio de Propaganda. En su estadía de seis semanas Sánchez Sorondo visitó varias ciudades, observó centros industriales así como instituciones del Estado y del Partido, y mantuvo cortas conversaciones con Hitler, Schacht, Neurath y Göring. Entusiasmado transmitió sus impresiones al diario *Berliner Tageblatt*:

"La exitosa lucha contra el comunismo, al que el parlamentarismo de viejo estilo no supo enfrentar, jamás habría sido posible (...) —dice este convencido antibolchevique— si los líderes difamados como supuestos dictadores no hubiesen en realidad convencido al pueblo, ganando su amor y su confianza."[337]

La temática anticomunista se destacaba también en un volumen especial editado por el Instituto Iberoamericano de Berlín en abril de 1939. El general Faupel señaló allí la "significación trascendental" de la "derrota comunista en España" y subrayó el carácter pacífico, simplemente "cultural y económico" de las relaciones germano-iberoamericanas.[338] En el mismo volumen los jerarcas nacionalsocialistas Joseph Goebbels, Hans Frank y Robert Ley glorificaban el Estado "autoritario" y "racial-nacional" alemán, mientras que J. M. de Bedoya, un dirigente falangista, hacía lo mismo con la España de Franco.[339]

Al agravarse las tensiones internacionales creció el interés de la diplomacia alemana por una reforzada acción psicopolítica sobre la opinión pública latinoamericana. En la conferencia dedicada a Latinoamérica correspondiente a 1939, el embajador alemán en la Argentina exigió un cambio decisivo en las prioridades propagandísticas:

"El empeoramiento de nuestras relaciones con Brasil, Argentina, Chile y Guatemala, tendría su origen en el injustificado temor de los correspondientes gobiernos de que el Reich poseería fines de política de poder en esos países (...). Hasta ahora el 75% de nuestra actividad habría estado dedicado a los alemanes y sólo el 25% al convencimiento de los argentinos. Desde este momento era necesaria la relación inversa."[340]

El Gauleiter Bohle, encargado de la NSDAP/AO se opuso a este punto de vista y no se tomaron decisiones claras al respecto, pero en los años siguientes se produjo un movimiento en el sentido de las exigencias de von Thermann. Así, entre 1939 y 1943 el Ministerio de Relaciones Exteriores, en estrecha cooperación con el de Propaganda, trató de enfrentar las voces pro aliadas en la Argentina a través de los siguientes caminos y medios: 1) la radio; 2) la prensa escrita y 3) el apoyo financiero y organizativo a personalidades y agrupaciones políticas más o menos influyentes.

Los programas alemanes de onda corta fueron constantemente incrementados durante la guerra, alcanzando en 1943 el cenit de su desarrollo, con emisiones en alemán, castellano y portugués. En la Argentina también se contaba con los servicios de varias radioemisoras, siendo las más importantes Radio Prieto, Radio Cultura y Radio Callao. En octubre de 1942 la Embajada Alemana logró "penetrar" en LR5, Radio Excelsior, una emisora hasta entonces "enemiga", que era una de las cinco más grandes de Buenos Aires.[341] Sin embargo, la situación era en general difícil, puesto que los Aliados contaban con recursos financieros muy superiores y dañaban gravemente los intereses de emisoras germanófilas (como Radio Prieto) por medio de la presión sobre los clientes comerciales, produciéndose la consiguiente reducción de avisos.[342]

Las publicaciones dominantes en la prensa argentina —*La Prensa, La Nación, Crítica*— no simpatizaban con el Eje. Las fuentes permiten identificar una serie de periódicos y revistas de menor significación que recibieron apoyo financiero alemán en esos años: *El Pampero, Clarinada, Choque, Momento Argentino* y *Cabildo*. También utilizaban los servicios de la agencia alemana de noticias Transocean, *Crisol, Hechos* y *Bandera Argentina*. Lo mismo hacían diarios especializados en las correspondientes colectividades, tales como el *Diario Español, Il Mattino d'Italia* y naturalmente la *Deutsche La Plata Zeitung*.[343] Conviene señalar que por ser muy notoria su posición ideológica, todos estos órganos sólo alcanzaban al público argentino que ya tenía una postura favorable hacia el Reich y el Eje antes de 1939, es decir, esos lectores eran fundamentalmente miembros y simpatizantes del movimiento nacionalista. Parece que sólo *Cabildo*, que apareció a partir de setiembre de 1942, pudo ganar lectores nuevos en sectores hasta entonces reacios a esa prensa. Aquí se da una cierta concordancia entre los recuerdos de testigos argentinos y el informe del diplomático alemán Meynen, que habló de 50.000 ejemplares en una edición del nuevo diario, comprobando con alegría que la demanda era grande y que hasta "el pueblo trabajador" leía el periódico.[344] En cuanto a la necesaria coordinación de la propaganda alemana con la española, recibió brevemente la atención del propio Hitler, que reconoció la importancia de esto en el ámbito latinoamericano. En 1940, en una conversación con el general Vigón agradeció la postura de la prensa española y

"destacó el útil rol que podía prestar España, gracias a sus estrechas relaciones con Sudamérica, en la labor de esclarecimiento en ese continente, actuando como contrapeso de las malas influencias de América del Norte".[345]

El apoyo financiero otorgado a personalidades políticas y organizaciones coincidía en gran medida con los auxilios que recibía la prensa nacionalista. En este sentido podría decirse que la Embajada Alemana poseía cierta influencia sobre Osés, Silveyra y Fresco. Los lazos más fuertes se daban en el caso de la agrupación Afirmación Argentina, cuyo jefe el general Basilio Pertiné poseía importantes intereses en algunas empresas alemanas asentadas en el país.[346] Según un informe de la Embajada, esta entidad era "nuestra tradicional organización de propaganda" que había realizado "numerosas acciones por encargo nuestro".[347] Otro caso muy notable de colaboración activa fue el del capitán Manuel Miranda Durán, que entre 1942 y 1943 cooperó con el Comité Sudamericano del Ministerio Alemán de Relaciones Exteriores, en calidad de comentarista radial.[348] Con todo, predominaba en la Embajada Alemana el criterio de que los nacionalistas argentinos no podían hacer mucho por sí mismos. No sin clarividencia se informaba a Berlín en 1939 que la "actitud antinglesa" de la generación joven no debía necesariamente ser entendida como correlato de una posición "filogermana". Se criticaba el panorama del nacionalismo argentino, dividido en "varios grupos desgajados" sin "conducción unitaria".[349] La diplomacia alemana había reconocido en la Concordancia la fuerza política decisiva del país, y consecuentemente se preocupaba por mantener las mejores relaciones posibles con este régimen. Solamente recibían apoyo alemán aquellos grupos nacionalistas que colaboraban con la línea neutralista y conservadora del presidente Castillo. Sobre esta política se hablará más adelante.

De cualquier manera, se mantuvo inamovible la superioridad financiera y propagandística de los Aliados y sus simpatizantes argentinos, hecho que llevó a continuas quejas por parte de la Embajada Alemana.[350] Fuentes estadounidenses confirman esta apreciación de la situación. En agosto de 1942 el diplomático norteamericano Reed pudo enviar el siguiente informe a Washington:"el 95% de la prensa [argentina] es pro-aliado".[351] Era algo exagerado, pero correcto en lo esencial.

¿Cuál era el contenido de la propaganda nacionalsocialista? ¿Formaba un conjunto coherente con las ideas que difundían los regímenes de España e Italia? Estas cuestiones serán investigadas a lo largo de cuatro problemas: 1) el anticomunismo; 2) la polémica antiimperialista y "antiplutocrática"; 3) el antisemitismo, y 4) el "Nuevo Orden" y el papel de los pueblos iberoamericanos en el mundo.

1. *El anticomunismo.* Ya se ha dicho que éste constituía el tema central de la propaganda alemana anterior a 1939. Si bien Goebbels había declarado,en setiembre de 1933, que el nacionalsocialismo de ninguna manera pensaba "asignarse una misión universal más o menos mística", cambió de parecer tres años después, en el "Día del Partido" que se celebraba en Nuremberg. Allí afirmó que Alemania tenía la tarea de mostrarle al mundo la verdadera figura "del judaísmo y del bolchevismo".[352] Luego de la pausa táctica de 1939-1941 (Pacto germano-ruso), esta temática llegó a su pleno desarrollo con el inicio de la invasión de la URSS. Según las "directivas" oficiales que recibía la prensa alemana, esta guerra debía ser presentada del siguiente modo: a) como un justificado "contraataque"[353], frente a una maquinaria guerrera soviética "lista para dar el golpe"; b) como una "acción liberadora" y una "cruzada paneuropea contra el bolchevismo", cuyos objetivos serían "la protección del mundo civilizado" y la "liberación" de los pueblos de Europa oriental. Se trataba aquí de una repetición de las tesis franco-falangistas de 1936-1939 a una escala más amplia:

"Además hay que destacar el martirio de los pueblos invadidos por los soviéticos, el problema finlandés, la cuestión de Besarabia. Es decir que Alemania también lucha por dos pequeños pueblos aliados (...). Todos los pueblos de Europa y del mundo que aún poseen una chispa de honor (...) se unen hoy (...) en la lucha contra los destructores de todo orden humano y de toda moral (...). La guerra de Alemania no se dirige contra los pueblos de Rusia, sino exclusivamente contra sus opresores bolcheviques."[354]

c) por último, la campaña de Rusia representaba la máxima confrontación con el supuesto enemigo "oculto": "Tanto la plutocracia como el bolcheviquismo tienen el mismo origen: el designio judío de dominación mundial".[355]

2. *La polémica antiimperialista y "antiplutocrática"* ocupó a la propaganda alemana ante todo en conexión con Gran Bretaña. A

partir de Pearl Harbor el centro de gravedad de la campaña se desplazó, pasando a ocupar el papel de principal representante del imperialismo los Estados Unidos. Como publicación precursora de muchas de las fórmulas propagandísticas de la Segunda Guerra Mundial resulta interesante un pequeño libro de Giselher Wirsing, aparecido en 1933. Allí se presentaba el movimiento de Hitler como un fenómeno de irradiación mundial, gracias a sus dos "ideas revolucionarias": un "nacionalismo antiimperialista" y un "socialismo no-bolchevique":

> "Se teme a la gran idea, hay temor de que ella pueda saltar —independientemente— a otros países. (...) Fuera de algunos Estados pequeños, en Europa sólo Inglaterra y Francia siguen sosteniendo la democracia formal (...), la cual siempre conduce a una plutocracia."[356]

Alemania habría salido a la palestra contra el "capital monopolista" y el "imperialismo liberal", porque "nuestro interés coincide con el de todos los pueblos subyugados por los vencedores occidentales". Wirsing interpretaba al Tercer Reich como abanderado del "principio de la federación de los nacionalismos", del cual habría de surgir "una liga de los pueblos", que aseguraría "a cada uno su derecho y su libertad interior y exterior".[357] En 1937 N. Gürke escribió un trabajo sobre *Nacionalsocialismo, Fascismo y movimientos afines en el mundo*, en el cual llegó a conclusiones parecidas a las de Wirsing.

Todo esto no coincidía ni con la teoría ni con la práctica del Führer. Ya en *Mein Kampf* había escrito que de ninguna manera le correspondía a Alemania hacer un frente común con pueblos coloniales y semicoloniales. En enero de 1936 Hitler habló ante 6000 estudiantes en la ciudad de Munich, declarando que la "raza blanca" estaba destinada a dominar el mundo, que sólo el poder legitimaba la posesión de colonias y que la "estructura económica europea" sólo podía existir sobre la base de los imperios coloniales.[358] Por razones obvias, afirmaciones de esta clase no eran difundidas ni analizadas por la prensa nacionalista de nuestro país.

De todos modos, diversos publicistas alemanes polemizaron en los años treinta contra "la dominación del gran capital anglosajón y de la alta finanza" en Iberoamérica. Entre ellos se destacaban F. Fried, F. Niedermayer y E. Reichard.[359]

La guerra ofreció luego a esta temática todas las posibilidades de desarrollo. Según las más audaces "directivas para la prensa" se trataría nada menos que de una "guerra revolucionaria", con el fin de "destruir el capitalismo inglés".[360] Las tesis de Wirsing fueron retomadas por numerosas publicaciones, en las que se hablaba de la "guerra de liberación" alemana contra el dominio financiero, comercial y naval británico que "esclavizaba" a los pueblos. Se informaba a los lectores que "en la pretensión de dominio de este 'Financial Empire' se esconde un terrible peligro para la libertad, la independencia, la integridad económica y la soberanía de todos aquellos pueblos y Estados, que (...) han abierto o, dadas las circunstancias, deben mantener abierto para la finanza internacional un fácil acceso a su espacio económico nacional. Esto también vale para quienes dependen fuertemente de Inglaterra en su comercio externo". [361]

Nadie puede sorprenderse de que tales tesis hayan logrado aceptación en países como el nuestro, donde la dependencia de la economía británica se había hecho tan sensible bajo los efectos de la depresión mundial.

Frente a los Estados Unidos no hubo agresividad de los publicistas nacionalsocialistas hasta 1938 aproximadamente. Schacht incluso había sumado el "New Deal" a los casos italiano y alemán, como un ejemplo más de reformismo económico positivo. Pero al aumentar el expansionismo alemán en Europa y acentuarse la rivalidad económica en América Latina también se produjo una guerra ideológica correlativa. [362] Ya en marzo de 1939 se advirtió la tensa situación en un artículo de la revista (semioficial) *Monatshefte für Auswärtige Politik*.

La Conferencia Panamericana de Lima (diciembre de 1938) dio motivo al siguiente comentario:

"Nada, absolutamente nada, da derecho al presidente norteamericano (...) para hablar y escribir sobre intenciones agresivas y conquistadoras de Alemania con respecto al continente americano (...). Su próximo objetivo concreto [se refiere a los Estados Unidos] es lograr que la Nueva Alemania se quede sin un solo amigo verdadero en el continente americano, que en lo posible se la expulse económicamente de toda América, y que, en el caso de una nueva guerra mundial (...) toda América, conducida por Washington, tome rápidamente partido por los enemigos de Alemania." [363]

También en ese año el profesor berlinés Schönemann llegó a la conclusión de que "la Gran Alemania" se encontraba "inmersa en Sudamérica en una lucha comercial e ideológica". [364] A partir de entonces la prensa del Reich utilizó básicamente dos argumentaciones, que no podían dejar de tener cierto eco en la opinión pública latinoamericana: 1) se subrayó el peligro de la política económica "imperialista" de los Estados Unidos y, como contrapartida, las ventajas de las relaciones con Europa; 2) se habló de la "agresiva política de bases militares de Roosevelt" [365], con la cual los Estados Unidos parecían acercarse al colonialismo británico.

Uno de los primeros ejemplos de la argumentación económica se encuentra en el artículo de E. Samhaber de diciembre de 1939. Este autor acusaba a los Estados Unidos de aprovechar el bloqueo inglés contra Alemania, para asegurar definitivamente "su hegemonía económica en Sudamérica". Señalaba que América del Norte y del Sur no se complementaban, siendo en cambio competidores en los mercados mundiales.[366] Los "altos aranceles aduaneros" de los Estados Unidos también habrían dañado el comercio exterior sudamericano. Después de diciembre de 1941 el tono se hizo mucho más duro. Se hablaba exclusivamente de "Panamérica" y del "imperialismo del dólar" y se subrayaba continuamente el papel dominante de diversas empresas como la United Fruit Co. en América Central, la Standard Oil of New Jersey en Perú, Kennecott y Anaconda en Chile, etc.[367] G. Wirsing utilizó la expresión "quinta columna" contra los norteamericanos, declarando que Nelson Rockefeller, con su Office for Coordination of Commercial and Cultural Relations between the American Republics ya había comenzado en julio de 1941 la guerra económica contra el Eje, al publicar las famosas "listas negras".

"Con esto había surgido, por primera vez en Sudamérica, una quinta columna. (...) La confección de esas listas negras significó una intervención directa en la soberanía de los países sudamericanos y, de nuevo, una grave infracción del derecho de gentes."[368]

La segunda argumentación, referida a la expansión militar, se utilizó cada vez más intensamente en 1942, poniéndola en relación con problemas de la política mundial británica. Pero ya en mayo de 1940 la Ibero-amerikanische Rundschau recordó "anteriores aventuras del imperialismo británico en América", mencionando a Honduras, Guayana Británica y las Malvinas, que "indiscutiblemente son territorio argentino". Pero:

"En estos momentos se nota una fuerte tendencia en el Congreso norteamericano, cuyo fin es la adquisición de todas las posesiones inglesas en el continente (...)."[369]

En 1942 la Doctrina Monroe fue denunciada como "mito" y "fachada vacía":

"Los Estados Unidos no han sido los protectores de los Estados sudamericanos (...), sino un interesado egoísta, que quería mantener alejados a otros interesados con su declaración y que en caso necesario usaba con gusto el garrote, introduciendo además una nueva forma del expansionismo, el imperialismo del dólar, en la historia de las relaciones entre Estados."[370]

En conexión con estos cargos se mencionaron diversos hechos históricos, tales como la usurpación de las Malvinas sin protesta norteamericana; la ocupación de Honduras (1835); la intervención anglofrancesa en nuestro país (1845) y los "reveladores detalles" del escándalo del Canal de Panamá.[371] Por último, el Tercer Reich adoptaba el papel de abogado de todos los pueblos oprimidos del mundo:

> "Inglaterra y los Estados Unidos están dispuestos a firmar cualquier 'Carta del Atlántico'. Pero todavía no están dispuestos a devolver Honduras Británica o las Islas Falkland [las Islas Malvinas] a sus legítimos dueños, por no hablar de devolver el Sudán a los egipcios o Gibraltar a los españoles. Las promesas de libertad de un Roosevelt y de un Churchill tapan estas reales pretensiones de dominio de un imperialismo sin escrúpulos como una tenue niebla."[372]

Al producirse la instalación de bases aéreas norteamericanas en el Norte del Brasil, Wirsing afirmó que dichos asentamientos no eran sino las "estaciones centrales" del "imperialismo del dólar", destinadas a convertir los países sudamericanos en "colonias de los Estados Unidos".[373]

3. *El antisemitismo* como arma ideológica no era muy apreciado por la diplomacia alemana, pero correspondía a los deseos especiales del Führer y del Ministro de Propaganda. En 1938 Hitler había dicho —en una conversación confidencial— que él no "exportaba" el nacional-socialismo, sino solamente la idea "del antisemitismo".[374] Las "directivas" oficiales para la prensa alemana insistían por ello en el tema:

> "Es necesario introducir con más fuerza en la conciencia pública del mundo el hecho del complot judío mundial, que ha causado esta guerra y ha empujado a los pueblos al enfrentamiento."[375]

Goebbels creía que "la cuestión judía" era, después de la cuestión bolchevique, "nuestro mejor caballo de propaganda en el establo"[376], pero el embajador alemán en Santiago de Chile no confirmaba tal suposición en uno de sus informes:

> "En todas las publicaciones destinadas a la difusión en Chile —cualquiera sea su tipo— no convienen los ataques al fetiche de la 'democracia'; mejor [atacar] el 'imperialismo' o la 'plutocracia'. Tampoco hacer declaraciones antisemitas (...), aquí tienen un efecto provocativo."[377]

Si bien Alemania seguía apoyando a órganos dedicados a un vulgar antisemitismo, tales como *Clarinada*, el centro de gravedad de la polémica de más alto nivel se ubicaba en la temática antiimperialista. Los escritores que se dedicaban a asuntos latinoamericanos —Wirsing, F. Berber, E. Samhaber, J. Wünsche, E. A. Messerschmidt y F. Schönemann— utilizaban preferentemente criterios geopolíticos y económicos en sus interpretaciones de los problemas iberoamericanos. También aparecían ocasionales referencias a las influencias "judías", pero ese tema jugó un papel bastante secundario.[378] En relación con esto resulta muy interesante un informe sobre "La cuestión judía en la Argentina", recibido por el Ministerio de Relaciones Exteriores del Reich en 1939. El anónimo autor detectaba, sobre la base de estadísticas parcialmente confiables, una fuerte presencia judía en la vida argentina, especialmente en determinadas ramas del comercio y en los bancos. A partir de la crisis económica mundial y "del gobierno nacionalsocialista (sic) del general Uriburu" se habría introducido el antisemitismo "en el corazón de los patriotas argentinos", si bien esta tendencia contradecía frontalmente la tradición liberal del país. Después de 1933 no se habría dado una "difusión" más amplia de ese antisemitismo:

"ya que por un lado no fueron bien vistas las medidas alemanas contra los judíos; y por el otro (...) comenzó una cooperación entre la Iglesia Católica y los judíos".[379]

Con tristeza el autor llegó a la conclusión de que, según su parecer, tampoco el futuro deparaba al antisemitismo argentino la chance de llegar a alcanzar "la significación", "que sería conveniente en orden a la consecución de sus objetivos". El pronóstico resultó —felizmente— acertado. Para Latinoamérica el antisemitismo era un "caballo de propaganda" muy malo. Ya en los años precedentes a la guerra había sufrido grave daño la imagen pública de Alemania por sus disposiciones discriminatorias y persecutorias contra los hebreos.

4. Desde 1940 el Eje utilizaba el impreciso concepto del "Nuevo Orden" para describir la organización de la paz futura. Este "orden" se refería en primera línea a Europa, pero fue luego ampliado a otras regiones del planeta.[380] Los propagandistas sostenían que se trataba de una revolución ideológica, no sólo de un nuevo reparto del mundo entre los presuntos vencedores. Así, G. Wirsing proclamaba el derrumbe del "mundo de las ideas" de 1688 y 1789 con la derrota de Francia e Inglaterra, tesis central para los redactores de *Nueva Política* en nuestro país. Los "pueblos revolucionarios" habrían triunfado:

"Esta es la gran revolución europea (...). Como se trata de una revolución, Alemania no tratará de imitar las formas del imperialismo británico. La reconstrucción de Europa se produce según la norma que ya ha sido estructurada en Alemania en los últimos siete años."[381]

La "idea revolucionaria" que habría de guiar "el Nuevo Orden Mundial" era la construcción de "unidades espaciales cerradas, de dimensión continental", con las cuales estaría mejor garantizada la "paz mundial duradera" que con los medios tradicionales.[382] En noviembre de 1940 Ferdinand Fried se arriesgó a describir con más detalles este mundo futuro. Existirían cuatro "macroespacios", dentro de los cuales uno o dos Estados constituirían los "centros de fuerza" y ejercerían el "liderazgo": Alemania e Italia en el espacio formado por Europa y Africa; los Estados Unidos en América; Japón en Asia, y finalmente la URSS, que era un macroespacio en sí.[383]

Entre junio y diciembre de 1941 este esquema debió ser alterado radicalmente. El Estado soviético debía ser destruido y contra la política panamericana de los Estados Unidos fueron apoyadas las resistencias iberoamericanas. A partir de entonces, los publicistas del Eje sostuvieron que sólo los territorios controlados por Alemania, Italia y Japón constituían grandes espacios no-imperialistas, basados en "la comunidad de los pueblos". Antes de pasar al estudio de esta imagen revisada del "Nuevo Orden", conviene recordar el aporte italiano a esta retórica "revolucionaria". El tono profundamente emocional de esta literatura debió tocar algunas fibras latinoamericanas más intensamente que los escritos alemanes, a menudo caracterizados por su frialdad economicista. En el órgano oficial del fascismo, *Gerarchia*, podía leerse por ejemplo lo siguiente:

"Esta guerra es la hora de los proletarios (...). Es la guerra que debe dar el pan y el trabajo justo e independiente a todos los hombres de todos los pueblos (...)."[384]

Las naciones "fascistas" o "proletarias" estarían combatiendo a las naciones "plutocráticas":

"La guerra del Eje se dirige contra un sistema, cuyas expresiones típicas han sido en Europa la hegemonía imperialista británica y el consiguiente dominio plutocrático del mundo [... esta es] guerra de revolución, guerra contra el oro y la finanza internacional."[385]

Por último, se afirmaba que "el Nuevo Orden europeo" era

"una revolución internacional, la cual, por consiguiente, es conducida por las ideas directrices de las dos revoluciones victoriosas. (...) El nuevo sistema europeo tendrá la forma de una elipse con dos focos: Roma y Berlín".[386]

Volviendo a la literatura política germana, se advierte que no escaseaban las contradicciones y los errores psicológicos graves. Ferdinand Fried, conocido en los medios intelectuales latinoamericanos por su trabajo sobre la crisis del sistema económico, escribió en 1937 y 1940 importantes artículos que de ninguna manera podían causar una buena impresión en lectores de estas regiones. Si bien condenaba allí el "imperialismo" anglosajón, no faltaba un comentario basado en la supuesta ciencia de la "raza":

> "La mezcla decisiva para toda la América Central y Sur la representan los mestizos, surgidos de blancos e indios: porque aquí se suelen reunir casi siempre las malas cualidades de ambas razas. (...). En otras razas blancas, en la medida en que se conservan puras, se suele producir a las tres o cuatro generaciones una degeneración en ese país y clima extraños, exactamente como ocurre con la papa o el trigo transplantados."[387]

En 1940 Fried aún se mostraba convencido de que el rol natural de Sudamérica consistía en ser "espacio complementario"de los Estados Unidos, es decir, un espacio destinado a suministrar alimentos y materias primas, tal como Africa debía hacerlo con respecto a las potencias europeas y la India en el marco de la "Esfera de Co-Prosperidad" conducida por el Japón.[388] En cambio ya en 1939 *Gerarchia* había proclamado otro papel para Latinoamérica. El órgano fascista comprobaba el reforzamiento de la "conciencia romano-hispano-ibero-latina" en estos pueblos, que habrían elegido como nuevos modelos la España de Franco y el Portugal de Salazar. Estos Estados, Alemania, Italia y los países iberoamericanos tendrían todos "el mismo enemigo judío-masón-bolchevique-capitalista".[389] Sólo el Eje podría dar en el futuro una verdadera "ayuda" a la lucha latinoamericana contra "el dominio del capital anglosajón".[390] Con estas tesis los italianos marcaron rasgos básicos de la línea propagandística del Eje en Iberoamérica para los años que van de 1941 a 1943-1944. En esta línea jugaba también un creciente papel España.

Al intensificarse la crítica del "imperialismo de los EE.UU." se empezó a prestar más atención a las particularidades de Iberoamérica. Los publicistas alemanes subrayaron el hecho de que los intereses y las costumbres de los norteamericanos eran "absolutamente" incompatibles con los de sus vecinos del Sur. Además (y repentinamente) se descubrió una sorprendente cantidad de aspectos positivos en la política interior latinoamericana. Comentarios elogiosos fueron dedicados a la decadencia del parlamentarismo, a la "tendencia, propia de la época, hacia la conducción nacional y autoritaria del Estado", a la "obra constructiva" de los ejércitos y al avance de "las clases medias", relacionado con la incipiente "industrialización".[391] Con satisfacción se destacaba "la existencia" de movimientos nacionalistas, dirigidos "contra el capitalismo extranjero y el imperialismo del dólar".[392] A falta de medios más concretos, se exhortaba a los latinoamericanos a mantenerse firmes:

> "La guerra decidirá también el destino de los intentos estadounidenses de establecer su predominio económico en el Hemisferio Occidental (...). La lucha económica de los Estados Unidos por América Central y Sur dejará sin duda

hondas huellas en los países iberoamericanos. Pero, si eso será capaz de 'americanizar' a los países al Sur del Río Grande según el modelo norteamericano o no, es algo que dependerá, en última instancia, de las fuerzas de resistencia que estos países tengan para enfrentar a los Estados Unidos y su 'americanismo'."[393]

En el año 1942 se abandonó la tesis de Fried sobre el "espacio complementario". F. Berber escribió lo siguiente:

"Pero América del Sur, ese continente tan caracterizado por su naturaleza, historia, raza y lengua, así como religión y cultura, también tiene un derecho a disponer de su propio espacio vital."[394]

Lo más conveniente para los intereses de una América Latina independiente sería "un estado de equilibrio entre los EE.UU. y una potencia no-americana".[395] España y Portugal formarían el puente natural entre el "Nuevo Orden" europeo e Iberoamérica. Según la revista *Monatshefte für Auswärtige Politik*, la misión de esos Estados era

"como madres-patrias, reforzar la capacidad de resistencia espiritual de las repúblicas iberoamericanas contra el peligro de una disolución en un 'americanismo' de cuño anglosajón".[396]

Todo esto correspondía bastante bien con las aspiraciones de la Falange. En 1942 Ernesto Giménez Caballero —uno de los ideólogos principales del régimen franquista— publicó lo siguiente en una revista alemana:

"Esperemos que la victoria total del Eje también sirva para señalar a España su definitivo camino ascendente (...). ¡Un nuevo Imperio! ¡Unidad entre nuestros dos pueblos —un destino para España y Alemania!"[397]

Como España sólo había manifestado aspiraciones territoriales con respecto a regiones africanas, resultaba que la idea de "Hispanidad", entendida a la manera falangista, no constituía un peligro para los intereses económicos alemanes en América Latina. Por esa razón el Reich la apoyó expresamente. Ulrich von Hassel hizo el siguiente comentario elogioso en marzo de 1943:

"Fue un tono totalmente nuevo, el que utilizó la juventud en el programa de la Falange, al decir que la realización histórica de España era el Imperio; España hacía valer su posición como eje del mundo hispánico, a fin de reclamar un rango superior en los asuntos mundiales."[398]

El Tercer Reich en la óptica del nacionalismo restaurador. En general puede decirse que la propaganda nacionalsocialista encontró una buena acogida en los filofascistas argentinos, quienes adoptaron frente a la "nueva Alemania" una posición de simpatía, similar a la que mantenían con respecto a Italia. En relación con esto es necesario hacer algunas observaciones críticas a una de las tesis de M. Navarro Gerassi sobre la evolución de las influencias ideológicas. En su ya clásico libro, la autora dice:

"a mediados de la década del treinta, el catolicismo (...) se convierte en el ingrediente esencial [del nacionalismo argentino] y priva al fascismo de mucho de su atractivo".[399]

Creo que las fuentes no permiten una generalización de este tipo. La situación fue bastante más compleja, y es imposible una periodización como la citada. La siguiente interpretación de las conexiones y tensiones entre las diversas ideas y modelos de sociedad me parece más adecuada a la realidad histórica:

1) Los filofascistas integraron un sector muy importante del nacionalismo argentino no sólo hasta "mediados de la década del treinta", sino hasta 1945, y en muchos casos más allá de ese año decisivo.

2) El fascismo italiano, el nacionalsocialismo y el franco-falangismo fueron interpretados por los nacionalistas restauradores como fenómenos políticos básicamente emparentados, y de acuerdo con ello juzgados positivamente. El efecto ideológico de estos "modelos" europeos tenía en aquellos años una sorprendente homogeneidad, que fácilmente pierde de vista el historiador de hoy cuando se concentra demasiado en el estudio especializado de cada uno de esos regímenes.

3) Si bien los nacionalistas argentinos fueron conscientes de la tensa y problemática relación entre el catolicismo y el nacionalsocialismo[400], no le asignaron gran importancia a este tema, que en sus textos se mantuvo borroso. En cuanto a la popularidad de los líderes fascistas en los círculos nacionalistas, ella no hizo más que crecer a lo largo de toda la década del treinta, hasta alcanzar su punto más alto en el período que va de 1940 a 1943. La guerra contra la Unión Soviética deshizo prácticamente todos los reparos que muchos hacían a los rasgos neopaganos del Tercer Reich.

No sólo agitadores como Osés, Silveyra o Degreff manifestaron su postura positiva frente a la Alemania nacionalsocialista; parecidos comentarios fueron hechos por teóricos distinguidos del movimiento como Meinvielle, C. Ibarguren, Nimio de Anquín y César Pico. Prácticamente todas las publicaciones periódicas nacionalistas representaban esa línea. Un orador de la ANA ya había elogiado la conducción "enérgica y combativa" de Hitler en 1934, pero nadie superaba a Osés en las alabanzas:

"En Hitler se ataca al hombre que representa (...) todo ese complejo de esperanzas que hace vibrar a los pueblos hoy, desengañados de la democracia política, del capitalismo judío, de la anarquía social (...). Por eso repetimos: ¡Heil Hitler!"[401]

"Vemos en el nazismo, como en el fascismo, realizaciones por las cuales bregamos en el orden nacional, en cuanto son una superación de la filosofía liberal y del doctrinarismo marxista. (...) De modo que, sin adherir plenamente al doctrinarismo de otros movimientos nacionalistas, estamos en condiciones de apreciar lo que en ellos hay de asimilable y de reprobable, y de extraer lecciones de hechos."[402]

Osés se ocupó brevemente de la "absurda teoría de la raza" de Rosenberg como si fuera un asunto sin mayor importancia. En diciembre de 1935 los lectores de *Crisol* fueron informados escuetamente de que "las Leyes de Nuremberg" habían solucionado la "cuestión judía". Muy pronto se vio Osés obligado a defenderse contra la acusación de no ser más que un imitador o agente de Franco, Mussolini y Hitler. Su respuesta consistió en afirmar que "para esta pelea tremenda que les estamos haciendo a los judíos" se necesitaban "buenos amigos" como los alemanes.[403]

El desarrollo de los acontecimientos que habrían de desembocar en la Segunda Guerra Mundial ya fue comentado por *Crisol* en 1935, utilizando para ello la argumentación característica del nacionalsocialismo:

"Mientras haya naciones que, como Italia, Alemania y el Imperio del Sol Naciente, carecen de lo más elemental para vivir, mientras que otras poseen todas las riquezas del mundo y vastos territorios que por falta de brazos no pueden cultivar, la humanidad se verá amenazada por conmociones peligrosas."[404]

En noviembre de 1936 Osés celebró el surgimiento de la nueva "línea vertebral de Europa: el Eje Roma-Berlín". Veía en ello el triunfo del "modelo tradicional del hombre guerrero y creyente, con toda su franqueza (...) y su triunfante desprecio de la muerte".[405] Con todo, Osés no veía en esa alianza una amenaza para la paz. Eran más bien los Estados Unidos, los cuales, ayudados por Inglaterra y Francia, querían "precipitar el mundo en una guerra que creen ganar. (...) El yanqui pues, ese es el enemigo de la civilización".[406] Pero después de la crisis checoslovaca (1938) crecieron también en nuestro país los recelos frente a la política agresiva del Tercer Reich. Fue entonces cuando C. Silveyra publicó su entusiasta defensa de las dictaduras fascistas en su libro *La cuestión nazi en la Argentina*. Hitler y Mussolini constituían para este autor, "rocas" de la "civilización cristiana", y su deseo —en formulación no muy lógica— tan sólo sería el siguiente:

"terminar con el Comunismo e imponer la paz en el Universo, por las buenas o por las malas".[407]

La presentación que Silveyra hacía de la historia alemana reciente era imposible de distinguir de un folleto de propaganda nacionalsocialista:

"(...) el problema alemán era mucho más grave que el problema italiano, pues el marxismo judío, adueñado del gobierno, había traicionado a la patria alemana (...) para entregarla atada de pies y manos, por el Tratado de Versalles, a sus propios enemigos. También Hitler era un obrero humilde (...) y soñó con la restauración de la grandeza y la gloria germana. En la historia del mundo no se registra un caso de igual valor, de patriotismo y abnegación, de perseverancia y sacrificio como el de ese hombre (...)".[408]

Según este autor, "los regímenes fascistas" habrían logrado increíbles conquistas sociales; en ellos habría "desaparecido por completo la explotación del hombre por el hombre o la explotación del hombre por el Estado".[409] Sobre las medidas antisemitas "aclaraba" la polémica con este párrafo:

"Ya se dijo que con la inflación de 1923 los judíos se apoderaron de toda la riqueza alemana. ¿Qué puede extrañar entonces que el gobierno de Hitler haya resuelto restituirle a los alemanes lo que era suyo y confiscar a los judíos explotadores todos los bienes de que despojaron a un pueblo honrado y trabajador?"[410]

Una apologética de este tipo se apoyaba también en ciertos informes procedentes de observadores superficiales. El mencionado senador Matías Sánchez Sorondo ya era conocido como filofascista antes de su viaje a Alemania, pero otras personalidades, aparentemente más serias, a menudo confundían más la información con su ingenuidad y carencia de capacidad crítica. Un caso típico es la conferencia que dio en el Círculo Militar el coronel Juan C. Sanguinetti (Agregado Militar en Alemania entre 1935 y 1936) el 1º de setiembre de 1937 sobre "algunos aspectos" del Tercer Reich. Es comprensible que allí se hiciera mención del entusiasmo de las multitudes, de los logros del Frente Alemán de Trabajo y de las autopistas; pero ya no lo es tanto la facilidad con que el conferencista adoptó estereotipos propagandísticos nacionalsocialistas como la leyenda de la "puñalada por la espalda" —supuesta explicación de la derrota alemana de

1918—, y el mito de una República de Weimar dominada por "judíos" y "comunistas".[411]

Si se toma la literatura política italiana y española como término de comparación, resulta relativamente pobre el contacto bibliográfico de los nacionalistas argentinos con el nacionalsocialismo. De todos modos la "Biblioteca de *Crisol*" ofrecía una versión castellana —ligeramente abreviada— del *Mein Kampf* y un trabajo de Goebbels: *Nosotros los alemanes y el fascismo de Mussolini*. Aun así, a partir de 1939 el Tercer Reich ocupó el centro de la perspectiva mundial del nacionalismo restaurador. Los temas de la propaganda de guerra alemana fueron adoptados y difundidos por las más importantes publicaciones de esa tendencia. Especialmente el "antiimperialismo", la idea del Nuevo Orden y la lucha contra la Unión Soviética hicieron una profunda impresión, un fenómeno que, por otra parte, abarcó sectores más amplios que el de los activistas nacionalistas. Pero el antisemitismo sólo tuvo acogida favorable en una pequeña minoría de fanáticos.

Cuando se planteó la cuestión de las responsabilidades por la Segunda Guerra Mundial, César Pico no vaciló en declarar que Inglaterra y Francia las compartían: los sucesos de 1939 serían la consecuencia inevitable de la "política del cerco" del "belicismo democrático-capitalista".[412] Inglaterra, según otro autor, conducía esta guerra "sin derecho, contra la libertad (...) y en contra del verdadero espíritu de la Cristiandad".[413] Las victorias germanas de 1940 y la entrada de Italia en la guerra fueron saludadas con entusiasmo por *Nueva Política*:

"Europa (...) subyugada al Imperio Nuevo que viene en el fondo a desatar sus antiguas cadenas, espera con ansiedad el último acto: cuando las águilas romanas y germanas caigan sobre la guarida del Leopardo."[414]

"Roma, Germania y España" fueron ensalzadas como los Estados conductores del Nuevo Orden o Confederación Europea[415]; Hitler y Mussolini fueron interpretados como la encarnación moderna de la idea "del rey platónico"; su noble objetivo sería lograr "la armonía económica entre las naciones", después de la destrucción de la "alta finanza". El "Orden" naciente del Eje habría de culminar en una conversión hacia la "cultura católica", siendo en cambio incompatibles con ella el liberalismo y el socialismo.[416] Meinvielle escribió lo siguiente: "El hitlerismo es, por paradoja, la antesala del Cristianismo, pues lo precede inmediatamente".[417] Nimio de Anquín compartía esta opinión y subrayaba con más fuerza aún los méritos del "verdadero genio de nuestro tiempo": Adolfo Hitler. El y Mussolini habrían matado en Europa al liberalismo y "la fea democracia", creando algo nuevo en su reemplazo:

"El mundo del nuevo orden (...) es un sistema de relaciones fraternales fundadas en la justicia, es un mundo de amor. (...) El hombre del nuevo orden (...) no es egoísta, porque su vista está fija en el bien común. Además es creyente (...) y por eso es dogmático, autoritario y optimista."[418]

Visiones tan grandiosas solían verse reforzadas —en un plano más realista— por evaluaciones como las que presentó el auditor militar Oscar R. Sacheri en octubre de 1942. Después de un breve viaje por Europa analizó el Nuevo Orden en una conferencia, alabando especialmente el corporativismo portugués y el régimen de Pétain (la "Francia de Vichy"). Luego de citar a varios teóricos alemanes e italianos, Sacheri llegó a una conclusión sumamente optimista:

"Afirmamos ahora que el nuevo orden económico al que acabamos de pasar revista es indudablemente un instrumento de paz entre las naciones y una conquista para la organización de esa era de justicia social."[419]

En tonos similares la revista *Hechos* aseguraba que el nacional-socialismo había desarrollado una "concepción política" para Europa, caracterizada por "rasgos federativos", "cuyas normas obligan a grandes y pequeños".[420] A mediados de 1941, cuando la entrada de los Estados Unidos en la guerra se hizo cada vez más probable, *Nueva Política* y Osés pronunciaron advertencias sobre los belicistas "judíos"; Roosevelt no sería más que un "esclavo paralítico y megalómano de los judíos", cuya intención era salvar a Inglaterra de su merecido hundimiento. Pero habría llegado la "hora justiciera" en que ese Imperio debería "pagarlas todas juntas por todos los pueblos que esclavizó".[421] No es que *Crisol* y *El Pampero* fuesen la "excepción extremista" dentro del periodismo del nacionalismo restaurador. También *Cabildo*, en el cual escribía L. Castellani sin saber qué parte de sus fondos y su línea editorial provenían de la Embajada Alemana, era vocero de tales opiniones. En diciembre de 1942 comunicaba este diario que "la voz veraz del Führer" había señalado a los responsables de la guerra: el "imperialismo plutocrático norteamericano" y los ejecutores de los *Protocolos de los Sabios de Sión*.[422]

La Guerra contra la URSS fue interpretada en el sentido de la tesis nacionalsocialista, como una acción defensiva de toda Europa:

"De la mortífera acción en Rusia recompensa el saber que allí, en la marca asiática, se forja 'por un milenio' la unidad de Europa."

(...) "Ahora Europa es Alemania (...) nuestra mística temporal espera como suyo el triunfo de Europa."[423]

"Europa contra lo tártaro: civilización contra barbarie (...) sólo en el colmo de la ceguera puede no verse que en esta guerra el Eje representa alegóricamente el papel de San Jorge en lucha con el dragón de la URSS."[424]

Algunos —no muchos— nacionalistas restauradores manifestaron ciertas reservas y críticas aun en el período deslumbrante de las victorias alemanas. Entre ellos pueden mencionarse Ezcurra Medrano, Ruiz Guiñazú y L. Castellani. Para las grandes agrupaciones y sus órganos estas actitudes no tuvieron importancia. Ramón Doll aún veía en 1943 a los "modernos fascismos" como un producto legítimo "de las masas o clases oprimidas por el capitalismo", descartando todo enfoque contrario a tal interpretación como "propaganda judeocapitalista".[425]

Incluso un pensador tan cauteloso como Julio Irazusta no ocultaba en enero de 1941 su admiración por las "soluciones" políticas y económicas "alcanzadas en Europa por las naciones que acaudillan el nuevo orden".[426] Sin embargo, después de 1943 el Nuevo Orden también se desdibujó, hasta desaparecer de la prensa nacionalista. Muchos de sus órganos, como *El Pampero, Crisol, Hechos, Nuevo Orden, Nueva Política, Choque* y *Clarinada* desaparecieron o alteraron su lenguaje. En la hora de la derrota definitiva del Eje, un pequeño grupo de leales testimonió su fe en la causa fascista. En 1945, Carlos Goyeneche prologó la traducción del libro de Mussolini *Historia de un año* con estas palabras:

"La tragedia que conmovió hasta lo más profundo la obra de Mussolini sacudió también en otras partes los cimientos de muchas cosas queridas (...). En este instante de postración moral del mundo (...) la esperanza nos hace levantar la mirada hacia tiempos más dignos. En ellos se edificará un orden nuevo donde la debilidad y la traición colectiva no tendrán lugar (...)."[427]

La lucha por el poder

¿Cuál fue la actitud que adoptó el nacionalismo restaurador frente al problema práctico de la lucha por el poder político? Zuleta Alvarez los ha caracterizado como totalmente opuestos a la aspiración "a ser un movimiento popular y mayoritario". Los nacionalistas "doctrinarios y filofascistas" se habrían mantenido "fuera de la vida política del país, esperando en vano la llegada del caudillo militar salvador".[428] Hablando en términos de máxima generalización, estos juicios son acertados; pero pasando a un análisis más detallado de las fuentes se descubren tres proyectos de estrategia política, de los cuales uno es el mencionado por el citado autor. En la práctica terminaron por fracasar los tres, por razones que aparecerán a lo largo de este capítulo.

a. *El golpe de Estado militar*

Este plan era una versión apenas retocada de los sucesos de setiembre de 1930. Se lo mencionaba una y otra vez en los círculos de la LCA, la LR y la ANA, a veces bajo la forma de amenaza abierta, otras como referencia velada. Esta estrategia implicaba tres etapas: 1) La coordinación de todos los grupos nacionalistas y la infiltración de las instituciones más importantes: Ejército y Policía, Iglesia, Universidad y burocracia estatal. 2) Aprovechamiento agitatorio de una esperada "provocación" de la "izquierda": una huelga notable o el "descubrimiento" de "complots" comunistas y radicales. 3) Golpe de Estado "preventivo" efectuado por la "minoría nacional" e introducción de una dictadura apoyada en una coalición de las Fuerzas Armadas y de las organizaciones nacionalistas. La primera etapa exigía un trabajo arduo y relativamente poco heroico; la segunda etapa revelaba el momento verdaderamente decisivo de esta estrategia: era necesario que se produjera una provocación "de los otros" que resultara intolerable para los militares. Entonces se tendría la alternativa que un autor nacionalista planteó crudamente: "o el Ejército acaba con la democracia o ésta arrasa con el Ejército".[429] A fin de contribuir a la preparación de ese clima "revolucionario", los agitadores nacionalistas se dirigieron a sus adherentes con discursos y escritos que hacían la apología de la violencia:

> "Un grupo político que está en la verdad tiene derecho a emplear la violencia contra el grupo adversario (...). Las opiniones falsas se destruyen con argumentos, pero cuando no bastan los argumentos se destruyen a golpes: unas veces hay que matar a los dueños de las opiniones falsas y otras veces basta con asustarlos (...)."[430]

Osés afirmaba que, cuando fuese necesario, el nacionalismo actuaría con "los puños, con las cachiporras y con el máuser". No debían extrañar entonces los frecuentes actos de pugilato y tiroteos entre "legionarios" por un lado y radicales o "izquierdistas" por el otro. En setiembre de 1933 murieron tres personas en un choque de este tipo en Córdoba, entre ellas el diputado socialista José Guevara. Un año después cayó J. Lacebrón Guzmán, que fue recordado como el "primer mártir" del nacionalismo. En abril de 1935 fue golpeado el director de una revista judía, y en agosto de 1938 hubo dos muertos nacionalistas, otra vez en Córdoba. La lista podría continuarse pero la policía siguió controlando la situación, y el esperado clima "revolucionario" no logró apoderarse de capas considerables de la población.

Como parte de esta estrategia cabe interpretar la ininterrumpida campaña de adulación que los publicistas nacionalistas condujeron en relación con las Fuerzas Armadas. En uno de sus últimos discursos políticos (1933) Lugones repitió su tema favorito: "La salvación del país no puede venir sino de la dictadura militar".[431] Tres años después, un panfleto distribuido en los cuarteles buscaba crear el ambiente propicio para el golpe de Estado:

> "El militar debe tener clara conciencia de una gran responsabilidad. Es la única salvación posible. Las soluciones políticas no son soluciones, (...). Es necesaria la fuerza. (...) Nuestro porvenir es una dictadura. Los que evitan que sea una dictadura nacionalista, aseguran el triunfo de la dictadura comunista [... y] dan tiempo para que el enemigo afiance sus posiciones."[432]

Este había sido también el tema central de Ramiro de Maeztu, que en 1934 había escrito: "El Ejército nos salva siempre (...) porque es la jerarquía, porque es la disciplina, (...). En resumen, porque es la civilización". En esa línea de pensamiento también se movía I. B. Anzoátegui, crítico de Sáenz Peña —con el cual nos habríamos "perdido"— y defensor de dos métodos capaces, a su juicio, de dar "gobernantes honestos" al país: "el fraude o la violencia". La ventaja del segundo procedimiento era que resultaba "más puro y entretenido" que el primero.[433] Parte de esta estrategia que buscaba seducir instituciones establecidas de naturaleza esencialmente no política, era un llamado a la Iglesia. Decía al respecto un dirigente:

> "Nosotros, los que formamos la juventud nacionalista argentina no queremos más partidos. Queremos en lugar de ellos una fuerza única, simbolizada en dos palabras: cruz y espada (...)."[434]

En la primera mitad de los años treinta la mayoría de las organizaciones nacionalistas adherían a la idea del golpe de Estado, convencidas de que la provocación izquierdista habría de producirse automáticamente. La consecuencia era que las fuerzas realmente decisivas y dinámicas de la estrategia así esbozada eran los enemigos del nacionalismo y los militares, no el nacionalismo como tal, proclive a la cómoda posición de "espera" y despreocupado de la tarea de crearse una base multitudinaria. Hacia los años cuarenta muchos dirigentes comprendieron que en esas condiciones no podía surgir el "clima revolucionario" y que con ello dejaban la iniciativa en manos ajenas.

b. *La toma gradual del poder*

Esta concepción constituía una variante de la anterior en el sentido de que extendía el proceso de toma del poder en el tiempo y lo diluía, tratando de utilizar las posibilidades semilegales que el régimen de la Concordancia parecía ofrecer. En esta estrategia se re-

conocía la necesidad de estructurar un movimiento amplio y unificado. En setiembre de 1936, al fracasar otra vez uno de los intentos
golpistas del general Molina, Osés declaró que los nacionalistas
debían abandonar definitivamente la "esperanza" de un golpe militar, que habría de darles el poder como "regalo". "Sin pueblo" no
habría victoria nacionalista posible; y hasta la fecha había que confesar que no se habían hecho progresos en la gran masa.[435] No se trataba solamente de ganar a hombres de confianza en las instituciones
de prestigio, sino de penetrar en "todos los sectores sociales de la
nación". No sólo la clase media, también el campesinado y los obreros debían ser los receptores de la propaganda nacionalista. Osés se
ocupó con inesperada benevolencia de estos sectores:

> "El hombre de campo es superior al hombre de las ciudades (...) nunca será
> esclavo pero acepta la jerarquía (...). En tierra adentro está nuestra liberación
> (...) el gremio de la chacra está sano todavía."
> "El Nacionalismo es el más ferviente y leal defensor del movimiento sin-
> dical de los trabajadores."[436]

Se buscó un acercamiento a las bases electorales de la UCR.: Yrigoyen al fin no habría sido tan malo, y el "pueblo radical" poseería
—después de todo— un valioso "sentimiento nacional", a pesar de ser
"traicionado" por sus dirigentes "liberales". Ya en 1937 Osés creía
inminente un ingreso masivo de radicales en el nacionalismo restaurador; surgiría entonces un gran Movimiento Nacional, capaz de boi-
cotear, con el apoyo de la "mayoría"[437], las elecciones, y de hacer
ingobernable el país a través de manifestaciones. La Concordancia se
vería forzada luego a elegir entre una coalición con los nacionalistas
y un acuerdo con "la izquierda". En el lenguaje velado de F.
Wernicke, colaborador de *Crisol*, se trataba de "la preparación del
ambiente que por presión imponga los acontecimientos", hasta culminar en el objetivo: "llegar al poder o conseguir que el poder esté
resueltamente con nosotros".[438] En un gobierno compartido con las
fuerzas conservadoras sería aparentemente fácil afirmar progresivamente la presencia nacionalista en las instituciones estatales e introducir el nuevo "orden" probablemente a través de una "reforma
constitucional legal".
    Esta estrategia no excluía absolutamente la eventualidad de una
vía "dura" —el golpe militar— en la segunda etapa del proceso. Una
vez que un gran movimiento nacionalista dominase la calle ya se encontraría un general dispuesto a cooperar, en el caso de que el gobierno conservador se resistiese a "cooptar" a los jefes nacionalistas.
Frente a la pregunta retórica de si el nacionalismo renunciaba a la
idea del golpe, Osés respondió en forma harto significativa: "Tenemos el derecho de no ser todo lo francos que quisiéramos ser".

c. *La vía electoral*

Este posible camino al poder fue el que menores adhesiones tuvo en el nacionalismo. Presuponía la organización de un gran partido con arraigo popular, pero, por encima de todo, el desmantelamiento del sistema del fraude, sin lo cual el nacionalismo quedaría en la misma situación que el radicalismo. Sin embargo, hubiera sido un vuelco político espectacular —alejado de la realidad— colocar al nacionalismo restaurador, junto con el radicalismo, en oposición a la Concordancia, fuerza unida por tantos lazos con destacadas figuras del nacionalismo. De todos modos hubo algunas propuestas nacionalistas tendientes a optar por el único camino que la Constitución ofrece a las aspiraciones del político. En 1934 Enzo Valenti Ferro expuso ese criterio a la LCA, sin obtener aprobación. Considerando inadecuado el "golpe de fuerza", estimó que

> "Bien distinto sería si el nacionalismo, al intervenir en un acto eleccionario, lo hiciera en forma positiva, presentando una lista de candidatos nacionalistas, compuesta por personas representativas de la banca, el comercio, la industria, etc., hecho que tendría una enorme repercusión en el pueblo (...)."[439]

En los años cuarenta varias organizaciones nacionalistas adoptaron estas ideas, si bien deseaban darle un tono menos conservador que Valenti Ferro a sus equipos políticos. Incluso el grupo fascistoide de Marcelo Sánchez Sorondo opinaba en 1942 que "la opinión es potencialmente nacionalista", que el "antielectoralismo" era un "dogma" como cualquier otro y que era imprescindible entrar "por la puerta de la legalidad".[440]

Ninguna de las tres variantes estratégicas tenía auténticas posibilidades de éxito si el nacionalismo continuaba dividido y alejado de la política de masas que caracteriza el siglo xx. Acerca de la fuerza numérica efectiva de las agrupaciones nacionalistas no existen estadísticas confiables, sino sólo cifras conjeturales. Entre 1940 y 1943 pudo observarse un cierto aumento del apoyo popular en las manifestaciones de la AJN. Pero esto constituía un correlato de la generalizada popularidad del neutralismo y no implicaba un crecimiento paralelo de las organizaciones como tales. Antes de la Segunda Guerra Mundial las manifestaciones del nacionalismo eran de menores dimensiones que las que lograba organizar el sindicalismo. Así, hasta *Crisol* debió admitir que la concentración nacionalista del 12 de junio de 1937 sólo logró reunir a 15.000 personas, mientras que la marcha de la CGT, el 1° de mayo, contó con 70.000 asistentes.

La reserva humana más importante para las agrupaciones nacionalistas siguió siendo la clase media, y en especial, la juventud de los ciclos secundario y universitario. En ella alcanzaron cierto éxito organizaciones como ANES y FUNA, y posteriormente, UNES-AJN y SUA. Parecidas tendencias podían observarse en las Fuerzas Armadas, donde el lema nacionalista del "Orden" encontraba comprensibles simpatías. En los órganos de conducción del nacionalismo se encontraban representados oficiales en una proporción más considerable que en otras tendencias políticas del país. Si se toman siete agrupaciones —ANA, LN, NL, Agrupación Coronel Brandsen, LCA, AA y PL— se cuentan en sus jefaturas unipersonales o colegiadas cuatro almirantes, seis generales y siete oficiales de menor rango. No aparecen aquí las personas activas en el orden provincial. Mientras que los nacionalistas restauradores deseaban mucho esta participación, los "populistas" como Scalabrini Ortiz la criticaban, señalando que el cuerpo de jefes y oficiales mantenía relaciones demasiado estrechas con el régimen oligárquico, de modo que con almirantes como Renard, Daireaux y Scasso y generales como Medina, Molina y Villanueva nunca se sabía exactamente qué política representaban. La participación de religiosos y de algunos militantes de la Acción Católica también se hacía notar, sobre todo por la prominencia de hombres como Meinvielle, Castellani y Filippo en las publicaciones nacionalistas. Con todo, no era menos evidente el hecho de que a fines de la década del treinta aumentó la fuerza de los sectores católicos opuestos a una instrumentación política de tipo antidemocrático, como la que demasiado abiertamente traslucían los voceros del nacionalismo restaurador.[441]

No pocos de los dirigentes nacionalistas provenían de la sociedad distinguida, e incluso de antiguas familias de grandes propietarios. Sin embargo esto no fue tan marcado, como para justificar el aserto de Falcoff y Dolkart, según el cual el nacionalismo restaurador habría representado a "importantes sectores" de las "clases terratenientes".[442] Estas últimas tenían una representación mucho más sólida de sus intereses en la Concordancia. Por otra parte, la sola existencia de este tipo de dirigentes quitaba credibilidad a buena parte de la retórica revolucionaria y tremendista que caracterizaba al nacionalismo de aquellos años. Era difícil visualizar cambios profundos en la sociedad argentina bajo la guía de hombres como el doctor Alberto Uriburu, miembro del Consejo Supremo de la ANA, pero también profesor universitario, consejero jurídico del Banco Hipotecario Nacional, presidente de la empresa Industrial Exportadora y miembro del directorio de la Compañía Swift de La Plata. Algo similar podía decirse del doctor Floro Lavalle, médico conocido y miembro del Jockey Club y del Yacht Club, además de cofundador de la LCA, y del doctor Horacio Calderón, colaborador del Nacionalismo Laborista, fundador de empresas petrolíferas y presidente de la Sociedad Anónima Mercado de Abasto y Frigorífico de Avellaneda. Sobre la magnitud de los fondos que de estos círculos pudo obtener el nacionalismo no hay datos documentados. De todos modos era evidente que las dos organizaciones preferidas por los elementos más conservadores del movimiento —la LCA y la ANA— tuvieron buena base financiera por lo menos hasta 1936-1938. También algunas empresas estatales como YPF apoyaban a publicaciones nacionalistas (*Crisol* y *Clarinada* por ejemplo) con avisos publicitarios.

En los comienzos de su actividad los nacionalistas apenas si contaban con adherentes en la población rural, en la clase media inferior y en el elemento obrero. A lo largo de los años treinta las organizaciones mayores del nacionalismo fundaron una serie de asociaciones, por medio de las cuales intentaron penetrar en estos estratos sociales. De esta manera surgieron la Federación Obrera Nacionalista Argentina (1932) como rama de la LCA; el Block Obrero en la LN (1934); la Agrupación Obrera Adunista en la ANA (1937) y un Sindicato Obrero Nacionalista Argentino independiente (1935). Representantes de la Federación Agraria Argentina mantuvieron algunos contactos con Osés y el diario *Crisol*, y por último cabe mencionar el intento de estudiantes nacionalistas de crear una organización de campesinos en Mendoza (1942). En ese entonces B. Lastra habló de una "conversión" de las "masas" al nacionalismo, pero esto resultó prematuro e incorrecto en el sentido en que lo entendía ese dirigente. Todos los organismos mencionados permanecieron en la categoría de pequeños grupos, y en abril de 1943 el mismo Lastra debió reconocer que las masas seguían alejadas del movimiento:

"buena parte del proletariado y la clase media no ha comprendido aún que la democracia liberal es su gran enemigo".[443]

Ninguna estrategia para la toma del poder tenía chances si el nacionalismo no superaba previamente sus crónicas divisiones internas. A lo largo del período en cuestión se produjeron repetidos intentos de crear organismos que coordinaran las numerosas ligas y agrupaciones, pero su efectividad siempre fue escasa.[444] Así fracasó la Guardia Argentina (agosto de 1933-abril de 1934) por divergencias políticas entre la conducción política (L. Lugones) y la militar (almirante Renard). Otro de los recursos de "unidad" de los primeros años fue mantener vivo el recuerdo de Uriburu y la lealtad al "legado" del "héroe muerto". En ocasión de las honras anuales en su memoria se intentó consolidar un dogma: el mito del líder genial que habría sido traicionado "por los liberales". En este sentido se organizaron actos como el de la LCA, del 29 de abril de 1934, durante el cual los legionarios desfilaron frente a la tumba de Uriburu, honrándolo con discursos y saludos fascistas. J. P. Ramos, presidente de la ANA, declaró que el general fallecido era "el símbolo de la Nueva Argentina".[445] Tres años después C. Silveyra sostuvo que el "programa revolucionario" de Uriburu había sido saboteado por sus consejeros; pero el precursor

"triunfó espiritualmente, porque conquistó el corazón de la juventud argentina, que ya se apresta a cumplir con un programa de acción nacionalista, inspirada en la memoria del gran Jefe".[446]

Pero esa memoria no era prenda de unidad. Los hermanos Irazusta ya habían criticado a Uriburu en 1931, además de reconocer muchos méritos en Yrigoyen[447]; e incluso para la juventud nacionalista pronto palideció el brillo del mito uriburista, falto de credibilidad desde sus orígenes. Finalmente, en 1941, el propio Osés llegó a decir que el general setembrino no había tenido una doctrina, y que el régimen "antinacional" fue más fuerte después de 1930 que antes de ese año. La nostalgia de "setiembre" había concluido[448]: uno de los últimos intentos de crear un organismo coordinador en el espíritu de esa nostalgia fue efímero y sin consecuencias: la "Comisión Provisoria del Nacionalismo Argentino" (noviembre de 1935).[449]

En julio de 1941 surgió un "Consejo Superior del Nacionalismo", cuyo presidente era el general J. B. Molina. Se suponía que este sería el primer paso hacia la fundación de un gran partido, pero el Ministerio del Interior negó su autorización.[450] Molina había perdido mucho de su antiguo prestigio; Osés y Fresco entre los dirigentes civiles, y Menéndez entre los militares rechazaban su pretensión a la jefatura suprema del movimiento. El general Menéndez colaboró cinco meses después con un nuevo intento de unificación: el "Frente Patriótico", preocupado esencialmente por apoyar la neutralidad argentina.[451] La unidad del nacionalismo tampoco se consolidó entonces. El último —y el más interesante— intento en este sentido fue el "Congreso de la Recuperación Nacional" (diciembre de 1942), del que participaron 476 delegados. En su Junta Ejecutiva figuraban conocidos representantes de prácticamente todas las agrupaciones; entre ellos: Laferrère (LR); Nimio de Anquín (UNF); Llambías, Bernardo, Sánchez Sorondo, Sáenz y Quesada, Etchecopar y Pico (*Restauración, Nueva Política*); Astrada (AA); Doll, Tarruella y Lastra (AJN, AdC) y otros. El Congreso consideró la posibilidad de organizarse como partido, presentando candidato propio para las elecciones de 1943. Pero finalmente no se tomó una decisión clara y la iniciativa fracasó.[452] También hay que recordar que Osés desempeñaba una función directiva en otro organismo —la "Junta de Gobierno del Nacionalismo"—, donde junto con sus colaboradores A. T. Santucci y E. Samyn Ducó, sostuvo una posición contraria a la participación electoral de los nacionalistas. Ya que en esa época Osés tenía notable influencia sobre la milicia juvenil más importante —la AJN— había muy pocas esperanzas para los defensores de la vía legal al poder. Tanto los liderazgos individuales como los organismos colegiados fracasaron en la tarea de la unidad nacionalista. Algunos comentaristas reconocían esta gran debilidad del movimiento. Un periodista nacionalista lamentó en 1938 la "atomización" y la confusión que surgía de la multitud de agrupaciones y "jefes". Se observaba también con desagrado que el "crecimiento" de algunas ligas era casi exclusivamente un producto de la pérdida de miembros por parte de otras organizaciones, y no una consecuencia de la siempre predicada conquista ideológica de nuevos sectores sociales.[453] A pesar de estas circunstancias poco alentadoras, diversas fracciones intentaron la aventura militar.[454] Era evidente que el éxito de una operación de este tipo exigía las siguientes condiciones previas: 1) una crisis política, con la paralización o división de la Concordancia gobernante como consecuencia; 2) la colaboración de los comandantes y contingentes de tropas más importantes de la Capital y sus alrededores con el proyectado plan golpista.

Entre 1932 y 1942 nunca se dio una oportunidad que viese reunidos esos dos factores. En febrero de 1935 hubo signos innegables de una crisis política, al producirse la lucha por el poder entre dos fracciones conservadoras de la provincia de Buenos Aires, pero el entonces coronel J. B. Molina no pudo movilizar ningún regimiento, y el presidente Justo demostró que realmente controlaba el Ejército. La LCA sacó 400 "legionarios" a la calle, con el objeto de apoyar al gobernador Martínez de Hoz, pero estaba claro que esa fuerza sola no podía hacer la "revolución". Fueron desarmados, y se restableció la normalidad. Los intentos golpistas posteriores fueron aun más descabellados, no sólo porque parecen haber sido vigilados desde sus comienzos por los organismos de inteligencia militar leales al gobierno, y fueron por ello ahogados en germen, sino porque tampoco existía un verdadero "clima revolucionario" en el país. Así fracasaron las conspiraciones de julio de 1936 y febrero de 1941. En setiembre de 1941 se produjo el intento del general Menéndez, quien planeó la organización de un levantamiento con base en Córdoba y Entre Ríos. Como sus predecesores, fue neutralizado sin lucha.

Las pocas organizaciones que, desesperando de la unidad de todos los nacionalistas, se lanzaron aisladas al camino legal del sistema de partidos, tampoco tuvieron fortuna. José María Rosa (padre) —un antiguo colaborador de Uriburu— fundó en 1935 un pequeño partido, el Nacionalismo Laborista, que regularmente intervenía en las elecciones municipales de Buenos Aires y Entre Ríos. Nunca logró reunir más que algunos centenares de sufragios.[455] La importancia de la Unión Nacional Argentina-Patria, fundada por el ex gobernador Fresco, fue de cierta consideración entre setiembre de 1941 y junio de 1943. Pero funcionaba esencialmente como una organización al servicio de la política del presidente Castillo, y estaba de ese modo fácticamente integrada al régimen fraudulento. Para otras fracciones de la juventud nacionalista resultaban más atractivas la UCN de E. Gutiérrez Herrero (desde setiembre de 1942) y el Partido Libertador de Rodolfo Irazusta (desde octubre de dicho año). En las elecciones provinciales de Entre Ríos (1943) el PL obtuvo 2000 votos.[456] La más poderosa milicia juvenil del nacionalismo, la AJN, se mantuvo al margen de esas convocatorias. Los partidos mencionados permanecieron dentro de los límites de una modesta significación provincial.

Un análisis crítico del nacionalismo restaurador de la "década infame" no puede quedar terminado satisfactoriamente con la simple comprobación de que este movimiento no alcanzó sus objetivos máximos a causa de fallas de organización. En la primera parte de este libro se ha dicho que ideología implica "confrontación polémica con los problemas de la política y de la sociedad"; por eso, a fin de interpretar plenamente el fenómeno nacionalista, es necesario ubicar sus "respuestas" en el marco de las tensiones principales de la sociedad argentina de aquel tiempo. El desafío de la circunstancia histórica será, de esta manera, relacionado con la estructura teórica del nacionalismo en su etapa "clásica". Aquí se hablará de ocho tensiones: se trata de una sistematización que descansa sobre una base fenomenológica. Esta clasificación de los problemas no es simplemente una mera construcción auxiliar de la historiografía desarrollada con ayuda de teorías sociológicas cuarenta años después de los hechos. Por el contrario, se trata de conflictos que, con mayor o menor lucidez, fueron percibidos como tales por los formadores de la opinión pública de la época. La importancia relativa que se asignaba a cada uno de ellos, las relaciones específicas que se suponían entre ellos y las soluciones concretas propugnadas diferencian a las corrientes ideológicas diversas. Aquí nos interesa desentrañar el perfil característico del nacionalismo restaurador, por lo que se tocan sólo marginalmente otras respuestas. La problemática argentina presentaba —como era de esperar— similitudes con las de otras sociedades contemporáneas, aunque su constelación concreta se inscribía en una época y lugar inconfundibles. Algunas de las tensiones aludidas tenían profundas raíces en las estructuras socioeconómicas y culturales del país; otras eran el producto de las particulares condiciones de los años treinta y cuarenta. Todas juntas formaban los temas ineludibles de la vida pública nacional. Nos referiremos a ellos en el siguiente orden: 1) la tensión sociocultural entre "argentinos viejos" e inmigrantes; 2) la tensión ideológica entre tradicionalismo católico y laicismo liberal; 3) la marcada asimetría geoeconómica del país; 4) la problemática distributiva; 5) la cuestión política de la participación de las masas y la crisis de legitimidad; 6) la problemática de la dependencia y del subdesarrollo; 7) el conflicto ideológico en torno a

la "cuestión judía"; 8) las tensiones internacionales de la Segunda
Guerra Mundial, es decir, la cuestión de la neutralidad.

1. *La tensión entre "argentinos viejos" e inmigrantes*

Si bien este problema había jugado un papel no despreciable en
los orígenes del uriburismo, perdió significación política a lo largo
del período 1932-1943, La poderosa corriente inmigratoria que conmovió al país a principios del siglo ya no era un hecho de actualidad.
Con más rapidez de lo que muchos esperaban se produjo un intenso
proceso de integración, muy favorecido por la pertenencia de los
sectores mayoritarios de la inmigración al área lingüística y cultural
de la latinidad. Fue característico del dogmatismo del nacionalismo
restaurador el hecho de que muchos ideólogos continuaron aferrados
al mito defensivo del "extranjero peligroso", sin advertir el cambio
de los tiempos. De todos modos, hacia 1940 se hizo evidente que el
intento de movilizar políticamente a los "argentinos viejos" contra
el extranjero supuestamente "rebelde" había fracasado. En esta tensión —propia de toda sociedad sometida a transformaciones de ese
tipo— se impuso la postura básicamente abierta y pluralista del pueblo argentino contra los maestros de doctrinas xenófobas. La problemática de la colectividad judía es una parte de este complejo, pero
dado el lugar especial que ocupaba el tema antisemita en la ideología
restaurativa, merece un tratamiento por separado.

2. *La tensión entre tradicionalismo católico y laicismo liberal*

Es sabido que esta tensión, producida por concepciones diferentes en la legislación sobre matrimonio y educación[457], existía básicamente desde la primera presidencia de Roca. Como ya se ha visto en
capítulos anteriores, los nacionalistas restauradores agudizaron esta
polémica, dándole un amplio lugar al problema en su propaganda. Se
hacía evidente para el observador atento el desarrollo de una estrategia por la cual este movimiento perseguía la incorporación de la
Iglesia —o por lo menos de importantes sectores de la misma— en un
frente de lucha política contra la totalidad del legado liberal democrático del siglo xix. Algunas circunstancias históricas de los años
treinta parecían favorecer ese plan. Por un lado existía la postura
tradicional de nuestros socialistas, teñida de un anticlericalismo dogmático; por el otro se produjo un incremento de las tendencias restauradoras en algunos religiosos y laicos durante las apasionadas polémicas sobre fascismo y antifascismo que se desataron a lo largo de
la Guerra Civil Española. Con todo, esas mismas circunstancias
demostraron que los lemas supuestamente "cristianos" del nacionalismo filofascista no bastaban para la conquista de las mayorías católicas. Ese intento sólo tenía alguna chance en conexión con otras

tensiones de la vida argentina. A diferencia del caso español, el pueblo argentino en sus sectores más vastos no era propenso a aceptar la politización de las convicciones religiosas. Temas estrechamente conectados a esa politización, tales como la idealización del Medioevo y del absolutismo de los Austria, no eran en nuestro país más que modas exóticas de algunos excéntricos, y carecían de arraigo y poder de convocatoria. En la Argentina no existía ningún estrato social naturalmente consustanciado con tradiciones de ese tipo, como ocurría con la vieja aristocracia europea.

3. La asimetría geoeconómica del país

Ya se ha dicho que este antiguo problema argentino se vio agudizado por la depresión de la década del treinta. La extrema pobreza, el subdesarrollo evidente de muchas provincias, especialmente del Norte argentino, ofrecían amplios flancos a los ataques de cualquier fuerza opositora al gobierno. En diversas oportunidades los periódicos nacionalistas incursionaron en esa temática.[458] Pero el ideal tradicional de las provincias —la instauración de un federalismo auténtico y vigoroso— no fue adoptado por el nacionalismo restaurador. Su prédica combinaba las promesas económicas con una apelación al reforzamiento del centralismo estatal. Y esta última exigencia difícilmente podía resultar atractiva fuera de los límites de la Capital Federal. No resulta sorprendente por ello que los viejos partidos cuya razón de ser era la defensa más o menos exitosa de intereses regionales —el Partido Demócrata en Mendoza, los herederos del "cantonismo" en San Juan, el PDP en Santa Fe— no sufrieron en su sustancia desmedro alguno por la presencia ruidosa pero minoritaria del nacionalismo restaurador.

4. La problemática distributiva

No puede decirse —a pesar de ciertos comentarios de observadores superficiales— que el nacionalismo haya ignorado el problema que solía definirse como "cuestión social". En comparación con la etapa uriburista se había producido un claro progreso en el período que va de Justo a Castillo. Pero las propuestas de solución eran muy contradictorias. Junto al ultraconservadorismo estamental de Meinvielle aparecían las exigencias socioeconómicas de la Alianza de la Juventud Nacionalista, que en muchos aspectos apenas si se diferenciaban de los programas socialistas o de la izquierda democrática en general (véanse págs. 154-157). Así, se pedía que el Estado garantizase la vigencia de la "justicia social", pero también que bajasen los impuestos, los que sin embargo ya eran relativamente bajos en la Argentina de esos años. Una nueva aristocracia debía surgir, pero las universidades debían brindar acceso a todos los sectores; todo argentino debía convertirse en dueño de bienes raíces, pero los judíos debían ser despojados de sus propiedades. El tratamiento nacionalista de cuestiones sociales se caracterizaba por un oportunismo casi ilimitado. A los sectores más humildes de la población se prometía toda clase de mejoras y a los empresarios el "corporativismo", la destrucción del gremialismo combativo y el fin de las huelgas. En estos aspectos se hace muy marcada la similitud con la propaganda de los fascismos europeos. Un ejemplo importante de estas contradicciones es el de la polémica sobre las causas y remedios de la crisis económica mundial. Los teóricos del nacionalismo no lograron dar una respuesta coherente a estas cuestiones. Mientras que Meinvielle declaró culpable al capitalismo financiero, proponiendo, entre otras cosas, el fomento del consumo masivo como herramienta apta para la reactivación económica, Julio Irazusta aseguraba que precisamente esa política de los socialistas "de todo el mundo", con sus "gastos improductivos de socorro" o de "reparto igual", sería la causa principal del derrumbe de 1929-1930.[459] Osés y otros agitadores encontraron una cómoda salida de esta difícil discusión, afirmando que "el capital judío" era el verdadero "causante de la honda crisis que vivimos".[460]

Los resultados políticos concretos de esta postura ambigua fueron decepcionantes para el nacionalismo restaurador. Los obreros permanecieron hostiles frente a un movimiento que por un lado proclamaba la "liberación de la clase trabajadora"[461] y por el otro atacaba el sindicalismo y declaraba que las huelgas eran "comunistas". La mayoría de los empresarios y propietarios no encontraba atractivos los lemas anticapitalistas de los nacionalistas. Como reflejo de esta situación se presenta el siguiente texto de Silveyra, que advertía con preocupación a sus correligionarios:

"Si el nacionalismo continúa tirando piedras al régimen social presente, no hace otra cosa que servir los intereses y fortificar la táctica del comunismo judaico."[462]

El miedo al peligro comunista no estaba tan difundido en los sectores influyentes como en la década del veinte. El Partido Comunista era muy pequeño: en 1930 había obtenido el 0,46% de los sufragios y se hallaba en la clandestinidad; los socialistas alcanzaron el 17% de los votos emitidos en 1934 pero en los años siguientes perdieron fuerza, y no superaron nunca el 9,3%.[463] No sin motivo pudo afirmar Lisandro de la Torre en el Senado, que el comunismo no era un "problema actual" en la Argentina. Por esa razón, los organizaciones empresarias, satisfechas de la solidez de la Concordancia, no mostraron mayor interés por las agrupaciones nacionalistas de extrema derecha.

5. *La participación política de las masas y la crisis de legitimidad*

Los equipos gobernantes de la "década infame" dañaron gravemente con el fraude electoral y los escándalos ya mencionados el prestigio general de las instituciones democráticas ante el pueblo argentino. En este sentido creaban condiciones propicias para la prédica antidemocrática del nacionalismo restaurador. En la sociedad argentina de los años treinta aumentó la predisposición psicológica a tolerar o recibir con esperanza los golpes de Estado, despreciándose cada vez más, como simples cortinas de humo, los aspectos formales del mecanismo constitucional. Sin embargo, en términos de política concreta, una evolución de este tipo tenía que beneficiar ante todo a una organización fuertemente estructurada y armada —es decir, al Ejército— y no al "movimiento" restaurador, que carecía de unidad y conducción centralizada. A largo plazo, la consecuencia de la propaganda elitista del nacionalismo fue proporcionarle una "buena conciencia" a muchos miembros de los estratos altos y especialmente a personas de formación académic.. es decir, una racionalización de sus prejuicios y prácticas antidem .:ráticas. No es casualidad que casi todos los gobiernos conservadores y autoritarios que tuvo el país, desde los años treinta hasta hoy, adoptaran determinados argumentos de aquel nacionalismo restaurador, especialmente su "nueva" teoría de la legitimidad, que suprimía el concepto de la soberanía del pueblo.

Esta particular constelación determinó también el rol político esencial que habrían de desempeñar los nacionalistas restauradores: la Concordancia los aceptaba —en el mejor de los casos— como una tropa auxiliar de rango secundario en la lucha larga y sorda contra el gran partido democrático, la UCR. El peligro directo que esta fuerza podía representar era controlado fundamentalmente a través del fraude electoral. Si los dirigentes nacionalistas pensaban impresionar al régimen con su idea del Congreso corporativo pecaban de ingenuos. Sin una provocación abierta de la opinión pública ya existía de facto un corporativismo que, a través de las Juntas Reguladoras y el directorio del Banco Central, aseguraba efectividad política y económica a los intereses enlazados por el "triángulo de poder" que ha sido mencionado en el primer capítulo de la Parte Tercera de esta obra. Por otra parte, siempre según su característica estrategia doble, los restauradores intentaban convencer al público corriente de que "nada" tenían que ver con el conservadorismo e, incluso, de que "también" se le oponían. Esta propaganda fracasó. El observador no podía dejar de advertir que la furibunda agitación contra el radicalismo superaba grandemente en estridencia las críticas que se hacían a Justo y sus seguidores. El caso del gobierno radical de Amadeo Sabattini en Córdoba (1936-1940) —uno de los pocos que en esa época descansó sobre una auténtica mayoría—resulta esclarecedor. En total concordancia con los conservadores, *Crisol*, el principal diario nacionalista, difamó sin tregua al gobernador cordobés. Allí se habló de un supuesto "Estado soviético" en el país; del "Sabattinismo comunista" y de una mítica obediencia a las "órdenes de Moscú".[464] Por supuesto, jamás se aportaron pruebas de tan tremendas acusaciones.

6. *La problemática de la dependencia y del subdesarrollo*

Mientras en el área conflictiva que se acaba de analizar el nacionalismo restaurador se alineaba junto con el conservadorismo, la polémica antiimperialista ofrecía posibilidades para la formación de un amplio movimiento popular. Las circunstancias reseñadas en las págs. 103-111 de esta Tercera Parte facilitaban la receptividad de la población para este tipo de planteos. A pesar de ello, aun este tema central de todo nacionalismo —la lucha contra injerencias extranjeras— no estaba desprovisto de dificultades para los nacionalistas. Tendencias "antiimperialistas" ya existían desde hacía años en sectores de la izquierda liberal y del socialismo. Especialmente los yrigoyenistas de la UCR empezaron a ocuparse del problema en los años veinte. Sin embargo, la postura ultraconservadora de los nacionalistas restauradores en el conflicto político interno de nuestro país hacía inimaginable una alianza con estos antiimperialistas que estaban en la "izquierda".

Los nacionalistas consideraron —no del todo correctamente— que el antiimperialismo constituía su aporte original a la escena política argentina. Por razones de táctica política no hubo un sinceramiento relativo a las fuentes de esta concepción, que eran muy anteriores a la constitución del nacionalismo restaurador como movimiento. El núcleo de la interpretación crítica de la influencia británica en la Argentina y la terminología correspondiente ("capitalismo financiero", "explotación", "oligarquía") ya existía en las obras de Hobson (*Imperialismo*, 1902), Schulze-Gaevernitz (*Imperialismo británico y librecambio inglés a comienzos del siglo XX*, 1906), Hilferding (*El capital financiero*, 1910) y Lenin (*El imperialismo como último estadio del capitalismo*, 1916). Schulze-Gaevernitz había catalogado a nuestro país "casi" como "una colonia comercial inglesa", subrayando "las fuertes ligaduras" entre Inglaterra y la "burguesía argentina". Lenin comentaba este párrafo como ejemplo clásico de una "de las diversas formas de países dependientes, los cuales, formalmente soberanos, son en realidad cautivos de una red de dependencias financieras y diplomáticas".[465] La posición difícil de los restauradores de los años treinta consistía en aceptar este diagnóstico, negando al mismo tiempo que la literatura política y económica del liberalismo de izquierda y del socialismo tuviese valor alguno. Los hechos que servían de fundamento a la polémica antiimperialista eran tan evidentes, que la propia encíclica Quadragesimo Anno (1931) incluyó un pasaje que condenaba el "funesto y execrable 'internacionalismo' o 'imperialismo' internacional del dinero, para el cual, donde los bienes, allí la patria".[466]

Es necesario subrayar que no era la crítica de determinadas formas expansivas del poder político y económico internacional lo que distinguía una corriente ideológica de otra, sino el modo específico a través del cual esa temática se insertaba en otras tomas de posición. Así, en el contexto del socialcristianismo, la denuncia era una parte de la lucha por una concepción humanista y evangélica de la vida social, consecuente con una larga tradición religiosa que se remonta a los profetas hebreos. Para un liberal de izquierda como Hobson o un socialdemócrata, el antiimperialismo era un eslabón en la batalla por la soberanía del pueblo trabajador, contra las maquinaciones de poderes antidemocráticos. Para Lenin y los bolcheviques se trataba de un arma para desprestigiar a las democracias capitalistas de Occidente y apuntalar al partido marxista-leninista como única "alternativa". Y para los restauradores filofascistas el antiimperialismo cumplía una función muy similar a la de sus encarnizados enemigos, con la diferencia de que se propugnaba un movimiento nacionalista de derecha como remedio salvador, acusándose a la democracia de ser un instrumento "extranjero" al servicio del capitalismo expansivo de las potencias anglosajonas. Inútil sería detallar las intencionadas miopías de leninistas y filofascistas, para los cuales el nunca fenecido paneslavismo ruso y el proyecto conquistador del "Nuevo Orden" (respectivamente) parecían no existir.

En muchos aspectos la polémica nacionalista contra la dependencia y el subdesarrollo permaneció nebulosa y ambigua. ¿Cómo podía interpretarse la apología ingenua de la oligarquía anglófila que presentaba Valenti Ferro? ¿Qué pensar de la artificiosa tesis de Irazusta —opuesta a muchos datos innegables de la realidad— según la cual habría que excluir a los terratenientes ganaderos de la minoría gobernante? Menos convincentes aún resultaban los denuestos que *Crisol* lanzaba contra Lisandro de la Torre y su partido, cuando se trataba de uno de los más dignos defensores del interés argentino contra las prácticas ilegales de los frigoríficos ingleses. La atmósfera antibritánica y la exigencia de un programa nacional de industrialización se hicieron cada vez más notables en el transcurso de los años treinta, sin que ninguna de las tendencias políticas en juego lograse monopolizar totalmente estas banderas.

7. La "cuestión judía"

Esta supuesta "cuestión" no existía para la mayoría de los argentinos, y si llegó a tener una pasajera relevancia pública en aquellos años, sin duda el incierto "mérito" se debe asignar al nacionalismo restaurador. Con todo, el potencial conflictivo que ella encerraba demostró ser mucho menor de lo que la propaganda antisemita procuraba hacer creer.

También para los judíos se cumplía paso a paso el proceso social de integración que ya ha sido mencionado. Uno de los signos de dicha evolución se encuentra en la notable —y jamás resuelta— discordancia de las estadísticas conjeturales que se presentaban en relación con la población hebrea de nuestro país. Una fuente judía hablaba de 254.000 personas en 1934 (2,04% de la población argentina). Nacionalistas sensatos consideraban aceptable la cifra de 300.000, mientras que antisemitas extremos como Hugo Wast y Osés pretendían la existencia de 600.000 y aun de 2.000.000 de judíos en el país. Se podía llegar a concluir que nadie sabía exactamente a quién había que catalogar como judío. En esa década también llegaron a nuestro país algunos miles de judíos alemanes, a los que en general se acogió con simpatía y compasión, a pesar de los intentos apologéticos de la prensa filofascista con respecto a la persecución que se había desencadenado en el Tercer Reich.

Resulta sintomático que la característica realmente original, para el ambiente argentino, de la ideología restauradora se diese en la síntesis de una concepción antiimperialista de raíz predominantemente izquierdista con la tesis ultraconservadora de la conspiración universal. Esta explosiva mezcla no se hallaba en otras corrientes políticas. El ambicioso objetivo de esta síntesis era ocultar las contradicciones y deficiencias de las posiciones nacionalistas en las seis áreas tensionales ya mencionadas, señalando al "verdadero" culpable de la sola existencia de todas ellas: el "judío". Aun así, el esperado movimiento de masas no surgió. Las tradiciones cristianas y liberales del país demostraron ser más fuertes de lo que los antisemitas pensaban, si bien su propaganda logró reforzar las pautas intelectuales irracionalistas y paranoides de una pequeña minoría de argentinos, lamentablemente no tan alejados de la vida literaria y pública como hubiese sido deseable.

8. *La polémica en torno a la neutralidad*

Este conflicto polarizó todas las fuerzas políticas del país y dividió muchas organizaciones que hasta 1939 parecían tener gran homogeneidad. De esta nueva situación surgieron —especialmente hacia 1942— interesantes perspectivas de coalición para los nacionalistas restauradores. En cuanto a las nuevas alineaciones mencionadas, cabe recordar que fueron aliadófilas, a partir de junio de 1940, fracciones conservadoras (Antonio Santamarina, Reynaldo Pastor), gran parte del radicalismo (siguiendo a Marcelo T. de Alvear) y prácticamente toda la izquierda (Alfredo Palacios, Nicolás Repetto, Mario

Bravo). En junio de 1941, ante la invasión de Rusia, los comunistas pasaron con decisión al campo de los Aliados. Otros sectores del conservadorismo, los radicales que seguían a Sabattini, muchos católicos y los nacionalistas de diversa tendencia fueron neutralistas, aunque también aquí las motivaciones variaban mucho de caso en caso. De todas maneras, a partir de la entrada de los Estados Unidos en la guerra, el conflicto entre intervencionistas y neutralistas desplazó a los demás problemas nacionales del centro del escenario público. La misma estabilidad del régimen de la Concordancia se vio conmovida y se formó una constelación que parecía más favorable que nunca a las aventuras políticas. Esta última tensión de la década que se estudia merece un tratamiento especial en el marco de este libro. El conflicto de dimensiones mundiales intensificó y alteró toda la problemática argentina de un modo particular, clarificando las complejas interacciones entre los factores reales e ideológicos del acontecer político. Esta polémica fue también el estímulo para la única empresa notable del nacionalismo restaurador en materia de política internacional, empresa que estuvo estrechamente relacionada con la estrategia de la "toma gradual" del poder.

La primera figura clave de los decisivos años que van de 1941 a 1943 fue sin duda el vicepresidente Ramón S. Castillo, que debió asumir la primera magistratura por la mortal dolencia del presidente Ortiz. Castillo era un neutralista pragmático, que no veía motivos convincentes para una ruptura diplomática con el Eje. Una victoria alemana parecía perfectamente posible en 1941, por lo que Castillo no quiso poner en peligro los tradicionales accesos argentinos al mercado europeo. Por otra parte, el país seguía suministrando sus productos a Gran Bretaña, en condiciones nada desventajosas para esa potencia. Sin embargo, después de Pearl Harbor, el gobierno norteamericano basó su política en el axioma de que sus intereses eran inseparables de la causa de "toda América", un supuesto que Castillo y gran parte del pueblo argentino no compartían.

El rearme del Brasil y del Uruguay, comenzado en marzo de 1941 (Ley de Préstamo y Arriendo) alteró el equilibrio de fuerzas en América del Sur y causó comprensible preocupación en nuestras Fuerzas Armadas. También ellas buscaron adquirir equipos estadounidenses, pero por compra, y sin los condicionamientos —las inspecciones norteamericanas en suelo nacional— que otros países sudamericanos habían aceptado.[467] Las relaciones con los Estados Unidos se enfriaron progresivamente. La Conferencia Interamericana de Río de Janeiro (15 de enero de 1942) agudizó la tensión, porque las posiciones de la Argentina y Chile impidieron que los Estados Unidos lograsen su objetivo originario: la inmediata ruptura de todos los Estados americanos con el Eje.

Por ese entonces Castillo descubrió que la embajada norteamericana en Buenos Aires tenía informantes en el más íntimo círculo presidencial, además de ejercer una fuerte influencia sobre la prensa opositora al gobierno. El senador Conelly llegó a amenazar con un golpe de Estado en nuestro país, si éste no abandonaba su neutralismo.[468] Muchos oficiales argentinos no descartaban la posibilidad de una acción concertada de los Estados Unidos y del Brasil contra la Argentina. Bajo la presión de esta atmósfera, el gobierno argentino intentó —infructuosamente— concretar una compra de armamento en Alemania (marzo-agosto de 1942).[469] Los rumores dramáticos circulaban también en el exterior. Así, el Ministerio Alemán de Relaciones Exteriores recibió el siguiente informe confidencial de Berna (Suiza) en setiembre de 1942:

"Un miembro de la embajada británica expresó en conversación con una persona de nuestra confianza, que pronto habría de surgir un movimiento revolucionario contra el presidente Castillo. Castillo se habría mostrado contrario a la ruptura diplomática con las potencias del Eje, siendo por ello necesario forzarlo a renunciar a través de la indignación manipulada del pueblo argentino."[470]

En el transcurso de ese año aumentó la presión norteamericana sobre los empresarios argentinos a través de las "listas negras". Las compañías estadounidenses boicoteaban a quien continuaba sosteniendo contactos comerciales o financieros con empresas alemanas. Pero la estructura imbricada de toda economía moderna hacía imposible el desarrollo de tales prácticas sin que paralelamente se viesen sensiblemente afectados los intereses argentinos. A esta guerra sorda se agregaban los pasos que dio la embajada norteamericana, solicitando al gobierno argentino que nuestro Banco Central tomase un rol activo en el boicot contra las empresas germanas e italianas; en cuanto a la prensa nacionalista, se buscaba ahogarla con medidas financieras y la pérdida de su cupo de papel racionado.

Ya en febrero de 1942 la embajada había establecido —con imprudente formulación y discutible doctrina— el principio de que los intereses económicos y políticos internos de la Argentina no podían considerarse tan importantes como los intereses bélicos de los Estados Unidos.[471] Por otra parte, desde marzo de 1942 el Board of Economic Warfare puso cada vez mayores obstáculos a los negocios de importación y exportación relativos a nuestro país. Cuatro meses después se produjeron presiones parcialmente exitosas sobre Brasil, Bolivia y Chile, con el objetivo de reducir las posibilidades comerciales de la Argentina con dichos países.[472]

Esta tensa situación ofrecía muy interesantes perspectivas a la propaganda del nacionalismo restaurador; el "antiyanquismo" de la población tenía que crecer en tales condiciones.

Decía *Cabildo*:

"El Departamento de Estado de la Unión ha resuelto agregar a la lista negra de la Argentina una nueva tanda de firmas comerciales, fábricas, imprentas (...). Nuestro país es víctima de una diplomacia coercitiva y hasta de 'chantage' (...). Esta nueva lista negra es un ultraje a la soberanía nacional."[473]

Los nacionalistas presentaron diversos argumentos en apoyo de la neutralidad, los cuales se pueden resumir en los cinco puntos que siguen. Algunos de ellos tenían un matiz ideológico fácilmente reconocible, otros enfocaban temas de indudable fuerza de convicción, más allá de posturas dogmáticas:

1) Del Eje —"fuerzas nacionales que reconstruyen su Imperio sin pedirnos nada"— no habría nada que temer. Los únicos amenazados serían los "anglosajones".[474]

2) La victoria del Eje traería como consecuencia el derrumbe de la "alta finanza" internacional. Los Aliados serían los representantes de esta última fuerza y, por eso, los "enemigos naturales" de la nación.[475] Este era el "momento de independizarnos del yugo secular británico".[476] Mientras que los aliadófilos no serían más que agentes de intereses extranjeros, los nacionalistas se declaraban adherentes del realismo político: "la política exterior no debe regirse por principios abstractos, sino por las exigencias del interés nacional".[477]

3) Los católicos deberían evaluar la causa de los Aliados también en términos teológicos, y según la interpretación nacionalista esa causa no resistía tal examen. Cristo no estaría "con el supercapitalismo inhumano", ni con la democracia "atea". En cambio el "nuevo orden" del Eje se inspiraría "en altos fines de justicia social retributiva".[478] Una victoria aliada significaría una catástrofe mundial:

"La pujanza del comunismo, en el supuesto de un triunfo ruso jamás podría ser contenida por las llamadas 'democracias' y el mundo sería dominado por esta corriente revolucionaria."[479]

4) La neutralidad era ya una tradición argentina desde los años 1914-1918; en aquel entonces con Yrigoyen, y hoy con Castillo, esta postura tendría el apoyo "de la masa del pueblo".[480]

5) Por último se mencionaban los lazos familiares que unían a muchos argentinos con Italia y España. No debía exigirse a los hijos de italianos una campaña difícil de justificar, dirigida contra el país de sus padres.[481]

La posición del gobierno de Castillo en la Conferencia de Río de Janeiro impresionó fuertemente a los nacionalistas. Conspiradores crónicos, como los generales Molina y Menéndez, advirtieron que ya no existían condiciones propicias para un golpe. Inmediatamente se produjo entre las agrupaciones nacionalistas una especie de competencia por alcanzar el beneplácito de Castillo.

A excepción del Partido Libertador y de la UCN, todas las organizaciones optaron por la estrategia de la "toma gradual" del poder, o al menos de la "gradual participación en el poder". Se buscaba lograr un pacto instrumental con el gobierno conservador. Este proceso también recibió el apoyo de la diplomacia germana. Dos semanas después de los acontecimientos de Río, la embajada informaba a Berlín lo siguiente:

> "La popularidad de Castillo [ha] crecido notablemente en el pueblo argentino. Su calificación como Defensor de la Soberanía de la Patria ya [se ha] convertido en un lema de la calle."[482]

El embajador Meynen declaró que tanto él como sus colegas italiano, español y japonés coincidían en la siguiente línea política: 1) "amplio" apoyo a Castillo; 2) pero sin presentar al presidente como si fuese "un simpatizante del nacionalsocialismo", ya que tal cosa "podría ser útil para la oposición".[483] El 9 de febrero de 1942 el Ministerio de Relaciones Exteriores del Reich asignó 150.000 marcos a una donación secreta para las necesidades de la propaganda electoral de la Concordancia.[484]

Con la bandera del neutralismo los conservadores "castillistas" obtuvieron resultados inesperadamente buenos en las elecciones de diputados del 1º de marzo de 1942. En varias provincias lograron imponerse sin fraude.[485] También las manifestaciones organizadas por el nacionalismo demostraron el eco notable que podía alcanzarse con los lemas "Neutralidad" y "Soberanía". La "Marcha de la Neutralidad" de la AJN (1º de mayo) reunió a unas 20.000 personas; el general Molina, Osés y el Ministro de Relaciones Exteriores Ruiz Guiñazú hablaron en el acto, en el cual Castillo fue vivado insistentemente. Fresco organizó dos manifestaciones por su cuenta, elogiando públicamente al presidente.[486] A fines de 1942 los dos diarios nacionalistas más destacados —*El Pampero* y *Cabildo*— lograron conjuntamente una tirada de 100.000 ejemplares, a pesar de las medidas reforzadas del boicot que les hacían las empresas británicas y estadounidenses.

La cooperación entre las agrupaciones nacionalistas, el gobierno y la embajada alemana (la cual aportaba alguna financiación) culminó con el "Plebiscito de la Paz". Después de una campaña de seis meses, los nacionalistas lograron entregarle a Castillo una declaración de apoyo a su política exterior, firmada por "casi un millón" de personas (5 de setiembre de 1942). Castillo agradeció el gesto con palabras que algunos interpretaron como una promesa o perspectiva de próxima participación del nacionalismo en el poder. El presidente habló de la "tarea del futuro", reservada especialmente a la "juventud": la conquista de la "independencia económica" del país.[487] También ese día se firmó un Acuerdo comercial hispano-argentino, en el que se fijó un notable aumento de los volúmenes del intercambio; poco después fue rubricado un tratado sobre relaciones culturales. En términos generales puede decirse que estos acuerdos correspondían a la línea de reforzamiento de los vínculos de la Hispanidad que los nacionalistas sustentaban.

Castillo no veía con malos ojos el activismo nacionalista, porque en esos momentos era útil a su política. Pero él no dio ningún paso tendiente a fomentar la cohesión orgánica de los nacionalistas: seguramente no consideraba prudente crearse un aliado demasiado vigoroso y autónomo. El presidente conservador no quería desempeñar el papel de un Papen o Hindenburg argentino, el que con gusto le hubiesen asignado los nacionalistas restauradores. En ese tiempo diversas agrupaciones oscilaban entre dos jefes enfrentados: Enrique Osés y Manuel Fresco. El primero podía apoyarse en la agresiva milicia juvenil agrupada en la AJN. Desde 1940 los seguidores del vitriólico periodista lo aclamaban como "Jefe" y "Conductor" del nacionalismo. Frecuentemente realizaba giras proselitistas por el interior del país, alternando dicha actividad con procesos y detenciones ocasionados por sus injurias a diversas personalidades de la vida pública. El estilo del "Primer Camarada", que saludaba siempre con el brazo extendido, y sus ataques verbales al conservadorismo inquietaban al presidente.[488] El problema de la candidatura oficialista para las elecciones presidenciales de setiembre de 1943 comenzó a ocupar el centro de la escena. La oposición izquierdista y liberal buscaba un candidato común, si bien era un secreto a voces que la Concordancia volvería a poner su probado aparato del fraude en acción, reduciendo a un mínimo las posibilidades de sus adversarios.

Manuel Fresco y su partido mantenían buenos contactos con Castillo, alimentando por consiguiente grandes esperanzas. En la embajada de Alemania se valoraba a Osés por sus dotes de agitador, pero Fresco gozaba de mayor prestigio. En setiembre de 1942 Meynen consideró posible la candidatura presidencial de Fresco, basada en una coalición nacionalista-conservadora con la bendición del doctor Castillo.

Sobre el ex gobernador de Buenos Aires decía el diplomático germano en su informe:

"Fuerte personalidad, jefe de un movimiento nacionalista que en sus objetivos se aproxima al nacionalsocialismo; apoya la política de Castillo, aunque seguramente sólo como maniobra provisoria. Su (...) mal gobernada provincia de Buenos Aires le ha hecho perder muchas simpatías. Por eso su séquito [es] actualmente reducido, aunque últimamente [se advierte] un renovado crecimiento. A pesar de todos sus errores [es] quizá un hombre del futuro. Mantiene buenas relaciones con nosotros."[489]

Carlos Ibarguren (padre), Alberto Uriburu, el almirante Scasso y el Ministro de Relaciones Exteriores Ruiz Guiñazú también eran vistos con agrado como posibles candidatos por los alemanes, pero su conclusión era que "lo mejor para Alemania" sería la "reelección de Castillo". Fresco aceptó esta solución de transición y comenzó a difundir en todos sus discursos el lema de que era legalmente posible y políticamente deseable la reelección del presidente. Para el período 1944-1950 esbozó un gabinete que representaba con exactitud la comunidad de intereses que por ese entonces unía a los nacionalistas restauradores con Castillo y la diplomacia alemana. El gabinete futuro excluiría a todo aliadófilo, lo que implicaba el alejamiento de Culaciati del Ministerio del Interior, bastión clave que recaería en el propio Fresco. Otros cuatro del total de ocho ministerios serían ocupados por personalidades del nacionalismo: Relaciones Exteriores (Ruiz Guiñazú), Guerra (general Pedro P. Ramírez), Marina (almirante Scasso) y Justicia e Instrucción Pública (Carlos Ibarguren).[490]

El viaje del periodista Juan Carlos Goyeneche a Alemania estuvo relacionado con estos planes. Algo se ha dicho sobre esto en las páginas 179-184. A través de Goyeneche un grupo de nacionalistas restauradores trató de establecer contacto directo con los dignatarios más encumbrados del Tercer Reich, lo cual habría dado a dicha fracción una posición fuerte para influir en Castillo o en su aún ignoto sucesor. En febrero de 1942 Goyeneche había viajado a España y luego visitó otros países europeos en su calidad de corresponsal de *Cabildo*. Entrevistó a Pétain, Laval, Mussolini, Pío XII, Goebbels, Ribbentrop y Himmler. Entre 1943 y 1946 estudió en la Universidad de Madrid, y finalmente regresó a la Argentina.

Pero Goyeneche fue algo más que un simple periodista. El 30 de noviembre de 1942 mantuvo una conversación altamente confidencial con Ribbentrop, el Ministro de Relaciones Exteriores alemán, y en enero de 1943 otra con Schellenberg, miembro destacado del "Sicherheitsdienst" (SD : Servicio de Seguridad de la SS) y Director del Servicio Exterior de Inteligencia en el "Reichssicherheitshauptamt" (Departamento Superior de Seguridad del Estado). Goyeneche le planteó a Ribbentrop los siguientes interrogantes:

"1. (...) Si Alemania estaba interesada en una reanudación de su comercio transoceánico después de terminada la guerra, así como en la compra de productos argentinos.

2. ¿Reconoce Alemania el derecho argentino sobre las Islas Falkland [esto es, las Islas Malvinas], ilegalmente ocupadas por Inglaterra?"[491]

El canciller germano dio respuestas muy agradables. Alemania lo compraría "todo" después de la guerra:

"Si Argentina mantiene su actual postura, tendrá gran ventaja justamente frente a otros países que no han asumido tal actitud [neutralista]."[492]

En cuanto a las Malvinas, el Reich veía los reclamos argentinos "con la mayor simpatía". A continuación, Ribbentrop desarrolló las tesis alemanas relativas a la guerra: Alemania luchaba "por la conservación de la totalidad de la cultura occidental". No ocurriría así en el continente americano:

"Roosevelt utiliza esta guerra para realizar sus intenciones imperialistas en América (...): la conquista de todo un continente (...). Por eso nosotros hemos seguido con gran interés y admiración la clara posición argentina frente a las intenciones de Roosevelt. Esta es también la opinión del Führer. (...) Argentina tiene que establecer un frente duro contra Roosevelt."[493]

Goyeneche declaró que "la juventud argentina" luchaba desde hacía años "en la misma línea". La situación política interna de nuestro país aún no era muy clara, pero Castillo buscaba un candidato "que le pudiese garantizar el mantenimiento de la actual postura política de la Argentina".

En diciembre de 1942 Goyeneche escribió un extenso informe para la Sección Informaciones del Ministerio de Relaciones Exteriores de Alemania, en el cual puntualizaba los siguientes deseos de los nacionalistas que decía representar: 1) El gobierno del Reich debía presentarles a ellos y al gobierno argentino un "plan detallado" sobre el aporte germano —una vez terminada la guerra— al "desarrollo industrial" y a la "total y definitiva independencia económica" de la Argentina. 2) Se esperaba una declaración "oficial" alemana relativa a los derechos argentinos sobre las Malvinas. 3) Alemania debía apoyar la profundización de las relaciones hispanoargentinas, prerrequisito indispensable para el surgimiento de un verdadero frente hispanoamericano contra "los avances imperialistas de Norteamérica". 4) Con ayuda alemana debía crearse una empresa hispano-portuguesa-argentina de aeronavegación. 5) La "juventud nacionalista" necesitaría "palabras oficiales del Führer" para reforzar su moral. Quizá el Führer les concedería algún párrafo en un discurso, reconociendo a la Argentina y a Chile como dos auténticas naciones, "con derecho a un gran porvenir". Porque

"En la postguerra puede ser de vital interés para Alemania, poseer en América una nación amiga que sea fuerte y en proceso de desarrollo."[494]

6) El gobierno alemán debía informar al argentino, a través de Goyeneche, si estaba realmente dispuesto a proporcionar "una significativa ayuda financiera" al candidato de Castillo para la campaña que culminaría en las elecciones de setiembre de 1943. Además de eso, Goyeneche y sus correligionarios querían fundar una versión argentina del *Reader's Digest*, con ayuda alemana, cuyo objetivo sería la "bien disimulada" propaganda a favor del "Nuevo Orden" en toda América Latina. También se hacía notar la necesidad de "aparatos de radio" y otros equipos para "la formación de jóvenes oradores" argentinos. Goyeneche repitió las exigencias 4, 5 y 6 en su posterior charla con Schellenberg, quien las derivó hacia el Ministerio de Relaciones Exteriores.[495] Allí no hubo una reacción muy positiva ante esta intromisión del funcionario del SD, pero se le informó que ya había habido una decisión favorable con respecto a la cuestión de la ayuda: "La asignación de los medios financieros necesarios ya ha sido dispuesta".[496] La publicación de la revista (finalmente no se efectivizó) también había sido aprobada en principio.

¿Con cuáles círculos argentinos mantenía contacto Goyeneche? De la documentación del Ministerio alemán de Relaciones Exteriores se desprende que su contacto directo con el gobierno argentino lo lograba a través de su amigo y colaborador en *Sol y Luna*, Mario O. Amadeo, quien entre 1941 y 1943 se desempeñó como Secretario de Asuntos Internos en el Ministerio de Relaciones Exteriores de nuestro país. También la Embajada alemana en Buenos Aires se ocupaba de informar al canciller Ruiz Guiñazú y al presidente Castillo sobre las gestiones de Goyeneche en Alemania. El periodista se presentó como representante de "la juventud nacionalista", especialmente de los sectores nucleados en torno a *Sol y Luna* y *Nueva Política*. Allí escribían muchos de los teóricos más prestigiosos del nacionalismo restaurador, respetados por otra parte en las filas de la Alianza. No sabemos cuál era el candidato que estos grupos deseaban para la sucesión presidencial; quizás se trataba del almirante León Scasso, quien estaba enterado de la misión de Goyeneche y que gozaba además de la relevancia pública derivada de su reciente desempeño como Ministro de Marina (1938-1940).[497]

El curso de la guerra y los acontecimientos en nuestro país superaron las gestiones de Goyeneche. Ya en diciembre de 1942 la Embajada alemana debió comprobar, con preocupación, que el gobierno argentino mostraba "un comienzo de duda en lo referente al triunfo final del Eje".[498] El 17 de febrero de 1943 —dos semanas después de la capitulación alemana en Stalingrado— se supo que Castillo se había decidido a sostener la candidatura del parlamentario conservador Robustiano Patrón Costas. El embajador británico definía a este hombre como "un miembro representativo del sector pro aliado de los terra-

tenientes".[499] No ignoraban esto los diplomáticos germanos. Su
única posibilidad restante era aferrarse a la esperanza de que Patrón
Costas resultase "influenciable hasta un cierto grado". Pero entre los
nacionalistas cundió la desilusión y la indignación, porque con este
candidato quedaba destruido su proyecto de una progresiva y
creciente participación en el poder.

Las entrevistas de Goyeneche con dignatarios del Tercer Reich
han jugado un cierto papel en la polémica sobre el carácter heteró-
nomo del nacionalismo argentino. En febrero de 1946 el gobierno de
los Estados Unidos publicó en su *Blue Book* por primera vez una
brevísima e incompleta versión de estos hechos, dando a entender
que Goyeneche y Amadeo no eran más que espías o agentes del SD
alemán.[500] Consecuentemente muchos opositores del nacionalismo
hablaron de "traición", sintiéndose confirmados en su creencia, de
que el nacionalismo no era sino una "quinta columna" germana. Hoy
puede decirse que las fuentes no permiten tal interpretación. Goyeneche no representaba la totalidad del nacionalismo argentino y ni
siquiera la de la tendencia restauradora; no hay constancia alguna de
que haya entregado a las autoridades alemanas información secreta,
sea relativa a nuestro país, sea de origen aliado; finalmente no puede
sostenerse que planeaba "vender" o "entregar" intereses nacionales a
otra potencia. Sus acciones pertenecen a la categoría de la diplomacia secreta de tipo semioficial y surgieron de la convicción sincera de
que los intereses argentinos estaban mejor servidos con un acercamiento al Reich, que con una posición aliadófila. La realidad demostró que este era un error político, que no es lo mismo que una "traición". Por otra parte, es innegable que todo ello ocurrió en el marco
de un movimiento que, por razones ideológicas, tenía grandes simpatías por los regímenes fascistas. Estas últimas fueron expresadas
por el propio Goyeneche en 1946, aunque en su "Respuesta" al
Libro Azul también distorsionó la realidad al pretender que sus entrevistas tuvieron carácter "exclusivamente particular".[501] Si ese
hubiera sido el caso, no tendrían sentido las frases que contiene un
telegrama suyo a M. Amadeo (febrero de 1943). Allí dijo lo
siguiente: "Yo actúo con cuidado y soy discreto. Conozco mi responsabilidad y mi riesgo".[502]

¿Un fascismo argentino?

A esta altura de la narración se puede responder con la exactitud
necesaria la pregunta relativa al carácter fascista del nacionalismo restaurador. Para ello debe tomarse como referencia el esquema analíti-
co que presenta la Primera Parte de este libro. Junto a los modelos

básicos —Italia y Alemania— se mencionarán en determinados casos otros movimientos fascistas de Europa a los fines de la comparación. La Falange española ocupa aquí un lugar muy especial, dada la influencia innegable que ejerció sobre los nacionalistas argentinos.

De las cuatro condiciones genéticas del fascismo —guerra perdida o victoria "mutilada"; peligro izquierdista; debilidad de las instituciones y tradiciones democráticas y liberales; crisis económica— faltaba en nuestro país la primera. Para el surgimiento y desarrollo de la tendencia restauradora fueron decisivos el temor al "bolchevismo" y la crisis mundial de 1929-1930. A ello puede agregarse la circunstancia de que el nacionalismo posterior vivió basado en el recuerdo nostálgico del primer intento fallido: la dictadura del general Uriburu. En todas estas características se da una notable similitud con la génesis de la Falange, la cual también fue, en cierto modo, la continuación radicalizada de la tendencia inaugurada por la dictadura del general Miguel Primo de Rivera en los años veinte. En cuanto a las tradiciones liberales y democráticas, puede decirse que en la Argentina eran relativamente fuertes en sus manifestaciones formales, aunque débiles en la sustancia. Esta particular tensión se hizo muy evidente en la seudolegalidad de la "década infame". A pesar de todo ello, para los argentinos no resultaba tan convincente —como lo era para muchos alemanes e italianos resentidos— la prédica de un movimiento político que intentaba explicar todos los problemas, derrotas y carencias como consecuencia de la institución parlamentaria y del sufragio.

Si se revisan las raíces sociales y psicológicas, se observa que en el caso argentino no existía un potencial para las manifestaciones extremas de la conducta política que pudiera compararse al tremendo nivel de Alemania, Italia y España. Por su composición hay similitud entre el núcleo del nacionalismo restaurador y los fascismos europeos: lo formaban grupos urbanos, predominantemente juveniles, de académicos, estudiantes, periodistas y otros miembros de las profesiones sin o con débil relación de dependencia. También en la Argentina podía detectarse la presencia de una autoconciencia de clase media que, bajo las condiciones de la crisis económica, sufría la presión creciente de frustraciones y aun de complejos de angustia y odio. Pero no aparecían estos fenómenos con la extraordinaria intensidad que caracterizó en Italia y Alemania al tipo del "miles furiosus" (ex combatiente airado), tal como se expresó en los *arditi* peninsulares y los *Freikorps* (cuerpos francos) germanos. Los equipos de conducción y los activistas de las agrupaciones argentinas estaban integrados, en una proporción muy considerable, por un elemento humano que no predominaba en los equivalentes europeos, es decir, por personas que llevaban, sin rupturas, una existencia más o menos "burguesa" o socialmente adaptada al medio. Parte de los jefes nacionalistas también tenía relaciones familiares con los estratos altos de la sociedad argentina.

En el área de la ideología, el caso argentino muestra todas las características fascistas. Aquí no adquirió un desarrollo tan virulento la tendencia irracionalista y vitalista. El predominio de un ultratradicionalismo católico correspondía mucho más al modelo franco-falangista o al "austrofascismo" de Dollfuss. En un sentido más amplio también pueden encontrarse en esta politización de concepciones religiosas ciertas similitudes con la Guardia de Hierro rumana. La dependencia del nacionalismo restaurador con respecto a sus modelos europeos fue un proceso consciente e intenso, a través del cual el movimiento se alejó cada vez más de las realidades de la vida argentina. Me refiero aquí en especial al antisemitismo sorprendentemente ideologizado, que dio a la imagen del enemigo el sello inconfundible del "fascismo radical". Objetivos fundamentales de los fascismos europeos, tales como el Estado tendencialmente totalitario, el corporativismo en una economía dirigida y la coordinación autoritaria de la vida cultural, también podían hallarse en la programática de los restauradores argentinos. Faltaban la propaganda del "espacio vital" y el expansionismo militar; estos elementos no podían surgir en las condiciones sudamericanas. En cuanto a la idea de la Confederación —rioplatense o iberoamericana— no era privativa del nacionalismo; muchos demócratas y socialistas la compartían, ubicándola en un contexto ideológico totalmente diferente. Para los restauradores ese ideal siempre ocupó un rango secundario, sin adquirir fuerza ni precisión. No mucho más puede decirse de la idea de Hispanidad, si bien ella contenía un cierto potencial conflictivo a nivel internacional.

Después de la victoria de Franco en España podía fácilmente conjeturarse que el lema hispanista podía ser manipulado con el fin de lograr la fundación de una "Internacional" iberoamericana, integrada por organizaciones antidemocráticas de extrema derecha que aspiraban a establecer regímenes de corte falangista en sus respectivos países. En la práctica esto no se produjo, aunque fascistas brasileños como Plinio Salgado acariciaban ese proyecto.

En lo relativo a las modalidades de la organización, las agrupaciones argentinas imitaron preferentemente al fascismo italiano. Pero como finalmente no logró imponerse un único líder ni un gran partido hegemónico, el panorama mostraba un gran parecido con el desgarramiento del fascismo francés. Algunos grupos argentinos —LCA, LN y AJN— lograron organizar milicias uniformadas (con camisa gris y correaje). También se generalizó el saludo fascista. La impresión plástica e ideológica que causaban las manifestaciones de estos núcleos puede caracterizarse bastante bien con los siguientes párrafos de un discurso de Queraltó, jefe de la AJN:

"Nuestro saludo, la mano en alto, tiene para nosotros un doble significado: la tradición del juramento de la independencia y la comunidad del gesto con todas las fuerzas contemporáneas que realizan la gran revolución destinada a imponer un nuevo estilo ascendente de la vida por la justicia social."[503]

Estas milicias, parcialmente armadas con pistolas y cachiporras, jamás llegaron a desplegar un potencial para la guerra civil que se acercase a la peligrosidad de sus modelos europeos, las *squadre* de Mussolini y las *Sturmabteilungen* (destacamentos de asalto) de Hitler. Es que los escuadristas argentinos carecían de la terrible y deformante experiencia de la guerra de trincheras (1914-1918). En otro orden de cosas, cabe señalar que, a diferencia de los casos europeos, el grueso del nacionalismo restaurador no hizo ninguna concesión táctica al sistema democrático. En su frontal oposición a todo lo que estuviese relacionado con las elecciones, estos agrupamientos siguieron la pauta protofascista que encarnó la Action Française.

El nacionalismo restaurador no llegó a cumplir la etapa de la "toma del poder". Más bien se produjo una situación que puede definirse como instrumentación parcial del movimiento por otra fuerza política. Merkl ha comprobado esto en varios casos de pequeños movimientos fascistas europeos:

"En una serie de casos (...), los movimientos fascistas fueron el instrumento y los satélites de partidos conservadores 'respetables', que los usaban contra sus enemigos socialistas —o de otra tendencia—, mientras mantenían sus propias manos limpias de toda violencia. Esto parece haber sido particularmente cierto en el caso del movimiento finlandés 'Lapua' (...)."[504]

La seudodemocracia oligárquica de la Concordancia era un régimen al que los continuadores del uriburismo estuvieron unidos por muchos lazos. En esencia, la policía y las milicias nacionalistas luchaban contra los mismos adversarios: radicales, socialistas y comunistas. Pero la represión oficial y el fraude electoral funcionaron tan bien, que las fuerzas conservadoras no desearon —como en Italia (1922) y Alemania (1932-1933)— la llegada del hombre fuerte fascista que salvase "el orden".

Las condiciones históricas que despertaron ese deseo en los países europeos mencionados no se dieron en la Argentina de esos años.

Después de esta revisión comparada de las diversas características del nacionalismo restaurador argentino, no puede negarse que se trató, en lo fundamental, de un movimiento fascista. Si se toma en cuenta la multiplicidad de las agrupaciones y la individualidad de algunos ideólogos, pueden hacerse diferenciaciones adicionales. Mientras que organizaciones como LR, PL y Renovación sólo deberían ser catalogadas como formaciones proto y semifascistas, se encuentra encarnado el fenómeno fascista "típico" o "normal" en grupos como LCA, LN, UNES-AJN, AA y UNF. En Restauración y UNA-Patria se advierten oscilaciones entre las dos categorías citadas. Hombres como Osés y Silveyra se acercan mucho al "fascismo radical" (nacionalsocialismo) a través de su virulento antisemitismo y su no menos extrema admiración por Hitler y su obra. En muchos rasgos genéticos, ideológicos y orgánicos existió una notable similitud entre el nacionalismo restaurador, la Falange española y los fascistas franceses. De todas maneras, lo cierto es que los nacionalistas de derecha de nuestro país se interpretaban a sí mismos como una versión autónoma del fenómeno universal fascista, en su característica combinación entre elementos ultraderechistas e izquierdistas:

"Vemos en el fascismo como novedad política del siglo la realización de esa síntesis maravillosa de reacción y revolución que es su significado permanente."[505]

NOTAS

[1] Detalles sobre el movimiento y sus representantes más destacados pueden verse en M. Navarro Gerassi: *Los nacionalistas*, Buenos Aires, 1969; E. Zuleta Alvarez: *El Nacionalismo Argentino*, Buenos Aires, 1975 (2 vols.); así como en *Quién es quién en la Argentina* (QQ) Buenos Aires (especialmente los años 1941 y 1943).

[2] Entre 1932 y 1936 el número de afiliados a la LCA osciló entre 6000 y 10.000; la ANA parece haber alcanzado los 15.000 miembros hacia 1934, pero luego se produjo una declinación.

[3] J. P. Ramos había publicado libros sobre derecho penal y educación. En 1924 visitó a Roma y se llevó una gran impresión del flamante gobierno fascista. En 1931 Uriburu lo designó como delegado para la Decimoquinta Conferencia Internacional sobre Cuestiones Laborales (QQ, 1941, pág. 534).

[4] V. recuerdos de S. Díaz Vieyra en E. Samyn Ducó: *Universalidad del Nacionalismo*, Buenos Aires, 1978, pág. 122.

[5] V. datos biográficos en *Criterio*, N° 1857 (9 de abril de 1981), pág. 181.

[6] Véase L. Castellani: *Decíamos ayer*, Buenos Aires, 1968, págs. 41-45.

[7] Carlos Ibarguren: "La Inquietud de esta hora", en Biblioteca del Pensamiento Nacionalista Argentino (BPNA VI), págs. 34-35.

[8] Véase *Crisol*, 10 de agosto de 1934.

[9] Ibid., 12 de diciembre de 1935.

[10] Julio Meinvielle: "Concepción católica de la Política", Buenos Aires, 1974, en BPNA III, pág. 106.

[11] Ibid., págs. 21-22. Similares concepciones se encuentran en J. Bargallo

Cirio: *Sociedad y Persona*, Buenos Aires, 1943; y Tomás Casares: *La justicia y el derecho*, Buenos Aires, 1935.

[12 y 13] *Baluarte*, Nº 12, mayo de 1933, y Nº 22, setiembre-octubre de 1934.

[14] Véase Enrique P. Osés: *Medios y fines del Nacionalismo*, Buenos Aires, 1968 (1a. ed. 1941), pág. 40; y B. Lastra: *Bajo el signo nacionalista*, Buenos Aires, 1944, págs. 41-54.

[15] *Sol y Luna*, Nº 5, 1940, en J. C. Goyeneche: "Ensayos, artículos, discursos", Buenos Aires, 1976, en BPNA IX, pág. 148. En el mismo tono: las obras de Jordán Bruno Genta.

[16] V. "El poeta y la República de Platón", en *Sol y Luna*, Nº 1, 1938, págs. 119-123; y "Sobre la inteligencia argentina", en *Nueva Política*, Nº 4, setiembre de 1940, págs. 5-7.

[17] Véase J. B. Genta: "La formación de la inteligencia ético-política del militar argentino", Buenos Aires, 1941 o en BPNA VII, págs. 36-55.

[18] J. B. Genta: "La función militar en la existencia de la libertad", 30 de junio de 1943, en BPNA VII, págs. 58-77.

[19] Citas de dos discursos de N. de Anquín (*Crisol*, 12 de setiembre y 10 de noviembre de 1936).

[20] A. Ezcurra Medrano: *Catolicismo y Nacionalismo*, Bs. As., 1939, pág. 52.

[21] Julio Irazusta: "El Liberalismo y el Socialismo...", 1932, en BPNA II, pág. 347.

[22] Julio Meinvielle: "Los tres pueblos bíblicos en su lucha por la dominación del mundo", Buenos Aires, 1974, en BPNA III, pág. 253.

[23] Ibid., pág. 256.

[24] J. Meinvielle: *El Judío*, Bs. As., 1963 (1a. ed. 1936), págs. 31, 59 y 73.

[25] Véanse págs. 58-60 y 65-68 de esta obra.

[26] Carlos Ibarguren: op. cit., Buenos Aires, 1975, en BPNA VI, pág. 54.

[27] H. Llambías: "El Pueblo", en *Baluarte*, Nº 19, marzo-abril de 1934.

[28] J. B. Genta: "La función militar...", en BPNA VII, págs. 70-71.

[29 y 30] "La Ley del Caudillo", en *Nueva Política*, Nº 12, junio de 1941.

[31] V. *Crisol*, 4 de octubre y 10 de noviembre de 1936.

[32] Véase Marcelo Sánchez Sorondo: *La clase dirigente y la crisis del Régimen*, Buenos Aires, 1941, págs. 19-21 y 45.

[33] Véanse págs. 61-62 de esta obra.

[34] Julio Meinvielle: "Concepción católica de la Política", Buenos Aires, 1974, en BPNA III, pág. 90.

[35] J. Meinvielle: *Concepción Católica de la Economía*, Buenos Aires, 1936, pág. 17. La misma idea se encuentra en M. Colombres Garmendia: "La Iglesia y la Cuestión Social", en *Baluarte*, Nº 18, enero-febrero de 1934.

[36] J. Meinvielle: "Los judíos y la espada", en *Crisol*, 10 de setiembre de 1936.

[37] Véase A. Ezcurra Medrano: op. cit., págs. 9-10.

[38] W. Degreff: *Judiadas*, Buenos Aires, 1936, págs. 83-84.

[39] Juan C. Villagra: "Inteligencia", en *Baluarte*, N? 12, mayo de 1933.

[40] "La recuperación de nuestra Historia", en *Nueva Política*, N? 1, junio de 1940.

[41] B. Lastra: *Bajo el signo nacionalista*, Buenos Aires, 1944, pág. 53.

[42] Véanse págs. 45-51 de esta obra.

[43] Enzo Valenti Ferro: *La Crisis Social y Política Argentina*, Buenos Aires, 1937, pág. 53.

[44] "Política de Dios", en *Baluarte*, N? 17, noviembre-diciembre de 1933.

[45] Julio Irazusta: *Ensayo sobre Rosas*, págs. 28-29. En lo referente a la utilidad pedagógica nacional de este modelo véase "Dificultades espirituales de la Revolución Argentina", en *Nuevo Orden*, N? 32, 19 de febrero de 1941, en BPNA II, págs. 157-160.

[46] J. Irazusta: *Ensayo...*, pág. 90.

[47] V. "Rosas y la tradición hispanoamericana" (junio de 1942), en Federico Ibarguren: *Avivando brasas*, Buenos Aires, 1957, págs. 107-136.

[48] J. Meinvielle: "Concepción católica de la Política" y "Los tres pueblos bíblicos en su lucha por la dominación del mundo", Buenos Aires, 1974, en BPNA III, págs. 90 y 277.

[49] "Integración y desintegración social", en *Arx*, N? 2, 1934, pág. 290.

[50] Ibid., págs. 294-295.

[51] Ibid., pág. 305.

[52] W. Degreff: *Judiadas*, Buenos Aires, 1936, págs. 61-62.

[53] V. *Crisol*, 10 de abril de 1935.

[54] Discurso a los nacionalistas de Buenos Aires, en Manuel Fresco: *Conversando con el pueblo*, Buenos Aires, 1938, págs. 63-64. También M. Fresco: *Ideario Nacionalista*, Buenos Aires, 1943, pág. 234.

[55] Véase Carlos Ibarguren: "La Inquietud...", en BPNA VI, pág. 104.

[56] Julio Meinvielle: "Concepción católica de la Política", en BPNA III, págs. 98-99 y 105.

[57] V. "Prólogo" de E. Valenti Ferro: *La Crisis Social...*, pág. 35. Conceptos similares en Alejandro Ruiz Guiñazú: *La Argentina ante sí misma*, Buenos Aires, 1942, págs. 50-59.

[58] E. Valenti Ferro: *La Crisis Social...*, pág. 23. Véase también T. Otero Oliva: *Entre qué gente estamos y adónde vamos*, Buenos Aires, 1935, pág. 231.

[59] E. Valenti Ferro: *La Crisis Social...*, pág. 43. Esta cifra absurda ya fue utilizada por el general Uriburu.

[60] *Clarinada*, N° 4, agosto de 1937 ("Qué es la democracia").

[61] Carlos Ibarguren (h.): *Roberto de Laferrère. Periodismo-Política-Historia*, Buenos Aires, 1970, págs. 68-71.

[62] Manuel Fresco: *Conversando...*, págs. 72 y 113.

[63] V. *Crisol*, 7 de febrero y 31 de mayo de 1934.

[64] "Nueva Política", marzo de 1942, en Marcelo Sánchez Sorondo: *La Revolución que anunciamos*, Buenos Aires, 1945, pág. 186.

[65] V. "Nuestra misión de hispanidad", en B. Lastra: *Bajo el signo nacionalista*, págs. 105-121.

[66] Carlos Ibarguren: "La Inquietud...", en BPNA VI, págs. 38 y 46.

[67] Julio Meinvielle: "Concepción católica...", en BPNA III, pág. 146.

[68] *Crisol*, 23 de octubre de 1934.

[69] "Por qué debe combatirse la democracia liberal", en *Clarinada*, 6 de octubre de 1937.

[70] "Liberalismo subrepticio y libertad cristiana", en *Nueva Política*, N° 10, marzo de 1941, págs. 6-11.

[71] "Manifiesto de la Guardia Argentina", cit. en A. Ezcurra Medrano: op. cit., pág. 68.

[72] E. Valenti Ferro: *La Crisis Social...*, pág. 93. Véase también I. B. Anzoátegui: *Vidas de Muertos*, Buenos Aires, 1940, pág. 156.

[73] E. Valenti Ferro: *La Crisis Social...*, pág. 100.

[74] V. "La realidad democrática en la Argentina", en *Sol y Luna*, N° 6, 1941, págs. 133-147.

[75] V. "Una fuerza nueva y distinta...", en *Crisol*, 16 de octubre de 1936. La misma tesis en B. Lastra: *Bajo el signo nacionalista*, Buenos Aires, 1944, pág. 63 (discurso a la AJN, 29 de abril de 1942).

[76] Véase Ramón Doll: "Hacia la liberación" e "Itinerario de la Revolución Rusa", en BPNA V, págs. 381-382 y 275-276.

[77] Véase R. Doll: "Acerca de una política nacional", en BPNA V, págs. 41-42.

[78] Véase E. Zuleta Alvarez: *El Nacionalismo...*, I, págs. 368-369.

[79] *Nuevo Orden*, N° 36, 19 de marzo de 1941, cit. en E. Zuleta: *El Nacionalismo...*, I, págs. 366-367.

[80] Ibid., pág. 394.

[81, 82 y 84] V. "Manifiesto de la Guardia Argentina" (12 de agosto de 1933), en F. Ibarguren: *Orígenes del Nacionalismo Argentino, 1927-1937*, Buenos Aires, 1969, págs. 187-192.

[83] V. "Manifiesto de la LR", en C. Ibarguren (h.): *Roberto de Laferrère...*, pág. 68.

[85] Véase la crítica del Tratado Roca-Runciman, en Rodolfo y Julio Irazus-

ta: *La Argentina y el imperialismo británico. Los eslabones de una cadena, 1806-1933,* Buenos Aires, 1934, 1a. Parte.

[86] Ibid., pág. 80.

[87 y 89] V. ibid., 3a. Parte, Cap. 5.

[88] Ibid., pág. 199.

[90] V. *Baluarte,* N° 21, julio-agosto de 1934, págs. 60-64.

[91] Véase R. Irazusta: "Las críticas al Tratado", en *Crisol,* 17 de agosto de 1933.

[92] E. Valenti Ferro: *La Crisis Social...,* pág. 46.

[93] E. Valenti Ferro: *Qué quieren los nacionalistas,* Buenos Aires, 1934, págs. 94-95.

[94] Véase M. Fresco: *Conversando con el pueblo,* págs. 100 y 365; M. Fresco: *Ideario nacionalista,* pág. 167.

[95] Véase T. Otero Oliva: *Entre qué gente estamos...,* págs. 147-148 y 156.

[96] V. "A propósito del Radicalismo", en *Nueva Política,* N° 5, octubre de 1940, págs. 12-21.

[97] J. Meinvielle: *Concepción católica de la Economía,* Buenos Aires, 1936, pág. 40.

[98] Ibid., págs. 24-26, 29, 115-118. También puede verse "La economía católica y la economía moderna", en *Baluarte,* N° 21, julio-agosto de 1934.

[99] Véase W. Degreff: *Judiadas,* págs. 94-96.

[100] V. *Crisol,* 18 de setiembre de 1940.

[101] E. Valenti Ferro: *Qué quieren...,* pág. 29.

[102] V. "Manifiesto de la LR", en C. Ibarguren (h.): *Roberto de Laferrère...,* págs. 68-69; E. Valenti Ferro: *La Crisis Social...,* págs. 88-89, y M. Fresco: *Conversando...,* pág. 71.

[103] J. Meinvielle: *Concepción católica de la Economía,* pág. 220.

[104] J. Meinvielle: "Concepción católica de la Política", en BPNA III, págs. 92-94.

[105] Véase J. Irazusta: "El Liberalismo y el Socialismo...", en BPNA II, págs. 340-341.

[106] Editorial en *Crisol,* 18 de julio de 1936.

[107] Véase F. Ibarguren: *Orígenes del Nacionalismo...,* págs. 200-201 y 303-304.

[108] *Crisol,* 9 de marzo de 1934.

[109] *Crisol,* 28 de junio de 1934.

[110] *Crisol,* 3 de diciembre de 1935.

[111] M. Fresco: *Conversando...,* pág. 73.

[112] R. Doll: "Itinerario...", BPNA V, pág. 342.

[113] Matías Sánchez Sorondo: "Represión del Comunismo. Informe y Réplica" (Senado de la Nación), Buenos Aires, 1937, págs. 152 y 183. Recordamos las siglas de las entidades sindicales de esa época. Además de la CGT existían la FORA (Federación Obrera Regional Argentina), el CCS (Comité Central Sindical), la USA (Unión Sindical Argentina) y la COA (Confederación Obrera Argentina).

[114] V. "La economía católica y...", en *Baluarte*, N° 21, julio-agosto de 1934.

[115] BPNA III, pág. 179.

[116] R. Doll: "Itinerario...", en BPNA V, pág. 242.

[117] Cit. en E. Valenti Ferro: *Qué quieren...*, pág. 31.

[118] J. Meinvielle: *El judío*, Buenos Aires, 1963 (1a. ed. 1936), págs. 28-30.

[119] Ibid., págs. 31 y 51.

[120] Ibid., pág. 58.

[121] Ibid., pág. 87. También J. Meinvielle: *Concepción católica de la Economía*, págs. 131 y 155-159, con citas de W. Sombart.

[122] J. Meinvielle: "Los tres pueblos...", en BPNA III, pág. 283.

[123] J. Meinvielle: *El judío*, pág. 12.

[124] Véase Hugo Wast (Gustavo Martínez Zuviría): *Oro*, Buenos Aires, 1955 (1a. ed. 1935), págs. 57-58.

[125] H. Wast: *Buenos Aires, futura Babilonia*, Buenos Aires, 1935, págs. 38-39.

[126] V. *Crisol*, 23 de enero de 1935 y 17 de julio de 1936. Sobre la organización mencionada en relación con esta colaboradora de *Crisol*, pueden recordarse los siguientes datos: en 1931 se fundó en Manchuria el Partido Fascista Ruso, dirigido por K. Rodzaewski; luego, emigrantes "blancos" fundan otro partido similar en los EE.UU., bajo la dirección de A. Vonsjacki. En 1934 se unifican las dos organizaciones como Partido Fascista Panruso. Este tuvo secciones en muchos países, entre ellos el nuestro.

[127] W. Degreff: *Judiadas*, págs. 11-12.

[128] V. Filippo: *Los judíos*, Buenos Aires, 1939, págs. 83-84.

[129] V. *Crisol*, 8 de agosto de 1934, 3 de diciembre de 1935 y 24 de julio de 1936.

[130] Véase R. Doll: "Acerca de una política nacional" e "Itinerario de la Revolución Rusa", en BPNA V, págs. 59 y 332.

[131] R. Doll: "Hacia la Liberación", en BPNA V, págs. 359 y 361.

[132] Ibid., págs. 356, 365, 394 y 218.

[133] Véase V. Filippo: *Los judíos*, págs. 67-68.

[134] Ibid., pág. 92.

[135] "Nuestros propósitos", en *Clarinada*, N° 1, mayo de 1937.

[136] V. artículos sobre los "Protocolos", en *Crisol*, 8 de noviembre de 1934, 12 de enero de 1935 y 1º de febrero de 1938.

[137] Véase W. Degreff: *Sión, el último imperialismo*, Buenos Aires, 1937, págs. 61-69.

[138] V. *Clarinada*, Nº 4, agosto de 1937.

[139] "Antigüedad del antijudaísmo en el Río de la Plata", en *Nueva Política*, Nº 20, marzo de 1942.

[140] Véase W. Degreff: *Judiadas*, págs. 29-30, 32-33 y 147.

[141] *Crisol*, 1º de setiembre de 1934.

[142] *Crisol*, 17 de setiembre de 1936.

[143] Véanse págs. 62-65 de esta obra.

[144] Véase J. P. Ramos: "Democracia Nueva" (Cuaderno Adunista Nº 1), Buenos Aires, 1932, págs. 8-9.

[145] Ibid., págs. 9-11.

[146] A. Bonorino en una audición radial (*Crisol*, 6 de junio de 1934).

[147] P. Rubio: "La personalidad de San Martín", en *Crisol*, 28 de agosto de 1934. La disolución de los partidos como exigencia figuraba en la "Ley Orgánica" de la LCA, en los "Propósitos" de la Guardia Argentina (1933) y en otros documentos nacionalistas.

[148] Carlos Ibarguren: "La Inquietud de esta hora", en BPNA VI, pág. 54.

[149] Carlos Ibarguren: *La historia que he vivido*, págs. 627-629.

[150] Véase E. Valenti Ferro: *Qué quieren...*, págs. 62-63 y 80.

[151] M. Fresco: *Ideario...*, pág. 247.

[152] E. Valenti Ferro: *Qué quieren...*, págs. 88-89.

[153] Véase F. Ibarguren: *Orígenes del Nacionalismo...*, págs. 384-389.

[154] "El problema del régimen", en *Nueva Política*, Nº 2, julio de 1940, págs. 16-18.

[155] J. Meinvielle: "Concepción católica de la Política", en BPNA III, págs. 107 y 111.

[156] Ibid., pág. 109.

[157] Ibid., pág. 69.

[158] Tomás Casares: *La justicia y el derecho*, Buenos Aires, 1935, pág. 48. J. Bargallo Cirio, uno de los discípulos de Casares, intentó dar una definición precisa de "orden" y "bien común", con muy pobres resultados.

[159] Véase Carlos Ibarguren: *La historia que he vivido*, pág. 627.

[160] Véase J. Meinvielle: "Concepción católica de la Política", en BPNA III, págs. 44-50 y 130; "Hispanidad", en *Sol y Luna*, Nº 4, 1940, págs. 84-93.

[161] "El Estado totalitario", en *Arx*, Nº 3, 1939, pág. 216.

[162] Discurso del 14 de octubre de 1936, en *Crisol*, 16 de octubre de 1936.

[163] Véase Enrique P. Osés: "Uniremos a los Argentinos y destruiremos al Liberalismo" (discursos, en *Crisol*, N? 1, mayo de 1941).

[164] V. "El gobierno totalitario no está contra el dogma católico", en *Clarinada*, N? 3, julio de 1937.

[165] Véase B. Lastra: *Bajo el signo nacionalista*, págs. 105-121.

[166] "La Voz del Plata", 22 de julio de 1942, en Rodolfo Irazusta: *Rodolfo Irazusta-Testimonios*, Buenos Aires, 1980, págs. 107-108.

[167] Véase "El problema del..." y "Algo más sobre el...", en *Nueva Política*, N? 2, julio de 1940, págs. 16-18 y N? 4, setiembre de 1940, págs. 7-10; "Emancipación económica y revolución nacional", en *Nueva Política*, N? 7, diciembre de 1940, págs. 6-8 y "Liberalismo subrepticio", en el N? 10, marzo de 1942, págs. 6-11.

[168] En *Nuevo Orden*, N? 5, 15 de agosto de 1940, cit. en E. Zuleta: *El Nacionalismo Argentino*, I, pág. 396.

[169] V. "Propósitos..." (1933), cit. en F. Ibarguren: *Orígenes del Nacionalismo...*, págs. 187-192. Para ello también: *Rodolfo Irazusta-Testimonios*, pág. 115.

[170] *Postulados de nuestra lucha* (Alianza de la Juventud Nacionalista), Buenos Aires, 1940, párrafo 16.

[171] Ibid., párrafo 17; además: "Nuestra política internacional" (10 de mayo de 1940), en C. Ibarguren (h.): *Roberto de Laferrère...*, pág. 78.

[172] R. Zorraquín Becú: "Perspectiva internacional", en *Nueva Política*, N? 20, marzo de 1942, págs. 20-24.

[173] Véase B. Lastra: *Bajo el signo...*, págs. 105-121.

[174] Véanse págs. 133-134 de esta obra.

[175] V. "Reflexiones de la política", en *Baluarte*, N? 14, julio de 1933.

[176] Véase J. Meinvielle: *Concepción Católica de la Economía*, págs. 227-229.

[177] Ibid., pág. 201.

[178] V. *Baluarte*, N? 13, junio de 1933; además: "Exigencias de una política tradicional", en *Nueva Política*, N? 7, diciembre de 1940. Parecidas concepciones se vierten en A. Ezcurra Medrano, "Reflexiones sobre la Nobleza", en *Baluarte*, N? 17, noviembre-diciembre de 1933.

[179] Véase H. Llambías: "El problema...", en *Nueva Política*, N? 2, julio de 1940; además: Marcelo Sánchez Sorondo: *La clase dirigente...*, págs. 31-32.

[180] Véase E. Valenti Ferro: *Qué quieren...*, pág. 70; E. Osés: "Una fuerza nueva..." (puntos 5 y 6), en *Crisol*, 16 de octubre de 1936; *Postulados...*, párrafo 12; B. Lastra: *Bajo el signo...*, pág. 82, y finalmente: "Bases de un programa" (D. 1), en E. Zuleta: *El Nacionalismo...*, II, pág. 836.

[181] Véase E. Valenti Ferro: *Qué quieren...*, pág. 72.

[182] T. Otero Oliva: *Esquema de un Plan de Política y Economía Nacionalista*, Buenos Aires, 1936, pág. 48; *Postulados...*, párrafo 10; C. Ibarguren: *La historia...*, pág. 629; "Bases..." (D. 4), en E. Zuleta: *El Nacionalismo...*, II, pág. 836.

[183] E. Valenti Ferro: *Qué quieren...*, pág. 76; *Postulados...*, párrafo 10; T. Otero Oliva: *Esquema...*, pág. 48, y "Bases...", en E. Zuleta: *El Nacionalismo...*, II, pág. 836.

[184] E. Valenti Ferro: *Qué quieren...*, pág. 93; C. Ibarguren: *La historia...*, pág. 627; J. P. Ramos: *Democracia...*, pág. 15.

[185 y 186] E. Valenti Ferro: *Qué quieren...*, pág. 94; C. Ibarguren: *La historia...*, pág. 629; J. P. Ramos: *Democracia...*, pág. 15; *Postulados...*, párrafo 10, y T. Otero Oliva: *Esquema...*, pág. 48.

[187] Véase E. Valenti Ferro: *Qué quieren...*, págs. 97-99; "Bases...", en E. Zuleta: *El Nacionalismo...*, II, pág. 836; E. Osés: "Una fuerza nueva...", en *Crisol*, 16 de octubre de 1936.

[188] Véase E. Valenti Ferro: *Qué quieren...*, pág. 94, y "Producción de la tierra", en *Baluarte*, N° 22, setiembre-octubre de 1934.

[189] *Postulados...*, párrafo 12.

[190] "Una fuerza nueva...", en *Crisol*, 16 de octubre de 1936 (punto 19).

[191] Véase F. Ibarguren: *Orígenes del Nacionalismo...*, págs. 388-389.

[192] "Los emigrados", en *Criterio*, N° 585, 8 de mayo de 1939, pág. 62.

[193] "Oro, novela de H. Wast", en *Criterio*, N° 598, 17 de agosto de 1939, pág. 383. Véase "Las ideas de mi tío el cura", en *Crisol*, 1° de febrero de 1938.

[194] *Postulados...*, párrafo 19.

[195] Véase "*Los judíos y la espada*", en *Crisol*, 10 de setiembre de 1936.

[196] "Sobre el judío frente al político nuestro", en *Crisol*, 13 de agosto de 1936.

[197] "Una fuerza nueva...", en *Crisol*, 16 de octubre de 1936.

[198] Véase "El capital judío, causante de la honda crisis que vivimos", en *Crisol*, 17 de octubre de 1936. Además: W. Degreff: *Judiadas*, pág. 250.

[199] Véase "Producción de la tierra", en *Baluarte*, N° 22, setiembre-octubre de 1934.

[200] J. Meinvielle: *Concepción Católica de la Economía*, págs. 102-103.

[201] V. "Propósitos" (1933), párrafos 6 y 7, en F. Ibarguren: *Orígenes del Nacionalismo...*, págs. 187-192.

[202] T. Otero Oliva: *Esquema...*, pág. 48.

[203] Véase H. Bernardo: "Esquema de una economía nacional", en *Nueva Política*, N° 11, abril de 1941, págs. 6-13.

[204] "Integración del país", en *Cabildo*, 2 de noviembre de 1942.

[205] M. Fresco: *Ideario Nacionalista*, pág. 186.

[206] Cit. en E. Zuleta: *El Nacionalismo...*, II, pág. 835. Parecidas exigencias hay en el "Programa mínimo" del "Congreso de la Recuperación Nacional", cit. en C. Ibarguren (h.): *Roberto de Laferrère...*, pág. 100.

[207] Estas expresiones eran las de uso más frecuente. V. *Postulados...*, párrafo 7, y "Una fuerza nueva..." (punto 2), en *Crisol*, 16 de octubre de 1936.

[208] En *Crisol*, 26 de abril de 1934.

[209] Este intervencionismo ya se notaba en el programa nacionalista de 1931 (véanse págs. 68-70 de esta obra).

[210] T. Otero Oliva: *Esquema...*, pág. 34.

[211] T. Otero Oliva: *Entre qué gente...*, pág. 293.

[212] *Postulados...*, párrafo 12.

[213] T. Otero Oliva: *Esquema...*, pág. 36, y "Esquema de una...", en *Nueva Política*, N° 11, abril de 1941, págs. 6-13.

[214] E. P. Osés, en *Crisol*, 28 de junio de 1934; R. Oneto, en *Crisol*, 14 de noviembre de 1934, y *Postulados...*, párrafo 6.

[215] Véase "Una fuerza nueva...", en *Crisol*, 16 de octubre de 1936.

[216] T. Otero Oliva: *Entre qué gente...*, págs. 289-291.

[217] J. Meinvielle: "Concepción católica de la Política", en BPNA III, pág. 96.

[218] "Producción de la tierra", en *Baluarte*, N° 22, setiembre-octubre 1934.

[219] J. Meinvielle: *Concepción Católica de la Economía*, pág. 181.

[220] Véase F. Ibarguren: *Orígenes del Nacionalismo...*, págs. 187-192 (especialmente punto 10) y E. Valenti Ferro: *Qué quieren...*, pág. 100.

[221] En *Crisol*, 8 de setiembre de 1936.

[222] "Las ideas corporativistas", en *Crisol*, 16 de octubre, 24 de octubre y 3 de noviembre de 1936.

[223] J. Irazusta: "La crisis económico-financiera de 1932", en BPNA II, pág. 348.

[224] J. Irazusta: "Nuevo Orden", 27 de noviembre de 1940, en BPNA II, págs. 366-367.

[225] Esta concepción ya tuvo su importancia en el uriburismo. Véanse págs. 61-62 de esta obra.

[226] J. Meinvielle: "Concepción católica de la Política", en BPNA III, pág. 146.

[227] Véase Leonardo Castellani: *Crítica literaria*, Buenos Aires, 1945, págs. 241-245 (un comentario literario de 1943).

[228] E. Valenti Ferro: *Qué quieren...*, págs. 67-68.

[229] A. Ezcurra Medrano: *Catolicismo y Nacionalismo*, pág. 75. G. Riesco: *Directivas del pensamiento católico*, Buenos Aires, 1942, págs. 57 y 80.

[230] A. Ezcurra Medrano: op. cit., pág. 77.

[231] Pucheta Morcillo, en un discurso en Córdoba, y E. Osés: "Quiénes son y quiénes no son nacionalistas", en *Crisol*, 10 de noviembre de 1936. También G. Riesco: op. cit., pág. 80.

[232] "Propósitos", punto 5, en F. Ibarguren: *Orígenes del Nacionalismo...*, págs. 187-192.

[233] Véase L. Castellani: *El nuevo gobierno de Sancho*, Buenos Aires, 1964, págs. 58 y 198-200.

[234] J. Meinvielle: "Concepción católica de la Política", en BPNA III, pág. 137.

[235] J. B. Genta: "La formación de la inteligencia eticopolítica...", en BPNA VII, pág. 47.

[236] Véase E. Zuleta: *El Nacionalismo...*, I, págs. 381-394.

[237] E. Valenti Ferro: *Qué quieren...*, pág. 79.

[238] M. Fresco: *Conversando con el pueblo*, pág. 364, y A. Ezcurra Medrano: op. cit., pág. 93.

[239] "El escritor y el Estado totalitario", en *Crisol*, 1º de febrero de 1938.

[240] E. Jung: *Deutschland und die Konservative Revolution*, München, 1932, pág. 380, cit. en K. Sontheimer: *Antidemokratisches Denken in der Weimarer Republik*, München, 1978, pág. 120.

[241] Véase Ernst Nolte: *Der Faschismus in seiner Epoche*, München, 1971[4], págs. 90-127 (la biografía de Maurras) y págs. 141-190 (la doctrina).

[242] J. Meinvielle: "Concepción católica de la Política", en BPNA III, pág. 25.

[243] Véase J. Irazusta: "Maurras y la Encuesta sobre la Monarquía...", 28 de junio de 1936, y "El desastre francés y el Nuevo Orden", 8 de agosto de 1940, en BPNA II, págs. 172-174.

[244] Artículo de *Cabildo*, 13 de junio de 1943, en L. Castellani: "Seis ensayos y tres cartas", Buenos Aires, 1978, págs. 66-68.

[245] Véase J. Meinvielle: *Concepción Católica de la Economía*, págs. 108 y 250-252; A. Ezcurra Medrano: op. cit., págs. 13-21; A. Ruiz Guiñazú: *La Argentina ante sí misma*, págs. 140-141.

[246] Véase Julio Irazusta: *Actores y espectadores*, Buenos Aires, 1937, págs. 183 y 185-186. También el comentario de G. L. Villagra, en *Baluarte*, Nº 22, setiembre-octubre de 1934.

[247] Charles Maurras: *Mis ideas políticas*, pág. 151, y Ramiro de Maeztu: *Frente a la República*, Madrid, 1956, pág. 98 (art. del 10 de noviembre de 1933).

[248] Véase *Baluarte*, Nº 19, marzo-abril de 1934.

[249] N. Berdiaev: *Das Neue Mittelalter*, Tübingen, 1950 (1a. ed. 1924), pág. 33.

[250] Ibid., págs. 29-47.

[251] R. de Maeztu: *El nuevo Tradicionalismo y la Revolución Social*, Madrid, 1959, pág. 96.

[252] N. Berdiaev: op. cit., págs. 54 y 57.

[253] Véase Oswald Spengler: *Der Untergang des Abendlandes*, München, 1922 (tomo II), págs. 408-409 y 445.

[254] Ibid., págs. 541 y 551-552.

[255] N. Berdiaev: op. cit., pág. 46.

[256] R. de Maeztu: *Defensa de la Hispanidad*, Buenos Aires, 1945 (1a. ed. 1934), págs. 182 y 191.

[257] Ibid., págs. 16 y 103.

[258] Ibid., págs. 186 y 113.

[259] E. Valenti Ferro: *La Crisis Social...*, pág. 29.

[260] N. Berdiaev: op. cit., pág. 18.

[261] Artículos del 24 de febrero de 1932 y 27 de diciembre de 1935 en R. de Maeztu: *Frente a la República*, págs. 84-88.

[262] Para esta temática es fundamental la obra de J. Rogalla von Bieberstein: *Die These von der Verschworung 1776-1945*, Frankfurt a.M., 1976. Véanse además H. Rogger y E. Weber, *The European Right*, Berkeley y Los Angeles, 1965; W. Laqueur: *Deutschland und Russland*, Berlin, 1965; G. Mosse: *The Crisis of German Ideology*, N. York, 1964; K. Hirsch: *Signale von Rechts*, München, 1967; K. D. Bracher: *Die Deutsche Diktatur*, Köln/Berlin, 1969 (hay edición castellana), E. H. Flannery: *Veintitrés siglos de antisemitismo*, Buenos Aires, 1974 (vol. 2°); H. G. Oomen y H. D. Schmid (editores): *Vorurteile gegen Minderheiten* (textos escogidos y comentario crítico del movimiento antisemita en-Alemania), Stuttgart, 1978; B. Martin y E. Schulin (editores): *Die Juden als Minderheit in der Geschichte*, München, 1981 (especialmente los últimos siete capítulos).

[263] Véase N. Berdiaev: op. cit., págs. 80 y 32-33.

[264] Ibid., págs. 32, 37-38 y 126. Luego Ch. Maurras: *Mis ideas...*, págs. 181-225.

[265] O. Spengler: *Der Untergang...*, II, pág. 501.

[266] R. de Maeztu: *Defensa de la...*, pág. 195, y Maeztu: *Frente a la...*, págs. 281-282.

[267] V. Filippo: *Los judíos*, pág. 113.

[268] H. Belloc: *Die Juden*, München, 1927, págs. 1-2.

[269] Ibid., págs. 40, 42 y 44.

[270] Ibid., pág. 107.

[271] H. Belloc: *La crisis de nuestra civilización*, Buenos Aires, 1939, pág. 263.

[272] Héctor Bernardo mencionó esta exigencia en *Nueva Política*, N° 11, abril de 1941.

[273] J. Meinvielle: "Concepción católica de la Política", en BPNA III, pág. 95. Similares concepciones en Ch. Maurras: *Mis ideas...*, págs. 236-237 y 242.

[274] Véase N. Berdiaev: op. cit., págs. 54-55, 57-58 y 116-117.

[275] R. de Maeztu: *Defensa de la...*, pág. 68-69.

[276] Ibid., pág. 301.

[277] Véase R. Doll: "Acerca de una política nacional", en BPNA V, págs. 87-88 y 90.

[278] Marcelo Sánchez Sorondo: *La Revolución que anunciamos*, pág. 247 (editorial de *Nueva Política*, mayo de 1943).

[279] "Action Française" del 11 de febrero de 1939, en Ch. Maurras: *Dictionnaire politique et critique*. Complement établi par les soins de J. Pélissier, t. II-III, París, 1969-1972, III, pág. 135.

[280] O. Spengler: *Jahre der Entscheidung*, München, 1933, págs. 134-135.

[281] N. Berdiaev: op. cit., pág. 82.

[282] R. de Maeztu: *El nuevo Tradicionalismo...*, pág. 62 (art. del 21 de diciembre de 1932).

[283] "Las dictaduras" (21 de agosto de 1935), en R. de Maeztu: *Frente a la...*, págs. 177-181.

[284] R. de Maeztu: *El nuevo Tradicionalismo...*, pág. 212 (art. del 3 de enero de 1936).

[285] Discurso del 27 de octubre de 1930, cit. en H. W. Neulen: *Europas verratene Söhne*, Bergisch Gladbach, 1982, pág. 54.

[286] Benito Mussolini: *La doctrina del Fascismo*, trad. A. Dabini, 3a. ed., Florencia, 1938, pág. 44.

[287] Véase C. Foa: "Nazionalismi sudamericani", en *Gerarchia*, julio de 1937, págs. 477-489.

[288] Véase L. Federzoni: *Parole Fasciste al Süd-America*, Bologna, 1938, pág. 12.

[289] G. Bartolotto: "Il Fascismo nel Mondo", en Anexo N° 1 de la *Enciclopedia Italiana*, Roma, 1938, págs. 576-580.

[290] "Declaración del Fascismo Argentino de Córdoba", en *Crisol*, 7 de febrero de 1934.

[291] E. Valenti Ferro: *Qué quieren...*, pág. 46. Parecidas concepciones en C. M. Quinodoz, "Nuestro Nacionalismo", *Crisol*, 15 de noviembre de 1934. D. A. Ocampo reconocía a la "revolución fascista" dotada de una "significación filosófica" universal, pero sus manifestaciones concretas se daban con objetivos de tipo "nacional". (*Crisol*, 1° de febrero de 1938).

[292] Mota del Campillo (programa radiofónico de la ANA), en *Crisol*, 20 de junio de 1934.

[293] "El Nacionalismo argentino y el General", en *Crisol*, 6 de mayo de 1934.

[294] P. Rubio (ANA), en *Crisol*, 28 de agosto de 1934.

[295] Editorial de *Crisol*, 11 de noviembre de 1934.

[296] A. Ruiz Guiñazú: *La Argentina ante sí misma*, Buenos Aires, 1942, pág. 24.

[297] V. "Mondo Fascista", en *Gerarchia*, febrero de 1935, pág. 180.

[298] Véase Héctor Bernardo: "El Régimen Corporativo", Buenos Aires, 1943, págs. 32-34 y 40-41, así como "Experiencias Corporativas", en *Nueva Política*, N° 2, julio de 1940, págs. 18-23 y N° 3, agosto de 1940, págs. 19-21.

[299] Véase M. Pearson: "Nuestro movimiento es la Contrarrevolución", y G. Laserre Mármol: "Revolución integral y reintegradora", en *Crisol*, 1° de febrero de 1938.

[300] J. Meinvielle: "Integración y...", en *Arx*, N° 2, 1934, págs. 309-310.

[301] Véase G. Bernardini: "The Origins and Development of Racial Antisemitism in Fascist Italy", en *The Journal of Modern History*, vol. 49, 3, set. de 1977, págs. 433-434.

[302] C. Ibarguren: "La Inquietud de esta hora", en BPNA VI, págs. 56, 59 y 87.

[303] Matías Sánchez Sorondo: "Represión del Comunismo...", pág. 170 (discurso parlamentario, diciembre de 1936).

[304] En artículos de abril y julio de 1941, cit. en E. Zuleta: *El Nacionalismo...*, II, pág. 426.

[305] Manuel Gálvez: *España y algunos españoles*, Buenos Aires, 1945, pág. 11.

[306] V. *Crisol*, 28 de agosto y 3 de octubre de 1934.

[307] Discurso en Burgos (1° de octubre de 1937), en Francisco Franco: *El Pensamiento político de Franco. Antología* (Selec. de textos por A. del Río Cisneros), Madrid, 1964, pág. 35.

[308] V. *Crisol*, 12 de setiembre de 1936.

[309] "Una lección de hechos", en *Crisol*, 29 de julio de 1936.

[310] Para este tema: N. F. Stack: "Avoiding the greater evil. The response of the Argentine Catholic Church to Juan Perón 1943-1955", New Jersey, 1976 (tesis doctoral), págs. 110-121.

[311] César Pico ya había formulado esta idea básica —la afinidad y posibilidad de alianza entre tradicionalismo católico y fascismo— con anterioridad, en *Baluarte*, N° 20, mayo-junio de 1934.

[312] César Pico: *Carta a J. Maritain, sobre la colaboración de los católicos con los movimientos de tipo fascista*, Buenos Aires, 1937, pág. 13.

[313] Ibid., págs. 52-53. También el ideólogo franquista José M. Pemán opinaba que era misión de la "Hispanidad" "convertir" a los paganos del victorioso

Tercer Reich al cristianismo. De esta manera se realizaría en Europa "la Nueva Edad Media" (véase *Sol y Luna*, N? 4, 1940, págs. 89-93).

[314] V. "Totalitarismo" en *Sol y Luna*, N? 3, 1939, págs. 59-80.

[315] "Carta a J. Maritain de César Pico", en *Criterio*, N? 492, 5 de agosto de 1937, pág. 331.

[316] J. Meinvielle: "De la Guerra Santa", en *Criterio*, N? 494, 19 de agosto de 1937, págs. 380-381.

[317] V. *Crisol*, 22 de noviembre de 1936.

[318] R. de Maeztu: *Defensa de la Hispanidad*, págs. 22 y 25.

[319] "España y nosotros", en *Crisol*, 1? de febrero de 1938 y "¿Qué sería una política imperial argentina?", en *Nueva Política*, N? 9, febrero de 1941, págs. 16-19.

[320] Véase J. C. Goyeneche: "Ensayos, Artículos, Discursos", Buenos Aires, 1976, en BPNA IX, págs. 124-125.

[321] V. "Hispanisme" e "Hispanité" en Ch. Maurras: *Dictionnaire politique...*, tomo II.

[322] C. Pico: "Hacia la Hispanidad", en *Sol y Luna*, N? 9, 1942 y en *Revista de Estudios Políticos*, 18, Vol. 9, 1944, pág. 617.

[323] Ibid., págs. 618-620.

[324] Para esta tesis extrema suele recurrirse al testimonio de H. Rauschning (*Conversaciones con Hitler*, 1939). Esta fuente se encuentra en contradicción con numerosos escritos de otra procedencia, los cuales son más confiables por otra parte. Para un tema como éste, donde la formulación exacta de la frase es importante, los recuerdos altamente subjetivos de Rauschning no son sino de muy escasa significación.

[325] Véase R. Pommerin: *Das Dritte Reich und Lateinamerika. Die deutsche Politik gegenüber Süd-und Mittelamerika 1939-1942*, Düsseldorf, 1977, págs. 332-341.

[326] Para esto véanse especialmente las obras de A. Ebel: *Das Dritte Reich und Argentinien. Die diplomatischen Beziehungen unter besonderer Berücksichtigung der Handelspolitik (1933-1939)*, Köln-Wien, 1971; y H. J. Schröder: "Hauptsprobleme der deutschen Lateinamerikapolitik 1933-1941", en *Jahrbuch für Geschichte v. Steat, Wirtschaft und Gessellschaft Lateinamerikas*, 12, 1975, págs. 408-433.

[327] Para la postura del Gauleiter Bohle en la "conferencia latinoamericana" del Ministerio de Relaciones Exteriores (junio de 1939); ADAP/D VI: "Akten zur Deutschen Auswärtigen Politik 1918-1945"- Aus dem Archiv des deutschen Auswärtigen Amtes. [Actas sobre la política exterior alemana 1918-1945 - Del Archivo del Ministerio Alemán de Relaciones Exteriores]. Series D y E (1937-1945), Frankfurt a.M., 1961-1979, págs. 583-589.

[328] Sobre las quejas del embajador argentino Labougle ante el Secretario de Estado von Weiszäcker (18 de mayo de 1938): ADAP/D V, págs. 712-713.

329 R. Pommerin: op. cit., págs. 340-341.

330 Véase A. Frye: *Nazi Germany and the American Hemisphere 1933-1941*, New Haven, 1967, págs. 21-31.

331 Véase M. A. Scenna: *Los militares*, págs. 116-117; A. Rouquié: *Pouvoir Militaire et Société Politique en République Argentine*, págs. 86-89.

332 Cifras de 1939, en Frye: op. cit., pág. 119.

333 V. Telegrama del 8 de junio de 1940 en ADAP/D IX, págs. 435-437. Todavía un año antes el embajador alemán esperaba que se produjese un acuerdo germano-británico "de tipo económico", dirigido contra la influencia de los Estados Unidos (véase A. Ebel: op. cit., pág. 400).

334 Cit. en A. Ebel: op. cit., págs. 89-90.

335 Véase Karl Haushofer: *Der nationalsozialistische Gedanke in der Welt*, München, 1933, págs. 3, 6-9, 14 y 23-26.

336 *Quién es quién en la Argentina*, 1943 (QQ 43), pág. 717.

337 En el *Berliner Tageblatt*, 22 de julio de 1937, en *Deutschlandbesuch*, "Akten betr. Deutschlandbesuch des arg. Senators Dr. Sánchez Sorondo". Ausw. Amt-Pol. IX, 6 (1937). [Actas referidas a la visita del senador argentino doctor Sánchez Sorondo a Alemania.]

338 *Alemania y el Mundo Iberoamericano*, Berlín. 1939 (publicación del Instituto Iberoamericano), págs. 5-6.

339 Ibid., págs. 89-94.

340 Primera sesión de la conferencia en el Ministerio de Relaciones Exteriores, 12 de junio de 1936, en *Akten zur Deutschen Auswärtigen Politik 1918-1945 - Aus dem Archiv des deutschen Auswärtigen Amtes*. [Actas sobre la política exterior alemana 1918-1945 - Del Archivo del Ministerio Alemán de Relaciones Exteriores. Series D y E (1937-1945)], Francfort, 1961-1979, ADAP/D VI, págs. 584-585.

341 Véase W. Schallock: "Lateinamerika und die Rundfunkpropaganda der Nazis", en *Der Deutsche Faschismus in Lateinamerika 1933-1943* (varios autores), Berlin, 1966, págs. 164 y sigs., además de J. C. Mendoza: *La Argentina y la swástica*, Buenos Aires, 1941, pág. 154. Más información en *Akten betr. Argentinien*, Politisches Archiv-Ausw. Amt-Büro des Staatssekretärs ["Actas referidas a la Argentina", Archivo Político-Ministerio de RR.EE. - Oficina del Secretario de Estado], tomo 5, Acta 27.445, telegrama del 26 de octubre de 1942.

342 V. *Akten-Argentinien*, t. 5, Acta 27.494, telegr. del 14 de noviembre de 1942.

343 V. *Akten-Argentinien*, t. 4, Actas 27.102-03 (telegr. del 6 de julio de 1942), 27.281 (5 de setiembre) y 27.371 (30 de setiembre de 1942); t. 5, Actas 27.474-75 (3 de noviembre de 1942) y 27.481 (5 de noviembre de 1942). Además en ADAP/D IX, tel. 8 de junio de 1940 (págs. 435-447). En la literatura secundaria: J. C. Mendoza: op. cit., págs. 83, 104 y 154.

344 *Akten-Argentinien*, t. 5, Acta 27.481 (telegr. del 5 de nov. de 1942).

[345] Entrevista Hitler-Vigón en Acoz (16 de junio de 1940), en ADAP/ D IX, págs. 483-485.

[346] Véase Silvano Santander: *Nazismo en Argentina*, Montevideo, 1945, Apéndice 5.

[347] *Akten-Argentinien*, t. 5, Acta 27.660 (telegr. del 1° de marzo de 1943).

[348] V. *Akten betr. Propagandamethoden und Richtlinien, sowie Stimmungs-und Tätigkeitsberichte (1941-1943)*. Pol. Archiv-Ausw. Amt-Verbindungsstelle des Beauftragten für Informationswesen [Actas referidas a métodos y directivas de propaganda, así como informes sobre estados de ánimo y actividades conexas (1941-1943). Oficina de contacto del Encargado de Información (en el Ministerio de RR.EE.)], Carta del 12 de marzo de 1943; y *SD-Meldungen aus Südamerika*. Pol. Archiv-Ausw. Amt-Inland IIg-Akten betr. Südamerika, 4 vols. (1940-1945). [Informes del SD-Servicio de Seguridad (Inteligencia) de la SS-provenientes de Sudamérica], t. 2, Actas 235.295-96 (Schellenberg al Min. de Rel. Ext., 31 de julio de 1943).

[349] V. ADAP/D VIII, pág. 122 (telegr. del 28 de setiembre de 1939) y *Akten-Argentinien*, t. 5 (telegr. del 5 de octubre de 1942).

[350] V. ADAP/D IX, págs. 237 y 435-437 (telegr. del 7 de mayo y del 8 de junio de 1940); *Akten Argentinien*, t. 4, Acta 27.068-70 (telegr. del 30 de junio de 1942).

[351] *Foreign Relations of the United States* [FRUS 1942], t. V, pág. 408.

[352] Cit. en E. K. Bramsted: *Goebbels und die nationalsozialistische Propaganda 1925-1945*, Frankfurt a.M., 1971, págs. 216 y 501.

[353] "Directiva del día" del 29 de junio de 1941, en H. Sündermann: *Tagesparolen, Deutsche Presseweisungen 1939-1945*, Leoni am Starnberger See, 1973, pág. 175.

[354] Ibid., págs. 167-170 ("Directivas" del 22, 23 y 27 de junio de 1941). Agregar: Goebbels: *Das Reich*, 6 de julio de 1941 (cit. en W. A. Boelcke: *Wollt Ihr den totalen Krieg?*, München, 1969, pág. 239).

[355] H. Sündermann: op. cit., pág. 167 ("Directiva" del 22 de junio de 1941).

[356] Giselher Wirsing: *Deutschland in der Weltpolitik*, Jena, 1933, págs. 109-110 y 169.

[357] Ibid., págs. 177, 179, 182, 184-185.

[358] N. H. Baynes (editor): *The Speeches of Adolf Hitler (1922-1939)*, Oxford, 1942, II, págs. 1258-1259.

[359] Ferdinand Fried: "Amerika den Amerikanern!", en *Die Tat*, enero de 1937, pág. 759; F. Niedermayer: *Ibero-Amerika. Räumliche Grundlagen und geschichtlischer Werdegang. Gegenwartslage und Zukunftsfragen*, Leipzig, 1941, pág. 53; E. Reichard: "El comercio de Alemania con los países iberoamericanos...", en *Alemania y el Mundo Iberoamericano*, Berlin, 1939 (Publicación del Instituto Iberoamericano), págs. 161-167.

[360] H. Sündermann: op. cit., pág. 50 (20 de diciembre de 1939).

[361] H. Lufft: *Das Empire gegen Europa*, Berlin, 1940, págs. 11 y 54.

[362] Para este tema: R. Pommerin: *Das Dritte Reich und Lateinamerika. Die deutsche Politik gegenüber Süd-und Mittelamerika 1939-1942*, Düsseldorf, 1977; J. A. Garraty: "The New Deal, National Socialism and the great Depression", en *The American Historical Review*, vol. 78, N° 4, octubre de 1979.

[363] W. Freiherr von Rheinbaben: "Die Panamerikanische Konferenz in Lima", en *Monatshefte für Auswärtige Politik*, año 6, marzo de 1939, págs. 259 y 261.

[364] F. Schönemann: *Die aggresive Wirtschaftspolitik der Versinigteh Staaten in Südamerika und die Stellung Deutschlands*, Stuttgart, 1939, pág. 63.

[365] H. Sündermann: op. cit., pág. 200 (8 de agosto de 1941).

[366] E. Samhaber: "Südamerika und der Krieg", en *Monatshefte für...*, año 6, diciembre de 1939, pág. 1048.

[367] Véase E. A. Messerschmidt: "Der USA Imperialismus in Iberoamerika", en *Monatshefte für...*, año 9, abril de 1942, págs. 314, 323 y 326.

[368] G. Wirsing: *Der masslose Kontinent*, Jena, 1942, págs. 363-364.

[369] *Ibero-Amerikanische Rundschau* (Hamburg, 1930-1942), año 6, mayo de 1940, pág. 26.

[370] F. Berber: "Der Mythos der Monroe-doktrin", en *Monatshefte für...*, año 9, abril de 1942, pág. 299.

[371] Ibid., págs. 293-298.

[372] *Akten betr. Propagandamethoden...*, Actas 401.558-60 (Material distribuido a las embajadas alemanas en diciembre de 1942).

[373] G. Wirsing: *Der masslose...*, págs. 353-354.

[374] Véase ADAP/D IV, págs. 291 y sigs.

[375] H. Sündermann: op. cit., págs. 252 y 254 ("Directivas" del 1° y 16 de abril de 1943).

[376] Nota del Diario personal (10 de mayo de 1943) cit. en E. K. Bramsted: op. cit., pág. 509.

[377] ADAP/D IX, págs. 340-341 (telegr. del 23 de mayo de 1940).

[378] Véanse menciones del "elemento judío" en la política de Roosevelt, en W. F. von Rheinbaben: "Die Panamerikanische...", en *Monatshefte für...*, año 6, marzo de 1939, pág. 259; y F. Niedermayer: op. cit., pág. 65, quien alaba a los "integralistas" brasileños y al escritor argentino Hugo Wast por su lucha contra el "dominio judío".

[379] *Die Judenfrage in Argentinien* [La cuestión judía en la Argentina], Pol. Archiv-Ausw. Ant-Pol. Abt.-Akten Pol. IX, 12 (11 de agosto de 1936-12 de marzo de 1943), Actas 411.956-57.

[380] H. Sündermann: op. cit., págs. 119-120 (Información confidencial del 28 de setiembre de 1940). Generalidades sobre el tema: P. Kluke: "Nationalso-

zialistische Europaideologie", en *Vierteljahrhefte f. Zeitgeschichte*, año 3 (1955), págs. 240-275.

[381] G. Wirsing: "Die grosse Europäische Revolution", en *XX Jahrhundert*, año 2, julio de 1940, pág. 137.

[382] G. Wirsing: "Ordnung der Welt gegen Weltherrschaft", en *XX Jahrhundert*, año 2, noviembre de 1940, pág. 310.

[383] F. Fried: "Die Weltwirtschaft der Grossräume", en ibid., pág. 312.

[384] "L'ora dei proletari", en *Gerarchia*, noviembre de 1939, págs. 733-734.

[385] "Lo spirito della Pace", en *Gerarchia*, mayo de 1941, págs. 237 y sigs.

[386] "Nuovo Ordine Europeo", en *Gerarchia*, enero de 1942, págs. 3-9.

[387] F. Fried: "Amerika den Amerikanern!", en *Die Tat*, enero de 1937, pág. 755.

[388] Véase F. Fried: "Die Weltwirtschaft...", en *XX Jahrhundert*, año 2, noviembre de 1940, págs. 316-318.

[389] V. "Dopo Lima", en *Gerarchia*, mayo de 1939, págs. 333-337.

[390] "Independenza e collaborazione dell'America Latina", en *Gerarchia*, setiembre de 1940, págs. 476-480.

[391] Véase F. Niedermayer: op. cit., págs. 56-57 y 64-65.

[392] F. Schönemann: op. cit., pág. 48.

[393] Julius Wünsche: *Der Wirtschaftskampf der USA um Süd-und Mittelamerika*, Leipzig, 1942, pág. 197.

[394] F. Berber: "Der Mythos...", en *Monatshefte für...*, año 9, abril de 1942, pág. 300. Además, J. von Kempski: "Panamerika-das Ende einer Illusion", en *Monatshefte für...*, octubre de 1942, pág. 879.

[395] J. von Kempski: op. cit., pág. 881.

[396] Ch. Augustin: "Grosseuropa", en *Monatshefte für...*, año 8, noviembre de 1941, pág. 900.

[397] "Der spanische und der deutsche Geist", en *Ibero-Amerikanische Rundschau*, año 8, marzo de 1942, pág. 3.

[398] "Iberoeuropa", en *Monatshefte für...*, año 10, marzo de 1943, págs. 175-176.

[399] M. Navarro Gerassi: *Los nacionalistas*, pág. 92.

[400] Para esto, ver: A. Fornieles: "Un folleto", en *Baluarte*, 15/16, setiembre de 1933; A. Ezcurra Medrano: *Catolicismo y Nacionalismo*, págs. 37-40.

[401] "Heil Hitler", en *Crisol*, 1° de julio de 1934.

[402] "Hitler y el pueblo alemán", en *Crisol*, 4 de julio de 1934.

[403] "Lo que conversamos con A. Sosa", en *Crisol*, 1° de febrero de 1938.

[404] "Reflector Mundial", en *Crisol*, 12 de diciembre de 1935. En 1942 esta "justificación" de las Guerras de Conquista del Eje fue también aceptada por A. Ruiz Guiñazú.

[405] Edit. en *Crisol*, 3 de noviembre de 1936.

[406] *Crisol*, 1º de febrero de 1938.

[407] "Dos hombres, dos símbolos...", en *Clarinada*, 6 de octubre de 1937.

[408] C. Silveyra: *La cuestión nazi en la Argentina*, Buenos Aires, 1939, págs. 17-20.

[409] Ibid., pág. 21. Ver también *Clarinada*, 15 de julio de 1938.

[410] C. Silveyra: op.cit., pág. 42. También *Crisol*, 31 de enero de 1937.

[411] Véase Juan C. Sanguinetti: "Algunos aspectos sobre el desenvolvimiento de Alemania en los últimos años", en *Revista Militar*, octubre de 1937, págs. 803-829.

[412] V. "Totalitarismo", en *Sol y Luna*, 3, 1939, págs. 59-80.

[413] Véase H. Llambías: "La guerra actual", en *Nueva Política*, 1, junio de 1940 (págs. 6-9) y 4, setiembre de 1940 (págs. 21-23).

[414] *Nueva Política*, 2, julio de 1940, págs. 25-26.

[415] V. Edit. y "Política internacional", en *Nueva Política*, 3, agosto de 1940.

[416] Véase A. Ruiz Guiñazú: "Emancipación económica..." y F. Prado: "Universalidad del Nuevo Orden", en *Nueva Política*, 7, diciembre de 1940, págs. 6-8 y 16-17.

[417] J. Meinvielle: *Hacia la Cristiandad*, Buenos Aires, 1940, págs. 77-78.

[418] "Liberalismo subrepticio...", en *Nueva Política*, 10, marzo de 1941, págs. 6-11.

[419] O. R. Sacheri: "El Nuevo Orden económico en Europa", en *Revista Militar*, Nº 501, octubre de 1942, pág. 769. Parecidos puntos de vista se encuentran en *Cabildo* (por ejemplo el 28 y el 30 de diciembre de 1942).

[420] "Congreso Europeo", en *Hechos*, 8, marzo de 1943, págs. 44-45.

[421] E. P. Osés: *Medios y fines del Nacionalismo*, págs. 44-45.

[422] "A un año de Pearl Harbor", en *Cabildo*, 25 de diciembre de 1942.

[423] Artículos de agosto de 1941 y octubre de 1942, en Marcelo Sánchez Sorondo: *La Revolución que anunciamos*, Buenos Aires, 1945, págs. 131 y 230.

[424] Edit. en *Cabildo*, 25 de diciembre de 1942.

[425] R. Doll: "Itinerario de la Revolución Rusa", en BPNA V, págs. 245-246.

[426] J. Irazusta: "Nuevo Orden" (22 de enero de 1941), en BPNA II, pág. 164.

[427] J. C. Goyeneche: "Ensayos, Artículos, Discursos", Buenos Aires, 1976, en BPNA IX, págs. 186-187.

[428] E. Zuleta: *El Nacionalismo Argentino*, II, pág. 829. Similar en la apreciación de M. Navarro Gerassi: *Los nacionalistas*, pág. 16.

[429] Véase M. Soaje Pinto: "Los principios democráticos de nuestra Constitución y el Ejército Argentino", en *Crisol*, 1º de febrero de 1938.

[430] Véase I. B. Anzoátegui: "Debate de Muertos", en *Baluarte*, 21, julio-agosto de 1934.

[431] Véase F. Ibarguren: *Orígenes del Nacionalismo...*, pág. 197.

[432] "Panfleto nacionalista", cit. en E. Pavón Pereyra (Director): *Perón. El hombre del destino*, Buenos Aires, 1974 (3 vols.), pág. 184.

[433] I. B. Anzoátegui: *Vidas de Muertos*, Buenos Aires, 1940, pág. 162.

[434] E. Harriague Coronado, *en Crisol*, 24, noviembre de 1935.

[435] V. *Crisol* (Editorial), 4 y 5 de setiembre de 1936; E. P. Osés: *Medios y fines...*, págs. 91-95.

[436] V. *Crisol*, 29 de agosto y 20 de diciembre de 1934.

[437] Véase E. P. Osés: *Medios y fines...*, págs. 55-59.

[438] "Las bases morales del Nacionalismo", en *Crisol*, 19 de enero de 1935.

[439] E. Valenti Ferro: *Qué quieren...*, pág. 104.

[440] Véase Marcelo Sánchez Sorondo: *La Revolución...*, págs. 122-126 y 212-213.

[441] Véase N. F. Stack: "Avoiding the greater evil...", págs. 119-133.

[442] M. Falcoff y R. H. Dolkart: *Prologue to Perón. Argentina in Depression and War, 1930-1943*, pág. 124.

[443] Véase B. Lastra: *Bajo el signo nacionalista*, págs. 139-148.

[444] Sobre estos intentos véanse: M. Navarro Gerassi: *Los nacionalistas*, F. Ibarguren: *Orígenes del Nacionalismo...* y Carlos Ibarguren (h.): *Roberto de Laferrère...*

[445] *Crisol*, 29 de abril y 1º de mayo de 1934.

[446] *Clarinada*, 1º de mayo de 1937.

[447] Véase J. Irazusta: "El Yrigoyen de M. Gálvez", en BPNA II, págs. 149-156.

[448] Véase E. P. Osés: *Medios y fines...*, págs. 67-72 y "Uniremos a los argentinos y destruiremos al Liberalismo" (discursos, en *Crisol*, 1, mayo de 1941).

[449] *Crisol*, 24 y 26 de noviembre de 1935.

[450] Véase M. Navarro Gerassi: op. cit., pág. 156.

[451] Véase C. Ibarguren (h.): op. cit., págs. 79-81.

[452] Ibid., págs. 97-101.

[453] V. artículos de H. Pagani, M. Cao y L. La Madrid, en *Crisol*, 1º de febrero de 1938.

[454] Para estos hechos: J. M. Rosa (h.): *Historia Argentina...*, XII, Parte VI, Secciones 6 y 7; Parte VIII, Sección 2.

[455] Véase P. J. Hernández: *Conversaciones con José M. Rosa*, Buenos Aires, 1978, pág. 101.

[456] Véase E. Zuleta: *El Nacionalismo...*, II, págs. 500-502.

[457] Para este problema: A. Ciria: *Partidos y poder en la Argentina moderna (1930-1946)*, cap. 6.

[458] V. "Lo que nos llena de indignación", en *Crisol*, 3 de diciembre de 1935; H. Bernardo: "Esquema de una economía..." en *Nueva Política*, 11, abril de 1941, págs. 6-13; Proyecto programático de Laferrère (punto 8), de diciembre de 1942, en C. Ibarguren (h.): *Roberto de Laferrère...*, pág. 100.

[459] J. Irazusta, en BPNA II, pág. 343.

[460] V. "El capital judío...", en *Crisol*, 14 de octubre de 1936.

[461] En el prólogo a los *Postulados de nuestra lucha...*

[462] "Es un deber la unión del Nacionalismo", en *Clarinada*, 6, setiembre de 1937.

[463] D. Cantón: *Elecciones y partidos en la Argentina. Historia, interpretación y balance, 1910-1966*, Buenos Aires, 1973, págs. 119-120.

[464] V. por ej.: "Orgía persecutoria", en *Crisol*, 1º de setiembre de 1936.

[465] V. I. Lenin: "Der Imperialismus als höchstes Stadium des Kapitalismus" (1916), en *Werke* [Obras - versión alemana], tomo 22, Berlin, 1960, págs. 267-268. (Hay ediciones en castellano.)

[466] V. citas y comentarios en R. Koebner y H. D. Schmidt: *Imperialism. The Story and Significance of a Political Word 1840-1960*, Cambridge, 1960, pág. 292.

[467] Sobre estos hechos, véase J. M. Rosa (h.): *Historia Argentina...*, XII, págs. 280-283.

[468] Cit. ibid., pág. 306.

[469] Ibid., págs. 314-316.

[470] *Akten betr. Argentinien...*, tomo 4, Acta 27.339 (telegr. del 18 de setiembre de 1942).

[471] V. FRUS (*Foreign Relations of the United States...*), 1942, tomo V, págs. 429-431 y 455-462.

[472] V. para este tema: C. Escudé: "1940-1950, Boicot norteamericano contra la Argentina", en *Todo es Historia*, Nº 177, febrero de 1982; documentación del Foreign Office en M. Rapoport: "Patrón Costas y la Revolución del '43", en *Todo es Historia*, Nº 150, noviembre de 1979, págs. 11-12 y sigs.

[473] "El país bajo el torniquete de la lista negra", en *Cabildo*, 3 de noviembre de 1942.

[474] Véase E. P. Osés: "Uniremos a los Argentinos...", en *Crisol*, 1º de mayo de 1941, y edit. de *Nueva Política*, 10 de marzo de 1941.

[475] Sáenz y Quesada: "Qué sería una política imperial...", en *Nueva Política*, 9 de febrero de 1941, pág. 22.

[476] Véase E. P. Osés: "Uniremos...".

[477] C. Ibarguren (h.): *Roberto de Laferrère...*, págs. 79-81.

[478] "Lobos con piel de cordero", en *Cabildo*, 16 de diciembre de 1942.

[479] Artículo de Ibarguren del 26 de diciembre de 1942, en BPNA VI, pág. 324.

[480] y [481] "Política interna y externa", en *Hechos*, 9, 1º de abril de 1943, pág. 5.

[482] Meynen al Min. de Rel. Ext., 29 de enero de 1942 en *Akten zur Deutschen Auswärtigen...* (ADAP/E I), pág. 343.

[483] Ibid., págs. 343-344.

[484] Ibid., págs. 346-347.

[485] Véase J. M. Rosa (h.): *Historia Argentina...*, XII, págs. 312-313.

[486] Ibid., pág. 310. Agréguese: *Ibero-Amerikanische Rundschau*, 4, junio de 1942, pág. 50.

[487] V. *Akten betr. Argentinien...*, tomo 4, Actas 27.293-294 y 27.300-301 (telegrs. del 6 y 7 de setiembre de 1942).

[488] V. Edit. en *Crisol*, 3 de febrero de 1942.

[489] *Akten betr. Argentinien...*, tomo 5, Meynen al Min. de Rel. Ext., 5 de oct. de 1942.

[490] *Hechos*, 9, 1º de abril de 1943, pág. 4.

[491], [492] y [493] V. ADAP/E IV, págs. 464-472 (doc. Nº 264).

[494] V. *Akten betr. Propagandamethoden...*, Sección B: Informe de Goyeneche (sin título), anexo de un informe al señor Flatau (Departamento de Informaciones) del 12 de diciembre de 1942.

[495] V. ADAP/E V, págs. 18-19 (doc. Nº 11, 4 de enero de 1943).

[496] *Akten betr. Argentinien...*, tomo 5, Escrito del 13 de enero de 1943 (firmado: Woermann).

[497] Para estos contactos personales véase ADAP/E V, págs. 18-19; *Akten betr. Propagandamethoden...*, Actas 401.531-532 (telegr. del 8 de febrero de 1943) y *Akten betr. Argentinien...*, tomo 5, telegr. Nº 4464 del 16 de noviembre de 1942.

[498] *Akten betr. Argentinien...*, tomo 5, Actas 27.548-549 y 27.601 (telegrs. del 4 y 30 de diciembre de 1942).

[499] Cit. en M. Rapoport: op. cit., pág. 18.

[500] V. *Consultation among the American Republics with Respect to the Argentine Situation* [el *Libro Azul*]. Memorándum del Gobierno de los EE.UU., Washington, 1946, págs. 43-44.

[501] "Mi respuesta al Libro Azul", en BPNA IX, pág. 369.

[502] *Akten betr. Propagandamethoden...* Actas 401.531-532 (telegr. de Madrid, del 8 de febrero de 1943).

[503] *Crisol*, 6 de noviembre de 1937.

[504] P. H. Merkl: "Comparing Fascist Movements", en S. Larsen, B. Hagtret y J. Myklebust (eds.): *Who were the Fascists?*, Bergen, 1980, pág. 762.

[505] *Nueva Política*, 9, febrero de 1941, págs. 30-31.

EL NACIONALISMO POPULISTA

El movimiento[1]

La historia de la corriente populista del nacionalismo es casi tan compleja como la del nacionalismo restaurador. También existen ciertas dificultades relativas a la cuestión de cuáles autores y agrupaciones deben ser considerados como integrantes de esta tendencia. A menudo se tiene la impresión de que el nacionalismo populista anterior a 1943 se habría reducido exclusivamente a las ideas y actividades del grupo FORJA. Sin embargo parece más correcto incluir en esta categoría ideológica también a otros escritores políticos. Se trata de personas, cuyos aportes se produjeron antes de la fundación de FORJA en algunos casos, e independientemente de esta organización en otros. En este contexto creo que deben ser ubicados M. Ugarte, M. Ortiz Pereyra, A. Baldrich, S. Taborda y J. L. Torres.

Manuel Ugarte, importante escritor y publicista socialista, ya había intentado introducir, infructuosamente, la idea de un latinoamericanismo antiimperialista —especialmente dirigido contra los Estados Unidos— en el Partido Socialista argentino. Esta iniciativa se remontaba a los años que precedieron a la Primera Guerra Mundial. Sus extensos viajes por América, sus discursos y artículos periodísticos lo convirtieron en una figura destacada de los círculos literarios, aunque sus ideas no lograron penetrar profundamente en los partidos organizados. De todos modos resulta innegable una cierta influencia de Ugarte sobre sectores del movimiento estudiantil posterior a 1918. Muchas de sus concepciones muestran a este autor como un precursor del nacionalismo populista, tal como luego fue desarrollado por FORJA. Sus más importantes libros relativos a esa temática aparecieron antes de 1930 y fueron editados en España: *El porvenir de la América Española* (1910), *Mi campaña hispanoamericana* (1922); *El destino de un continente* (1923) y *La Patria Grande* (1922).

Manuel Ortiz Pereyra fue el más notable representante de la idea de la "liberación económica" en el radicalismo yrigoyenista de los años veinte. Sus concepciones tuvieron una gran influencia sobre los debates parlamentarios relacionados con la cuestión del petróleo, y su estilo literario —directo e irónico— fue más tarde imitado por Arturo Jauretche. Ortiz Pereyra fue uno de los primeros colaboradores de FORJA; sus dos obras más importantes son: *La Tercera Emancipación* (1926) y *Por nuestra redención cultural y económica* (1928).

El general ingeniero Alonso Baldrich perteneció al grupo de oficiales que, encabezado por el general Mosconi, y fomentado por los gobiernos de Yrigoyen y de Alvear, tuvo decidida gravitación en la organización de Yacimientos Petrolíferos Fiscales y en la defensa de esta institución clave de la economía nacional contra sus críticos argentinos y extranjeros. Desde 1926 Baldrich mantuvo una violenta polémica contra los intentos de empresas británicas y estadounidenses que querían ampliar su participación en el negocio petrolero argentino, reduciendo el área de acción de YPF. En relación con esto Baldrich propugnaba la cooperación de todos los Estados iberoamericanos. Su posición, que coincidía básicamente con las tesis de Ortiz Pereyra, se resume nítidamente en una conferencia que publicó en 1934: "El problema del petróleo y la Guerra del Chaco".

Saúl Taborda fue un original pensador y pedagogo, cuyas raíces espirituales pertenecían al movimiento universitario reformista de 1918. A partir de fines de la década del veinte Taborda desarrolló una interpretación democrática de la tradición iberoamericana, concepción que encontró una primera manifestación en su obra *La crisis espiritual y el ideario argentino* (1933). En el año precedente el autor había fundado un círculo cultural de corta vida: FANOE (Frente de Afirmación del Nuevo Orden Espiritual). Otras ideas suyas tuvieron la revista *Facundo* como vehículo de difusión.

José Luis Torres fue el combativo periodista —él mismo se designaba como "agitador"— que acuñó la frase "década infame". A la edad de 22 años ya dirigía un pequeño periódico provincial en Tucumán, convirtiéndose también en colaborador del gobernador tucumano J. L. Nogués (1932-1933), original figura de extracción tradicional, pero lleno de empuje reformador. Cuando este gobierno quiso gravar la industria azucarera con un nuevo impuesto fue difamado por la prensa conservadora como "comunista" y "traidor" a su propia "clase social".[2] La intervención federal produjo el rápido fin del gobierno provincial y del impuesto. En los años siguientes Torres se convirtió en uno de los más punzantes críticos del régimen oligárquico; varios escándalos de corrupción y una gran evasión impositiva del trust Bemberg fueron descubiertos por él. En 1940 publicó *Algunas maneras de vender la Patria*, y en 1943 *Los Perduellis - Los enemigos internos de la Patria*. Muy independiente en su actividad,

Torres mantenía relaciones amistosas tanto con el prestigioso dirigente socialista Alfredo L. Palacios, como con el general J. B. Molina y el equipo redactor del diario *Cabildo*. Pero el contenido de sus artículos y libros se ubica en la corriente populista.

El núcleo organizado del nacionalismo populista surgió en un pequeño grupo de la juventud radical, el cual participó entre 1931 y 1935 en las luchas internas de la UCR, intentando (sin éxito) eliminar la influencia de Marcelo T. de Alvear en la conducción del partido. M. Ortiz Pereyra, A. Jauretche y Homero Manzi fueron especialmente activos en esta etapa. Pero finalmente pudo imponerse el sector alvearista. Como respuesta combativa a esta evolución que consideraban nefasta, los jóvenes disidentes se reunieron el 29 de junio de 1935 en Buenos Aires y fundaron la Fuerza de Orientación Radical de la Joven Argentina (FORJA). En su primer manifiesto atacaron a "las oligarquías" y a "los imperialismos", exigieron la restauración de "la soberanía del pueblo" y declararon que solamente FORJA representaba el verdadero radicalismo y, simultáneamente, el auténtico nacionalismo argentino. El 2 de setiembre de 1935 publicaron otro Manifiesto al Pueblo de la República, que contenía una lista bien documentada de acusaciones dirigidas contra el gobierno de Justo. El primer presidente de la pequeña organización fue Luis Dellepiane, hijo del que fue Ministro de Guerra de Yrigoyen. Entre los activistas más destacados se contaron Arturo Jauretche, que en 1933 había participado del trágico levantamiento del coronel Bosch; Jorge del Río, un periodista que provenía del ala izquierda del socialismo y Raúl Scalabrini Ortiz.

Resulta difícil sobreestimar la influencia de Scalabrini Ortiz, primero sobre los forjistas, y más tarde sobre sectores cada vez más amplios de la opinión pública argentina. En 1931 se había hecho un nombre como escritor con una magistral interpretación literaria de la psicología del porteño: *El hombre que está solo y espera*. Dos años después colaboró con un levantamiento radical y fue encarcelado. En 1934 debió viajar a Europa. Allí publicó una serie de artículos periodísticos ("La tragedia argentina") con la que comienza su definida actuación como ensayista político-económico. Ya de regreso en nuestro país, Scalabrini se dedicó a la investigación de las relaciones entre economía y política. Sus trabajos fueron difundidos por los folletos de FORJA y a través del diario *Señales* (1935-1936). Junto con L. Dellepiane redactó en 1938 *Petróleo e imperialismo*, y en 1940 pudo publicar los dos libros que fueron más importantes para el desarrollo del nacionalismo populista: *Política británica en el Río de la Plata* e *Historia de los ferrocarriles argentinos* (tomo I).

Durante la primera fase de su evolución (1935-1940) FORJA siguió integrando lo que podría denominarse el ala "intransigente" o "dura" del radicalismo. Pero los forjistas mantuvieron también crecientes contactos con personas y grupos políticamente afines que pertenecían a otros partidos u organizaciones.

Así, FORJA apoyó, con sus escasos medios de difusión, la comisión parlamentaria que investigó la industria frigorífica bajo la dirección de Lisandro de la Torre, a pesar de haber sido este demoprogresista un antiguo adversario de Yrigoyen. En lo referente al área más amplia de Latinoamérica, FORJA saludó con entusiasmo la política nacionalista que inauguró el presidente mexicano Cárdenas en la explotación petrolera. Esta simpatía constante con la Revolución Mexicana era una de las numerosas diferencias que existían entre nuestros nacionalistas populistas y la corriente de los restauradores. Los forjistas mantenían también relaciones con el APRA peruano, conducido por Raúl Haya de la Torre, así como con el nacionalista boliviano Víctor Paz Estenssoro. La base ideológica de todos estos contactos se encontraba en la común crítica a las estructuras oligárquicas de la política latinoamericana y en el antiimperialismo. En este último aspecto se daban también coincidencias parciales con algunos representantes de la tendencia restauradora, especialmente en el círculo de los hermanos Irazusta. Ernesto Palacio, en su libro *La historia falsificada* (1939), Bruno Jacovella en diversos artículos, y José María Rosa (hijo) con *Defensa y pérdida de nuestra independencia económica* (1943) se acercaron a las tesis populistas de FORJA, de las que ya no habrían de separarse en su futura evolución política.[3]

FORJA no fue en sus orígenes más que un pequeño círculo de académicos modestos, estudiantes, empleados y periodistas que se reunían en un sótano alquilado. Pero la incansable propaganda callejera y la calidad de sus publicaciones hicieron cierta impresión al correr de los años. En varias localidades bonaerenses y en las provincias surgieron secciones forjistas. Diversos periódicos y revistas —de aparición irregular— fueron publicados por el movimiento: *Cuadernos de FORJA, Argentinidad, Forjando, Reconquista* y *La gota de Agua*. Organos de gran tirada, comparables a los diarios restauradores *Crisol, El Pampero* y *Cabildo* no acompañaron al forjismo. El movimiento también seguía una política sindical diferente a la de las ligas del nacionalismo restaurador. En vez de intentar la fundación de sindicatos estrictamente "nacionalistas", los forjistas difundieron su ideario en algunas organizaciones socialistas y sindicalistas ya existentes, donde lograron la adhesión de un grupo de activistas jóvenes, en el que se destacaron L. Caparrós (industria del vidrio), A. Ejivoji (portuarios) y L. Ferrari (empleados públicos).

FORJA se concentró casi exclusivamente en la problemática argentina y latinoamericana; también en esto se hace evidente la dife-

rencia con respecto al nacionalismo de derecha. En la polémica relativa a la Guerra Civil Española FORJA se mantuvo neutral, lo cual le
valió el epíteto de "fascista" en los medios alvearistas y la sospecha
de filoizquierdismo en el ambiente restaurador. Una postura similar
--la del neutralismo auténtico, carente de connotaciones filofascis-
tas- fue la que mantuvo el nacionalismo populista durante la Segunda Guerra Mundial bajo el lema "Patria, Democracia, Neutralidad".
Pero en octubre de 1940 se produjo una escisión. Dellepiane y un
sector de los integrantes de FORJA reclamaron un acercamiento definido a la posición oficial de la UCR, que era claramente probritá-
nica, mientras que Jauretche y sus seguidores —la mayoría— exigieron la autonomía total.

Esta línea terminó por prevalecer, al separarse muchos simpatizantes radicales del forjismo. En los años siguientes se reforzó en
Jauretche, que ahora conducía la organización, la convicción de que
la dirección del radicalismo había traicionado los ideales de Yrigoyen, y de que sólo un golpe de Estado, de signo popular, podía destruir el régimen instaurado en 1930. En 1942 Jauretche escribió una
larga e interesante carta a un viejo político radical, en la que expresó
un juicio lapidario sobre la realidad nacional:

"(...) muerto Yrigoyen y muerto Uriburu, se trabaja en los dos bandos para pa-
cificar el país en la legitimación del 6 de setiembre y de las entregas que le suce-
den. (...) Pregunto yo: ¿Cómo unir a los estafados, que forman la Nación, con
los estafadores?"[4]

Los temas

Un método

"Por eso he dicho antes que la tarea de FORJA no fue la formulación de
una doctrina y menos de una ideología, sino dirigir el pensamiento nacional hacia los hechos concretos y sus implicancias económicas, sociales y culturales
propias (...). Se era liberal, se era marxista o se era nacionalista partiendo del
supuesto de que el país debía adoptar el liberalismo, el socialismo o el nacionalismo y adaptarse a él (...). La tarea de FORJA fue (...) contribuir a una comprensión en que el proceso fuera inverso y que las ideas universales se tomaran
sólo en su valor universal pero según las necesidades del país y según su momento histórico las reclamasen (...). En una palabra, (...) hacer del pensamiento
político un instrumento de creación propia (...)."[5]

Estas palabras de Jauretche definen con notable precisión el
método de análisis que caracterizó al nacionalismo populista. Ya en
los años veinte hubo esbozos de tal enfoque en los escritos de Ortiz
Pereyra y Ugarte, autores que criticaron duramente el afán imitativo

de los intelectuales y políticos latinoamericanos de su tiempo. Ugarte señalaba que mientras él pretendía adaptar las ideas generales y universales a "nuestras necesidades", sus adversarios dentro del socialismo creían poder introducir las necesidades reales en el molde de aquellas ideas recibidas de Europa. Esto producía "el adormecimiento de los pueblos en una atmósfera de imitación".[6]

La diferencia entre esta actitud y la del nacionalismo restaurador es muy grande. Ambas tendencias nacionalistas se veían a sí mismas como intentos de crear un nuevo consenso argentino, adecuado a la época, ya que la crisis mundial había destruido los supuestos del consenso decimonónico. Pero la tendencia restauradora —al igual que el socialismo y el comunismo— había recibido un sello deformante con su aceptación acrítica de los modelos ideológicos europeos. Esto complicaba y endurecía las tensiones existentes en la sociedad argentina, en vez de contribuir a su esclarecimiento y superación creadora. En cambio los populistas creían que un consenso políticamente original y eficaz debía ser construido sobre la base de la coincidencia en algunas pocas pero decisivas cuestiones concretas de la política y la economía argentinas. En cierto modo esta convicción puede ser interpretada como una versión criolla del pragmatismo anglosajón, en contraposición a la política de las audaces cosmovisiones exclusivistas que caracteriza la vida de la Europa Continental. En general, una concepción tan directamente orientada hacia la práctica era algo inusual para la opinión pública argentina, no menos que para la de los países latinos europeos. El nacionalismo populista no formuló una filosofía de la historia elaborada, ni una metafísica, como lo hizo la corriente restauradora. Jauretche escribe en sus memorias que él y sus amigos leían la literatura de combate de esa época, sobre todo las obras de autores marxistas y las de diversos ensayistas norteamericanos e hispanoamericanos que se ocupaban del "imperialismo". Sin embargo, no se sentían del todo satisfechos, porque esos trabajos no reflejaban la realidad argentina.[7] De allí la exigencia metodológica que Scalabrini Ortiz expresó brevemente: "hacer pie en el terreno firme de los hechos concretos y de las realidades efectivas: realidades históricas y realidades económicas".[8]

Pueblo, nación y tradición

Mientras que para el nacionalismo restaurador la historia era el producto de la acción de líderes y elites, para los populistas ocupaba el centro de la escena el concepto de "pueblo", en el sentido de la abrumadora mayoría de la población. El manifiesto fundacional de FORJA declaraba:

"Que el proceso histórico argentino en particular y latinoamericano en general, revelan la existencia de una lucha permanente del pueblo en procura de su Soberanía Popular, para la realización de los fines emancipadores de la Revolución Americana (...).''[9]

América Latina viviría aún en condiciones "coloniales", pero la liberación sólo tendría lugar a través de la "acción de los pueblos". Ernesto Palacio, que en 1930 había sido un apologista de las minorías "selectas", redescubrió en 1939 los fundamentos de la concepción democrática de la política: la "fe en el pueblo". Ahora afirmaba que la historia vivida enseñaba una lección importante: "los procesos de corrupción se originan en las clases dirigentes (...) y no al revés; y (...) los procesos de renovación benéfica siguen generalmente el camino inverso".[10] De manera parecida, pero más apasionadamente, había glorificado Saúl Taborda en 1935 la protodemocracia, inorgánica pero enraizada en el pueblo, que encarnaron los caudillos federales del siglo xix. Para Taborda, este elemento "facúndico" sería el núcleo de la verdadera tradición popular y el heredero del espíritu de la Guerra de Independencia contra el absolutismo borbónico.[11] También en Ramón Doll se encuentra la interpretación populista de los caudillos, en quienes ve a los auténticos representantes de las "masas populares", opuestas a una "clase dirigente" egoísta y entregada al extranjero.[12] Pero en primera línea estaban las figuras de Rosas e Yrigoyen, quienes eran admiradas como estadistas identificados con el pueblo y con una política independiente.

Manuel Gálvez, que en su momento también estuvo identificado con la tendencia restauradora, escribió dos biografías muy exitosas sobre ambos personajes. En lo que respecta al dictador federal, sus conclusiones se concentraban, no en los aspectos reaccionarios o arcaizantes de esa figura, sino en su trascendencia innegable para todo nacionalismo:

"Don Juan Manuel de Rosas no ha muerto. Vive en el alma del pueblo, al que apasiona su alma gaucha, su obra por los pobres, su defensa de nuestra independencia, la honradez ejemplar de su gobierno (...). Y vive sobre todo en el rosismo, que no es el culto de la violencia, como quieren sus enemigos, o como acaso lo desean algunos rosistas equivocados. Cuando alguien hoy vitorea a Rosas, no piensa en el que ordenó los fusilamientos de San Nicolás, sino en el hombre que durante doce años defendió, con talento, energía, tenacidad y patriotismo, la soberanía y la independencia de la Patria contra las dos más grandes potencias del mundo."[13]

Aun más cercana y nítida parecía la ya legendaria figura de Hipólito Yrigoyen. Los forjistas tenían la convicción de que ellos constituían la generación destinada a realizar "la Argentina grande y libre soñada por Hipólito Yrigoyen".[14] Pero el contenido de este sueño de ninguna manera equivalía a las formulaciones literarias y dogmáticas de un Meinvielle o de un Genta. Se trataba de aquello que ya estaba esbozado en la política yrigoyenista y que formaba la esencia de los reclamos populares: "sufragio libre", "sentido social", "neutralidad" en los conflictos de las grandes potencias y la reivindicación de la "soberanía económica". Para Jauretche era un axioma que "comprendido Yrigoyen, todo nacionalismo deviene radical".[15]

Este cuadro sin duda implicaba una simplificación y al mismo tiempo una idealización de los procesos históricos reales. Y sin embargo, la autenticidad de su núcleo concreto fue reconocida en 1940 hasta por algunos antiguos uriburistas. Por eso Gálvez escribía:

> "(...) pero otros nacionalistas comprenderán que si alguien hizo obra esencialmente nacionalista fue Hipólito Yrigoyen (...), su nombre será una bandera para todos los que deseamos menos diferencias entre las clases, para los que creemos que el Espíritu debe primar por sobre los valores materiales y para los que soñamos con ver a la Patria libre de las garras extrañas que la han privado de su independencia económica y moral".[16]

Si bien todos los nacionalistas valoraban la tradición y la historia como importantes componentes de la conciencia nacional, también despertaba crecientes críticas el rígido tradicionalismo de la tendencia restauradora. En un claro acercamiento al populismo, Bruno Jacovella se declaró en 1940 opuesto a toda "reacción", a pesar de que esa posición era predicada con entusiasmo por sus colegas de la revista *Nueva Política*. Para Jacovella esa era una ideología, que quizá fue buena en una época, pero que actualmente estaba "definitivamente muerta y enterrada". Este autor se atrevió a decir abiertamente una verdad que muchos nacionalistas restauradores fingían ignorar: las ilusiones coloniales y absolutistas no eran sostenidas por "ninguna clase, ni joven ni gastada", sino sólo por "grupos adventicios e intelectuales".[17] Estos últimos encontraban graves "errores de doctrina" en la obra de Scalabrini Ortiz: Sáenz y Quesada se quejaba de la pretensión populista de que Argentina fuese "un país nuevo", recordando los cuatro siglos en "Indias" y los "doce de cultura católica en España".[18] Contra esta concepción estrecha y ultraconservadora de la nación se dirigió Scalabrini Ortiz en 1941, al afirmar lo que sigue:

> "Dediquemos nuestra inteligencia y nuestro trabajo a resolver, ante todo, el hambre y la angustia de la desesperanzada muchedumbre argentina. En ella caben todas las voluntades, todas las religiones, todas las razas. Lo único imposible es escapar al destino histórico en que esa muchedumbre está comprendida".[19]

Para el populismo, la nación era una síntesis no dogmática y abierta al futuro, compuesta por varias líneas tradicionales que se integraban en una unidad superior:

"No admitimos que la verdad sea patrimonio exclusivo de una determinada línea étnica o cultural, y menos aún de una escuela dentro de ella. Por otra parte aspiramos para la cultura argentina a un destino más rico que el que pueda señalarle una sola parte de su pasado. (...) Nos iniciamos en la formación de la nueva cultura que goza de las ricas aportaciones hispánica y romana, pero no está sometida a la necesidad de soportar las restricciones y errores que han causado la decadencia del espíritu romano e hispánico."[20]

En una conversación con nacionalistas restauradores, Jauretche formuló con gran claridad la posición que caracterizaba su tendencia frente al concepto de nación que sostenían sus interlocutores:

"El nacionalismo de ustedes se parece al amor del hijo junto a la tumba del padre; el nuestro, se parece al amor del padre junto a la cuna del hijo, y esta es la substancial diferencia. Para ustedes la Nación se realizó y fue derogada; para nosotros, sigue todavía naciendo."[21]

El "régimen": seudodemocracia e imperialismo

Ya en 1934, cuando posiciones de este tipo no eran bien recibidas en el nivel oficial, el general Baldrich caracterizó al que consideraba el adversario fundamental de la nación en términos que poco después adoptaría FORJA. El militar señaló que el auténtico nacionalismo no debía reducir su contenido a la lucha "contra el comunismo y la anarquía", sino que debía implicar la oposición decidida a los "trusts", que buscaban "monopolizar" las fuentes de la riqueza y "dominar" a los pueblos incautos que les abrían las puertas. Concluyó afirmando que una nación "económicamente dependiente" de otra no era un verdadero Estado, sino una "colonia", o "feudo", aunque tuviese "los signos exteriores de la soberanía".[22] Esta fue, en esencia, la imagen que todos los populistas se hacían de uno de sus grandes enemigos. Con respecto al segundo, FORJA sostuvo una polémica durísima contra las condiciones seudodemocráticas de la Argentina de su tiempo. Oficialmente se hablaba de una "normalidad institucional", pero esas instituciones no se basaban en el sufragio libre. Decía Jauretche:

"La habilidad del Régimen, ahora y antes, consistió siempre en crear un aparato legal para canalizar la protesta del pueblo y después (...) acostumbrar al pueblo despojado a reverenciar el aparato del despojo. (...) Quiero llegar a esto: hay dos Argentinas, una conservadora que no quiere que ocurra nada, y en la cual está incluido el actual [1942] radicalismo. Esa Argentina tiene una apariencia poderosa porque maneja las estructuras oficiales de los partidos, el periodismo, la radiotelefonía, los gobiernos, pero esa Argentina no tiene vitalidad alguna, es un edificio caduco, subsiste por inercia porque en ella ya no creen ni los que la forman. Y hay una Argentina subterránea (...)."[23]

La "oligarquía" conservadora era denunciada como "agente" del imperialismo. Con violencia y fraude se habría instaurado desde 1930 la "dictadura política" de una minoría y al mismo tiempo la "tiranía económica" de los capitalistas extranjeros.[24] En este contexto la crítica forjista se dirigía contra una serie de medidas e instituciones, que formaban para el populismo un "Estatuto del Coloniaje": el Banco Central, el Instituto Movilizador, la coordinación de los transportes, las Juntas Reguladoras de la producción, el Pacto Roca-Runciman, la política petrolera, las intervenciones arbitrarias en las provincias y el silenciamiento de opiniones opositoras.[25] El lenguaje de FORJA era el de la agitación política, pero los polémicos planteos que el grupo lanzó a la calle no carecían de una base documental, a menudo nada despreciable. Gran parte de ese material pudo resistir la respuesta del otro bando y pudo ser luego integrado a la investigación científica de este período de nuestro pasado (v. págs. 103-111). Conviene recordar que muchas denuncias del forjismo coincidían con los discursos y escritos de destacados parlamentarios argentinos como lo fueron Lisandro de la Torre, Benjamín Villafañe y Alfredo Palacios, hecho que se hace más significativo aún si se tiene en cuenta que los nombrados no pertenecían al mismo partido político. Más allá de la forma literaria apasionada, no puede soslayarse el núcleo real de requisitorias como la siguiente:

"Jorge Canning escribía en 1824: 'La América Española es libre y si nosotros los ingleses manejamos nuestros negocios con habilidad, ella será inglesa'.
(...) Cien años después, la obra de dominación ha quedado completada y perfeccionada:
INGLESES son los medios de comunicación y transporte.
INGLESAS las empresas monopolizadoras del comercio exterior. (...)
INGLESAS las más grandes estancias de la República.
INGLESAS las mejores tierras de la Patagonia.
INGLESAS todas las grandes tiendas. (...)
INGLESAS son las voluntades que manejan la moneda y el crédito desde el Banco Central. (...)
INGLESAS 'son' las Islas Malvinas y las Orcadas. (...) tal esclavización de un pueblo (...) sólo ha sido posible por la permanente y traidora entrega del país, realizada por nuestra oligarquía."[26]

El catálogo de las acusaciones fue ampliado por J. M. Rosa (hijo) en 1941, al advertir éste a sus lectores que incluso la joven industria argentina dependía, en considerable medida, de "consorcios extranjeros", ya que operaba "con capital, dirección administrativa y técnica extranjera y muchas veces hasta mano de obra extranjera". Esta era la más moderna forma del "imperialismo económico".[27] Uno de los problemas básicos que planteaba FORJA era el hecho de que la más poderosa institución financiera del país —el Banco Central—, y los fortalecidos oligopolios de las Juntas no estaban sometidos al control de una representación política que fuese auténticamente democrática.

En cambio se daban casos tan increíbles como el del doctor Leguizamón, quien intervino en el Pacto Roca-Runciman como funcionario argentino, ocupando además un destacado puesto en una empresa ferroviaria británica. De allí los irónicos comentarios de los populistas con respecto al corporativismo propugnado por los nacionalistas restauradores. Jauretche declaraba que ese sistema ya existía en el país: la legislación de la Concordancia había despojado al poder político de todas las atribuciones esenciales, traspasándolas a diversas "corporaciones" de personas que representaban "intereses económicos".[28] También la política impositiva del gobierno correspondería a esa situación.[29] Los costos sociales del corporativismo "real" de la "década infame" eran soportados por determinados estratos de la población, los cuales fueron definidos de la siguiente manera por Scalabrini Ortiz y J. L. Torres: los desnutridos campesinos del Noroeste, cuyos niños debían comenzar el día sin desayuno; los obreros mal pagados de las "villas-miseria" urbanas, y los desocupados, carentes de apoyo estatal.[30] En un llamado emotivo, cuya retórica simplificadora recuerda a la de la Revolución Francesa, el nacionalismo populista declaró:

> "De un lado está la nación entera (...) sin distinción de jerarquías, del otro sus explotadores extranjeros y sus representantes locales."[31]

Los objetivos: democracia, autonomía económica y solidaridad iberoamericana

FORJA se consideraba a sí misma como la célula nuclear de un movimiento que conectaba la lucha nacional contra la dominación extranjera con las exigencias populares de mejoras socioeconómicas y participación política. Este movimiento debía permitir, en un futuro cercano, la victoria de la "Argentina subterránea" —"joven, vigorosa, caótica aún"[32]— y la realización de sus objetivos, resumidos en el trilema "Patria, pan y poder al pueblo". Una y otra vez los nacionalistas populistas acentuaron la afirmación de que la fuente del poder legítimo sólo se encontraba en la "soberanía del pueblo".[33]

En una fórmulación que sonaba a herejía a los oídos de los restauradores dogmáticos, Saúl Taborda decía que el pueblo, en una evolución histórica irreversible había "expropiado al príncipe". La gran tendencia universal de la democracia seguía marchando hacia "una realización efectiva del principio de la igualdad".[34] De ninguna manera los forjistas querían que se los confundiese con los grupos abierta o encubiertamente fascistas:

"(... FORJA) ratifica su fe en que la democracia es el único régimen político que asegura la paz, la dignidad humana y el progreso de los pueblos: en consecuencia, repudia todos los imperialismos y no acepta la intromisión en nuestras instituciones nacionales de los extremismos de derecha o de izquierda, que son incompatibles con la idiosincrasia del pueblo argentino y que pretenden servir intereses políticos extraños a la argentinidad".[35]

Pero también era una convicción del populismo la tesis de que el entonces existente "aparato de la finanza, del periodismo, de la Universidad", etc., no servía a los intereses de la mayoría, y era por ello necesaria su radical transformación.[36] En cuanto a la estructura del Estado argentino, FORJA reclamaba la instauración de un auténtico federalismo, al que consideraba consustanciado con la tradición nacional.[37] Ya en 1933 Taborda había escrito:

"(...) parece evidente que el sistema unitario, al reforzar el centralismo político reforzaría también el centralismo económico. [...Esto] tendría la virtud de supeditar el desarrollo industrial de las provincias del interior a las conveniencias de las provincias del litoral. (...) Hacer efectivo nuestro federalismo, ahora nominal, significa liberar al trabajo todas las fuentes de riqueza de la República; es (...) por encima de todo, hacer posibles los fines de la democracia".[38]

De manera parecida, los forjistas postulaban la indestructible ligazón entre el objetivo de la "emancipación económica" y el de la "justicia social". Pero la prioridad temporal correspondía al primero: de la Argentina "colonial" debía surgir una "Argentina Libre".[39]

"(...) es fácil ver que el problema previo a la distribución justa de los bienes es que seamos dueños de ellos, (...), así, toda demanda de justicia social se identifica con el nacionalismo y no hay posible concepción nacionalista en un país colonial que no lleve implícita la demanda de justicia social".[40]

Scalabrini Ortiz y J. L. Torres exigían "reconquistar el dominio político y económico de nuestra propia tierra" y la resolución urgente de "los problemas populares atinentes a la alimentación, vestido y vivienda".[41] Esto implicaba la aceleración del proceso de industrialización, cosa que los populistas consideraban dificultada seriamente por los "órganos corruptos del Estado".[42] Con esto se aludía ante todo a la política crediticia del Banco Central, muy poco generosa con el sector industrial de nuestra economía. El nuevo Estado no debía servir a la oligarquía tradicional, pero tampoco convertirse en un instrumento de dominación totalitaria:

"(...) mientras aquellos [totalitarismos] se proponen hacer del hombre un instrumento del Estado, como en Italia, o de la raza como en Alemania o de una categoría histórica como en Rusia, nosotros nos proponemos hacer un Estado defensor de la libertad del hombre para que éste se realice en plenitud, es decir, (...) dar vuelta al vigilante para que, en lugar de cuidar que la libertad del hombre no lesione a los dueños de lo económico, cuide de que los dueños de la economía no lesionen la libertad del hombre".[43]

La Argentina así constituida no habría de ser el objetivo último del nacionalismo populista, sino una etapa importante en el camino hacia una comunidad supranacional de los pueblos latinoamericanos, idea que encontró su gran expresión literaria en las obras de Manuel Ugarte. Este autor subrayó el hecho de que la "nacionalidad argentina" no podría nunca realizarse plenamente si no era a través de las relaciones con las "naciones hermanas" de Latinoamérica. Asimismo un entendimiento con los vecinos inmediatos del Cono Sur era insuficiente: resultaba necesaria "la colaboración" con la "América autóctona", de fuerte raigambre indígena, desde Bolivia hasta Colombia.

Ugarte se declaró convencido de que en "esa gran concepción" habría de inspirarse la política argentina del porvenir.[44] A diferencia del nacionalismo restaurador, FORJA no puso el acento en el elemento hispanista del latinoamericanismo. Es que a partir de 1939 ello fácilmente podía ser confundido con una adhesión sectaria al francofalangismo. El argumento decisivo de los populistas se refería más bien a las realidades del siglo xx, que sólo permitían a Estados gigantes y a ligas de Estados la representación eficaz de sus intereses. En el marco de estas concepciones hubo intentos forjistas de organizar un congreso iberoamericano de estudiantes universitarios (1939), con el fin de proclamar conjuntamente "la voluntad unitaria del continente de lograr la realización de su propio destino, liberándose de todo tutelaje político y económico, vigente o futuro".[45] En cambio el panamericanismo de Washington fue denunciado como un instrumento del "imperio del Norte". La creciente cooperación de los pueblos en todos los terrenos garantizaría el éxito en la resistencia contra los "imperios dominantes" y allanaría el camino hacia los objetivos igualitarios del futuro. Este se entreveía con los rasgos de "una nueva forma de sociedad humana, sin opresores ni oprimidos y sin exclusivismos de sangre ni de raza".[46]

La significación histórico-política del nacionalismo populista

Esta tendencia nacionalista fue, en un grado más alto que cualquier otra corriente política de su tiempo, un intento de encontrar respuestas argentinas a los problemas concretos de la "década infame", sin que esas respuestas significasen la negación de todos los ideales y convicciones de la generación anterior. El nacionalismo restaurador no puede ser explicado, en numerosos aspectos importantes de su desarrollo, ideología y organización, sin tomar en cuenta la función paradigmática que tuvieron para ese movimiento los modelos europeos. En otras palabras, sólo es comprensible en el marco de lo que Nolte llamó "la época del fascismo". Los centros de gravedad de las dos variantes nacionalistas argentinas eran muy diferentes. Y como se ha visto en los capítulos precedentes, sus interpretaciones de la realidad nacional y mundial no coincidían. En las ocho áreas conflictivas citadas en el apartado de págs. 205-229, sólo una presenta notables similitudes entre el enfoque restaurador y el populista. Sin duda se trataba de un tema muy importante: el de la común crítica a la dependencia económica, interpretada como obstáculo fundamental para el desenvolvimiento pleno de las potencialidades de nuestro país. Los contactos personales que se produjeron entre representantes de las dos corrientes tenían su base programática en este acuerdo, aunque prácticamente todos los participantes sabían que divergencias serias en otras cuestiones constituían una barrera que impedía la formación de un duradero frente común de los nacionalistas.

Ni siquiera existía un pensamiento único en el gran tema del "antiimperialismo". Para los restauradores filofascistas esa bandera era otro "argumento" tendiente a descalificar la democracia como "instrumento" de la dominación extranjera. Todo lo contrario opinaban los populistas, quienes consideraban a la oligarquía y al uriburismo como agentes de esa dominación, mientras que postulaban la participación popular masiva como base política de toda estrategia nacionalista. Por otra parte tampoco cabía una alianza del populismo con el comunismo, ya que este último sólo quería ver el expansionismo económico de las potencias occidentales, cerrando los ojos al hegemonismo ideológico y militar que crecía sin descanso en el seno de la supuesta "Patria de los trabajadores". Los forjistas afirmaron una y otra vez su convicción de que la Argentina y Latinoamérica toda debían distanciarse críticamente no sólo de los modelos anglosajones, sino también de novedades tan ajenas al espíritu de nuestras tierras como lo eran los regímenes fascistas y el Estado soviético. En otros sentidos, las discrepancias con el nacionalismo restaurador resultan aun más evidentes. Mientras que éste se enfrentaba a los inmigrantes con desconfianza y a los judíos con odio, el populismo destacaba la natural integración nacional del "gringo" y rechazaba la tesis de la conspiración universal. Para los restauradores el ideal era el Estado centralizado, autoritario, "corporativo", con las facetas del clericalismo anacrónico de Salazar y Franco; para los populistas las exigencias nacionales se condensaban en el federalismo, la sociedad tendencialmente igualitaria y el Estado democrático.

En el decisivo problema de la legitimidad y la participación política de las masas, los populistas mantenían las convicciones básicas del yrigoyenismo. Pero puesto que el régimen argentino de aquellos años constituía el perfeccionamiento técnico de una seudodemocracia, se desarrolló en FORJA y en importantes sectores de la población una creciente desconfianza, incluso un desprecio, frente a las instituciones, "legales" pero no legítimas. Se trataba de una reacción perfectamente comprensible en el plano psicológico que también resultaba espiritualmente refrescante como aguijón crítico, pero al mismo tiempo debe advertirse que tal actitud no estaba exenta de posibilidades peligrosas para el futuro. Algunos de esos peligros se manifestaron luego en el gobierno peronista. En 1942 Jauretche había escrito estas frases lapidarias:

"Se ha confundido la defensa de la soberanía del pueblo con la defensa de las instituciones en que se ampara el Régimen (...) gobierno del pueblo sin instituciones, es mejor que gobierno de instituciones sin el pueblo."[47]

Surgió así una contraposición entre "democracia del pueblo" y democracia "teórica" o "formal". Tales conceptos pueden servir como fructíferos puntos de partida para la búsqueda de formas de organización democrática novedosas y perfeccionadas, así como para formular propuestas reformadoras de la Constitución. Pero FORJA no se ocupó de desarrollos ulteriores de este tipo, por lo cual su crítica podía ser interpretada como una sobrevaloración romántica del papel de las multitudes. El entusiasmo renovador y revolucionario de un movimiento popular podía encontrar su expresión en estas ideas, como ocurrió con Yrigoyen en 1916 y con Perón en 1945-1946, pero ello no bastaba para darle solidez a la reforma del Estado. La mencionada falta de claridad tenía dos causas: 1) la actitud fundamentalmente pragmática del forjismo que otorgaba absoluta prioridad a sus objetivos "antiimperialistas"; 2) su firme convicción de que el pueblo, en elecciones libres, sabría darles respuesta adecuada a todas las cuestiones institucionales, consideradas relativamente secundarias. No se tenía entonces en cuenta la posibilidad —aunque ésta fuese sólo teórica— de que surgiese una democracia con modalidades intolerantes, en la cual podían ser afectados derechos legítimos de la minoría. Retrospectivamente, Jauretche concedió en 1962 que FORJA, a pesar de su originalidad, no desarrolló una "doctrina institucional".[48] Esta ausencia era, por una parte, una fuente de flexibilidad política y, por la otra, un rasgo de ambigüedad no desprovisto de riesgos para el populismo.

No ocurría lo mismo con el neutralismo de FORJA. Esta posición expresaba el convencimiento de que ningún gran interés argentino o latinoamericano estaba en juego en la Guerra Mundial. Eso no quitaba que el forjismo fuese hostil al Nuevo Orden de los dictadores fascistas. Al comenzar el conflicto, los forjistas difundieron un volante en el cual destacaban la peligrosidad tanto del imperialismo económico británico, como del totalitarismo militar del Eje.[49] Las victorias alemanas de 1940 no alteraron esta postura: la "guerra imperialista" fue renovadamente condenada.[50] En su estilo sarcástico, Scalabrini Ortiz se preguntaba por qué deseaban los intervencionistas la movilización de los argentinos para la guerra europea, y no le daban en cambio la prioridad a la lucha por la democracia en el suelo patrio.[51] No menos escéptico se mostraba este autor frente a los fines "ideales" y las pretensiones morales de los aparatos propagandísticos de los bandos en pugna:

"Para polarizar a los contendientes sobre cualquier sistema de ideas, debería reagrupárseles. (...) Los Estados autoritarios y reformadores, Alemania, Rusia e Italia son rivales enconados. La China miserable y depauperada se bate junto a Estados Unidos opulento y plutocrático. (...) La Rusia anticapitalista combate junto a los Estados plutócratas e imperialistas. La Alemania racista fraterniza con el campeón de la raza amarilla. (...) Los cristianos están aliados a los anticristianos para combatir a otros cristianos. Es el caos en su más alta expresión (...)."[52]

Puede considerarse que esta perspectiva está excesivamente limitada por el "sacro egoísmo" nacionalista, pero es indudable que ella muestra un realismo político que no es posible hallar en la corriente restauradora. Los populistas se hicieron de muchos enemigos con una posición tan heterodoxa —luego se la llamaría "tercerista"— y hasta hoy ello ha influido en los juicios negativos que la bibliografía anglosajona suele dedicar al populismo argentino. Sin embargo, si se tienen en cuenta las condiciones de aquel momento histórico —todavía se ignoraba en nuestro país el horror de Auschwitz y Treblinka—, el escéptico neutralismo de los forjistas se hace plenamente comprensible.

Para una caracterización global de los dos nacionalismos del período 1932-1943 todavía conviene hacer las siguientes reflexiones. La corriente restauradora permaneció fiel —en lo esencial— a su origen uriburista. Ella se manifestó como la expresión extrema de una mentalidad defensiva, es decir, de la angustia de quienes se sentían amenazados por los fenómenos típicos de la modernidad: movilidad social, espíritu crítico, democracia de masas, sindicalismo, etc. Los restauradores soñaban con una "revancha" del pasado y sostenían posiciones antidemocráticas y antiliberales que copiaron de determinados modelos europeos. El nacionalismo populista surgía de una mentalidad muy diferente: con una orientación optimista hacia el futuro, sus adherentes destacaban las tendencias emancipadoras del mundo contemporáneo y exigían la instauración de una sociedad justa. Mientras el nacionalismo restaurador había puesto sus más caras esperanzas en una victoria del Eje, los populistas se sintieron seguros de que tarde o temprano las multitudes argentinas habrían de realizar su programa. Ya en 1939 Taborda había hablado de la "hora del pueblo" que se acercaba.[53] Y en julio de 1942 Jauretche escribió:

> "El año que viene esa Argentina joven y vigorosa va a ponerse en marcha (...)."[54]

NOTAS

[1] Para este capítulo pueden consultarse las obras siguientes: N. Galasso: *Vida de Scalabrini Ortiz*, Buenos Aires, 1970; M. A. Scenna: *Forja, una aventura argentina*, Buenos Aires, 1972 (2 vols.) y Arturo Jauretche: *Forja y la Década Infame*, Buenos Aires, 1974.

[2] Véase J. M. Rosa (h.): *Historia Argentina...*, XII, págs. 46-50, y José L. Torres: *La década infame*, Buenos Aires, 1945, págs. 28-30.

[3] Véase P. J. Hernández: *Conversaciones con José M. Rosa*, Buenos Aires, 1978, págs. 74-75.

[4] Carta a J. Abalos (9 de julio de 1942), cit. en A. Jauretche: *Forja...*, pág. 142.

[5] Ibid., págs. 68 y 79.

[6] Manuel Ugarte: *El destino de un continente*, Madrid, 1923, págs. 313-314, y M. Ugarte: *La Nación Latinoamericana* [Selección de textos, Prólogo, Notas y Cronología de N. Galasso], Caracas, 1978, pág. 48 (de un escrito inédito de 1940).

[7] A. Jauretche, cit. en M. A. Scenna: *Forja,...*, t. I, pág. 153.

[8] Raúl Scalabrini Ortiz: *Cuatro Verdades sobre nuestra crisis* (diversos artículos), Buenos Aires, s.f., pág. 27.

[9] "Declaración..." (29 de junio de 1935), en A. Jauretche: *Forja...*, pág. 87.

[10] Ernesto Palacio: *La historia falsificada*, Buenos Aires, 1960 (1a. ed. 1939), pág. 55.

[11] V. citas y comentarios en F. Chávez: *Civilización y barbarie en la historia de la cultura argentina*, Buenos Aires, 1974, págs. 116-120.

[12] Véase R. Doll: "Acerca de una política nacional", en BPNA V, págs. 91-92 y 141.

[13] Manuel Gálvez: *Vida de Don Juan Manuel de Rosas*, Buenos Aires, 1949 (1a. ed. 1940), pág. 487.

[14] "Declaración...", en A. Jauretche: *Forja...*, pág. 88.

[15] "Radicalismo y nacionalismo", ibid., págs. 141 y 145-146.

[16] M. Gálvez: *Vida de Hipólito Yrigoyen*, Buenos Aires, 1951 (1a. ed. 1939), pág. 382.

[17] Bruno Jacovella: "La oligarquía, las ideologías y burguesía", en *Nueva Política*, 3, agosto de 1940, págs. 11-13.

[18] V. "La tradición argentina", en *Nueva Política*, 3, agosto de 1940, págs. 13-15.

[19] R. Scalabrini Ortiz: *Cuatro Verdades...*, pág. 71.

[20] Manifiesto (1943), en A. Jauretche: *Forja...*, pág. 152.

[21] Ibid., pág. 62.

[22] Alonso Baldrich: *El Problema del Petróleo y la Guerra del Chaco*, Buenos Aires, 1934, págs. 37-38.

[23] Véase A. Jauretche: *Forja...*, págs. 136 y 144.

[24] Ibid., págs. 87 y 92 (documentos del 29 de junio y 2 de setiembre de 1935). En un artículo de 1931 M. Ugarte ya había interpretado la historia de toda América Latina como la de una suma de autonomías nacionales "nominales", detrás de las cuales se ocultaban "las oligarquías" y los imperialismos anglosajones en común ejercicio de una dominación "semiplutocrática" y "semifeudal". (M. Ugarte: *La Nación Latinoamericana*, pág. 159.)

[25] A. Jauretche: *Forja...*, págs. 91-92.

[26] Hoja de propaganda (1937) en A. Jauretche: *Forja...*, págs. 111-112.

[27] José M. Rosa (h.): *Defensa y pérdida de nuestra independencia económica*, Buenos Aires, 1967 (1a. ed. 1943), págs. 172-174.

[28] V. "Empezar por el principio" (*Reconquista*, 15 de noviembre de 1939) cit. en M. A. Scenna: *Forja...*, I, pág. 360. También. R. Scalabrini Ortiz en *Señales*, 8 de abril de 1936, cit. en N. Galasso: op. cit., pág. 246.

[29] Véase R. Scalabrini Ortiz: *Política británica en el Río de la Plata*, Buenos Aires, 1937, pág. 41.

[30] Para este problema véase José L. Torres: *Los Perduellis-Los enemigos internos de la Patria*, Buenos Aires, 1973. (1a. ed. 1943), págs. 107-125 y R. Scalabrini Ortiz: *Política británica...*, págs. 186-198.

[31] Ibid., pág. 43.

[32] A. Jauretche: *Forja...*, pág. 144.

[33] Ibid., pág. 87.

[34] S. Taborda: *La crisis espiritual y el ideario argentino*, Santa Fe, 1933, pág. 101.

[35] Declaración de los universitarios forjistas (1940), en A. Jauretche: *Forja...*, pág. 119.

[36] Ibid., pág. 136.

[37] Manifiesto de la Unión Federalista Revolucionaria Argentina de Córdoba (organización forjista), cit. en M. A. Scenna: *Forja...*, t. II, pág. 448.

[38] S. Taborda: op. cit., pág. 106.

[39] A. Jauretche: *Forja...*, pág. 87.

[40] Ibid., pág. 146.

[41] Véase R. Scalabrini Ortiz: *Política británica...*, págs. 301 y 309-310. También J. L. Torres: *Los Perduellis...*, pág. 252.

[42] Declaración de mayo de 1941, en A. Jauretche: *Forja...*, pág. 131.

[43] Ibid., pág. 147.

[44] M. Ugarte: *El destino...*, pág. 318.

[45] A. Jauretche: *Forja...*, pág. 119.

[46] Ibid., págs. 130-131.

[47] Ibid., pág. 136.

[48] Ibid., pág. 22. Este "vacío" de reflexión política se presenta también en la obra de Ugarte. Defensor de la democracia y de los derechos del ciudadano en numerosos escritos, llegó a soñar en 1940 con un gobierno "fuerte", capaz de servir al cambio liberador en América: "El autoritarismo es durable y creador cuando se pone al servicio de un alto ideal, pero los gobiernos imperiosos, en Iberoamérica, rara vez persiguieron un fin superior". Le quedaba una cuota de sano escepticismo que debía servir como advertencia contra desviaciones posibles (M. Ugarte: *La Nación Latinoamericana...*, pág. 50).

[49] A. Jauretche: *Forja...*, págs. 113-114 (Hoja volante de 1939).

[50] Ibid., pág. 119.

[51] En *Reconquista* (11 de diciembre de 1939), cit. en N. Galasso: op. cit., págs. 317-318.

[52] "La gota de agua" (agosto de 1942), en R. Scalabrini Ortiz: *Yrigoyen y Perón*, Buenos Aires, 1972 (diversos artículos), pág. 85.

[53] Recuerdos personales del profesor doctor Gonzalo Casas, en una charla del 8 de diciembre de 1979.

[54] A. Jauretche: *Forja...*, pág. 144.

IV

El Peronismo
(1943-1955)

LA REVOLUCION "ANUNCIADA"

El 4 de junio de 1943 y los nacionalistas[1]

Ya se ha señalado en la Tercera Parte de esta obra el renovado interés político de las Fuerzas Armadas que acompañó a la agudización de las tensiones internacionales bajo la presidencia de Castillo. La historia política del período que entonces se inició ha sido detalladamente referida en muchas oportunidades; en el marco del presente estudio sólo interesa recordar sus lineamientos esenciales, en la medida en que éstos explican las transformaciones y los choques de las ideologías en pugna. De ese proceso emergió una síntesis novedosa —el peronismo— que llegó a sorprender y desorientar hasta a quienes tenían con él numerosos puntos de contacto, hasta el caso de poder pasar por precursores suyos. Fue este el comienzo de la compleja historia de convergencias y divergencias alternadas que caracterizaron las relaciones entre el nacionalismo y el movimiento liderado por el coronel Perón.

Ni siquiera la personalidad respetada del anciano Castillo pudo salvar la coalición conservadora gobernante de su descomposición. Al saberse en febrero de 1943 que el magnate azucarero Robustiano Patrón Costas era el candidato apoyado por el presidente para las próximas elecciones, creció por todas partes el descontento. Nuevas conspiraciones se concretaron. Desde fines de 1942 existía una logia militar secreta, el GOU (Grupo de Oficiales Unidos), que se había dado un vago programa de carácter nacionalista, neutralista y anticomunista. El coronel Juan D. Perón no era el fundador de esta organización, pero pertenecía al círculo de los miembros más activos, junto con M. A. Montes, Urbano de la Vega y Enrique P. González.[2] En cuanto a los partidos políticos opositores, se les presentaba sólo una oportunidad razonable de impedir la fraudulenta "victoria" electoral del candidato presidencial: esa chance podía darse si se lograba separar el régimen de uno de sus apoyos institucionales decisivos. Así comenzaron las tratativas secretas entre el Frente Democrático (UCR, PDP y PS) y el Ministro de Guerra, general Ramírez, a quien se le ofreció la candidatura para el cargo de presidente.[3] De esta jugada de la oposición nació la postrera crisis política del gobierno de Castillo. El presidente exigió a Ramírez una explicación. El GOU tomó esto como una humillación de las Fuerzas Armadas, y resolvió activar el golpe de Estado. El 4 de junio de 1943, después de un breve combate en la Capital, Castillo fue derrocado.

En los partidos opositores —liberales y de izquierda— la temática política interna del país era determinante de su posición, frente al régimen caído; pero para los militares jugaba también un papel muy destacado el factor político internacional. Del aliadófilo Patrón Costas cabía esperar el fin del neutralismo argentino. Por otra parte, era creencia generalizada en el ambiente militar que todos los partidos estaban integrados por gente más o menos corrupta e incapaz. Comenzó de esta manera la vigencia de un gobierno militar, cuyo objetivo proclamado parecía ser la "limpieza" moral del país, para lo cual se redujo la participación civil al mínimo. Pero el transcurso de la Revolución de Junio estuvo signado por constantes pugnas internas por el poder, las que, por otra parte, nunca pudieron ser ocultadas. Así ocurrió bajo los presidentes provisionales Rawson y Ramírez (de junio de 1943 a febrero de 1944) primero, y bajo Farrell después (febrero de 1944 a junio de 1946). Poco unía a los oficiales gobernantes, más allá de un cierto desprecio hacia los civiles y una gran confianza en sus propias aptitudes, elementos que no alcanzaban a conformar del todo un programa de gobierno. A pesar de las continuas menciones de la "unidad" de las Fuerzas Armadas, el choque de las ambiciones personales y las tendencias políticas fue permanente. En este último aspecto se pueden detectar tres grupos, o "partidos militares" si se quiere: 1) La línea del nacionalismo restaurador, que tuvo máxima influencia bajo la gestión del general Ramírez. 2) La tendencia nacionalista populista, cuya cabeza vino a ser el coronel Perón, y que logró imponerse bajo Farrell. 3) El grupo de los oficiales aliadófilos, generalmente simpatizantes del conservadorismo y del radicalismo antipersonalista. El general Rawson primero, el general Avalos y el almirante Vernengo Lima después (1945), fueron las personalidades más destacadas de esta tendencia. Durante la crisis de octubre de 1945 el mencionado grupo logró una efímera supremacía.

Desde los primeros pasos de la Revolución de Junio se hizo evidente que los oficiales que la conducían apreciaban el programa del nacionalismo restaurador, aunque no se allanaron a reconocer las pretensiones que durante años habían cultivado numerosos "jefes" militares y civiles del movimiento nacionalista. Hombres tan conspicuos en las organizaciones nacionalistas como Pertiné, Scasso y Villanueva sólo obtuvieron cargos de segunda y tercera categoría. Un agente del SD alemán informaba, sorprendido, que

"Por otra parte debe constatarse que los más conocidos dirigentes nacionalistas de la Argentina —Manuel A. Fresco, el general B. Molina, Osés, el almirante Scasso y otros— no sólo no fueron llamados [a puestos de responsabilidad], sino que ni siquiera se tomó contacto con ellos."[4]

El general P. P. Ramírez (en 1930 fue integrante del círculo uriburista), el coronel Enrique González (Secretario de la Presidencia), el coronel A. Gilbert (Ministro del Interior, luego del Exterior), el coronel Emilio Ramírez (jefe de la Policía) y el coronel Filippi (ayudante del Presidente Ramírez) fueron las figuras decisivas de los primeros meses. Luego de la crisis ministerial de octubre de 1943 surgió una especie de "eminencia gris" —el general L. Perlinger—, bajo cuya dirección el Ministerio del Interior trató de convertir al nacionalismo en un instrumento político útil al gobierno revolucionario.[5] Una serie de conocidos escritores y publicistas de esta tendencia recibió cargos de variada relevancia: Gustavo Martínez Zuviría (Hugo Wast) el Ministerio de Justicia e Instrucción Pública; Héctor Llambías, una Subsecretaría; Bonifacio del Carril (del Grupo Renovación), una Secretaría en el Ministerio del Interior; Jordán Bruno Genta, la intervención en la Universidad del Litoral; Tomás Casares, parecida función en la Universidad de Buenos Aires (1944). A. Baldrich, Federico Ibarguren, R. Doll y H. Bernardo integraron el gobierno de la provincia de Tucumán (1943-1944) y Mario Amadeo se convirtió en Jefe de la Sección Asuntos Políticos del Ministerio del Exterior.[6] Muchas de estas personas eran miembros de las agrupaciones Renovación y Restauración; también algunos integrantes del Partido Libertador colaboraron con el nuevo gobierno.[7] No cabe duda de que la primera etapa de la Revolución de Junio estuvo visiblemente influida por las ideas del nacionalismo restaurador. La represión policial de comunistas e izquierdistas fue intensificada, la enseñanza religiosa introducida en las escuelas (decreto Nº 18.497, del 31-12-1943), la censura de la prensa escrita y radial legalizada (decreto Nº 18.496); los profesores y estudiantes liberales perseguidos; las asociaciones israelitas acusadas de actividades masónicas (octubre de 1943), y todos los partidos políticos disueltos (decreto Nº 18.498). Más tarde sufrieron igual destino las organizaciones nacionalistas.

La prensa nacionalista —*El Pampero, Cabildo, Nueva Política, Clarinada,* etc.— saludó con alborozo el nuevo régimen. Sentían sus adherentes que por fin se había producido "la Revolución que anunciamos". Así juzgaba la situación Marcelo Sánchez Sorondo, cuando declaró, con vuelo poético, que "el signo de la Espada ejerce así un supremo fuero de atracción sobre todas las instituciones del Estado".[8] Esta habría de ser "la revolución del retorno y del destino", o en el lenguaje más directo de Meinvielle: "la contrarrevolución", destinada "a hacer entrar al hombre en la razón y en el orden".[9] J. B. Genta y A. Baldrich —profesores que desde hacía años mantenían buenos contactos con militares nacionalistas en el Círculo Militar— encontraron ahora el clima ideal para la difusión oficializada de su doctrina elitista y militarista, la cual intentaron introducir en el sistema educativo nacional. Baldrich había declarado que el ejército era el modelo del orden social deseable, porque concebía a las Fuerzas Armadas como el "cuerpo escogido, jerárquico y político por excelencia de la Patria":

"Es en el ejército el único momento en que, socialmente, desaparece el patrón para surgir, en paternal sentido, el conductor en forma de militar."[10]

Al hacerse cargo de su puesto como Interventor de la Universidad del Litoral (Paraná, 17 de agosto de 1943), Genta declaró que era misión de la Universidad formar "la clase dirigente" en el espíritu de la metafísica aristotélica. Las nuevas autoridades asumían la tarea de la

"salvación de la juventud de las frívolas ideas modernas (...). Aún estamos padeciendo el desorden de la revolución negadora cartesiana; y en el retorno a la Filosofía Perenne hemos de fincar los postulados de la nueva revolución (...) la revolución restauradora que las Fuerzas Armadas (...) realizaron".[11]

Un año después, siendo Director del Instituto del Profesorado Secundario de Buenos Aires, Genta comunicó a sus oyentes que "la democracia extensiva y cuantificadora" era un postulado de la "Antipatria", ya que ese tipo de democracia tendría como consecuencia:

"la supresión de todas las instituciones tradicionales que significan privilegios y responsabilidades exclusivas: la propiedad privada, la división de clases, la soberanía nacional y sobre todo la religión".[12]

En medio de esta atmósfera era fácil llegar a la conclusión de que —al menos en la Argentina— "el liberalismo" había "muerto".[13]

Además se escuchaban voces que exigían medidas mucho más tajantes: *Clarinada* proponía la expulsión de todos los judíos o su reubicación en guetos. Incluso Leonardo Castellani llegó a sostener —en 1945— que "no hay más remedio que el gueto" para la supuesta cuestión judía.[14] Por razones muy comprensibles el gobierno no tomó en serio tales disparates.

En el transcurso del año 1944 se fue haciendo cada vez más evidente que la revolución juniana debía culminar, tarde o temprano, en el regreso a algún tipo de normalidad institucional. Hasta los nacionalistas más leales al gobierno comprendieron que las continuas crisis de gabinete y la sorda lucha por el poder dañaban el prestigio de la "Revolución". Ya en enero de 1944 el coronel González había aludido vagamente a una "ideología nacional" que debía ser creada para servir de soporte a un nuevo consenso argentino, basado en los conceptos de Patria, Hogar y Cristianismo.[15] Se acentuaban así los lazos ideológicos con la corriente uriburista del nacionalismo —en el plano nacional—, y con regímenes como el de Vichy —en el plano internacional—, cuando esas tendencias ya se habían revelado como los compañeros de ruta de los imperialismos fascistas. En algunos círculos nacionalistas —especialmente en el seno de la Alianza— se creía que el gobierno iniciaría la esperada y cómoda construcción del partido único nacionalista "desde arriba". En ese caso, hombres como B. Lastra auguraban un brillante futuro a la ALN, puesto que dicha organización sería presumiblemente la columna vertebral de la nueva estructura oficialista.[16] El posterior desarrollo de los acontecimientos demostraría que esas esperanzas tenían poco sustento en la realidad argentina.

De todas maneras se generó una polémica en torno al problema de la instauración de un régimen que fuese el heredero legítimo del interinato revolucionario. Un jurista nacionalista y colaborador del gobierno, M. Aberg Cobo, propuso la introducción de un nuevo sistema electoral, en el cual los padres de familia dispondrían de los sufragios de sus esposas e hijos (menores de 22 años). Castellani halló interesante la idea, pero Meinvielle la criticó.[17] Mucho mayor era el acuerdo en las filas restauradoras cuando se mencionaba la idea del Estado "corporativo", en el cual habrían de jugar roles protagónicos "la familia, el municipio, la corporación, la Universidad, el Ejército y la Iglesia". Castellani defendió con especial ahínco el papel de la Iglesia en esta estructura.[18] La influencia de los modelos del Portugal salazarista y la España franquista era inocultable. Tanto Castellani como Meinvielle declararon también que el gobierno militar, con el simple agregado de un "consejo de Estado" de integración civil, ya podía ser considerado como un sistema político normal. Los oficiales de nuestras Fuerzas Armadas deberían requerir

"la colaboración de un grupo homogéneo de personas respetables que ofrezcan garantía respecto de los valores permanentes de la nacionalidad y quieran gobernar firme y serenamente. Entonces entrará el país en la normalidad, de la que nadie tendrá que preguntarse cómo ni cuándo salir".[19]

Sin embargo, los citados autores advirtieron que a partir de la caída de Ramírez, a comienzos de 1944, el régimen militar parecía haber quedado huérfano de un "conductor" o "caudillo" capaz de unificar todos los esfuerzos en la dirección deseada por los restauradores. En mayo de 1944 Castellani publicó un artículo periodístico en el que hacía un llamado a una figura —aún ignota— que describía con los atributos idealizados del dictador, tal como creía haberlos visto encarnados en Mussolini:

" ¡Oh República Argentina! ¡Quién te mandará un santo de la espada, un Estadista! ¡Quién sacará de ti un hombre duro y riguroso, por amor (...)! ¡Pide a Dios que te dé un domador por amor, de la raza de los viejos domadores!"

Meinvielle por su parte señalaba el hecho de que la verdadera contrarrevolución no tenía posibilidad de realizarse plenamente, si no se hallaba al hombre adecuado, capaz de convertirse en "conductor de la política nacional".[20] La prensa restauradora repetía el esquema básico de la prédica uriburista de 1930. El consenso de esta línea ideológica giraba en torno al rechazo total del sistema electoral democrático, ya que se argumentaba que esa vía facilitaba el acceso de elementos "irresponsables" al poder: la antigua impugnación de Lugones. Con una mezcla de transparencia inusual y de cinismo (muy característica de su obra), Meinvielle llegó a sostener que por razones "de psicología de multitudes", la "masa" habría de evidenciar un comportamiento "izquierdoide" si se le concedían "elecciones libres".[21]

Mientras un sector ideológico argentino comentaba de este modo el futuro de la "Revolución", crecía la oposición sin cesar.[22] Grupos estudiantiles liberales, izquierdistas y nacional-populistas se alzaron frente a la política educativa de interventores como Genta, protagonizando huelgas y manifestaciones.[23] También fueron criticadas las medidas represivas del Ministerio del Interior. En lo que respecta al ámbito externo, las tensiones se agudizaron. Cordell Hull y la totalidad del State Department parecieron convencidos de que el régimen argentino no era más que un nido de "nazis". Parecidas acusaciones difundía la prensa estadounidense en relación con el gobierno del mayor Villarroel, instalado en Bolivia con el golpe de Estado del 21 de diciembre de 1943 y sospechoso de ser el producto de una supuesta intriga germano-argentina.[24] Se impusieron sanciones económicas cuyo detallado estudio han realizado otros investigadores recientemente, lo cual nos exime de alargar el tratamiento de este tema. Preocupados por el retraso relativo del potencial armado nacional frente al Brasil, el general Ramírez y sus colaboradores reiniciaron las tratativas reservadas, destinadas a adquirir equipos bélicos en Alemania. En conexión con este intento, que fracasó, fue detenido por los aliados el cónsul argentino O. A. Hellmuth, que también mantenía contactos con el SD alemán. Nuestro gobierno debió conceder que los servicios secretos alemanes estaban activos en el país, cosa que por otro lado no era ni novedosa ni sorprendente. Los Estados Unidos y el Brasil reforzaron su presión diplomática, conjugada con poco veladas amenazas intervencionistas que se materializaron en el envío de la South Atlantic Fleet a Montevideo. El 26 de enero de 1944 Ramírez debió romper las relaciones diplomáticas con Alemania y Japón, y un mes después, él, González y Gilbert fueron forzados por sus colegas a renunciar a sus cargos. Estos acontecimientos debilitaron considerablemente el ala nacionalista restauradora del régimen militar. Los adherentes civiles de dicha tendencia volvieron a exhibir su crónica desunión y no pudieron jugar un papel decisivo como fuerza autónoma. Otros nacionalistas, que tendían a simpatizar con políticas populistas —fue el caso de J. M. Rosa y Ernesto Palacio—, se fueron acercando progresivamente a la figura nueva y emergente de la Revolución de Junio: el coronel Perón. Muchos otros permanecieron escépticos o intentaron rodear al general Perlinger.[25]

Perón y el peronismo

Juan Domingo Perón nació en Lobos (provincia de Buenos Aires) el 8 de octubre de 1895.[26] En 1911 ingresó en el Colegio Militar. Algunos años sirvió en unidades de infantería, y en 1920 se convirtió en instructor en la Escuela de Suboficiales. Más adelante estudió en la Escuela Superior de Guerra. Como capitán participó del golpe de setiembre de 1930, hecho que documentó con un interesante informe. En 1936 actuó como Agregado Militar en Chile. A diferencia de hombres como J. B. Molina o B. Menéndez, Perón no encarnaba en aquellos años el entonces tan frecuente tipo del oficial politizante. En la década del treinta enseñó Historia Militar en la Escuela Superior de Guerra y publicó varios libros referidos a dicha temática. Entre los más conocidos están: *El frente oriental en la Guerra Mundial de 1914* (1931); *Apuntes de Historia Militar* (1932) y *La idea estratégica y la idea operativa de San Martín en la campaña de los Andes* (1938). Entre febrero de 1939 y enero de 1941 Perón fue enviado a Italia en un programa de perfeccionamiento. Durante ese lapso realizó también cortos viajes por Alemania, Francia y España. Desde noviembre de 1942 se desempeñó como Inspector de las Tropas de Montaña, funciones que se ejercían en la Capital Federal. Allí se convirtió en miembro del GOU. El 7 de junio de 1943 fue nombrado Secretario del Ministro de Guerra (general Farrell) y el 27 de octubre obtuvo la dirección del Departamento Nacional del Trabajo. Estos dos nombramientos fueron el comienzo de su carrera política propiamente dicha.

El mencionado Departamento existía desde 1907, pero hasta 1943 llevó una existencia poco airosa. Se dedicaba a la reunión y clasificación de material estadístico, y en los años treinta había estado involucrado en la renovada represión de las actividades sindicales. Pocos meses antes de la Revolución de Junio el presidente del organismo había comentado lo siguiente en un memorándum destinado al Ministerio del Interior:

"(...) en general, la situación del obrero argentino se ha deteriorado, a pesar del auge industrial. En tanto se logran descomunales ganancias, la mayoría de la población se ve forzada a reducir su nivel de vida (...)".[27]

En los primeros meses de la revolución no se observaron progresos. Diversas entidades gremiales fueron militarmente intervenidas, y el uso de métodos policiales pareció ocupar el centro de la escena. Como reacción a esto, los activistas sindicales amenazaban con una huelga general. Ya en agosto se produjo una huelga en los frigoríficos, a causa de la detención del dirigente comunista José Peter. Perón —entonces solamente en posesión de su cargo del Ministerio de Guerra— comenzó las tratativas con el sindicato, las que culminaron con el levantamiento del paro, la libertad de Peter y un aumento salarial. Al tomar luego el activo coronel el Departamento del Trabajo se declaró insatisfecho con las atribuciones y recursos de esa institución, logrando su reestructuración en noviembre de 1943, como Secretaría de Trabajo y Previsión Social. Perón comenzó luego a difundir su tesis de que había comenzado "la era de la política social argentina".[28] Las restricciones policiales fueron disminuidas y las relaciones entre el gobierno y el mundo sindical mejoraron paso a paso. Sin embargo, el experimento de Perón era observado con escepticismo por muchos de sus camaradas. Se dice que el general Ramírez llegó a hacer un comentario en rueda de amigos, según el cual, la Secretaría era:

"una vía muerta que se ha confiado a ese loco con inquietudes sociales que es Perón, para que se saque el gusto, y aprenda lo que es tratar con gente de trabajo".[29]

A pesar de todo esto, la Secretaría se convirtió rápidamente en el centro de una sorprendente actividad, que puede ser resumida en las siguientes líneas directrices:

1) En el transcurso de dos años surgió un cuerpo de legislación laboral que colocó a la Argentina en un puesto de vanguardia en lo referente al área de política social latinoamericana.

2) El organismo estatal propulsó enérgicamente el desarrollo de las antiguas y la fundación de nuevas entidades sindicales.

3) Perón se vio forzado, por la lógica natural de los hechos, a justificar sus acciones tanto ante reuniones de trabajadores como ante foros empresarios. Esta tarea discursiva lo convirtió, a poco andar, en una especie de "predicador" o "agitador", como él mismo

llegó a autocalificarse. Así, el 17 de junio de 1944 ensayó una audaz reinterpretación del hecho revolucionario de junio, declarando que:

"Esta Revolución encierra un contenido social. Sin contenido social sería totalmente intrascendente y no habríamos hecho otra cosa que una de las veinte revoluciones que han tenido lugar en este país."[30]

No es esta historia de las ideologías el lugar adecuado para un análisis minucioso de la legislación social a que hemos hecho referencia. Basta aquí con recordar brevemente las reformas más importantes:

a) El Estatuto del Peón, que fijó salario mínimo y mejores condiciones de trabajo, vivienda y alimentación para un amplio sector de la población, hasta entonces muy poco atendido por la acción de gobierno.[31] No faltaron fuertes protestas en los medios propietarios: aparentemente se observaba en todo esto la obra de un "agitador". La respuesta sarcástica de Perón se enmarca en el estilo de tensa polémica que habría de caracterizar la década que se iniciaba: "El que no pueda pagar peones, debe trabajarla [la propiedad] personalmente".[32]

b) La creación del Instituto de Previsión Social.

c) La introducción del seguro social y la jubilación que terminó por beneficiar a dos millones de personas en situación de dependencia.

d) El establecimiento de los Tribunales del Trabajo, en cuyo personal Perón fomentó una actividad positiva hacia los reclamos obreros.

e) El reconocimiento oficial de las "asociaciones profesionales", con lo cual el sindicalismo adquirió una nueva y más ventajosa posición jurídica en la sociedad.

f) Las mejoras salariales en relación con los años de servicio y el "aguinaldo".

Las dos reformas mencionadas en último término ya habían sido adelantadas por un fracasado proyecto de ley de origen socialista y por una ley de Yrigoyen que fue derogada en 1925.[33] A diferencia de lo usual en décadas pasadas, la flamante Secretaría desplegó una intensa actividad tendiente a asegurar la ejecución efectiva de todos estos decretos.

Perón no encontró un movimiento obrero unificado y poderoso. Existían cuatro tendencias diferentes, separadas por graves disidencias, y el número de miembros, comparado con la masa real de los trabajadores, era pequeño. La conducción de la Confederación General del Trabajo ya había perdido mucho prestigio antes de producirse su escisión en dos organismos contrapuestos. Ello se debía a hechos tales como la declaración de 1942, en que la CGT atacaba el neutralismo y exigía la rebaja de los aranceles aduaneros. Estos reclamos fueron bien recibidos por la prensa aliadófila, pero no respondían a un anhelo real de las grandes multitudes obreras.[34] En 1943 se calcula en 400.000 personas el contingente nominal de afiliados a los sindicatos; esto representaba sólo cerca del 12% de la fuerza laboral entonces activa.[35] En ramas importantes, tales como la industria de la carne, y en nuevos centros industriales como Rosario casi no existían organizaciones sindicales. A través de continuas entrevistas y viajes, Perón pudo establecer contactos y obtener respuestas positivas de un número creciente de gremialistas.[36] La CGT Nº 1, dirigida por el sindicato ferroviario, empezó a colaborar cada vez más estrechamente con el gobierno, obteniendo además notables adhesiones. No se escapa por otra parte a ningún observador objetivo del panorama de esos años, que todo el proceso estuvo signado por una mezcla de presión oficial y de mejoras sociales, siendo la proporción de ambos componentes diversa y oscilante según las ocasiones y personas involucradas. El saldo de todo ello fue una progresiva pérdida de prestigio sufrida por aquellos dirigentes socialistas y comunistas que insistieron en una política cerradamente opositora al gobierno militar. Sectores cada vez más importantes de trabajadores desarrollaron un tipo de conciencia política diferente del tradicional izquierdismo antimilitarista del socialismo europeo, y veían en cambio en el simpático coronel a un inesperado tribuno que concretaba esperanzas largamente acariciadas. El especial clima de entonces es descrito por el sindicalista A. Perelman con las siguientes palabras:

"En nuestro trabajo sindical advertimos a partir de 1944 cosas increíbles: que se hacían cumplir leyes sociales incumplidas hasta entonces; (...) otras disposiciones laborales, tales como el reconocimiento de los delegados en las fábricas, garantías de que no serían despedidos, etc., tenían una vigencia inmediata y rigurosa. (...) Los patrones estaban tan desconcertados, como asombrados y alegres los trabajadores."[37]

Muchos de los dirigentes emergentes eran "hombres nuevos", que empujaron a un lado a quienes no simpatizaban con el proceso en marcha. En breve tiempo surgieron nuevos sindicatos en las ramas del azúcar, del vino, de la carne y metalúrgica.[38] Los paros se hicieron bastante frecuentes y generalmente terminaban con resultados exitosos para sus promotores. En 1943 participaron 6700 obreros de medidas de fuerza, en 1945 fueron 44.200. Los salarios subieron en más del 30%, y la participación de los ocupados en relación de dependencia en la renta nacional pasó del 44,1% en el año 1943, al 45,9% en 1945.[39]

Al mismo tiempo continuaba la pugna por el poder en el seno del gobierno. Contra los deseos del Ministro del Interior general Perlinger, Perón fue nombrado Ministro de Guerra por Farrell, sin perder por ello la Secretaría de Trabajo y Previsión (26 de febrero de 1944). La crisis de febrero tuvo, entre otras consecuencias, la de la disolución del GOU. Con su viejo amigo Farrell en la presidencia y un nuevo aliado en el Ministerio de Marina —el almirante A. Teisaire—, Perón vio reforzada su posición política. Por otra parte, no disminuía la confrontación con los Estados Unidos. El embajador Armour creía conveniente nada menos que un apoyo de su país a la oposición argentina. Las relaciones diplomáticas fueron suspendidas (junio-julio de 1944) y las sanciones económicas contra nuestro país reforzadas (agosto-setiembre). Su efectividad no correspondió a lo previsto, ya que el Departamento de Estado comprobó, con indignación, que Inglaterra, Sudáfrica, España, México, Brasil y Chile no tenían en cuenta el bloqueo comercial norteamericano.[40]

En julio de 1944 se produjo un choque entre Perón y Perlinger, hecho que terminó con la renuncia de este último. El 7 de julio Perón sumó el cargo de vicepresidente a los que ya ocupaba. Aumentaron en esos momentos sus contactos políticos con el Partido Radical, los cuales eran parte de una estrategia aceptada por el gobierno militar, tendiente a lograr un digno epílogo electoral para la Revolución de Junio. Los militares ya no tenían la autosuficiencia de 1943 y reconocían el poderío del radicalismo, sin abandonar por ello su convicción de que buena parte de la obra juniana merecía ser prolongada por un régimen constitucional. Con todo, las conversaciones fracasaron, ante la dureza de la postura opositora encabezada por el doctor Amadeo Sabattini, el prestigioso ex gobernador radical de Córdoba.

Es necesario detenerse algo más en los efectos psicopolíticos de las reformas sociales que impulsó Perón desde la Secretaría de Trabajo. A diferencia de lo que una perspectiva posterior podría hacer creer, esa política contó con escaso apoyo en el nacionalismo restaurador, y muchos oficiales de las Fuerzas Armadas la veían con gran recelo. El Jefe de Policía coronel E. Ramírez ya se había quejado en 1943 de las conversaciones que mantenía Perón con "dirigentes comunistas". La Marina se fue convirtiendo, a lo largo de 1945, en el reducto del antiperonismo, denominación que como su contraparte comenzó a circular por entonces. Los publicistas más notables del nacionalismo restaurador —Castellani y Meinvielle— se mostraron críticos y malhumorados. Castellani llegó a la conclusión de que en realidad el nacionalismo argentino carecía de una verdadera doctrina; su enfoque pecaría de un exceso de "empirismo", y las reformas sociales en curso no serían más que soluciones "plagiadas del socialismo", ajenas al "sentido militante de la vida, propio del cristianismo". Ni siquiera el "sindicalismo católico" le merecía confianza. Como principio general escribió lo que sigue:

"No se hace bien al pueblo haciéndole concebir esperanzas prematuras, cuanto menos pretensiones insensatas: (...) El problema de mejorar la suerte del operario es inevitable en nuestros tiempos, (...) pero guay de los que quieran resolverlo soliviantando los ánimos de los humildes —ya demasiado predispuestos al resentimiento— prometiendo cosas que no se pueden cumplir o que cumplidas traen inconvenientes mayores: (...)."[41]

En otro artículo (del 30 de mayo de 1945) Castellani precisó sus ideas: sólo las concepciones sociales "tradicionales" de Maurras y Belloc mostrarían el auténtico camino; los hombres "especializados en previsión social" (léase: el equipo del coronel Perón) serían peligrosos "estatistas". "Fe" y "educación moral" serían lo imprescindible para los obreros; en cambio "la jubilación es una estafa, los seguros sociales son una patraña, los aumentos de salarios una paparrucha".[42] En la revista *Nuestro Tiempo*, Meinvielle declaró que existía el peligro de que no se impusiera el esperado jefe "contrarrevolucionario" en la conducción del Estado, sino una "psiquis infraintelectual". De este último tipo de caudillo sólo podría surgir un "movimiento de masas" en la "línea descendente de valores", es decir, "en la mala causa revolucionaria". Porque:

"(...) aquí radica también el peligro del gobierno popular. (...) Hoy, cuando ha desaparecido el ordenamiento interno de la estructura social, todo gobierno popular es inevitablemente el imperio de la licencia. (...) Tan evidente es ello, que dentro de nuestro régimen constitucional vigente no existe alternativa sino en el fraude que asegura a la oligarquía la permanencia en el poder, o la entrega de éste a los apetitos desatados de la plebe en elecciones limpias".[43]

Reaparecían así los argumentos esenciales de la vieja polémica antiyrigoyenista del uriburismo. Durante años la retórica nacionalista había utilizado la bandera de la "justicia social", pero ante las medidas concretas de la Secretaría de Trabajo y Previsión se exhumaban los gastados tópicos de Leopoldo Lugones. Se daban curiosas coincidencias entre estas críticas y las que formulaban organizaciones empresarias y políticos liberal-conservadores, sectores éstos con los cuales por lo general nunca hacían causa común los ideólogos del nacionalismo restaurador. La respuesta de Perón fue la siguiente:

"Hace pocos días se me ha llamado 'agitador de las masas argentinas'. Yo no rechazo el título. (...) Se dice que mi prédica va dirigida siempre hacia los salarios y las condiciones de trabajo, en vez de orientarse hacia los valores morales de la población. Me explico por qué esas fuerzas prefieren los valores morales: es que a los otros hay que pagarlos."[44]

El 10 de junio de 1944 Perón dictó la clase inaugural del curso sobre Defensa Nacional en la Universidad de La Plata. Sus palabras fueron ampliamente difundidas y comentadas. Perón juzgó con escepticismo la propaganda de ambos bandos enzarzados en la contienda mundial ("espejismos") y declaró que era probable el surgimiento de nuevos conflictos entre los vencedores, una vez terminada la guerra, así como el intento de dichas potencias de "establecer en el mundo un imperialismo odioso". El disertante subrayó el hecho de que la Argentina no planteaba exigencias territoriales, pero que sin una industrialización integral corría peligro la soberanía nacional. Lamentablemente no era posible confiar tan sólo en la paz eterna. Criticó el escaso interés de los gobiernos pasados en la industria y esbozó su ideal de un Estado capaz de asumir las múltiples funciones que el desarrollo moderno implicaba:

"(...) orientando la utilización racional de la energía; facilitando la formación de la mano de obra y del personal directivo; armonizando la búsqueda y extracción de la materia prima con las necesidades y posibilidades de su elaboración; orientando y protegiendo su colocación en los mercados nacionales y extranjeros (...)".[45]

Perón terminó señalando la necesidad de superar en el sistema educativo los absurdos prejuicios que desanimaban al estudiante que tenía vocación por una carrera técnica. Pero este discurso fue interpretado por la oposición interna y por el gobierno estadounidense como la expresión de un pensamiento "totalitario", "imperialista" y "fascista". Por otra parte despertó también comentarios favorables, incluso más allá de los sectores nacionalistas y militares. De cualquier manera, la exposición de Perón daba la impresión de constituir un programa dotado de una dosis de realismo y una virtualidad de consenso mucho mayor que las que podían detectarse en los discursos y escritos de un coronel González, un J. Meinvielle o un J. B. Genta.

En el plano internacional, el año 1945 comenzó con pasos tendientes a la normalización de las relaciones con los Estados Unidos. Argentina emitió el 27 de marzo una declaración de guerra (formal) a Alemania y Japón, suscribiendo poco después (4 de abril) las resoluciones de la Conferencia Interamericana de Chapultepec. El gobierno de Farrell fue reconocido por los Estados Unidos. Numerosos nacionalistas reaccionaron con indignación y renunciaron a sus cargos públicos, entre ellos el coronel Peluffo, Mario Amadeo, Máximo Etchecopar e Ignacio Anzoátegui. En mayo de 1945 fue dejado cesante J. B. Genta. Se inició un proceso de liberalización política, que posibilitó a los partidos la intensificación de su actividad opositora (abril de 1945). En las calles, en la prensa y en las universidades comenzó una fuerte campaña contra el gobierno militar "fascista". El Partido Comunista —ahora legalizado, después de 15 años de clandestinidad— se dedicó inmediatamente a la tarea de formar un frente común con radicales, socialistas y hasta conservadores, todo bajo el signo del "antifascismo", y en la tradición de los Frentes Populares de la década del treinta.

El 27 de mayo de 1945 comenzó sus actividades en la Argentina el nuevo embajador de los Estados Unidos. Spruille Braden habría de desempeñar en los meses siguientes el papel de protector extranjero de la oposición, haciendo uso de una agresividad que no resultaba conciliable con las costumbres de la vida diplomática. Una de las entrevistas que sostuvo con Perón —el 5 de julio— terminó con un intercambio de reproches e insultos. Más tarde Braden afirmó que Perón había hecho insinuaciones amenazadoras, mientras que según la versión del Coronel, Braden habría pretendido obtener una concesión para empresas norteamericanas de aeronavegación, utilizando una mezcla de soborno y de chantaje.[46] De todos modos Braden envió ese día un telegrama a Washington, en el cual caracterizaba a Perón como la figura principal del "peligro nazifascista" en la Argentina, agregando que el alejamiento de ese personaje era necesario para "la seguridad de los Estados Unidos y de Gran Bretaña".[47]

Entre junio y julio de 1945 se hizo cada vez más palpable la polarización de la política argentina. En mitines, en plazas, universidades y fábricas se producían choques violentos entre jóvenes comunistas, socialistas, radicales y conservadores por un lado y nacionalistas, obreros "peronistas" y policías por el otro. A fines de agosto Braden fue designado asesor para Asuntos Latinoamericanos en el Departamento de Estado. Su ardiente discurso de despedida, condenando al gobierno militar, fue recibido con entusiasmo por la oposición y muy elogiado por el *New York Times*. El frente autotitulado "democrático" crecía, aunque también se hacía cada vez más heterogéneo. Junto a los partidos, la gran prensa, la Corte Suprema y la diplomacia norteamericana, se incorporaron a la lucha 319 organizaciones empresarias (luego llegaron a 862, de un total de 937). La Bolsa, la Cámara de Comercio, la Unión Industrial y la Sociedad Rural, seguidas por numerosas asociaciones menores, publicaron un apasionado ataque contra la política social y económica del gobierno: los salarios se habrían elevado en exceso, hallándose aparentemente en peligro la "jerarquía" de los propietarios y la libertad económica.[48] También se hicieron más duros los discursos de Perón, pidiendo alerta combativa a los sindicatos ante lo que interpretaba como un intento de destruir las "conquistas sociales" logradas recientemente.[49] El 12 de julio de 1945 se evidenció que bajo la jefatura de Perón se estaba gestando un verdadero movimiento de masas: en una manifestación de 200.000 obreros y empleados se escucharon coros que proclama-

ban a " ¡Perón-presidente!" y se definían políticamente como " ¡Ni
nazis ni fascistas: peronistas!".

El 19 de setiembre la oposición realizó una famosa marcha por
las calles de Buenos Aires, de la cual participaron unas 250.000 personas.[50] Entre las consignas que se oyeron figuró también el " ¡Muera
Perón!". El embajador Braden también estuvo presente. Cinco días
después fracasó un intento golpista del general Rawson en Córdoba,
intento al que adherían no sólo grupos militares, sino también civiles.
Se restableció el estado de sitio y se produjeron choques sangrientos
en la Universidad de Buenos Aires. En medio de este clima, el general
Avalos, comandante de Campo de Mayo, llegó al convencimiento que
esta era su hora: defenestrando a Perón y presentándolo como chivo
emisario a los partidos, se crearían las condiciones básicas para llegar
a un compromiso tolerable entre las Fuerzas Armadas y la oposición.
Otro grupo de oficiales llegó a planear un atentado contra Perón,
hecho que circunstancias más o menos fortuitas impidieron. Un conflicto en torno al nombramiento de un funcionario le dio a Avalos la
señal para actuar.[51] El 9 de octubre movilizó sus tropas y declaró al
presidente que Perón debía abandonar todos sus cargos. Farrell
debió ceder y al día siguiente Perón se despidió de los trabajadores
con un discurso en el que dijo:

> "Y lleven, finalmente, esta recomendación de la Secretaría de Trabajo y
> Previsión: únanse y defiéndanla, porque es la obra de ustedes y es la obra nues-
> tra."[52]

Avalos se convirtió en Ministro de Guerra. Pero la mayor parte
de las fuerzas opositoras no estaba aún satisfecha y exigía la inmediata entrega del poder a la Suprema Corte. El 12 de octubre de 1945 se
produjo una manifestación antimilitarista frente al Círculo Militar
en la que se mostró el fracaso del concepto político de Avalos, quien,
entre tanto, intentaba organizar un nuevo gabinete con figuras cercanas al conservadorismo o por lo menos anodinas. Perón fue detenido
y trasladado a la isla Martín García.

Desde el 12 de octubre se habían producido contactos entre
los colaboradores de Perón y los gremialistas, con el objeto de organizar un contragolpe. No hubo un único "manipulador" o "héroe"
—según la preferencia política de los comentaristas cambia el calificativo— a quien pueda asignársele el papel protagónico de los hechos que luego ocurrieron. Aunque no cabe duda de que oficiales como Russo y Mercante, gremialistas como Cipriano Reyes y
Monzalvo y la emergente figura de Eva Duarte, futura esposa del Coronel, tuvieron una actuación importante en esos frenéticos días. Ya
el 16 de octubre pararon los trabajadores del azúcar en Tucumán y
exigieron la liberación de Perón. Ese día la CGT resolvió la huelga

general para el día 18. Anticipándose a esta resolución, se produjo la movilización de obreros y empleados de los suburbios de la Capital Federal en la mañana del 17 de octubre. Parecidas manifestaciones se registraron en La Plata, Rosario, Tucumán, Córdoba y Salta. Mientras que la multitud se concentraba en Plaza de Mayo al grito de "¡Queremos a Perón!", los militares properonistas lograban inclinar la balanza a su favor en el interior de la Casa Rosada. Ya los policías fraternizaban con los manifestantes, cuando Avalos se dio por vencido. A la hora 23 Perón apareció en los balcones de la Casa de Gobierno y habló a la multitud reunida. Continuamente interrumpido por aclamaciones, afirmó entre otras cosas, lo siguiente:

> "Y doy también el primer abrazo a esta masa grandiosa que representa (...) la verdadera civilidad que es el pueblo. (...) porque interpreto este movimiento colectivo como el renacimiento de una conciencia de trabajadores, que es lo único que puede hacer grande e inmortal a la Patria."[53]

Perón el político ya existía desde 1943; pero a partir del 17 de octubre de 1945 él y su movimiento adquirieron una dimensión mítica, un lazo carismático, que con anterioridad sólo había sido encarnado por la figura de Hipólito Yrigoyen. Todavía eran relativamente pocos los que en esa noche sospechaban el enorme papel que ese fenómeno nuevo habría de jugar en la política argentina de los siguientes decenios.

El último y desesperado intento del almirante Vernengo Lima de sublevar la Marina no se efectivizó. El nuevo gabinete se constituyó con militares favorables a Perón. El teniente coronel Mercante ocupó la Secretaría de Trabajo y Previsión. Perón pasó a retiro, a fin de poder dedicarse a la campaña electoral. A fines de octubre comenzó la organización de las diversas agrupaciones políticas que proclamaron la candidatura de Perón. Estas eran:

1) La UCR - "Junta Renovadora", que logró movilizar a un sector relativamente pequeño, pero no despreciable, del viejo tronco radical. Un veterano político provinciano de sus filas, Hortensio Quijano, fue postulado como vicepresidente.

2) El Partido Laborista, expresión política del movimiento sindical peronista. Sus presidentes fueron Luis Gay y Cipriano Reyes. El partido se dio un programa de tipo populista y socialdemócrata, en el que se reclamaba la nacionalización de importantes sectores de la economía, la eliminación del latifundismo, el aumento de los impuestos directos y el perfeccionamiento del sistema de previsión social. Perón se convirtió en miembro de este partido.

3) Los "Centros Cívicos Coronel Perón", los cuales, con medios modestos desarrollaron su labor de propaganda en numerosas locali-

dades, captando adherentes que no estaban integrados a organizaciones gremiales.

FORJA, la agrupación nacionalista que ya colaboraba con Perón desde fines de 1943, se disolvió en noviembre de 1945. La mayor parte de sus miembros se integró en alguno de los tres núcleos mencionados precedentemente. La Alianza Libertadora Nacionalista mantuvo su autonomía y programa y presentó candidatos propios para el Congreso. Los aliancistas apoyaban al gobierno militar desde 1943 y ahora aceptaron el binomio Perón-Quijano, pero con cierta frialdad, ya que esos no eran los hombres a los que se sentían más próximos. El 8 de noviembre el órgano principal de la ALN declaró que si bien el pueblo del 17 de octubre era "auténtico", ese pueblo aún no habría encontrado a su verdadero "caudillo". Con el "tiempo", tocaría a "los nacionalistas" tomar la conducción de esas "masas proletarias".[54] No puede sorprender entonces, que, dada esta heterogeneidad, la cooperación entre los diversos componentes del movimiento peronista no funcionó muy bien. Pronto se hizo evidente que solamente la jefatura de Perón —por todos reconocida—, y la existencia de un adversario común constituían los elementos eficaces de unión de esta coalición. De todos modos, en diciembre se organizó una Junta de Coordinación Política y el programa laborista fue reconocido como lineamiento orientador de todo el movimiento.

La coalición adversaria —la "Unión Democrática"— no tenía mayor coherencia interna. Más bien ocurría lo contrario, porque en ella faltaba la figura de un político con poder convocante equivalente al del coronel Perón. Un lazo negativo, el antiperonismo, unía las fuerzas allí reunidas. Se estableció un programa, que en muchos aspectos mostraba coincidencias con las exigencias laboristas, pero ello no podía ocultar las graves diferencias que en lo relativo a motivaciones y objetivos separaban a los integrantes de la UD. En noviembre de 1945, la UCR, el PDP, los comunistas y los socialistas adoptaron la fórmula Tamborini-Mosca y en enero de 1946 el Partido Demócrata Nacional declaró su simpatía por este binomio. El gran tema de la lucha electoral quedó expresado en dos lemas repetidos con fervor: "Contra el nazi-peronismo" y "O Tamborini o Hitler". El sustento material de la propaganda de la UD fue mayor que el del peronismo: las más poderosas organizaciones empresarias, entre ellas la Unión Industrial, así como los periódicos más prestigiosos, apoyaron a la UD. Navarro Gerassi ha afirmado que esta coalición fue "débil" y "desorganizada", pero la evidencia extraída de las fuentes no corrobora tal aserto.[55]

El pequeño Partido Libertador de los hermanos Irazusta conservó una postura independiente. En una larga declaración (7 de diciembre de 1945) criticó duramente la política económico-social de la

Revolución de Junio. El núcleo de esa crítica eran viejas tesis conservadoras, ideológicamente muy cercanas a las protestas que los núcleos de terratenientes y empresarios venían formulando desde 1944:

"El gobierno, con manifiesto espíritu demagógico, empezó a ordenar aumentos de salarios después de aumentar los sueldos administrativos, sin cuidarse de la repercusión inflacionaria (...). Para lograr el desarrollo y el afianzamiento de las industrias es imprescindible permitir la acumulación de los capitales. (...) Muy al contrario, el gobierno empezó por denunciar las ganancias de la industria como si fueran ilegítimas. Una envidia enfermiza se difundió artificialmente en la opinión, estimulada con destreza por los enemigos del país, (...)."[56]

A pesar de que esta catilinaria coincidía con el tono de muchos voceros de la UD, el PL no se integró en esa coalición. En lo que respecta al catolicismo, se dio una situación compleja. Las palabras de Pío XII a favor del sistema democrático (24 de diciembre de 1944) reavivaron las intensas controversias entre católicos "liberales" y "tradicionalistas". Los primeros adhirieron a la tesis según la cual el peronismo era la forma vernácula del fascismo y consecuentemente adhirieron a la UD. Pero el sector mayoritario de los religiosos y laicos católicos siguió simpatizando con el gobierno militar y el candidato surgido del mismo. No se olvidaba la reversión de la política educativa laicista que ese gobierno había puesto en marcha.[57]

Diversos incidentes ruidosos avivaron el fuego de la campaña electoral: recuérdese el decreto del aguinaldo y de las vacaciones pagas (20 de diciembre de 1945), calificado por diversas organizaciones empresarias y aún por sindicalistas de izquierda como un acto "fascista".[58] Con esto Perón pudo acusar a comunistas y socialistas de "traición" a la clase trabajadora.[59] Otro conflicto se produjo en torno a la Corte Suprema, cuando este alto tribunal pretendió anular como inconstitucionales las delegaciones regionales de la Secretaría de Trabajo. Por último se produjo la intervención de los Estados Unidos en la contienda cívica. Braden declaró en Washington que Perón era el "prototipo" de un "nazi", y el 11 de febrero de 1946 el Departamento de Estado publicó su *Libro Azul*, en el que se definía al gobierno argentino como una última fortaleza del nacionalsocialismo. Muchos diarios argentinos difundieron con entusiasmo estas supuestas revelaciones y concluyeron afirmando que la candidatura de Perón era "imposible". Once días después Perón publicó una respuesta: el *Libro Azul y Blanco*. Allí condenaba la injerencia de diplomáticos extranjeros en la vida argentina y declaraba que este era un intento de establecer un gobierno títere en el país. Al elector no le quedaría sino la siguiente alternativa: " ¡Braden o Perón!" Este eslogan fue pintado por los peronistas en miles de paredes.

En general la UD se mostró muy optimista. Diversos observadores avezados pronosticaron su triunfo con más del 60% de los sufragios. En la campaña electoral hubo algunos muertos y heridos en ambos bandos, pero el acto del 24 de febrero de 1946 fue ordenado y pacífico, reconociendo los propios adversarios del gobierno que no había existido fraude.[60] Perón recibió 1.487.886 votos (52,4%) y Tamborini 1.207.080 (42,5%). El "candidato imposible" había triunfado y el 4 de junio prestaba juramento como presidente constitucional de la República.

NOTAS

[1] Para este capítulo se encuentran los datos básicos en E. Díaz Araujo: *La Conspiración del 43. El GOU, una experiencia militarista en la Argentina*, Buenos Aires, 1971; R. A. Potash: *El ejército y la política en la Argentina. 1928-1945. De Yrigoyen a Perón*, Buenos Aires, 1971; J. M. Rosa (h.): *Historia Argentina. Orígenes de la Argentina Contemporánea*, Buenos Aires, 1970, vol. XIII; A. Rouquié: *Pouvoir Militaire et Société Politique en République Argentine*, Paris, 1978 (hay edición en castellano) y M. A. Scenna; *Los militares*, Buenos Aires, 1980.

[2] Véase M. A. Scenna: *Los militares*, pág. 189 y E. Pavón Pereyra (director): *Perón. El hombre del destino*, Buenos Aires, 1974 (3 vols.), I, págs. 201-203.

[3] Véase P. J. Hernández: *Conversaciones con José M. Rosa*, Buenos Aires, 1978, pág. 89 y *SD-Meldungen aus Südamerika* [Informes del SD-Servicio de Seguridad (Inteligencia) de la SS-provenientes de Sudamérica], tomo 2, Actas 27.542-27.556 ("Desarrollo de la Revolución en la Argentina", Informe confidencial, 20 de junio de 1943).

[4] V. ibid., Actas 27.542-27.556.

[5] Véase J. M. Rosa (h.): *Historia Argentina...*, XIII, Parte 11, Caps. 2-3.

[6] V. *El Nacionalismo, una incógnita en constante evolución* (TFP: Comisión de Estudio de la Soc. Argentina de Defensa de la Tradición, Familia y Propiedad), Buenos Aires, 1970, págs. 65-70 y *Quién es quién en la Argentina*, 1943.

[7] Véase E. Zuleta Alvarez: *El Nacionalismo Argentino*, Buenos Aires, 1975 (2 vols.), II, pág. 506.

[8] "Discurso a los militares" (*Nueva Política*, agosto de 1943), en Marcelo Sánchez Sorondo: *La Revolución que anunciamos*, Buenos Aires, 1945, pág. 251.

[9] J. Meinvielle: "La Argentina y nuestro tiempo", en *Revista de Estudios Políticos*, Madrid, N.os 22-23, 1945, pág. 217.

[10] A. Baldrich: "La ascendencia espiritual del Ejército Argentino", en *Revista Militar*, N.º 475 (agosto de 1940), pág. 348. También: "Las Institueiones

Armadas y la Cultura", en *Revista Militar*, N? 440 (setiembre de 1937), págs. 549-572.

[11] Véase J. B. Genta: "Acerca de la Libertad de Enseñar y de la Enseñanza de la Libertad" (y otros escritos), Buenos Aires, 1976, en BPNA VII (Biblioteca del Pensamiento Nacionalista Argentino), págs. 79-89.

[12] Ibid., pág. 119.

[13] Octavio Derisi: *Ante una Nueva Edad*, Buenos Aires, 1944, pág. 58.

[14] Véase R. Josephs: *Argentine Diary. The Inside Story of the Coming of Fascism*, London, 1945, pág. 231, y L. Castellani: *Decíamos ayer*, Buenos Aires, 1968, págs. 325-333.

[15] Véase R. Josephs: op. cit., págs. 318-319. Este trilema y el tono general de la Revolución de Junio en sus primeros meses se asemejan mucho a las consignas del régimen de Vichy presidido por el mariscal Pétain y ardientemente elogiado por Maurras. Un estudio excelente sobre la Francia de esos años (1940-1944) es el de R. O. Paxton: *Vichy France. Old Guard and New Order*, London, 1972.

[16] Véase B. Lastra: *Bajo el signo nacionalista*, Buenos Aires, 1944, págs. 181-188.

[17] Véase L. Castellani: *Las canciones de Militis*, Buenos Aires, 1977, págs. 179-180 y 213-215.

[18] Ibid., págs. 136 y 180.

[19] Ibid., pág. 150 y J. Meinvielle: "La Argentina...", pág. 237.

[20] L. Castellani: *Las canciones...*, pág. 187 y J. Meinvielle: "La Argentina...", pág. 218.

[21] Ibid., págs. 235-236 y L. Castellani: *Seis ensayos y tres cartas*, Buenos Aires, 1978, pág. 166.

[22] Esta discusión, en la cual ya aparecen muchos argumentos del antiperonismo ultraconservador de los años cincuenta, no ha recibido hasta ahora la atención que merece por parte de los historiadores.

[23] Véase L. Berdichevski: *Universidad y peronismo*, Buenos Aires, 1965, y E. Zuleta: *El Nacionalismo...*, II, pág. 507.

[24] El acuerdo historiográfico predominante en la actualidad asigna importancia decisiva a los factores endógenos.

[25] Véase P. J. Hernández: *Conversaciones con José M. Rosa*, págs. 113-114.

[26] Para datos biográficos: F. Chávez: *Perón y el peronismo en la historia contemporánea*, Buenos Aires, 1975, y E. Pavón Pereyra: *Perón. El hombre del destino*, I.

[27] Cit. en Félix Luna: *El 45. Crónica de un año decisivo*, Buenos Aires, 1969, pág. 43.

28 Discurso del 2 de diciembre de 1943 en Juan Domingo Perón: *Tres Revoluciones Militares*, Buenos Aires, 1974, pág. 104.

29 Véase E. Pavón Pereyra: *Perón tal como es*, Buenos Aires, 1973, pág. 173.

30 J. D. Perón: *Doctrina Peronista*, Buenos Aires, 1979 (1a. ed. 1949), pág. 132.

31 En A. Rouquié: op. cit., pág. 363 se encuentra la afirmación —no fundamentada— de que ese decreto "apenas" si alteró la vida de los peones rurales.

32 Discurso del 25 de junio de 1944 en J. D. Perón: *El pueblo quiere saber de qué se trata*, Buenos Aires, 1944, págs. 95-99.

33 Véase R. Puiggrós: *El Peronismo: sus causas*, Buenos Aires, 1971², págs. 140 y sigs.

34 Véase Z. Szankay: *Die argentinische Gewerkschaftsbewegung*, Göttingen, 1969, págs. 7-8 y 13.

35 Véase B. Goldenberg: *Gewerkschaften in Lateinamerika*, Hannover, 1964, Cap. "Argentinien", Z. Szankay: op. cit., pág. 14; y M. Murmis y J. C. Portantiero: *Estudios sobre los orígenes del peronismo*, Buenos Aires, 1971, pág. 81.

36 Véase R. A. Ferrero: *Del fraude a la soberanía popular (1938-1946)*, Buenos Aires, 1976, págs. 272, 275 y 303-304.

37 Véase E. Pavón Pereyra: *Perón. El hombre del destino*, I, págs. 256-259.

38 Véase F. Luna: op. cit., págs. 62-64, y Z. Szankay: op. cit., págs. 14-15.

39 Z. Szankay: op. cit., pág. 15, y E. Pavón Pereyra: *Perón. El hombre...*, I, pág. 252.

40 Véase FRUS 1944 (*Foreign Relations of the United States*) vol. VII, "The American Republics", págs. 253 y 371-377.

41 *Cabildo*, 9 de mayo de 1944 y *Tribuna*, 18 de noviembre de 1945 en L. Castellani: *Las canciones...*, págs. 182 y 247-248.

42 L. Castellani: *Decíamos ayer*, Buenos Aires, 1968, págs. 379-383.

43 J. Meinvielle: "La Argentina...", pág. 228.

44 Discurso del 2 de julio de 1945 en J. D. Perón: *El Pueblo ya sabe de qué se trata*, Buenos Aires, 1973 (1a. ed. 1946), págs. 114-115.

45 Cit. en J. M. Rosa (h.): *Historia Argentina...*, XIII, pág. 312.

46 Véase F. Luna: op. cit., págs. 102 y 157; M. A. Scenna: "Braden y Perón", en *Todo es Historia*, N? 30, octubre de 1969, págs. 30-31.

47 Este documento en C. Escudé: "Perón, Braden y la diplomacia británica", en *Todo es Historia*, N? 138, noviembre de 1978, págs. 8-9.

48 Véase F. Luna: op. cit., págs. 188-189.

49 En discurso del 31 de julio de 1945, en J. D. Perón: *El pueblo ya sabe...*, págs. 129-131.

[50] Cálculos en F. Chávez: *Perón y el peronismo...*, pág. 278, y F. Luna: op. cit., pág. 258.

[51] Detalles en J. M. Rosa (h.): *Historia Argentina...*, XIII, págs. 150-151.

[52] Cit. en F. Chávez: *Perón y el peronismo...*, pág. 288.

[53] Cit. en J. M. Rosa (h.): *Historia Argentina...*, XIII, pág. 201.

[54] Cit. en TFP: *El Nacionalismo...*, pág. 52.

[55] M. Navarro Gerassi: *Los nacionalistas*, Buenos Aires, 1969, pág. 190. Véase P. Lux-Wurm: *Le péronisme*, Paris, 1965, pág. 111, y F. Luna: op. cit., pág. 457.

[56] Véase E. Zuleta: *El Nacionalismo...*, II, págs. 517-523 y J. M. Rosa (h.): *Historia Argentina...*, XIII, págs. 166-168.

[57] Véase N. F. Stack: "Avoiding the greater evil. The response of the Argentine Catholic Church to Juan Perón 1943-1955", New Jersey, 1970 (tesis doctoral), págs. 172-207.

[58] Véase Luis Monzalvo: *Testigo de la primera hora del peronismo*, Buenos Aires, 1975, pág. 226.

[59] Discurso del 12 de febrero de 1946, en J. D. Perón: *El pueblo ya sabe...*, págs. 188-201.

[60] "The February 24. election was one of the cleanest if not the cleanest in Argentine history", en R. A. Potash: *The Army & Politics in Argentine, 1945-1962. Perón to Frondizi*, Stanford, California, 1980, pág. 44. [Hay edición castellana.]

LA "DOCTRINA JUSTICIALISTA"

Proceso genético

Consideraciones generales

En el capítulo anterior nos interesaba destacar el encadenamiento de los sucesos del período 1943-1946; a partir de ahora el centro de gravedad de la exposición se encuentra en el análisis de la doctrina justicialista. Acerca del proceso genético de este sistema de ideas no se ha escrito mucho.[1] Si desean formularse los resultados coincidentes a que ha llegado la historiografía, sólo puede decirse lo siguiente:

1) Todos los autores subrayan el carácter ecléctico de la doctrina.

2) Son identificados como elementos constitutivos de la síntesis peronista los que se detallan a continuación: nacionalismo, catolicismo social, modelos militares e influencias sindicalistas. Más controvertido es el rol que habría jugado el fascismo, factor que es fuertemente subrayado por algunos observadores.[2]

En el apartado que sigue será presentada la génesis del justicialismo en una estructuración que es ante todo temática, si bien se incluyen criterios de tipo biográfico y cronológico. Es decir, aquí se combinarán influencias ideológicas y experiencias vitales de Perón, a fin de que un análisis puramente teórico no distorsione la representación del proceso formativo real. En consecuencia, creo que dicho proceso puede ordenarse según ocho momentos o etapas:

1) La "cuestión social" (aproximadamente 1913-1920);
2) las Fuerzas Armadas como modelo orgánico (1920-1943);
3) la doctrina social de la Iglesia (aproximadamente 1930-1945);
4) el nacionalismo (1930-1945);
5) los modelos hispanoamericanos (1930-1945);
6) las influencias europeas (1939-1941);
7) las experiencias en la Secretaría de Trabajo y Previsión (1943-1945); y
8) el conflicto con Braden (1945-1946).

En sus rasgos fundamentales la doctrina (llamada "justicialista" desde 1949) ya existía en 1946. Ciertos desarrollos especiales —referidos sobre todo a la filosofía de la historia— se produjeron con posterioridad. El contenido de la doctrina sólo puede ser definido tomando por base los discursos y escritos de Juan y Eva Perón; hubo numerosos comentaristas, pero, como se señalará en su oportunidad, la trascendencia de éstos en el movimiento fue escasa.[3] Una breve mención merece el estilo expresivo de Perón: en él se encuentran numerosos giros del lenguaje cotidiano y aun campesino, que por lo común eran ajenos al repertorio de los políticos argentinos. Aquel estilo directo, a menudo sarcástico, fue recibido con entusiasmo por los peronistas como "lenguaje del pueblo"[4], mientras que la oposición lo calificó de "vulgar". También en lo formal, la antinomia "peronismo" y "antiperonismo" estableció frentes de lucha. Para el análisis histórico ideológico deben considerarse especialmente importantes los siguientes textos de Juan Perón: *El pueblo quiere saber de qué se trata* (1944), *El pueblo ya sabe de qué se trata* (1946), *Doctrina Peronista* (1949), *La Comunidad Organizada* (1949), *Las Veinte Verdades del Justicialismo* (1950), *Política y Estrategia* (1951-1952), *Conducción Política* (1952), *Filosofía Peronista* (1954) y *Temas de Doctrina* (1955). De Eva Perón deben ser tenidos en cuenta *La Razón de mi vida, Historia del peronismo* y *La palabra, el pensamiento y la acción de Eva Perón* (los tres de 1951). La doctrina también tuvo expresión jurídico-política en la Constitución de 1949 y en el Segundo Plan Quinquenal (1952).

La cuestión social

En varias oportunidades Perón describió las experiencias que había tenido como joven oficial de infantería:

"(...) ya subteniente, fui destinado al Regimiento 12 de Infantería de Línea, en Paraná; (...) Allí vi por primera vez, las miserias fisiológicas y sociales. En un país con 50 millones de vacas, más del 30% de los conscriptos eran rechazados por debilidad constitucional (...). Este impacto sobre mi sensibilidad de entonces estaba destinado a perdurar toda mi vida".[5]

Esa era la otra Argentina, la Argentina "subterránea", de la cual hablarían luego los nacionalistas populistas de los años treinta. En 1917 y 1919 el teniente Perón prestó servicio con su tropa en dos localidades santafesinas afectadas por huelgas. Allí mostró una actitud conciliadora hacia los obreros, hecho que, por otra parte, no desentonaba con la línea general de la política yrigoyenista entonces imperante más allá de los choques sangrientos de la Semana Trágica. Aquellos años fueron los del primer contacto de Perón con los conflictos sociales, y la impresión que dejaron en él parece haber sido realmente bastante fuerte.[6] Como es natural, estudiosos peronistas como Pavón Pereyra y F. Chávez subrayan la significación de estas experiencias para la formación política de Perón; otros le asignan un papel más modesto. De todos modos no resulta aventurado afirmar que el contacto con el interior del país y con los estratos inferiores de la población, sirvió para aguzar la mirada de Perón y de otros oficiales como él en todo lo relativo a la realidad social. Esto contrastaba con lo que se daba en la mayoría de los "porteños", así como en aquellos militares cuyas experiencias de juventud estuvieron signadas por la estadía en países europeos.

Las Fuerzas Armadas como organización ejemplar

Entre 1920 y 1943 se pueden detectar dos procesos muy importantes en la evolución de nuestras Fuerzas Armadas, que luego demostraron haber influido no poco en las concepciones políticas y las acciones de Perón. Brevemente esos procesos pueden caracterizarse con las siguientes palabras: a) el Ejército como factor de industrialización y b) el Ejército como fuerza cuasi-política. En los años veinte el general Mosconi y sus colaboradores habían establecido la empresa estatal YPF, contando con el apoyo de los gobiernos radicales. A pesar de la presión adversa de buena parte de la opinión liberal-conservadora y de las compañías petroleras extranjeras, la experiencia había sido exitosa. Luego, en la década de 1930, se hizo cada vez más insistente en círculos militares el reclamo de una política integral de industrialización, fomentada por el Estado. Así, en la *Revista Militar* aparecieron varios artículos del capitán R. Marambio (1936-1937) y del coronel Manuel Savio (1942), en los que se destacaba la importancia de las industrias metalúrgica y siderúrgica para la soberanía nacional. Entre otras cosas Marambio pedía el perfeccionamiento técnico de los obreros argentinos, una lucha más decidida contra el analfabetismo, la alteración de las leyes impositivas y la "argentinización" de los grandes capitales extranjeros afincados en el país.[7] Estas ideas reaparecen en los discursos de Perón y muy especialmente en la tan comentada conferencia de la Universidad de La Plata (junio de 1944). Las Fuerzas Armadas se mostraban —tanto ante propios como ante extraños— en el papel de una institución que influía en mayor medida que otras de la sociedad argentina, en el proceso de modernización económica del país. Aceptaba con ello una tarea que en otras regiones parecía ser de incumbencia básicamente civil.

El segundo aspecto era de naturaleza política. Desde 1930 se advertía un debilitamiento de la influencia de los partidos en la vida argentina. También para los sindicatos fueron difíciles aquellos tiempos. Muy diferente fue la evolución de las Fuerzas Armadas. Su instrucción y organización hicieron progresos adicionales y su importancia como factor de poder político creció, lenta pero constantemente. Ellas habían derribado a Yrigoyen, llevado a Justo al sillón presidencial y acrecentado otra vez su influencia bajo Castillo, a partir del crítico año 1941. A todo esto se añadía la doctrina militarista comenzada por Lugones y continuada por Baldrich y Genta, la cual vino a reforzar el espíritu de cuerpo de los oficiales y a fomentar el desprecio por el mundo civil. Prácticamente todos los oficiales de aquella generación fueron afectados, en mayor o menor medida, por este proceso, destacándose naturalmente en primera línea los militares del nacionalismo restaurador, tales como Renard, Molina, Scasso y Pertiné. En Perón, Mercante y otros se advierte una comprensión mayor de las realidades planteadas por la esfera civil, pero también ellos estaban convencidos de que existía una explicación especial del éxito obtenido por las Fuerzas Armadas, como factor de poder político por una parte, y como fuerza modernizadora por la otra: esa explicación la encontraban en la "organización". Los soldados estaban organizados... y los civiles lamentablemente no lo estaban. El concepto de organización habría de jugar un papel significativo en el justicialismo, y no perdió además nunca los rasgos autoritarios que le venían de su modelo castrense. Perón sabía que las instituciones civiles jamás podrían tener las mismas formas orgánicas que el Ejército, pero en un sentido amplio de la palabra —"organización" como garantía de la unidad y la eficacia en la acción colectiva— él consideraba que se trataba de un principio de validez universal. El 9 de diciembre de 1943 dijo en una asamblea de ferroviarios:

"El mejor sindicato, el gremio más poderoso y mejor organizado somos nosotros los militares. (...) Por eso al aconsejarles, lo hago con el conocimiento profundo de la Historia y con la decisión de que ustedes puedan imitarnos para conseguir la cohesión y la fuerza que hemos conseguido nosotros."[8]

También la concepción militar de la lucha influyó en el pensamiento político de Perón. Esto puede advertirse en numerosos pasajes de su libro sobre "conducción política":

"La lucha política es lo mismo que la lucha militar, económica, etc. (...) Varían los medios y las formas; pero la lucha es siempre la misma. Son dos voluntades contrapuestas, a las que corresponden dos acciones contrapuestas. (...) Siempre se trata de una voluntad que vence a otra; una voluntad que ha puesto en movimiento a una masa contra otra masa."[9]

La doctrina social de la Iglesia

Perón destacó muchas veces en sus discursos y escritos su postura favorable a la doctrina social de la Iglesia. En su tiempo constituían el núcleo de esa doctrina las encíclicas "Rerum Novarum" (1891) y "Quadragesimo Anno" (1931). Pero es muy difícil responder con precisión la pregunta de cuán profundos eran los conocimientos del coronel Perón relativos a esos documentos. Citas textuales no formaban parte del estilo de sus arengas, y los indicios que proporcionan las fuentes son relativamente escasos. Sólo a partir de 1945 pueden demostrarse contactos personales entre Perón y algunos buenos conocedores del socialcristianismo: primero el Padre V. Filippo[10] y más tarde el Padre Hernán Benítez. Es cierto por otra parte que la prensa nacionalista de los años treinta dio bastante difusión a resúmenes y comentarios de esta doctrina, y que Monseñor Miguel de Andrea ya había desarrollado en nuestro país una interesante concepción de la "democracia económica y social" o del "corporativismo democrático". Victor Frankl, que ha dedicado a esta problemática un estudio especial, supone que Perón fue influido por las obras de Andrea (*El catolicismo social y su aplicación*, 1941 y *Justicia social*, 1943).[11] Si se pasa revista a los contenidos doctrinarios se pueden advertir algunas notables coincidencias entre la prédica peronista y las encíclicas mencionadas:

a) La doctrina social de la Iglesia subrayaba la necesidad de concebir al hombre en todas sus dimensiones, no como mero engranaje de leyes económicas pretendidamente inexorables, y esta última teoría era entonces la base no sólo del marxismo, sino también del liberalismo dogmático. Las concepciones sociales de la Iglesia se presentan entonces como un "tercerismo", frente a dos posiciones consideradas erróneas en la teoría y nefastas en la práctica. Decía la encíclica "Quadragesimo Anno":

"Hay, por consiguiente, que evitar con todo cuidado los escollos contra los cuales se puede chocar. Pues, igual que negando o suprimiendo el carácter social y público del derecho de propiedad se cae o se incurre en peligro de caer en el 'individualismo', rechazando o disminuyendo el carácter privado e individual de tal derecho, se va necesariamente a dar en el 'colectivismo' (...)."[12]

Una prédica que sigue muy de cerca estos lineamientos constituye el núcleo del "justicialismo" difundido por Perón desde sus primeros discursos.

b) Las encíclicas no negaban la realidad de los conflictos de intereses, pero destacaban la necesidad y posibilidad de una superación pacífica de esas confrontaciones a través de la justicia social y la cooperación entre los individuos, las instituciones intermedias de la sociedad y el Estado. Las apelaciones de Perón a la "solidaridad cristiana" y a la "justicia social" se encontraban en el marco de esa concepción, que la "Quadragesimo Anno" formulaba claramente en los siguientes párrafos:

"Es necesario, (...) que las riquezas, que se van aumentando constantemente merced al desarrollo económico-social, se distribuyan entre cada una de las personas y clases de hombres, de modo que quede a salvo esa común utilidad de todos, tan alabada por León XIII (...). Esta ley de justicia social prohibe que una clase excluya a la otra en la participación de los beneficios. (...) He aquí el fin que nuestro predecesor manifestó que debía conseguirse necesariamente: la redención del proletariado."[13]

El carácter específico de este tipo de economía es definido en uno de los pasajes de la misma encíclica como "economía social"[14], expresión que será retomada por Perón en varias oportunidades e incorporada en la terminología clásica del justicialismo. En relación con esta concepción, estrechamente unida a la reivindicación de "la dignidad humana del trabajador"[15], las dos grandes cartas sociales católicas ya habían desarrollado una serie de postulados concretos, tales como la necesidad de fomentar el ahorro y la adquisición de pequeñas propiedades en los estratos trabajadores del pueblo y el especial cuidado que el Estado debía a los intereses de los menos pudientes:

"Sólo que en la protección de los derechos individuales se habrá de mirar principalmente por los débiles y los pobres. La gente rica, protegida por sus propios recursos, necesita menos de la tutela pública; la clase humilde, por el contrario, carente de todo recurso, se confía principalmente al patrocinio del Estado. Este deberá, por consiguiente, rodear de singulares cuidados y providencia a los asalariados, que se cuentan entre la muchedumbre desvalida."[16]

En cuanto al primer núcleo social, la doctrina católica señalaba que "al trabajador hay que fijarle una remuneración que alcance a cubrir el sustento suyo y el de su familia".[17] Años más tarde, el peronismo siguió estos lineamientos cuando codificó los "Derechos del Trabajador" y "de la Familia".

c) El enfoque particular del que las grandes encíclicas parten cuando estudian las fuerzas sociopolíticas hostiles al cristianismo parece haber influido en los argumentos que luego utilizó Perón. Así, ya la "Rerum Novarum" traza la figura de un seudoliberalismo corrupto, que no esconde sino intereses egoístas, con las siguientes palabras:

"(...) no sólo la contratación del trabajo, sino también las relaciones comerciales de toda índole, se hallan sometidas al poder de unos pocos, hasta el punto de que un número sumamente reducido de opulentos y adinerados ha impuesto poco menos que el yugo de la esclavitud a una muchedumbre infinita de proletarios".[18]

Los forjistas y peronistas de los años cuarenta podían ver en esta descripción la imagen de lo que ellos denominaron "la oligarquía". En cuanto al papel clave que el peronismo asignó al manejo estatal de las finanzas, deriva de una concepción que también podía invocar precedentes socialcristianos. Pío XI advertía en 1931 acerca del "dominio de la manera más tiránica" que ejercían los que "se apoderan también de las finanzas y señorean el crédito, y por esta razón administran, diríase, la sangre de que vive toda la economía". El Papa consideraba que "la dictadura económica" se había "adueñado del mercado libre", siendo el "imperialismo internacional del dinero" uno de los factores más importantes de los graves conflictos contemporáneos.[19] Frente a esta realidad, reivindicaba el rol del Estado "supremo árbitro de las cosas" que debía estar "atento exclusivamente al bien común y a la justicia". Todo esto no disminuía en nada la natural condena del comunismo, fenómeno "impío e inicuo", sino que hacía aun más "condenable" la negligencia "de aquellos que no se ocupan de eliminar o modificar esas condiciones de cosas, con que se lleva a los pueblos a la exasperación y se prepara el camino a la revolución y ruina de la sociedad".[20] Matizada en cambio es la posición de Pío XI frente al "bloque moderado" o socialismo:

"no puede negarse (...) que sus postulados se aproximan a veces mucho a aquellos que los reformadores cristianos de la sociedad con justa razón reclaman".[21]

De todos los aspectos mencionados se encuentran claras huellas en los más lúcidos discursos y escritos de Perón. Por otra parte no puede dejar de señalarse una discrepancia importante: los documentos pontificios —por razones que en aquellos años eran perfectamente comprensibles— observaban con gran desconfianza los sindicatos en que obreros católicos no tuviesen la garantía de poseer dirigentes de su misma fe. Podían surgir allí "peligros para la religión", como decía León XIII. Pío XI recordaba la conveniencia de fomentar la vida religiosa de los obreros, aunque su actividad gremial se desarrollase en asociaciones no confesionales. Perón, en cambio, desde su visión pragmática de las cosas, siempre se mostró partidario de un sindicalismo de masas, totalmente desvinculado de la problemática religiosa.

De todas maneras, no faltaron algunos estímulos socialcristianos interesantes para Perón, en una etapa temprana de la estructuración de su pensamiento. En 1944, el conocido escritor Manuel Gálvez publicó un artículo en el diario *El Pueblo*, en el cual elogiaba la política social de Perón como realmente "cristiana y patriótica".[22] Claro está que la interpretación y aplicación concreta de las enseñanzas pontificias en este terreno siguió siendo un asunto altamente polémico. Hay que recordar —frente a la algo rápida identificación de V. Frankl— que Monseñor de Andrea no se convirtió en un adherente del peronismo. Por su parte, Perón se mostró luego convencido de que su movimiento era el mejor intérprete argentino del mensaje cristiano. En 1948 afirmó categóricamente que capitalismo y comunismo debían ser superados, porque:

> "Es necesario ir a otro sistema, donde no exista la explotación del hombre, donde seamos todos colaboradores de una obra común para la felicidad común, vale decir, *la doctrina esencialmente cristiana*, sin la cual el mundo no encontró solución, ni la encontrará tampoco en el futuro (...)."[23]

Posteriormente, en una carta dirigida a Arturo E. Sampay, Perón afirmó que gracias a la reforma constitucional de 1949 se había logrado "concretar en nuestro país la antigua aspiración de la Humanidad, invocada en la encíclica del Pontífice Pío XI, con la transformación del capital expoliador en instrumento de felicidad social".[24]

El nacionalismo

La influencia del nacionalismo sobre la formación ideológica de Perón y de sus cercanos colaboradores está bien documentada. En primera línea se trató de la corriente populista: desde 1936 Perón conocía las publicaciones de FORJA. En junio de 1943 los oficiales del GOU leían los libros de J. L. Torres y Scalabrini Ortiz, al tiempo que se iniciaban también contactos personales, impulsados por el mayor F. Estrada, simpatizante del forjismo.[25] Todos los temas básicos del nacionalismo populista fueron adoptados por el peronismo en gestación: el empirismo, la fe en el pueblo, la postura antioligárquica y antiimperialista, y el desinterés por el problema del control institucional del poder político. Con todo, puede observarse un desplazamiento de los acentos: a raíz de su actividad en la Secretaría de Trabajo, Perón otorgó preeminencia al tema de la "justicia social", mientras que los forjistas mostraron siempre más interés por la "independencia económica". De todas maneras no resultó sorprendente el hecho de que Arturo Jauretche lograse en una asamblea del 15 de diciembre de 1945 la disolución de la agrupación precursora. En la correspondiente declaración señaló que "el pensamiento y las finalidades" de FORJA se cumplían con el surgimiento del "movimiento popular" evidenciado el 17 de octubre de ese año.[26]

Los más notables voceros del populismo dieron su apoyo ideológico al peronismo, apoyo que no por eso dejó de ser crítico en varias ocasiones. A esta producción literaria pertenecen los últimos escritos de J. L. Torres: *La Patria y su destino* (1947); *Seis años después* (1949) y *La oligarquía maléfica* (1953). No todo resultaba admirable en el nuevo régimen y Torres lo dijo claramente:

"Se puede también estar en la oposición sin estar en la contra (...). Y creo que el mejor servicio que se puede prestar al gobernante es ayudarlo a liberarse de los vapores del incienso (...)."

Sin embargo, el periodista subrayaba lo que él consideraba esencial:

"(...) he tenido el inmenso privilegio (...) de asistir al triunfo de las ideas que serví en la vida, desde mi primera juventud".[27]

Con variable entusiasmo, pero en acuerdo general con esta interpretación del proceso histórico, escribieron y actuaron los populistas bajo el gobierno peronista. El anciano Manuel Ugarte se convirtió en embajador en México; Scalabrini Ortiz publicó *Los ferrocarriles deben ser del pueblo argentino* (1946) y pudo asistir, con satisfacción, a la nacionalización de 1948. Para la autointerpretación del peronismo fue de importancia capital la tesis de la continuidad entre este movimiento y el yrigoyenismo, tema que fue desarrollado por el forjista Atilio García Mellid en su obra: *Montoneras y caudillos en la historia argentina* (1946):

"Por obra del coronel Perón se ha puesto en marcha, una vez más, la prístina levadura histórica argentina (...) la verdad simple es que nuestra democracia ha sido fundada por los caudillos y sostenida por la montonera. (...) La montonera democrática de nuestro siglo (con Yrigoyen y con Perón) es la expresión, tumultuosa pero constructiva, de los nuevos ideales del pueblo, de las formas nuevas de nuestra libertad."[28]

El mismo Perón había reivindicado expresamente la figura y obra de Yrigoyen en un discurso del 12 de diciembre de 1945. La UCR recibió declaraciones de este tipo con inquietud. Claro está que las similitudes entre yrigoyenismo y peronismo eran bastante evidentes. Incluso la terminología del ala "izquierda" o "intransigente" del radicalismo de los años treinta era muy difícil de diferenciar de los postulados peronistas de la década siguiente: allí se hablaba de los "capitalismos imperialistas", de la "intervención permanente del Estado en la vida económica de la nación", de la "justicia social" y de la lucha contra "la oligarquía".[29]

Menos decisiva resultó la influencia del nacionalismo restaurador sobre el peronismo. En realidad sólo se hacía notar intensamente en aquellos puntos en que había coincidencia con el populismo, es decir, en el área del modelo económico nacionalista y dirigista. Los controles estatales sobre el comercio mayorista, la exportación y la actividad financiera, exigidos en los años treinta por T. Otero Oliva y H. Bernardo, fueron, en gran medida, realizados por el sistema peronista (véanse págs. 154-160). En ese sentido no resulta del todo exagerada la afirmación que Bernardo hizo en 1949, cuando caracterizó la "Revolución del 4 de junio de 1943" de la siguiente manera:

"sus temas (...) son nuestros temas. (...) La Revolución se nutrió de la acción y el pensamiento de la generación que se ha dado en llamar nacionalista. [...todo esto] hizo posible estos vientos de liberación que soplan hoy en la Argentina".[30]

Los modelos hispanoamericanos

En los años treinta pueden descubrirse tres regímenes hispanoamericanos que de una u otra manera parecen contribuir a la comprensión del proceso formativo del pensamiento peronista: Brasil bajo Getulio Vargas (1930-1945), México bajo Lázaro Cárdenas (1936-1940) y Bolivia con los gobiernos de Toro y Busch (1936-1939).[31] No puede negarse que tanto en la teoría política como en la práctica de estos gobernantes se encuentran prefigurados numerosos aspectos de la posterior experiencia peronista en nuestro país. Así, Getulio Vargas ya hablaba de "independencia económica", elogiaba el cooperativismo, criticaba el capitalismo y el comunismo, subrayaba la importancia de la industria pesada y fomentaba la estructuración de un sindicalismo consustanciado con el Estado.[32] Cárdenas denunciaba las "oligarquías" y las "fuerzas económicas" extranjeras que pretendían dominar el Estado mexicano. Declaraba que el sentido de la Revolución Mexicana estaba en la "justicia social" y en el avance en dirección a una "verdadera democracia", caracterizada por una "mejor distribución de la riqueza". El presidente azteca exigía la "unidad" de "las clases trabajadoras de la República" y definía el gobierno como "árbitro y regulador de la vida social". Como objetivos fundamentales señalaba "el aumento del consumo" de los trabajadores y el fin de "la economía colonial" en México, país donde habría de surgir "una economía nacional, dirigida y regulada por el Estado". Para esta nación vigorizada, Cárdenas entreveía no sólo una "prosperidad" futura, sino también "la unidad ideológica".[33] La estatización del petróleo convirtió a Cárdenas en un héroe del nacionalismo latinoamericano; ya se ha dicho que FORJA no fue indiferente a esos acontecimientos. En cuanto al caso boliviano, resulta llamativo su intento de forjar, bajo los gobiernos de Toro y Busch, una coalición estable de militares y mineros, dirigida contra la oligarquía tradicional del país (la "rosca"). Frankl supone que ese ejemplo inspiró la idea político-estratégica que resultó básica para la estructura del poder de Perón.

Todas estas sugestivas coincidencias deben ser tenidas en cuenta: el lenguaje político peronista a menudo da la impresión de ser un calco de los discursos de Cárdenas. Pero también hay que confesar que ello no basta para documentar un influjo directo. Perón no conocía personalmente los países y regímenes mencionados, y sus obras no contienen indicaciones que confirmen un posible contacto suyo con la literatura política de Brasil, México o Bolivia. Tampoco pueden presentarse evidencias de que el militar argentino haya seguido con especial atención el desarrollo de esas repúblicas en la época señalada. Aquí y allá se encuentran sólo breves comentarios, tales como el siguiente, de un discurso de setiembre de 1945:

"En México (...) tenemos que los obreros forman un partido todopoderoso. Es que ese es el futuro."[34]

Todo esto lleva a confirmar la impresión general que deja la lectura de los escritos de Perón: hasta 1945 él era —como la gran mayoría de los argentinos de su tiempo— una persona cuya orientación cultural podía definirse fundamentalmente como eurocéntrica. Es probable que las similitudes antes anotadas entre Perón, Cárdenas, Vargas y Toro hayan sido el producto de procesos nacionales relativamente independientes, aunque seguían vías casi paralelas. Similares desafíos socioeconómicos y políticos recibieron respuestas ideológicas y prácticas parecidas que correspondían a un subsuelo histórico y a un clima espiritual común a todos los hispanoamericanos.

Las influencias europeas

Cuando se habla de las influencias europeas en la formación ideológica de Perón y del peronismo hay dos temas alrededor de los cuales gira la polémica: el viaje a Italia (1939-1941) y los contactos con Alemania. Para una tendencia de la historiografía, Perón se habría convertido, en aquel entonces, en un ferviente seguidor de los regímenes fascistas, para algunos incluso en un "agente" del Tercer Reich. Esta versión, muy difundida en los años cuarenta y cincuenta, perdió fuerza en décadas más recientes, sin que pueda decirse que ya ha desaparecido del todo.[35] Por ese motivo no resulta superfluo volver a revisar la supuesta documentación que repetidamente ha sido citada en apoyo de la tesis mencionada. Se trata básicamente de tres textos, los cuales probarían una estrechísima vinculación entre Perón, el GOU y el régimen nacionalsocialista: a) un "manifiesto", del 3 de mayo de 1943; b) una serie de "fotocopias" comentadas por Silvano Santander en su libro *Técnica de una traición*; c) una carta que Perón habría escrito el 26 de febrero de 1946 y cuyo destinatario habría sido el político uruguayo Herrera.

El documento de 1943 ha sido interpretado por políticos antiperonistas como Repetto y Santander en el sentido de representar el "verdadero" programa del GOU.[36] Allí se hablaba de un plan tendiente a la conquista de Sudamérica y se utilizaban giros del tenor que sigue:

> "Vamos a armarnos cada vez más, vamos a luchar y vamos a tener que dominar las dificultades internas y externas. La lucha de Hitler en la paz y en la guerra nos habrá de servir de modelo."[37]

Ocurre, sin embargo, que el original de este texto jamás ha sido presentado. Además, se trata de un anónimo. No existe por lo tanto ninguna base para incluir esta evidente falsificación en la historiografía científica. No muy diferente debe ser el juicio relativo al libro de Santander. Allí se mencionan "documentos" que demostrarían que Perón y Eva Duarte habían sido agentes al servicio de Alemania, apareciendo además la Revolución de 1943 como un proceso preparado y guiado por el servicio secreto germano.[38] Los originales correspondientes tampoco existen, y en cuanto al contenido de esos textos no contribuye a darles credibilidad, ya que se advierten gruesos errores cronológicos y varias contradicciones. Comparados con documentación auténtica del Archivo Político del Ministerio Alemán de Relaciones Exteriores, no presentan datos correlativos o coincidencias que los apuntalen. La tercera de las "pruebas" mencionadas[39] —la carta de Perón— fue obtenida por el entonces diputado Arturo Frondizi en la forma de una "copia", la cual, por otra parte, tampoco ha sido sometida a peritajes. El contenido es sospechosamente similar al texto de 1943, con referencias a planes hegemónicos en Sudamérica y declaraciones de adhesión "al proyecto del fascismo y del nazismo".

Del análisis de los informes confidenciales del SD alemán (años 1942 a 1944) se llega a la conclusión de que el golpe de Estado de

1943 no fue una maquinación originada en Berlín. Si bien Hugo Gambini parece convencido de que "el nazismo" había previsto para la Argentina el papel de "potencia hegemónica en Sudamérica"[40], no es posible presentar evidencia documental en apoyo de esa tesis.[41] En cambio las conversaciones relativas al intento argentino de adquirir armamentos en Alemania (en 1943, siendo presidente el general Ramírez) sí están bien documentadas.[42] Pero en ellas sólo se habla de la preocupación argentina con respecto al creciente poderío brasileño y su carácter amenazador para la región del Plata; de proyectos expansivos de Buenos Aires no hay rastros. También se documenta el natural interés del gobierno militar argentino en la formación de un bloque o alianza de Estados sudamericanos identificados por una común política neutralista y una orientación defensiva frente al eje Washington-Río de Janeiro. Este alineamiento se dibujaba claramente a partir de la entrada de Brasil en la guerra.[43]

Los informes alemanes contienen además algunas interesantes evaluaciones del carácter de la Revolución de Junio en su etapa definidamente nacional-restauradora. El informante del SD consideraba —a dos semanas de instaurado el gobierno militar— que las "medidas" del mismo le daban una apariencia "totalitaria". Entre otras cosas destacaba aquí la severidad de la censura en la prensa radial y escrita. En otro informe se ensayaba una interpretación más amplia, señalando que nuestro país, como otros del continente, deseaba "salir del estado semicolonial" en que se encontraba:

"Círculos responsables quieren crear el Estado nacional [ista] argentino. Como modelo debe servirles algo que ya existe. Eso se encuentra, en primera línea en las dictaduras de Europa."[44]

En cuanto a la figura de Perón, aparece en estos informes en el año 1944. Lo que allí se dice de él no es más preciso que las referencias publicadas por el periodismo argentino de la época. Sobre relaciones con los servicios alemanes de inteligencia —sea el SD de la SS o la *Abwehr* del Ejército— no hay ninguna indicación. En cambio abundan generalidades como la siguiente:

"El jefe de esta nueva e importante repartición [la Secretaría de Trabajo] es el coronel Perón, que entretanto también ha asumido el Ministerio de Guerra. Es una personalidad dinámica de gran formato, pero también de gran ambición personal. Se augura a Perón un notable futuro como estadista."[45]

Renovadamente se plantea la pregunta: ¿Qué impresiones dejó en Perón su estadía europea entre 1939 y 1941? Una completa aclaración de este interrogante no puede darse pero las fuentes permiten fijar algunos puntos tendientes a iluminar el problema:

a) Como la mayoría de los nacionalistas argentinos, Perón veía en la lucha del Eje contra Inglaterra un desarrollo histórico favorable a los intereses de nuestro país. Más allá de simpatías ideológicas o subjetivismos, no podía negarse que un debilitamiento de las potencias anglosajonas a escala mundial implicaba la posibilidad de alcanzar posiciones de mayor independencia para los Estados iberoamericanos. Por otra parte, esto era continuamente subrayado por la propaganda del Eje.

Muchos años después, Perón recordaría su interpretación de esa constelación internacional con estas palabras:

"En ambos bandos teníamos motivos suficientes para no sentirnos identificados. (...) La guerra mundial fue una magnífica oportunidad, que no podíamos desaprovechar, para reasumir nuestra plena soberanía. Era evidente que nuestros 'países tutelares' no estaban en condiciones de 'controlarnos', en esos momentos. No la dejemos pasar."[46]

b) Los logros técnicos y organizativos de los italianos y alemanes en los campos económico y social impresionaron a Perón como a muchos de sus colegas. La propaganda fascista y nacional-socialista se las había ingeniado desde hacía años en presentar todas las instituciones funcionales de la sociedad como si fueran obras exclusivas de los regímenes autoritarios. Hacía falta un conocimiento bastante minucioso de la historia contemporánea de Europa —conocimiento que naturalmente no poseían viajeros como Perón— para poder distinguir los rasgos específicos de las dictaduras fascistas de otras facetas mucho más positivas, que en realidad se inscribían sin solución de continuidad en una tradición política de industrialización y de seguridad social que se remontaba a los decenios finales del siglo xix y que en la República de Weimar había logrado ya realizaciones de primerísimo orden. Es por eso que la infraestructura industrial y los mecanismos de previsión social de esos países resultaban admirables para el visitante sudamericano de esos años. Poco después de su regreso a la Argentina, Perón subrayó la importancia de la minería y de las industrias conexas.[47] Y en 1947 mencionaba a sus ministros, como modelo de modernidad y racionalidad económica, una fábrica alemana de nitrógeno.[48] En cuanto a Italia, recordó alguna vez su estadía en estos términos:

"Pero la experiencia para mí más importante, fue poder estudiar el experimento político-social y sobre todo económico, que se desarrollaba en ese país. Además, completé un curso de Economía Política con un grupo de profesores italianos."[49]

c) Por último, hay que señalar que Perón —siguiendo una interpretación bastante corriente en ese tiempo— tomó en serio los lemas "socialistas" de Alemania e Italia. Le parecían "socialismos nacionales" que, junto con el New Deal de Roosevelt y el sistema soviético, integraban un amplio panorama mundial de expresiones particulares de una tendencia histórica global hacia formas socializadas: hacia el Welfare State o Estado del Bienestar como se dijo después de 1945. En ese movimiento más o menos inevitable iban desapareciendo muchas instituciones típicas del capitalismo liberal.[50] En esta línea de pensamiento se expresó Perón el 21 de junio de 1944 ante médicos argentinos, apoyando los proyectos que preveían una mayor intervención estatal en el área de la salud:

> "La evolución en este sentido, alcanzada por algunos países de Europa que he tenido oportunidad de visitar (...) me ha mostrado la evolución de casi todas las actividades humanas hacia una concentración estatal. Si eso lo hubiera dicho yo antes que el Dr. Monteverde, posiblemente hubiesen pensado Ustedes, como muchos, que yo soy un nazi. Pero, Señores, la verdad no tiene sistemas ni ideologías particulares. (...) Los países más adelantados nos están dando la pauta en ese sentido (...)."[51]

Perón cerró el discurso con la observación de que el signo de la evolución actual era "el espíritu de socialización", y que los fenómenos como el fascismo y el comunismo constituían nada más que "extrañas singularidades ideológicas". Un mes más tarde se vio precisado a defender su concepción del sindicato único por rama productiva, afirmando que la desunión del movimiento obrero era el "factor único de la debilidad de las masas obreras". Perón advertía además que no abandonaría esa convicción simplemente porque "me dicen que pensando así, yo soy un nazi":

> "(...) porque no me ato a prejuicios ridículos de una determinada ideología. En cambio, voy en busca de la verdad donde ella esté".[52]

Para adquirir una perspectiva más completa de esta cuestión conviene recordar que Perón no estaba tan solo como parece en su interpretación. Lisandro de la Torre —cuyas convicciones democráticas no suelen ponerse en duda— dio en 1938 una conferencia sobre los fascismos, en la cual, castigando las facetas dictatoriales e imperialistas de esos sistemas no dejó de señalar lo que le parecía un aspecto positivo:

> "Sin embargo, el fascismo auténtico (...) tiene un contenido económico socialista (...). El fascismo, teoría reaccionaria en el orden político es, en materia social, por los hechos que ejecuta y por la doctrina misma, una teoría no sólo progresiva, sino revolucionaria (...)."[53]

También en la controversia actual sobre el fascismo hay autores que comparten en gran medida la visión que Perón tenía de las cosas. Stanislav Andreski, en un interesante aporte del año 1980 señaló lo siguiente:

> "En contraste con su extremismo en estas materias (guerra y opresión sistemática), la idea fascista del Estado corporativo ofrecía una estación a medio camino entre el capitalismo del 'laissez faire' (...) y el programa marxista de la expropiación (...). En realidad las políticas fascistas fueron un anticipo de la mayoría de los rasgos básicos del sistema económico de los actuales países de Europa Occidental: la decidida extensión del control estatal sobre la economía, sin una expropiación global del capitalista, pero con una buena dosis de nacionalización, control de precios, política regulada de ingresos, divisas manejadas, inversiones estatales masivas, intentos de planificación global [etc....]."[54]

En el contexto de la doctrina justicialista ya desarrollada de los años cincuenta, fascismo y nacionalsocialismo recibían breve tratamiento. Perón criticaba en sus clases de la Escuela Superior Peronista estos dos sistemas como formas del "Estado totalitario", junto con el comunismo. Allí se habían dado una "extrema centralización", un "militarismo absoluto" y el avasallamiento del hombre por parte del Estado.[55]

Las experiencias en la Secretaría de Trabajo y Previsión

Perón señaló en sus *Memorias* que los dos años al frente de la Secretaría de Trabajo y Previsión Social fueron la etapa decisiva para la formación del movimiento, tanto en su faz práctica como en el aspecto teórico. El 28 de febrero de 1945, hablando ante un auditorio integrado por todos los delegados de la Secretaría, dijo:

> "Cada uno de ustedes tiene en la mano nuestros planes, basados en los principios fundamentales de nuestra obra y tiene también a su alcance *una doctrina* que hemos ido elaborando a través de un año de trabajo (...)."[56]

En este proceso jugaron un papel importante algunos funcionarios y juristas relacionados estrechamente con la problemática laboral; pueden mencionarse aquí a E. Stafforini, J. A. Bramuglia y J. Figuerola. Juan A. Bramuglia era en aquel tiempo asesor legal del sindicato de los empleados telefónicos y de la Unión Ferroviaria; en 1944 se convirtió en Director de la Sección Previsión Social en la Secretaría de Trabajo, y en 1946 pasó a desempeñarse como Ministro de Relaciones Exteriores del primer gabinete de Perón. Fue también autor de algunos trabajos sobre temas de política social. Más influyente aún fue la personalidad de José Figuerola, emigrado de Cataluña en 1930, donde ya se había desempeñado como funcionario. En 1932 comenzó su carrera argentina en el Departamento Nacional del Trabajo, convirtiéndose pronto en un especialista de los estudios estadísticos, para cuya modernización aportó notables contribuciones. Estas fueron fundamentales para la política social que Perón habría de desarrollar a partir de fines de 1943. Figuerola publicó numerosas obras: *Desocupación en la Argentina* (1932), *Jornada de trabajo y descanso semanal* (1933), *Condiciones de vida de la familia obrera argentina* (1935), *Organización social* (1938), *Teoría y métodos de Estadística del Trabajo* (1942) y *Colaboración social en Hispanoamérica* (1943). La tesis central de este último libro era la afirmación de que la tendencia de la época señalaba la posibilidad de superar las formas tradicionales de la llamada "lucha de clases" a través de una "colaboración social" dirigida y orientada por el Estado.[57]

Los aportes que se acaban de mencionar traían al peronismo la faceta estatista y paternalista que habría de caracterizar una parte de su política. Pero la Secretaría de Trabajo fue también el marco en que se desarrollaron los contactos decisivos de Perón con dirigentes sindicales. Todo comenzó por intermediación del padre del coronel Mercante, que era un miembro de la Fraternidad. Entre los sindicalistas que con el correr del tiempo se convirtieron en adherentes de Perón había socialistas como Borlenghi, Diskin y Montiel, sindicalistas como Gay, Orozco y Monzalvo, y aún algunos comunistas.[58] El proceso ha sido relatado por Perón de la siguiente manera:

"Comencé a conversar con los hombres, a ver cómo pensaban, cómo sentían, qué querían (...) cuáles eran sus aspiraciones y cuáles eran las quejas del pasado. Fui recibiendo paulatinamente (...) toda esa inquietud popular. Después que percibí eso, hice yo una apreciación de situación propia, (...). Llegué a una conclusión y comencé una prédica, para llevar la persuasión a cada uno de los que me escuchaban sobre qué era lo que había que hacer. Lo que había que hacer era parte de lo que ellos querían y parte de lo que quería yo."[59]

Perón declaró años después de su paso por la Secretaría, que él no había creado la "doctrina justicialista", sino que la había "extraído del pueblo", y que no era "más" que el "intérprete" de eso.[60] Dejando de lado el toque romántico que esas frases encierran, no puede negarse que hasta cierto punto la historia de la Secretaría de Trabajo corresponde a esta interpretación. Conviene señalar por otra parte que Perón buscó también cimentar la cooperación de los empresarios, tarea en la que tuvo relativamente escasa fortuna. En esta relación su tema central era el siguiente: "no somos antipatronales", pero "la justicia social (...) debe comenzar a regir alguna vez en este bendito país".[61] Desde mediados de 1944 se advirtió una creciente oposición en el empresariado y por último Perón se quejó públicamente —ante una asamblea de industriales— de que su labor "no recibía una colaboración efectiva" de ese sector. Estos procesos conflictivos explican mucho de la dinámica sociopolítica específica del peronismo. Si bien la concepción básica era la de la pacífica cooperación de todos los estratos sociales en un programa reformista, el curso de la confrontación reforzó las actitudes combativas y "obreristas" —valga el término lugoniano— del Secretario de Trabajo. Perón fue influido de tal manera que se produjo un cierto paso a segundo plano de los elementos elitistas y militaristas propios de su formación previa, radicalizándose en cambio sus ideas populistas y socialcristianas. Todo esto fue advertido por tradicionalistas como Meinvielle y constituyó la base de su creciente desconfianza, ya que para muchos doctrinarios restauradores la adhesión a la doctrina social de la Iglesia no pasaba de ser un recurso retórico, destinado a servir para la disciplina moral de los trabajadores.

Desde comienzos de 1945 se nota en los discursos de Perón la influencia de la terminología usual en el sindicalismo: se habla de "explotación", "privilegiados recalcitrantes", "burguesía dorada" y "prejuicios burgueses"; como objetivos del cambio se señalan la "nivelación social" y la "democracia social".[62] Todo esto habría de integrar también la futura "doctrina" justicialista. Más que del socialismo clásico, el peronismo en gestación adoptó ideas fundamentales del anarcosindicalismo hispano-francés, el cual ya tenía una tradición no despreciable en el gremialismo argentino. Se trata aquí de dos exigencias: a) el directo protagonismo político del sindicato (no por mediación del partido) sobre todo a través de la huelga general como instrumento de acción; y b) el objetivo lejano de una administración de los medios de producción por los sindicatos mismos. Ya el Congreso Sindical de Amiens (1906) había proclamado que "el sindicato, actualmente nada más que un grupo de resistencia, será en el futuro el responsable de la producción y distribución, bases de la organización social".[63] Más adelante se señalarán algunas de las dificultades que esta concepción planteó a la práctica política y económica del gobierno peronista.

El conflicto con Braden

El tormentoso conflicto con el embajador norteamericano y el Departamento de Estado (1945-1946) significó para Perón la confirmación en los hechos de la prédica antiimperialista del nacionalismo. Los motivos del choque se ubicaban en cuestiones económicas, internacionales y de política interna. En lo referente a la economía, las famosas "listas negras" siguieron ejerciendo su influencia aun mucho más allá del final de la Guerra Mundial. Para disgusto del Departamento de Estado, el gobierno militar argentino seguía haciendo negocios con empresas alemanas, entre otras cosas porque éstas a menudo aceptaban precios inferiores a los de la competencia. Indignado, el Secretario de Estado Byrnes señaló lo siguiente:

"Argentina sigue mostrando más preocupación por el bienestar inmediato de su economía local que por la seguridad del Hemisferio."[64]

Pero el gobierno argentino tenía la sospecha de que los intentos de Braden de obtener la rápida liquidación de las empresas germanas o su subordinación a la Allied Control Commission[65] no tenían otro fin que la creación de un cómodo y libre campo para los capitales norteamericanos que competían en el mercado argentino. Era, en cambio, un interés natural de nuestro país lograr la nacionalización de dichas empresas, cosa que se hizo a partir de 1946. De todas maneras, Braden se mostró disconforme con la totalidad de la política económica del gobierno militar. En un informe del 11 de julio de 1945 escribió estas frases:

"Además, los intereses económicos de ambos países [los Estados Unidos e Inglaterra] (...) pueden verse afectados por la prolongación del presente tipo de gobierno. Se sabe que Perón pretende recobrar el patrimonio argentino de los malhechores [sic] extranjeros."[66]

Los Estados Unidos continuaron utilizando su control del petróleo y de los envíos de carbón como arma política. En las palabras de Braden: "Deberíamos retener el control sobre las exportaciones de combustible hacia la Argentina, a fin de poder aplicar medidas coercitivas *si* y *cuando* fuese necesario".[67] Parece que la crítica situación de los recursos energéticos en el país fue uno de los factores coyunturales del pronunciamiento del general Avalos contra Perón. El 10 de octubre de 1945 la Embajada norteamericana en Buenos Aires pudo comunicar a Washington lo siguiente:

"Si se desarrolla una situación satisfactoria a través del desplazamiento de Perón, pienso decididamente que algún alivio debería facilitarse en la escasez actual de combustibles, a fin de reforzar la mano del [nuevo] gobierno. (...)"[68]

La normalización del mercado mundial redujo luego en gran proporción la eficacia de medidas económicas de este tipo.

La intervención del Departamento de Estado en los asuntos argentinos no se limitó a la participación de Braden en manifestaciones opositoras y a la publicación del *Libro Azul*. También se trabajó activamente en otros países latinoamericanos a fin de aislar a Perón. Berle, el embajador norteamericano en Río de Janeiro, que ya había desempeñado un cierto papel en la caída de Getulio Vargas, fue muy claro en sus conversaciones con el canciller brasileño:

> "Dije que me parecía que ciertas personas, incluyendo a Perón y un pequeño grupo de hombres que lo rodean, tendrían que desaparecer *de cualquier manera.*"[69]

Perón respondía con la tesis de que esta confrontación era una lucha entre el sentimiento nacional argentino y una coalición de extranjeros (Braden) y la oligarquía. Diversas actitudes poco meditadas de la oposición daban fuerza a este comentario. El 30 de junio de 1945 un grupo de políticos exiliados, integrantes de los partidos que luego formaron la Unión Democrática, emitieron una declaración que elogiaba la "intervención" de Braden en la Argentina y establecía la doctrina de la presunta existencia de un "derecho de intervención", al que desde la Conferencia de San Francisco debía aceptarse como nueva norma internacional. En ese sentido, exigían "sanciones morales y políticas contra el gobierno Farrell-Perón".[70] Con todo, la diplomacia estadounidense no ignoraba que habría de resultar muy difícil la presentación convincente de la necesidad y de la justicia de una intervención abierta en nuestro país. El argumento básico de Braden —de que se trataba de una dictadura con propósitos agresivos— era puesto en duda hasta por el Encargado norteamericano en Buenos Aires, que no veía pruebas auténticas del expansionismo argentino. En cuanto a la dictadura, Cabot decía en noviembre de 1945:

> "Encuentro necesario el señalar que por lo menos una república [americana] (Brasil) es más fascista en la forma que la Argentina; que varias (República Dominicana, Bolivia) violan más groseramente los derechos civiles; que varias tienen menos libertad de prensa (...)."[71]

La "línea dura" del Departamento de Estado, representada por Braden, dio a la confrontación un significado internacional en el que no se vacilaba en pintar escenarios absurdos de supuestas catástrofes futuras. El régimen argentino sería "un factor estratégico y político hostil a los intereses comunes de las repúblicas americanas" y "un peligro para la paz". En el fondo, los gobernantes argentinos no serían más que marionetas:

> "Pero tenemos que enfrentarnos al problema de que no podemos permitir que los nazis continúen desarrollando la Argentina como base para la Tercera Guerra Mundial."[72]

Luego del triunfo electoral peronista, se hizo más cauto el estilo de los informes diplomáticos. ¿Cuáles eran los resultados obtenidos con el conflicto de 1945? La Embajada norteamericana los reconoció escuetamente en estos términos:

"Perón es para las masas argentinas el símbolo del progreso social y de la nacionalidad; una prolongación de la interferencia por parte de los Estados Unidos acentuará nuestra identificación con el privilegio, la reacción y el colonialismo mundial."[73]

De los "nazis" ya no se habló tanto, pero la desconfianza recíproca se mantuvo a lo largo de los años siguientes. El problema de fondo se encontraba en la contraposición entre la concepción iberoamericanista del peronismo y el panamericanismo de los Estados Unidos. Hasta un diplomático tan moderado como el embajador Messersmith, que llegó a Buenos Aires en 1946, pensaba que los proyectos de cooperación latinoamericana eran "peligrosos".[74] Braden resumió su visión de las cosas de la siguiente manera:

"La esencia del problema a largo plazo es que los gobiernos argentinos desde hace tiempo han querido crear y controlar un bloque antinorteamericano de Estados latinoamericanos para convertirse en el poder dominante de Sudamérica."[75]

La perspectiva de Perón no podía ser sino muy distinta. Protestó airadamente por la intromisión de Braden, por las campañas norteamericanas de prensa y por la intensa actividad de los servicios de inteligencia estadounidenses: en su *Libro Azul y Blanco* detalló media docena de casos, acusando concretamente a tres agregados de la Embajada (Francis Crosby, Sheldon Williams Parks y el general Lang). Años después Perón recordaba que:

"La agresión armada no es hoy la única forma de agredir. Se agrede económica y políticamente, por medio de la propaganda y la diplomacia. Una verdadera agresión es un 'boicot' o bloqueo económico; un plan de ayuda dirigido a perjudicar a un país; la intervención grosera de un embajador y su embajada para provocar conflictos internos o revoluciones en una nación; (...) Condenar la agresión armada y aceptar las otras sería como condenar el asalto a mano armada y tolerar la estafa, la corrupción o el fraude."[76]

Es necesario subrayar el hecho de que el conflicto con los Estados Unidos no fue un simple episodio, producto de la torpeza de algunos funcionarios. El panamericanismo, el multilateralismo económico-financiero, el horror a la formación de bloques en el hemisferio y la arrogancia "moralizante" de la política exterior norteameri-

cana se insertan como piezas coherentes en el esquema geopolítico
que esta gran potencia proyectó y en gran medida realizó a partir
de su entrada en la Segunda Guerra Mundial. Pocos escritos muestran
con mayor claridad este complejo de motivaciones ideológicas e intereses materiales como *Must this Be the American Century?* (1941)
del editor de las revistas *Time* y *Life*, Henry Luce:

> "Consideremos el siglo xx. No sólo es nuestro en el sentido de que vivi-
> mos con él, sino también lo es porque es el primer siglo de los Estados Unidos
> como la potencia dominante en el mundo. (...) El mundo del siglo xx, si ha de
> desenvolverse con alguna nobleza de salud y vigor, deberá ser, en considerable
> medida, un Siglo [Norte-] Americano.(...) Le corresponde a los Estados Unidos,
> y sólo a ellos, el determinar si un sistema de libre empresa —un orden económico
> compatible con la libertad y el progreso— ha de prevalecer o no en este siglo.
> (...) La visión de [Norte-] América como el principal garante de la libertad de los
> mares, la visión de [Norte-] América como el dinámico líder del comercio mun-
> dial, contiene en su seno las posibilidades de un progreso humano tan enorme,
> que la imaginación apenas si puede concebirlo."[77]

Roosevelt y sus asesores coincidían en esta perspectiva. En octubre de 1944 el presidente norteamericano escribía a Stalin: "En
la presente guerra no existe, literalmente hablando, ni un solo problema, sea de naturaleza militar o política, en el cual no estén interesados los Estados Unidos".[78] Cordell Hull estaba convencido de que la
caída universal de las barreras aduaneras inauguraría una prosperidad
norteamericana y mundial sin límites en el tiempo. Roosevelt
compartía ese pensamiento, y —a diferencia de lo que a menudo se
dice— también sabía formular su política en términos de Realpolitik
bismarckiana:

> "Sin querer perjudicar a otro país tendremos que cuidar que la industria
> norteamericana reciba la parte que le corresponde de los mercados del mun-
> do."[79]

La paz mundial habría de descansar sobre "el factor del poderío", porque las esperanzas de un mundo mejor no podrían realizarse
sino con "los fríos y realistas medios y técnicas" que el poder presu-
pone. Ya en 1942 Roosevelt proyectaba un mundo con cuatro policías —los Estados Unidos, Gran Bretaña, Rusia y China— responsables por la preservación de la paz. Las dos primeras potencias mencionadas gozarían además del monopolio atómico, lo cual les permitiría
obligar a los demás países a cooperar, si fuese necesario.[80]
Que esta visión de la política y economía internacionales des-
cansaba en el supuesto ilusorio de una natural armonía entre los intereses e ideales norteamericanos con los del resto del mundo no podía
ser advertido por los dirigentes estadounidenses. Con profunda

convicción iniciaron un curso de acción que asumía la herencia directa de las concepciones librecambistas de Cobden y del "informal Empire" británico del siglo xix. Esta política tenía que chocar no sólo con la Unión Soviética (la cual poseía su propia visión de las esferas monolíticas de influencia) sino con movimientos nacional-populistas como el peronismo, que reivindicaban un modelo de desarrollo autónomo y controlado por el Estado, incompatible con la pretensión estadounidense de los mercados abiertos. Hubo voces norteamericanas que —infructuosamente— trataron de advertir acerca de las consecuencias inevitables de este universalismo, globalismo o hegemonismo, predominante a partir de 1941. Con gran lucidez observaba John Chamberlain en ese año:

"En tiempos ordinarios el programa del señor Luce tiene que caer en las manos de hipócritas que son expertos en el uso de grandes eslóganes al servicio de propósitos nefastos. (...) A nadie le gusta el paternalismo, la supervisión de los 'buenos muchachos' por mucho tiempo. (...) Por ahora China necesita ayuda en su lucha contra el Japón. Pero si logra echar a los japoneses no va a querer ser coaccionada por las sugestiones sutiles —o no tan sutiles— de banqueros extranjeros, privados o estatales, procedentes de Estados Unidos o Inglaterra; su propia clase media querrá hacerse cargo de la máquina productiva china. (...) Así es que en vez de un "Siglo [Norte-] Americano", yo preferiría ver un siglo en que se deje a los pueblos en libertad, para que realicen sus propios deseos. (...) Y de una cosa estoy convencido: que si los Estados Unidos no aceptan el modo sueco [desarrollo centrado en el mercado interno] de resolver sus problemas, se verán forzados a adoptar un imperialismo que fracasará en liberalidad (...)."[81]

La confrontación con el universalismo estadounidense reforzó en el naciente peronismo la característica imagen del enemigo, en la cual "imperialismo" y "oligarquía" aparecían como aliados permanentes. Además, Perón proyectó en el transcurso de esta crisis la pauta básica de su política exterior, caracterizada por el pragmatismo. Se partía del reconocimiento de que un Estado relativamente débil sólo podía intentar un juego de frenos y contrapesos, oscilando entre las grandes potencias opuestas entre sí. De las rivalidades de los colosos podía surgir así un cierto espacio libre para el ejercicio de la soberanía de los Estados pequeños. Perón utilizó luego este esquema . con variada fortuna, todo lo cual muestra interesantes paralelos con la diplomacia de otros países del Tercer Mundo, tales como la India o Egipto. Por otra parte, no sorprende que Braden haya tomado esta estrategia como otro agravio más. En setiembre de 1945 se quejó de que "el proclamado propósito de Perón es el de hacer una jugada, enfrentando a los Estados Unidos con Rusia e Inglaterra".[82]

Corresponden ahora algunas consideraciones generales sobre el peso relativo de los distintos momentos en el proceso formativo de la doctrina justicialista.

Considero que las influencias y experiencias argentinas jugaron el papel decisivo en dicho proceso, habiéndose exagerado a menudo la importancia del viaje a Europa. En numerosos aspectos se puede advertir que las etapas del desarrollo reseñado actuaban confirmándose y complementándose unas a otras. En otros puntos también se reconocen tensiones. En este sentido surgía la polarización fundamental de la antinomia entre un programa esencialmente reformista y un clima psicopolítico más bien revolucionario, cargado de las emociones violentas de una retórica propia de tiempos de guerra civil. Esta fue la gran tensión que caracterizó los dos últimos momentos formativos del peronismo. Ella siguió desempeñando un rol determinante en la teoría y la práctica del gobierno que se inició en el año 1946.

Estructura de la doctrina

La concepción del mundo y de la historia

El 17 de octubre de 1950 Perón resumió los fundamentos del justicialismo en los siguientes términos: "es una nueva filosofía de la vida, simple, práctica, popular, profundamente cristiana y profundamente humana".[83] El segundo y el tercero de estos adjetivos contenían aristas que también afectaban al nacionalismo restaurador, sobre cuyo dogmatismo y elitismo Perón a menudo hizo comentarios sarcásticos, tales como éste:

"Yo no soy de los hombres que creen que debemos conformarnos con hacer un cuerpo de doctrina muy bonito, ponerlo en la biblioteca y dejarlo para que lo lean las generaciones que vengan; (...) El mundo no vive de buenas ideas; vive de buenas realizaciones. (...) Las doctrinas son movimiento, son acción, no son sólo pensamiento (...)."[84]

De acuerdo con este enfoque, Perón concebía el justicialismo como una estructura abierta, capaz de desarrollarse en el tiempo:

"Las doctrinas no son eternas sino en sus grandes principios, pero es necesario ir adaptándolas a los tiempos, al progreso y a las necesidades."[85]

En esta labor, se pedía la colaboración de "cada uno de los justicialistas argentinos", postulado que contrastaba con la alergia al disenso que caracterizó a buena parte del aparato burocrático del régimen. En cuanto a la acusación de eclecticismo, lanzada por los adversarios, Perón la tomó como algo positivo:

"En primer lugar, nosotros no somos sectarios (...). Obedecemos a los hechos (...). Si en el comunismo hay una cosa que podemos tomarla, la tomamos, no nos asustan los nombres. Si el fascismo, el anarquismo o el comunismo tienen algo bueno, lo tomamos (...)."[86]

Con el adjetivo "popular", Perón expresaba tanto el origen de la doctrina —a la que interpretaba como síntesis de las convicciones de la mayoría— como sus objetivos, centrados en "el pueblo" y en especial "los trabajadores". Como es usual en la terminología política, estos conceptos permanecieron siempre algo imprecisos. En 1945 Perón dijo:

"Para mí pueblo es todo habitante de la República que se comporta de acuerdo con las necesidades de la Nación. La parte más importante de un pueblo es la que trabaja y produce, y la menos importante es la que consume sin producir."[87]

Muchas veces se repitió este último acento que no se reducía al obrero manual, sino englobaba a todos los que realizaban "una actividad útil" para la sociedad.[88] Tanto la teoría como la práctica peronista tendían a considerar como poco o nada productivos, además de no-solidarios, a ciertos sectores sociales, tales como los grandes terratenientes y los círculos de intermediarios ligados a la comercialización de productos de consumo masivo. Esta concepción seguía los lineamientos esbozados por el nacionalismo populista de los años 30.

Las denominaciones de "cristiana" y "humana" ligaban la doctrina con tradiciones centrales a la civilización occidental. La doctrina decía aceptar "las consecuencias humanas y sociales" del Evangelio[89], y era además un humanismo activo; en otras palabras: "el hombre está por sobre los sistemas y las ideologías".[90] Más importante que estas generalidades es la "teoría del conflicto" que Perón desarrolló —tomándola de otros textos— e integró en su doctrina. Existirían cuatro principios, cuyas tensiones y diversas posibilidades de combinación caracterizarían todos los sistemas socioculturales: por una parte se mencionaba la antinomia entre "valores materiales" y "espirituales"; por la otra, el conflicto entre los "derechos del individuo" y los "de la sociedad".[91] En el transcurso de la historia surgieron a menudo sociedades desequilibradas en este sentido, pero la aspiración de los pueblos sería la búsqueda de la armonía:

"El principio dominante de nuestro sistema ideológico es la armonía entre los opuestos; en otros términos, fuga de la inestabilidad de los extremos hacia el punto de equilibrio de los mismos; en términos corrientes, Tercera Posición."[92]

En la historia política y social Perón descubría una tendencia continua hacia la justicia, es decir, hacia el equilibrio señalado precedentemente. En un análisis más concreto, este movimiento agonal era definido de esta manera:

> "En todas las épocas de la historia ha existido oposición entre los intereses de las oligarquías, por un lado, y los intereses del Pueblo, por el otro."[93]

En este proceso Perón consideraba que los trabajadores y los campesinos eran portadores de valores éticos superiores, porque en ellos, más que en otros sectores sociales, se advertiría la presencia de "sentimientos, pensamientos y acciones solidarias".[94] Cada etapa progresista de la historia se explicaría por la coincidencia de dos elementos: un "genio" (o conductor), dotado de una clara "visión de los problemas" y un "pueblo" decidido a apoyarlo.[95] Los movimientos surgidos de ese encuentro eran capaces de romper el dominio de las oligarquías egoístas. Aquí se encuentra la autointerpretación del peronismo en forma esquemática. La visión de la sociedad futura era caracterizada por términos como "armonía" y "suma de valores".[96] Pero este objetivo lejano implicaba una previa victoria completa de los pueblos:

> "La tarea de la liberación integral de todas las clases oprimidas de la sociedad, recién en esta época entra en el orden del día de la historia."[97]

Tanto en esta concepción general de la historia, como en la evaluación de determinadas personalidades y épocas, se advierten notables diferencias entre el justicialismo y el nacionalismo restaurador. El primero se ubica en la tradición del pensamiento progresista, siguiendo un impulso que venía del forjismo de la década precedente. Perón elogiaba a Pericles y a los Gracos, al cristianismo primitivo ("era popular") y a utopistas como Tomás Moro y Campanella. En cambio hallaba mucho de criticable en el Medioevo: "exageración de lo espiritual" y "despotismo" de los señores feudales. Rousseau y la Revolución Francesa recibían un tratamiento diferenciado con comentarios favorables en algunos aspectos y críticas en otros.[98] Eva Perón citaba a J. Maritain, que señalaba el efecto transformador que los ideales de libertad y justicia social, difundidos desde la Revolución Francesa, habían tenido para el mundo contemporáneo.[99] Acerca de la importancia decisiva de las grandes revoluciones, Perón había dicho el 24 de setiembre de 1945:

> "El mundo, en los dos últimos siglos, ha sufrido dos grandes etapas de evolución. La Revolución Francesa marcó el primer ciclo de la evolución política, económica y social del mundo. (...) la humanidad ha vivido un siglo de influencia

de la Revolución Francesa. Nuestras instituciones nacieron en esa revolución (...). Pero en 1914 se cierra el ciclo de influencia de la Revolución Francesa y se abre el de la Revolución Rusa (...). ¿Cómo no va a arrojar un siglo de influencia en el desarrollo y en la evolución del mundo futuro? Ignorar eso sería gravísimo error, como también lo sería creer que nosotros nos vamos a hacer comunistas."

No se trataría de "copiar" un proceso determinado, sino de reconocer los fundamentos de una tendencia mundial:

"La Revolución Francesa terminó con el gobierno de la aristocracia y dio nacimiento al gobierno de la burguesía. La Revolución Rusa terminó con el gobierno de la burguesía y abrió el campo a las masas proletarias. Es de las masas populares el futuro del mundo."[100]

A diferencia de las revoluciones señaladas, el peronismo creía posible y conveniente que esa transformación se fuese realizando "paulatinamente" y "en forma pacífica", a fin de que "el pueblo no sufra las consecuencias de ninguna violencia".

Perón concebía al movimiento que acaudillaba no como un antiliberalismo, sino como la etapa siguiente de la historia, en la que habrían de mantenerse las conquistas esenciales de la época liberal:

"Los derechos y las garantías individuales que tienen fuerte vinculación con las ideas de la Revolución Francesa, han de subsistir en cuanto afirman la dignidad humana y la libertad de los hombres. El principio no se modifica por el hecho de que (...) se acentúe la necesidad de defender el interés colectivo por encima del interés privado."[101]

La falla de las constituciones decimonónicas estaría en que se limitaban a ofrecer una libertad e igualdad simplemente jurídicas y teóricas, sin atender la realidad de las diferencias socioeconómicas. De ese modo pudo hacerse excesivamente fuerte el "egoísmo" y el "individualismo" de los poderosos. De esa experiencia histórica se derivaría la "fórmula de nuestros días": "libertad, justicia y solidaridad". Los sectores económicamente "débiles" debían, por lo tanto, recibir una protección especial.[102]

La imagen del enemigo

Capitalismo, "oligarquía" e "imperialismo económico". Cuando Perón hablaba del capitalismo quería designar a los sistemas caracterizados por una débil intervención estatal en la vida económica y por la relativa ausencia de una red de resguardos sociales:

"El capitalismo fue el vehículo de un siglo pasado, injusto pero que permitió 'ir tirando' con el sacrificio de los más y el beneficio de los menos, hasta desembocar en el alzamiento progresivo de las mayorías populares sumergidas."[103]

Este sistema "anacrónico", desprovisto de toda "planificación", estaba en proceso de transformación en la Argentina peronista, a través de una "evolución constructiva" que eliminaría sus "abusos". En cuanto al capital nacional, que en el marco de la conducción estatal estaba dispuesto a servir al bien común, le era reconocido el derecho a la protección y al fomento.[104] Como fuerzas refractarias a esa evolución Perón sindicaba a las "oligarquías económicas y políticas", que para él englobaban a los sectores de clase alta y a los dirigentes de los partidos tradicionales. La intensa polémica contra la "oligarquía" era una de las características del lenguaje político peronista. Ella sería la "explotadora" de la nación, bajo el disfraz de una "democracia" formal que sólo implicaba sufrimientos para los trabajadores:

"Se ha pretendido hacer creer al pueblo que la oligarquía (...) estaba formada por sabios, por ricos y por buenos. Hay que observar que los sabios rara vez han sido ricos, y los ricos rara vez han sido buenos. Sin olvidar que ni sabios ni buenos han encontrado un lugar entre los políticos criollos."[105]

El 7 de agosto de 1945 Perón lanzó uno de sus ataques más sarcásticos contra ese adversario, al hablar en el Colegio Militar. Sintiéndose provocado por la entonces creciente marea opositora, reaccionó airado:

"Es natural que contra estas reformas se hayan levantado 'las fuerzas vivas' que otros llaman 'los vivos de las fuerzas'. (...) ¿En qué consisten esas fuerzas? En la Bolsa de Comercio, quinientos que viven traficando con lo que otros producen; en la Unión Industrial, doce señores que no han sido jamás industriales; y en los ganaderos, señores que, como bien sabemos, desde la primera reunión de los ganaderos, vienen imponiendo al país una dictadura."[106]

En la doctrina peronista no se negaba la esencial funcionalidad de empresarios y dirigentes económicos, pero se reservaba al movimiento y al Estado el derecho de definir su lugar en la sociedad: un lugar que aparecía como modesto si se lo comparaba con otras épocas. En 1954 Perón declaró su convencimiento de que la oligarquía había perdido su injusto poder de antaño, puesto que el Estado ya no estaba a su servicio. Ya no existirían las dañinas "libertades" de los "plutócratas".[107] Pero tampoco escapaban a la crítica de Perón los nacionalistas ultraconservadores, con sus concepciones de una sociedad jerárquica. Sobre ellos decía que eran "intelectuales legitimadores de todas las injusticias" que hacían una mezcla de Platón, Cristo y el capitalismo y predicaban "humildad" al pobre, pidiendo luego "limosnas" al rico. Esta sería "la filosofía de la miseria de los hipócritas".[108]

Como expresión extrema del capitalismo individualista era interpretada la política exterior de los Estados Unidos.[109] Este "imperialismo capitalista" o "económico" se caracterizaría por "manejar los gobiernos dóciles mediante la presión económica y la amenaza política". El apoyo interno de esos gobiernos estaría dado por "las oligarquías nacionales". En cuanto a la economía mundial, era como "un sistema de vasos comunicantes" en el cual "el tanque central", gracias a determinadas instituciones, y a su poder económico, podía "succionar" en beneficio suyo los otros recipientes: los países "coloniales y semicoloniales".[110] Hasta 1943 la Argentina habría vivido en esa situación, gobernada por "agentes" de intereses extranjeros[111]:

"En nuestro país los gobiernos se conformaron siempre con realizar el gobierno político y nunca realizaron el gobierno económico (...). Eso lo hacían algunas organizaciones bursátiles y las cámaras de comercio extranjeras que tenían una influencia preponderante sobre la economía argentina."[112]

Toda esta concepción revela una vez más la influencia del populismo de los años treinta. Como esa corriente lo hizo, Perón criticó duramente la estructura original del Banco Central: "un organismo al servicio absoluto de los intereses de la banca particular e internacional".[113]

Marxismo e imperialismo comunista. En su toma de posición frente al marxismo, la doctrina justicialista establecía distinciones entre Marx y su teoría por un lado y la práctica posterior por el otro. En sí, el marxismo era visto como una respuesta comprensible, si bien extrema, al desafío planteado por "la explotación exagerada del antiguo régimen capitalista"[114] del siglo xix. En una de sus conferencias en la Escuela Superior Peronista (1951), Eva Perón se manifestó de la siguiente manera sobre Marx:

"Solamente nosotros, que no somos capitalistas ni comunistas, que no tenemos por qué odiarlo, porque no estamos en el sector de sus enemigos, ni tenemos por qué quererlo, (...) porque no estamos con él, ni él es nuestra bandera, podemos analizar su obra y su figura con serena frialdad y (...) con una gran imparcialidad."[115]

Su llamado a la unión de los trabajadores habría sido un acierto, pero su doctrina fue poco "constructiva" y "contraria a los sentimientos del pueblo", especialmente por la prédica del ateísmo. En cuanto a los hechos, éstos demostraban que los dirigentes de los Estados comunistas "no habían cumplido con la doctrina de Marx".[116] El comunismo sólo habría creado "comunidades insectificadas", donde "el mecanismo omnipotente del Estado" ahogaba el desarrollo de la verdadera "justicia social" y de la "libertad". En suma, se trataría de otra variante del modelo oligárquico de sociedad.[117] Y la política exterior de la URSS seguía derroteros imperialistas, ya que por doquier intentaba captar los estratos obreros a través de partidos que eran sus satélites.

En 1951 Perón reafirmó su profundo escepticismo frente a los grandes ideales que las superpotencias enarbolaban, actitud que ya le había traído la enemistad de tirios y troyanos en 1944, en ocasión de su famosa conferencia de La Plata:

> "En 1945 sucumbió el fascismo y el nacionalsocialismo y con ello quedaron triunfantes el capitalismo imperialista y el comunismo, no menos imperialista. La justicia y la libertad poco cambiaron con ello y el mundo siguió casi como antes, con sólo un cambio de grupos beligerantes y el sometimiento y la esclavitud de la mitad del mundo detrás de la Cortina de Hierro y de la otra mitad detrás de la Cortina del Dólar."[118]

Logros y objetivos

La "Tercera Posición", las "Tres Banderas" y la "Comunidad Organizada". En los discursos de Perón —especialmente entre los años 1947 y 1955— no era siempre fácil distinguir si él consideraba lo ya realizado como el fin de la revolución o si aún quedaban objetivos fundamentales como tarea del futuro. Aquí se observan oscilaciones, generalmente relacionadas con problemas de la política cotidiana. Si se revisan los últimos trabajos doctrinarios de ese período (*Filosofía Peronista* y *Temas de Doctrina*) se obtiene la impresión de que Perón estaba convencido de que los logros más difíciles ya eran definitivos, aunque todavía quedase mucho por hacer. Este tono básicamente optimista aparece en muchos textos relativos al contenido positivo del justicialismo. Una definición de este contenido, centrada en las "tres banderas" del movimiento, fue incluida en el Segundo Plan Quinquenal:

> "(...) defínese como doctrina nacional, adoptada por el pueblo argentino, la Doctrina Peronista o Justicialista, que tiene como finalidad suprema alcanzar la felicidad del pueblo y la grandeza de la Nación, mediante la Justicia Social, la Independencia Económica y la Soberanía Política, armonizando los valores materiales con los valores espirituales y los derechos del individuo con los derechos de la sociedad".[119]

El peronismo se interpretaba a sí mismo como una "tercera posición", entre los extremos de la "primera", encarnada por los Estados Unidos (con predominio del "individualismo") y de la "segunda", representada por la URSS, con su "colectivismo". La posición justicialista era definida como la decisión de mantener una actitud "nacional e independiente" frente a esos sistemas unilaterales. En relación con esto Perón destacaba que la tercera posición se enfrentaba, desde su nacimiento en 1945, con una especie de alianza táctica de las dos primeras ideas-fuerzas, empeñadas en destruir todo atisbo de autonomía en los países periféricos.[120] Sin embargo, sólo esa tercera fuerza estaría en condiciones de garantizar, tanto la "libertad de las naciones", como "la libertad del hombre".[121]

"Justicia social" era un concepto que, como se ha visto en capítulos precedentes, ya estaba muy difundido en 1943. Socialistas, nacional-populistas, radicales y nacionalistas restauradores lo utilizaban en su difusión ideológica. Las ideas de Perón al respecto respondían básicamente a la tendencia populista y a postulados socialcristianos. En ese contexto se criticaba el simple fetichismo del crecimiento económico, señalando que no podía hablarse de "riqueza nacional" si se pretendía obtenerla a costa del "bienestar económico individual de los trabajadores".[122] Era tarea del Estado proteger de la explotación a los sectores económicamente débiles:

"Buscamos suprimir la lucha de clases, suplantándola por un acuerdo justo entre obreros y patronos, al amparo de la justicia que emane del Estado."[123]

Los Derechos del Trabajador enumerados en la Constitución de 1949 fueron considerados como la institucionalización de esta concepción. Allí se garantizaban entre otros, los derechos "de trabajar", de obtener "una retribución justa", de lograr "la elevación de la cultura y de la aptitud profesional", de actuar bajo "condiciones dignas de trabajo", de la "preservación de la salud", de la "seguridad social", de la "protección de su familia" y de la "defensa de los intereses profesionales".[124] Perón declaró que el Estado ejercería su derecho de intervención en aquellos casos en que "el sistema de la libre iniciativa" produjese injusticias sociales.[125] Para él, la justicia social constituía el núcleo de la doctrina. Con esta bandera se gloriaba de "haber desarrollado en el pueblo argentino una conciencia social", dando "el golpe de muerte" al "individualismo negativo".[126]

En 1954 Perón subrayó que los obreros eran ahora un sector activo y participante en la sociedad. En los poderosos sindicatos, en puestos de responsabilidad política y en la Universidad Obrera podía comprobarse esto, de manera que él no vacilaba en proclamar que "somos un gobierno auténticamente obrerista".[127]

Reaparecía así el término de "obrerismo", que Leopoldo Lugones había utilizado en sentido peyorativo como arma contra la política de Yrigoyen. Una vez más, Perón establecía conexiones intencionales con la tradición yrigoyenista. Pero más allá de lo dicho, se acentuaba el papel que habrían de tomar en la economía los sindicatos y las cooperativas. En 1952 Perón anunció que "los trabajadores adquirirán progresivamente la propiedad directa de los bienes capitales de producción, del comercio y de la industria, pero el proceso evolucionista será lento y paulatino".[128] Varias disposiciones del Segundo Plan Quinquenal tendían a reforzar las bases de ese proceso:

"El Estado estimulará y protegerá el desarrollo del cooperativismo en todas las actividades económicas. (...) mediante la asistencia técnica y económica a las cooperativas: crédito bancario, provisión de materias primas, exención o reducción de impuestos, (...). El Estado auspiciará la coordinación permanente de las organizaciones cooperativas de producción agropecuaria o industrial y de distribución con las cooperativas de consumo, a fin de suprimir la intermediación comercial innecesaria."[129]

El objetivo de la "independencia económica" del extranjero fue tomado por Perón del nacionalismo de la década anterior prácticamente sin alteraciones. La economía tradicional de mercado era considerada como insuficiente garantía para la consecución de la justicia social y del desarrollo industrial autónomo:

"Tradicional y dogmáticamente, nuestra política económica descansó en la convicción de que el Estado debía rehuir toda participación en el ejercicio de actividades industriales. La experiencia ha demostrado, sin embargo, la imposibilidad de que economías jóvenes y vigorosas como la nuestra aguarden pacientemente a que la iniciativa privada alcance la debida madurez o que, sin adoptar adecuados resguardos, se le confíen actividades o riquezas vinculadas a soberanos intereses."[130]

Determinados sectores claves de la economía eran reclamados por el Estado peronista; el manejo del comercio exterior, buena parte del sistema de transportes, así como la minería y los recursos energéticos. El texto decisivo en este sentido era el artículo 40 de la Constitución de 1949:

"El Estado, mediante una ley, podrá intervenir en la economía y monopolizar determinada actividad, en salvaguardia de los intereses generales y dentro de los límites fijados por los derechos fundamentales asegurados en esta Constitución."[131]

El sistema económico peronista era definido como "economía social" y también como "economía conducida". Si bien la caracterís-

tica básica de los primeros años (1946-1949) fue dada por el crecimiento del sector estatal, no era este un proceso que hubiese sido
concebido como continuo o ilimitado. Nunca hubo una afirmación
programática en el sentido de una estatización integral. Por el contrario, siempre se postuló un sistema mixto. En junio de 1946 Perón
declaró lo siguiente:

"La argentinización de nuestra economía, que constituye un fin en sí misma, requiere la ayuda máxima que pueda proporcionar tanto el principio de la
empresa privada como el principio de la organización colectiva; tanto la libre
iniciativa individual como la capacidad organizadora del propio Estado. (...)
resulta imperativo buscar con realismo soluciones flexibles y descartar excluyen-
tes dogmáticos."[132]

A la continua crítica opositora, que sostenía que esa era una
concepción fascista, Perón respondía con la observación de que la
economía libre de la teoría clásica ya no existía en ninguna parte.
La supuesta libertad del mercado no sería otra cosa que la manipulación del sistema por parte de "los consorcios capitalistas".[133]
El principio de la "soberanía política" expresaba, por un lado
la "libre determinación de los pueblos"[134] en el plano internacional,
pero, por el otro, también se refería a la supremacía de las decisiones
mayoritarias en el espacio político interno. De esa manera se subrayaba la igualdad jurídica de todos los Estados y se marcaban diferencias
con el régimen de la etapa 1930-1943. Desde 1946 la Argentina era,
para Perón, un país en el cual

"los poderes del Estado son representación genuina del pueblo y no asociaciones
de intereses o delincuencias (...)".[135]

Se trataría de la instauración de la "democracia social", que
venía a reemplazar la "democracia liberal" de las "minorías". El
nuevo sistema también era designado como "comunidad organizada". En ésta, habrían de desempeñar un papel cada vez más decisivo
un conjunto de asociaciones englobadas en el concepto de "organización del pueblo".[136] Perón sostenía que el dominio de la "oligarquía" había sido posible por la desorganización, esto es, la debilidad
de los otros sectores sociales. En cambio, si las mayorías lograban ar-
ticular sus intereses en grandes organizaciones sobre la base de la "solidaridad", estaban dadas las condiciones para el funcionamiento de
una democracia auténtica. El peronismo explicaba su objetivo básico
en esta materia del siguiente modo:

"(...) convertir esa masa inorgánica en masas orgánicas y organizadas: convertir
la masa en pueblo consciente de sus derechos y de sus deberes. Y que los defien-
da (...) inteligentemente y sin violencia".[137]

En esta concepción, que Perón ya consideraba parcialmente realizada bajo su gobierno, los sindicatos y asociaciones de diversa índole presentarían al gobierno las "exigencias" y "necesidades" de sus afiliados, pero también tendrían la chance de realizar su aporte a la solución de los problemas a través de la cooperación con las instituciones estatales. Por eso Perón veía un paso positivo y necesario en la creciente participación política de dirigentes que habían hecho su carrera en ese tipo de asociaciones económicas y sociales. En 1952 señalaba que "esas inmensas organizaciones tendrán sus representantes directos en el Congreso".[138]

La "Hora de los Pueblos" y la Confederación Sudamericana. Perón declaró repetidas veces que la hegemonía de los imperialismos no permanecería firme por mucho tiempo más. Ya en el año 1952 creía ver anuncios de la nueva edad histórica que habría de reemplazar la era del dominio bipolar. Entre otros fenómenos mencionaba el movimiento de Getulio Vargas, que en 1951 retornó a la presidencia del Brasil, el Movimiento Nacionalista Revolucionario de Paz Estenssoro, y la creciente inquietud en los países árabes que desembocaría en el nasserismo. Entonces Perón acuñó una fórmula que habría de utilizar cada vez más en los años siguientes: la de "la Hora de los Pueblos":

"¿Qué pasa en el mundo? La lucha de los gobiernos por meter los países detrás de las cortinas y la de los pueblos por salir de ellas. (...) Cuanto más pase el tiempo, más pesarán los pueblos que irán conquistando sus propios gobiernos. (...) La 'Hora de los Pueblos' impone la liberación y la dignificación del hombre, como la participación de todos —hasta de los más humildes— en la tarea del gobierno común. Por eso no puede llegar mediante el capitalismo ni el comunismo, que son sistemas imperialistas de explotación humana."[139]

En este campo de los objetivos de la política internacional, Perón adoptó como se ve, las ideas básicas del nacionalismo populista. Recordaba que los Estados Unidos se habían engrandecido por "la conquista" y "la compra", mientras que Iberoamérica poseía una historia de "desintegración" y empequeñecimiento político. En un mundo de gigantes, esa Iberoamérica no podía tener un futuro independiente. De allí que Perón propusiera la formación de una confederación de naciones con iguales derechos, retomando el ideal de San Martín y Bolívar[140]: "presentimos que el año 2000 nos hallará unidos o dominados". En otras palabras:

"Ni la Argentina, ni Brasil, ni Chile aisladas, pueden soñar con la unidad económica indispensable para enfrentar un destino de grandeza. Unidos forman, sin embargo, la más formidable unidad a caballo sobre los dos océanos de la civilización moderna. Así podrían intentar desde aquí la unidad latinoamericana. (...) la Confederación Sudamericana (...). Unidos seremos inconquistables; separados, indefendibles."[141]

Si bien el tono general de esta visión era optimista, Perón no dejaba de reconocer que existían poderosos obstáculos en el camino trazado. En un discurso "reservado" (Escuela Nacional de Guerra, 11 de noviembre de 1953) señaló a diversos sectores brasileños y chilenos como opositores al proyecto "por cuestiones de intereses personales y negocios más que por ninguna otra causa". Además recordaba el "sueño" permanente de la diplomacia de Río de Janeiro, tendiente a "establecer un arco entre Chile y Brasil", con clara intención antiargentina. Con una política paciente y honesta creía posible hacer "desaparecer esas excrecencias imperiales" que enturbiaban las relaciones con el Brasil.[142]

El "movimiento": unidad y diversidad,
tensiones y ambigüedades

Perón y sus seguidores se interpretaban en primera línea como "movimiento de la Revolución Nacional"[143], y sólo en segundo término como "partido" en el sentido tradicional de la palabra. Entre estos conceptos y su práctica política correlativa surgió una tensión, que podría considerarse como una constante en la historia del peronismo. Como "movimiento revolucionario" el peronismo postuló una cierta aspiración hacia la totalidad de la nación, hecho que se manifestó en la inclusión de las "tres banderas" justicialistas en el Preámbulo de la Constitución de 1949 y más claramente aún en 1951-1952, cuando la doctrina del movimiento fue declarada Doctrina Nacional. Perón veía en esto el surgimiento de un nuevo consenso básico de todos los argentinos, lo cual no excluía la presencia de la crítica y la oposición parcial. Ya en 1947 había dicho lo siguiente:

"Yo no creo que todos los hombres deban pensar con un criterio uniforme, pero en lo que no podemos divergir es en los grandes objetivos que el Estado persigue para orientación del pueblo de la Nación, porque de ello viene la anarquía total; (...)."[144]

Siempre existirían "distintas ideas"; pero era deseable que todos los argentinos lograsen un acuerdo fundamental en lo relativo "a la felicidad del pueblo y a la grandeza de la nación".[145] Si bien Perón declaró que este consenso, garantía de la "unidad nacional", habría de surgir por la vía de la persuasión, la práctica del régimen mostró una presión oficial intensa y un ámbito relativamente reducido reservado a la crítica. Ya se ha indicado muchas veces en estudios sobre esta época, que la constante identificación del movimiento peronista con la nación no era fácilmente conciliable con el normal funcionamiento de un sistema pluralista de partidos. El movimiento se auodefinió como "la fe popular hecha partido" (Eva Perón, 1948) y como "conciencia política" del pueblo (Juan Perón, 1952).[146] Más concretamente lo había expresado Perón el 11 de enero de 1949:

> "El movimiento peronista no es un partido político; (...). Es un movimiento nacional; (...) somos un movimiento y como tal no representamos intereses sectarios ni partidarios; representamos sólo los intereses nacionales."[147]

Lo que no se tematizaba en esto era el problema de la diversidad natural que siempre se da en sociedades complejas cuando se trata de la definición concreta de los intereses nacionales. Además, resultaba poco probable el surgimiento pacífico de un nuevo consenso, cuando el núcleo de cristalización del mismo estaba representado por un movimiento que no podía ser separado del estilo carismático de conducción de Juan y Eva Perón.

Tampoco era fácil distinguir ese consenso de los objetivos y prácticas políticas específicas —y siempre polémicas— de un gobierno determinado.

Este es el momento adecuado para recordar un tema que suele recibir vasto tratamiento en la bibliografía dedicada al peronismo: el del liderazgo de Perón y su esposa. El propio "conductor" dio repetidas veces una explicación esencialmente histórica y funcional de su papel especial en el seno del movimiento. Así, en 1954 dijo:

> "(...) en aquel 4 de junio de 1946 asumí la responsabilidad de conducir las banderas de la revolución hasta dejarlas en las manos del pueblo (...). Todos mis esfuerzos tienden a despersonalizar los propósitos de la revolución, circunstancialmente personificados en mí (...)".[148]

Sin embargo, el proceso de "despersonalización" no fue consecuentemente perseguido ni realizado, antes o después de 1955. Tanto las prácticas que difundieron los funcionarios peronistas, como la presión de factores psicosociales que ya habían desempeñado un papel en la carrera de Yrigoyen, cimentaron el liderazgo intensamente personalista de Perón, al que se sumó muy pronto el de su esposa, M. Eva Duarte.

Dentro del movimiento fue Arturo E. Sampay uno de los comentaristas que con mayor serenidad supo caracterizar la especial situación que había producido el tipo de conducción encarnado por Perón. Decía en la Convención Constituyente de 1949:

"Este movimiento popular en torno del general Perón (...) se funda en una amplísima confianza en su virtud política (...). Esta forma extraordinaria de gobierno, sociológicamente hablando, (...) es por su propia naturaleza de carácter personal y temporal."[149]

Mucho más cargada de emoción era la interpretación que daba Eva Perón en una de sus clases de la Escuela Superior Peronista:

"No concibo el Justicialismo sin Perón (...). En la historia del peronismo no hay más que dos personajes, solamente dos: Perón y el pueblo. (...) el genio y el pueblo, Perón y los descamisados."[150]

Con todo esto se daba una postura ambigua por parte de Perón frente a la oposición. El 4 de junio de 1946 declaró que esperaba la cooperación y la actividad de control ejercida por los partidos opositores; él era "el presidente de todos los argentinos".[151] Un año después su tono ya fue menos optimista:

"Sin oposición no hay democracia; pero no es menos cierto que (...) cuando la oposición no es consciente, altruista, desinteresada, serena, objetiva, impersonal, sino atrabiliaria, infecunda, negativa, grosera y contumaz, ni puede haber tampoco democracia ni siquiera el mínimo de condiciones para una convivencia civilizada."[152]

A pesar de sus apelaciones a una oposición "constructiva", los líderes del peronismo estaban convencidos de que predominaba en el país la variedad "destructiva", cargada de "odio contra el pueblo".[153] Eva Perón declaró que Perón no podía ser criticado, y en cuanto a los adversarios afirmó conceptos durísimos:

"Falsean la verdad (...) porque constituyeron partidos de traición, porque traicionaron lo único tradicional que hay, que es el pueblo mismo."[154]

Hay que señalar que la concepción "movimientista" del peronismo, como superación de todos los partidos "viejos" y estructuración de una escena política totalmente novedosa, ya existía en el nacional-populismo de tradición radical. Originariamente era ese el papel que Arturo Jauretche hubiera deseado para la UCR, y que le parecía propio de toda "fuerza revolucionaria". En un escrito de 1942 recordaba que en la concepción de Yrigoyen el radicalismo no debía ser un simple partido político sino "la unión civil de los argentinos para realizar la Nación por encima de facciones del Régimen que son los partidos".[155]

Pero el movimiento peronista fue también de una complejidad y diversidad interna bastante más pronunciadas de lo que sus adversarios solían advertir. Se trataba de algo más profundo que las originarias dificultades organizativas y personales que caracterizaron la conjunción del Partido Laborista, la UCR Junta Renovadora y los Centros Cívicos en 1945-1946. Era el fenómeno que cabía prever en un movimiento surgido tan de prisa, a saber, la formación de unas no muy definidas franjas ideológicas de izquierda y de derecha en los bordes del peronismo.

Perón siempre se mostró muy optimista en lo referente a la posibilidad de sintetizar las diversas aspiraciones en una confluencia coherente y duradera. Y efectivamente logró tal cosa a ojos de la gran mayoría de sus seguidores, los cuales se sintieron identificados con la amalgama de elementos nacionalpopulistas, sindicalistas y socialcristianos que constituyó —como se ha visto— el núcleo de la doctrina elaborada por Perón. En este sentido el peronismo tenía la original posición de presentar afinidades evidentes con la socialdemocracia y el laborismo europeos —por el rol que jugaba en la sociedad argentina como gran partido de base obrera— y de enraizar al mismo tiempo en una tradición histórico-cultural muy diferente: la del círculo cultural hispano-católico en su encarnación específicamente americana o criolla. En este amplio centro del peronismo pueden ubicarse, además de las obras de Juan y Eva Perón, los escritos de hombres como Scalabrini Ortiz y J. L. Torres (venidos del nacionalismo), de juristas como C. Cossío, Arturo E. Sampay e Italo Luder, y ensayistas de variada extracción como Abel Lerner, Raúl Mendé y J. A. Sirito.

Pero no podía dejar de producirse un cierto "entrismo" desde la izquierda extrema protagonizado por grupos trotskistas, poco numerosos, pero no despreciables en lo que respecta a su producción ideológica. A partir de la revista *Octubre* (1945-1946), con la Editorial Indoamérica después (1949-1955) y nucleados finalmente en el Partido Socialista de la Revolución Nacional (1954-1956) acompañaron al proceso peronista sin adoptar este nombre, pero declarándose más o menos solidarios con la "Revolución Nacional" o "Popular" inaugurada en 1945.[156] El "apoyo condicional" y "crítico" de estos "socialistas revolucionarios" fue producto de lo que ellos mismos denominaron "comunidad de intereses circunstanciales", ya que veían en el peronismo sólo un cómodo vehículo que les permitiría llegar a la instauración de un Estado socialista. Sin abjurar de su marxismo-leninismo, ensayistas como Jorge A. Ramos creyeron ver en el PSRN el "heredero" de las banderas del 17 de Octubre. Esteban Rey, Nahuel Moreno, Jorge Spilimbergo, R. Puiggrós, E. Rivera fueron, con algunas diferencias internas, los voceros de esta concepción política. En realidad, se trataba de una táctica coherente con las directivas del Tercer Congreso Mundial de la IV$^{\underline{a}}$ Internacional (1951) en el cual M. Pablo y Posadas (seudónimo de Homero Cristalli) recomendaron a los marxistas la infiltración de las grandes organizaciones obreras y la intensificación de la labor agitatoria especialmente en los países en vías de desarrollo.[157] El propio Perón alentó la formación del PSRN, que le traía aparentemente la doble ventaja de debilitar a la oposición socialista al gobierno y de servir como aldabonazo en las puertas de sectores oficialistas apoltronados en la comodidad de sus puestos. De todas maneras, las masas obreras peronistas no fueron atraídas sino en mínima proporción por este "socialismo revolucionario" que aparecía como un heredero algo prematuro y apresurado de Perón. A pesar de la brillantez intelectual de algunos de sus escritos, los representantes de la mencionada corriente terminaron por desempeñar el involuntario papel de un elemento provocativo más para la coalición antiperonista, sin poder aportar nada decisivo a la fortaleza del régimen. Tampoco abandonaron un dogmatismo clasista que de hecho imposibilitaba una verdadera cooperación e integración con el proyecto central del peronismo. En *América Latina: un país* (1949),J. A. Ramos llegó a sostener que, pasada la prosperidad "artificial", Perón se apoyaría "en el ejército, y toda la clase dominante, incluido el imperialismo", formaría "un compacto bloque a sus espaldas"; en la lucha subsiguiente triunfaría, contra esa conjunción, "el proletariado", que terminaría la tarea que dejara inconclusa el peronismo.[158]

En el contexto de este libro reviste mayor interés dilucidar el papel que el ala nacionalista restauradora —la extrema derecha— desempeñó en los años en que el movimiento peronista ejercía el enorme atractivo de estar instalado en el poder. La evolución que se produjo entre 1945 y 1955 fue vista en toda su complejidad por Luis Soler Cañas, un testigo de los acontecimientos:

"El nacionalismo, durante estos 25 o 30 años, ha sido esgrimido simultáneamente por católicos y no católicos; por hispanistas e indigenistas; por demócratas y antidemócratas, (...) por gente más aproximada a la izquierda que a la derecha y gente que era todo lo contrario; por tradicionalistas y antitradicionalistas; (...). Hoy mismo, el nacionalismo se encuentra dividido en dos sectores: uno al que arrastró incontenblemente el prestigio y las realizaciones del actual gobierno; otro que por diversas razones se mantiene en una posición de reserva o de enemistad declarada."[159]

En relación con las tensiones y confusiones ideológicas que se originaban en esa década, es interesante ver lo que pensaba Juan J. Hernández Arregui en 1954, desde su perspectiva de militante más bien "izquierdista" en el movimiento. También él creía que "la Revolución (...) fusionó en una sola voluntad histórica a las fuerzas que en muchos puntos eran antagónicas (...)". Eso permitía a dichos grupos "marchar paralelos al servicio del país". Con todo, reconocía que la armonía no era tan grande:

"Pero creo también que esta coincidencia (...) no logrará nunca —pues el conflicto está en la raíz misma de las tensiones ideológicas del mundo actual— anular radicalmente las divergencias laterales frente a determinados problemas, como la cuestión religiosa, el destino de la Cultura Occidental, el concepto de Hispanidad, la misión mundial de América Latina, etc."[160]

Los hombres que venían del nacionalismo restaurador lograron ubicarse, en muchos casos, en cargos universitarios y judiciales. Pueden recordarse aquí figuras como I. B. Anzoátegui, H. Llambías, Mario Amadeo, H. Bernardo, Marcelo Sánchez Sorondo, Samuel W. Medrano y otros. Su acción no tendió al establecimiento de una organización propia perfectamente identificable, sino más bien a lograr influencia ideológica sobre los cuadros de la dirigencia peronista y sobre los sectores medios de la sociedad en general. En cambio no lograron penetrar en el ambiente sindical ni en los sectores mayoritarios del partido peronista. Una de las manifestaciones notables de la persistencia de los viejos esquemas de los años treinta en estos grupos se dio en 1948, en las respuestas que algunos profesores de la Facultad de Derecho y Ciencias Sociales de la Universidad de Buenos Aires (Bargallo Cirio, H. Llambías, M. Sánchez Sorondo y Luis Seligmann Silva) dieron a la Encuesta sobre la Revisión Constitucional. Pero el núcleo propulsor de este nacionalismo restaurador, superficialmente teñido de justicialismo, se congregó en la Revista *Dinámica Social*, cuyo primer número apareció en setiembre de 1950, y cuya base institucional era un Centro de Estudios Económico-Sociales.

El director de *Dinámica Social*, entre otras cosas, escribía farragosas interpretaciones histórico-sociológicas de la "revolución argentina" comenzada en 1943 y completada por "Perón, que era la expresión del espíritu de la tierra". En su gran modestia, firmaba habitualmente "C.S.". Lo que muchísimos de sus lectores no sabían era que se trataba de Carlo Scorza, ex jerarca del fascismo italiano. Desde 1921 a 1926 había sido "ras" de Lucchesia; en 1930 fue nombrado consejero en la Cámara de los Fascios y Corporaciones; entre abril y julio de 1943 fue el último secretario general del Partito Nazionale Fascista. En la sesión del Gran Consejo que depuso al Duce fue de la minoría de los fieles. En 1945 llegó a la Argentina donde se conectó comercialmente con empresas italianas radicadas en el país, las cuales apoyaron con medios financieros la revista que luego dirigió. *Dinámica Social* abrió sus páginas a una heterogénea multitud de autores argentinos y extranjeros: entre los primeros se destacaron J. C. Goyeneche, E. Palacio, H. Bernardo, M. Amadeo, Federico Ibarguren y Mariano Montemayor; las firmas de colaboradores europeos resultan aun más interesantes, porque la gran mayoría de ellas se relacionaba con publicaciones y grupos neofascistas y de extrema derecha, poco

menos que desconocidos en nuestro medio, pero perfectamente identificados en sus países de origen.

La revista de Scorza se integró así en el vasto esfuerzo realizado
por muchos nostálgicos, tendiente a construir una red internacional
de intercambio de informaciones y de propaganda que pudiese servir
de plataforma a una reaparición efectiva de la extrema derecha fascista en la política mundial. Colaboraban con *Dinámica Social* intelectuales conectados con el desaparecido régimen de Vichy y con el
neofascismo francés (representado entre 1945 y 1951 por *Aspects
de la France, Ecrits de Paris* y *Rivarol*) tales como Jean Pleyber, An-
dré Thérive, Pierre Daye, Jean de La Varende, Jacques de Saint Marie
y Abel Bonnard; hombres relacionados con el neofascismo italiano
(C. Pettinato) y el neonazismo alemán (Paul Berger y J. von Leers)
completaban el cuadro. En 1951 todos estos movimientos europeos
se reunieron en Malmoë (Suecia) para formalizar la creación de un
Movimiento Social Europeo, cuyo ideólogo principal fue el escritor
francés Maurice Bardèche. Esta evolución fue saludada con entusiasmo por *Dinámica Social*, que agradecía a Bardèche "muchas de
las páginas más lúcidas y nobles de la posguerra". Su revista (*Defen-
se de l'Occident*) se enmarcaba en "la misma corriente de ideas" que
la publicación de Scorza. No faltaron los encendidos elogios a Charles
Maurras, por "lo universal de su pensamiento y de su acción" (el
nacionalismo) y a Sir Oswald Mosley, el "jefe reconocido de los
fascistas ingleses".[161]

La prédica de los grupos restauradores no era, si se la examina
con cuidado, una cuestión de "divergencias laterales" con otros sectores, como parecía creer Hernández Arregui. Toda su producción
escrita tendía a infiltrar contenidos netamente ultraconservadores y
fascistoides en el movimiento argentino que decían apoyar, hasta tal
punto que una adopción de sus postulados hubiese significado una
alteración profunda de la doctrina, tal como la interpretaba el peronismo mayoritario. Esto puede verse en los cuatro núcleos temáticos
siguientes:

1) La apología de los regímenes fascistas y de las dictaduras de
Portugal y de España. *Dinámica Social* se especializaba en esto,
difundiendo una verdadera "leyenda rosa" en torno a esos sistemas
políticos, que habrían sido "democracias reales" u "orgánicas", "formas de equilibrio", representativas de una Europa "espiritual y armoniosa". Aún después de 1945, un colaborador creía ver que:

"La revolución fascista [... es] la única hasta hoy, que no ha cancelado aún
todas sus posibilidades de actuar (...). El fascismo fue la primera intuición política de Europa, tendiente a devolver a la nación su dignidad política, basada en
valores espirituales y no en la vieja tendencia de la política de poder."[162]

Jean Pleyber y Vintila Horia informaban al desprevenido lector argentino que la culpa de la Segunda Guerra Mundial la tenían exclusivamente los Aliados; el Eje sólo reclamaba "el lugar que les correspondía" a sus integrantes y bregaba por la "justicia social"(!). Para Scorza fue "bello" y "noble" y le dio a Italia "jerarquía, disciplina (...) dignidad, justicia social y primacía de los valores espirituales"; en cuanto a su expansionismo en Africa, era una "necesidad" demográfica y moral.[163] M. Saldida se refería a España y Portugal como "los dos únicos reductos de los ideales europeos de libertad y civilización" que quedaban después de 1945.

2) La pretensión de que los neofascismos europeos eran modelos admirables y movimientos coincidentes con la "tercera posición" justicialista. En un artículo fundamental de junio de 1951, M. Montemayor anunciaba que en los citados movimientos había aún "una posibilidad verdadera de orden" para el futuro y lanzaba el lema "continuidad del ayer con una camisa al hoy (...) de civil".[164] M. Fraga Iribarne afirmaba que el régimen franquista también había logrado realizar la "tercera posición". Otro articulista pretendía que el SRP alemán (un partido neonazi de corta vida) pertenecía a "la extrema derecha que lucha por una tercera posición" (!).[165] Scorza, por su parte, no vacilaba en yuxtaponer un encendido elogio del "Estado corporativo de Salazar (...) gobierno de los mejores" con alabanzas al tercerismo argentino, como si se tratase de fenómenos similares. El proyecto más vasto fue esbozado por A. Bonnard y J. Pleyber: la derrota de 1945 no habría sido sino "un pasajero interludio"; tanto en Europa como en América Hispana correspondía "organizar las elites" para el mundo de mañana. Una nueva Santa Alianza debía ser creada, porque:

> "Mientras no hayamos construido esta asociación universal para la defensa de las verdades de la Autoridad, de la Jerarquía y de la Caridad, contra las mentiras de la Libertad, la Igualdad y la Fraternidad, dejaremos el mundo entre las manos de los sanguinarios histriones de la Democracia."[166]

3) En el plano institucional se predicaba el abandono de las estructuras democráticas y su reemplazo por una abigarrada mezcla de principios elitistas, corporativistas y aun racistas. Las variantes más moderadas de esto se dieron en las propuestas para la Reforma Constitucional: Bargallo Cirio quería incorporar a un conjunto de notables (ex presidentes, obispos, rectores, etc.) como miembros permanentes del Senado; H. Llambías consideraba inconveniente el adjetivo "democrático", porque desatendía "las conveniencias de la organización jerárquica de las sociedades", y exigía el voto por esposa e

hijos para los padres de familia. A esto último adherían Sánchez Sorondo y Seligmann Silva.[167] Felizmente estos criterios no se impusieron en la Convención de 1949. Mucho más furibundos eran los ataques que *Dinámica Social* realizaba contra nuestro régimen institucional. Scorza reivindicaba el viejo ideal restaurador del sufragio reducido a la vida corporativa y rechazaba el eslogan que pedía "un voto" para cada hombre; los partidos políticos debían desaparecer.[168] Dentro de esta línea de argumentación se daba el extremo en las extrañas teorías de Jaime María de Mahieu, profesor de la Universidad Nacional de Cuyo, que en 1954 publicó *Evolución y porvenir del sindicalismo*. Si bien parecía dedicar gran atención al desarrollo de la representación obrera, el núcleo de su concepción era el viejo socialdarwinismo lugoniano, esta vez disfrazado de ciencia con el título de "biopolítica". De Mahieu consideraba que ya Gobineau había demostrado que la igualdad de las razas era "un mito liberal". Dentro de la raza blanca, el proletariado formaría una "subraza biopsíquicamente diferenciada", caracterizada por su "inferioridad":

"el proletariado es inestable, vacilante, quisquilloso, inconsiderado y caprichoso".[169]

Proponía como nuevo orden social (nacional-revolucionario) la selección de los mejores elementos biopsíquicos a fin de crear "un nuevo patriciado". En otras palabras:

"(...) seleccionada en un pueblo eugénico por un Estado consciente de sus deberes biopolíticos, formada por un cuadro y un modo de vida adecuados, provista de los medios económicos indispensables y colocada en el nivel funcional que le corresponde, la elite verdadera, vale decir, la aristocracia (...)".[170]

4) Fieles a la tradición del pensamiento restaurador, los voceros de esta tendencia se mostraron muy preocupados por todo proceso que creían relacionado con los avances de la democracia del sindicalismo y del "socialismo". En 1948 Bargallo Cirio hablaba del peligro de "una desmesurada extensión de las ventajas que reclama el trabajador manual" en la Argentina. Parecida inquietud por presuntos progresos del "socialismo" manifestaba Marcelo Sánchez Sorondo.[171] Por último, resulta especialmente interesante el tono de Héctor Bernardo en un artículo de *Dinámica Social* de 1953: elogiaba a Perón por un lado, pero lamentaba la "masificación" de la sociedad argentina, descalificando además las tendencias que integraban el peronismo sin ser de raíz nacionalista en el estrecho sentido que él le asignaba: "quienes provienen de los sectores socialistas pretenden acentuar el carácter social del movimiento"; otros, los aspectos "liberales" o

"individuales". Frente a esto, Bernardo reclamaba la unión de quienes compartían "el ideario nacional".[172]

Mientras que todos decían aceptar el marco general dado al movimiento por Perón, los sectores de extrema izquierda y de extrema derecha mencionados en las páginas precedentes trabajaron obstinadamente para deshacer la síntesis central y mayoritaria del peronismo y transformarlo en el sentido de sus aspiraciones sectarias. Hombres como Raúl Bustos Fierro y Carlos Cossío vieron la importancia que tenía el lograr una clara delimitación frente a estas franjas, hasta el punto de que ya en 1948 este último catedrático propuso utilizar para el justicialismo la denominación de "cuarta posición", a fin de distinguirlo con exactitud, no sólo del "individualismo manchesteriano" y del "comunismo ruso", sino también del "totalitarismo centroeuropeo".[173] Y aún antes, en 1946, Abel Lerner había refutado con los siguientes párrafos a quienes pretendían mezclas imposibles:

> "El peronismo se diferencia profundamente del nazismo y del fascismo no sólo por su origen, sino por su fin. Mientras lo substancial del nazifascismo fue la formación de un Estado fuerte, orientado hacia la guerra y la conquista exterior, el peronismo es un movimiento cuyo objetivo es la Justicia Social, (...) Nadie puede negar que una minoría argentina ha creído en estas ideas [fascistas] y (...) que persiste en ellas. Pero creer que la mayoría comulga con tales minorías, es no querer mirar alrededor de ellas."[174]

Con todo, no pueden dejar de comprobarse los efectos perniciosos que la prédica de los grupos extremos tuvo para el peronismo en particular y el país en general. Su accionar acentuó la intolerancia y desconfianza recíproca de todas las fuerzas políticas del país; envenenó la polémica con lemas extraños a la realidad y al sentir de nuestro pueblo; y diseminó a través de la cátedra y la prensa la confusión acerca de hechos fundamentales de la historia contemporánea, contribuyendo además a oscurecer la imagen que la vida política argentina podía proyectar hacia el exterior.

NOTAS

[1] Véase A. Ciria: *Perón y el justicialismo*, Buenos Aires, 1971; V. Frankl: "Der Peronismus und die Social-Enzykliken", en *Zeitschrift f. Politik*, Año XIX, N° 3, München, setiembre de 1972; J. C. García Zamor: "Justicialismo en Argentina: la ideología política de Juan Domingo Perón", en *Revista de Ciencias Sociales*, vol. 16, 1972, N° 3; y J. J. Sebreli: "Raíces ideológicas del populismo", en J. Isaacson (coordinador): *El populismo en la Argentina*, Buenos Aires, 1974.

[2] Frankl le asigna escasa significación a este componente. Muy diferente es la evaluación de J. J. Sebreli: "Raíces..." y J. C. García Zamor.

[3] V. la declaración de la Editorial Mundo Peronista, en A. Cascella: *La Traición de la Oligarquía. Registrada en las Memorias del Embajador Sir David Kelly*, Buenos Aires, 1953 ("Advertencia").

[4] Así por ejemplo Cátulo Castillo, en E. Pavón Pereyra (director): *Perón. El hombre del destino*, Buenos Aires, 1974 (3 vols.), pág. 237.

[5] "Memorias de J. Perón, 1895-1945", en F. Chávez: *Perón y el peronismo en la historia contemporánea*, Buenos Aires, 1975, pág. 304.

[6] Véase E. Pavón Pereyra: *Perón. El hombre...*, págs. 41-57.

[7] Véase R. Marambio: "Industrias argentinas y tecnocracia" (5a. parte), en *Revista Militar*, abril de 1937, N? 435, págs. 809-810, 822-823 y 872-874. Además M. Savio: "Bases para la industria del acero en la República Argentina", en *Revista Militar*, octubre de 1942, N? 501, págs. 701-717; y del mismo autor: "Política de la producción metalúrgica argentina" (diciembre de 1942, N? 503, págs. 1171-1188).

[8] Cit. en Luis Monzalvo: *Testigo de la primera hora del peronismo*, Buenos Aires, 1975, pág. 102.

[9] J. D. Perón: *Conducción Política*, Buenos Aires, 1971 (1a. ed. 1952), pág. 27.

[10] Véase Hugo Gambini: *El Peronismo y la Iglesia*, Buenos Aires, 1971, pág. 17.

[11] Véase V. Frankl: op. cit., págs. 230-233.

[12] "Quadragesimo Anno", en *Ocho grandes mensajes* (encíclicas sociales), ed. preparada por J. Iribarren y J. L. Gutiérrez García, Madrid, 1971, pág. 79.

[13] Ibid., págs. 85-86.

[14] Ibid., págs. 91-92.

[15] Ibid., págs. 93-94.

[16] "Rerum Novarum", en *Ocho grandes...*, pág. 42.

[17] "Quadragesimo Anno", en *Ocho grandes...*, pág. 89.

[18] "Rerum Novarum", en *Ocho grandes...*, pág. 20.

[19] "Quadragesimo Anno", en *Ocho grandes...*, págs. 101-102.

[20] Ibid., pág. 103.

[21] Ibid., pág. 104.

[22] Aparece también como Introducción a J. D. Perón: *El pueblo quiere saber de qué se trata*, Buenos Aires, 1944, págs. 7-9.

[23] J. D. Perón: *Doctrina Peronista*, Buenos Aires, 1979 (1a. ed. 1949), pág. 71 (5 de octubre de 1948).

[24] Carta del 24 de setiembre de 1949 reproducida en A. R. González Arzac: "La Constitución Justicialista de 1949", Suplemento N? 41 de *Todo es Historia*, pág. 21.

[25] Véase E. Pavón Pereyra: *Perón. El hombre...*, págs. 146-160 y F. Chávez: *Perón y el peronismo...*, pág. 220.

[26] Arturo Jauretche: *Forja y la Década Infame*, Buenos Aires, 1974, pág. 177. Véase tambien Raúl Scalabrini Ortiz: *Yrigoyen y Perón*, Buenos Aires, 1972 (diversos artículos), pág. 30.

[27] José Luis Torres: *Seis años después*, Buenos Aires, 1949, págs. 14 y 26.

[28] A. García Mellid: *Montoneras y Caudillos en la Historia Argentina*, Buenos Aires, 1974 (1a. ed. 1946), págs. 113 y 117. V. también R. Scalabrini Ortiz: *Yrigoyen...*, pág. 29.

[29] Estas formulaciones aparecieron en la Convención Nacional de 1937 y en los Congresos de la Juventud Radical de 1938 y 1942. Véase Gabriel del Mazo: *El Radicalismo. Notas sobre su historia y doctrina*, Buenos Aires, 1955 (1er. tomo), págs. 26-28 y 39-41; R. A. Ferrero: *Del fraude a la soberanía popular (1938-1946)*, Buenos Aires, 1976, págs. 33-34.

[30] Héctor Bernardo: *Para una Economía Humana*, Buenos Aires, 1949, págs. 18-21.

[31] V. Frankl: op. cit., págs. 229-230, subraya el presunto rol del modelo boliviano. Las similitudes entre "varguismo" y "peronismo" son destacadas en A. Ciria: *Perón y el justicialismo*, págs. 76-84.

[32] Véase Getulio Vargas: *As Melhores Páginas de Getúlio Vargas* (Selección de textos de J. Pereira da Silva), Rio, 1940, págs. 28, 90, 160, 197, 212 y 231-233.

[33] Véase Lázaro Cárdenas: *Ideario Político* (Selección y Presentación de L. Durán), México, 1972, págs. 20, 27, 47, 186-189, 192, 196 y 244.

[34] Discurso del 24 de setiembre de 1945 en J. D. Perón: *El Pueblo ya sabe de qué se trata*, Buenos Aires, 1973 (1a. ed. 1946), págs. 175-177.

[35] Trabajos que otorgan una importancia excesiva a las influencias fascistas en el peronismo son: G. W. F. Hallgarten: *Dämonen oder Retter*, München, 1966, págs. 237-238; O. M. Pipino: *1946-1955. La Década Fatal. Origen del Colapso nacional*, Córdoba, 1979, págs. 182-183; M. Frank: *Die Letzte Bastion-Nazis in Argentinien*, Hamburg, 1962, págs. 6, 13-14 y 148; J. C. García Zamor: op. cit., págs. 344-345; y R. J. Alexander: *Juan Domingo Perón: A History*, Boulder (Colorado), 1979, págs. 25-26.

[36] Véase Silvano Santander: *Nazismo en Argentina*, Montevideo, 1945, pág. 28; y Nicolás Repetto: *Mi paso por la política*, Buenos Aires, 1957, págs. 271-273.

[37] Véase G. Pendle: *Argentina*, London, 1961, págs. 77 y sigs.

[38] Véase S. Santander: *Técnica de una Traición*, Buenos Aires, 1955, págs. 28, 31, 47, 52.

[39] Comentado en Hugo Gambini: "El poder autoritario", en *Polémica*, Nº 72, Buenos Aires, 1971, págs. 55-56.

[40] Ibid., pág. 36.

[41] Véase *Akten betr. Argentinien, Politisches Archiv-Ausw. Amt-Büro des Staatssekretärs* ["Actas referidas a la Argentina", Archivo Político - Min. de RR.EE. - Oficina del Secretario de Estado], tomo 5, Actas 27.705-27.737.

[42] Véase *Akten zur Deutschen Auswärtigen Politik 1918-1945 - Aus dem Archiv des deutschen Auswärtigen Amtes* [Actas sobre la política exterior alemana 1918-1945 - Del Archivo del Ministerio Alemán de Relaciones Exteriores]. Series D y E (1937-1945), Frankfurt, 1961-1979, ADAP/E VI (Informes del SD), págs. 466-469; y *SD-Meldungen aus Südamerika, Pol. Archiv - Ausw. Amt-Inland II g - Akten betr. Südamerika,* 4 vols. (1940-1945). [Informes del SD - Servicio de Seguridad (Inteligencia) de la SS - provenientes de Sudamérica], tomo 2, Informe del 20 de junio de 1943.

[43] SD-Südamerika, tomo 3, Actas 276.253 - 276.559.

[44] V. ibid., tomo 2, Actas 272.542 - 272.556; tomo 4, "Informe sobre Argentina" (junio de 1944) y "Desarrollo de la situación política en Argentina..." (7 de noviembre de 1944).

[45] Ibid., tomo 4, "Informe..." (junio de 1944).

[46] J. D. Perón, en E. P. Rom: *Así hablaba Juan Perón,* Buenos Aires, 1980.

[47] Conversación con Adelio Ortiz, en E. Pavón Pereyra: *Perón. El hombre...,* pág. 176.

[48] Ibid., pág. 145.

[49] Véase E. P. Rom: op. cit., pág. 104.

[50] V. "Memorias de J. Perón...", en F. Chávez: *Perón y el peronismo...,* pág. 307. Sobre el "New Deal" habló Perón el 24 de setiembre de 1945 (J. D. Perón: *El Pueblo ya sabe...,* págs. 175-177).

[51] Véase J. D. Perón: *El pueblo quiere...,* págs. 90-93.

[52] Ibid., págs. 108-109 (Discurso a los obreros de los frigoríficos, 17 de julio de 1944).

[53] Lisandro de la Torre: *Obras de L. de la Torre,* Buenos Aires, 1952, 3 tomos, I, págs. 348-349.

[54] S. Andreski: "Fascists as Moderates", en S. Larsen, B. Hagtret y J. Myklebust: *Who were the Fascists?,* Bergen, 1980, pág. 53.

[55] Véase J. D. Perón: *Filosofía Peronista,* Buenos Aires, 1973 (conferencias de 1954), págs. 161-163.

[56] Véase J. D. Perón: *El Pueblo ya sabe...,* págs. 58-59.

[57] Sobre Figuerola véase Juan M. Palacio: "La Revolución de 1943" en revista *Temática Dos Mil,* N° 7, Año 4, 1980, págs. 56-57. Entre 1946 y 1949 Figuerola se desempeñó frente a la "Secretaría Técnica" de la Presidencia.

[58] Véase E. Pavón Pereyra: *Perón. El hombre...,* págs. 204 y 338; R. A. Ferrero: *Del fraude a la soberanía popular (1939-1946),* Buenos Aires, 1976, págs. 272, 275 y 303-304.

[59] J. D. Perón: *Conducción...,* pág. 290.

[60] J. D. Perón: *El Gobierno, el Estado y las Organizaciones Libres del Pueblo,* Buenos Aires, 1975 (diversos discursos), págs. 31-33.

[61] Por ejemplo, en un discurso del 17 de junio de 1944, en J. D. Perón: *El pueblo quiere...,* págs. 86-90.

[62] V. diversos discursos de 1945 en J. D. Perón: *El Pueblo ya sabe...*, págs. 52-57, 76-82, 89-96 y 118-119.

[63] Véase F. Neumann (Ed.): *Handbuch politischer Theorien und Ideologien*, Reinbek bei Hamburg, 1977, págs. 266-268.

[64] Braden, 17 de diciembre de 1945, en FRUS 1945 (Foreign Relations of the United States), pág. 498.

[65] V. el consejo de Braden (escrito al Secretario de Estado, 14 de agosto de 1945), en FRUS 1945, págs. 474-476.

[66] Ibid., pág. 392.

[67] Braden al Secretario de Estado, 20 de setiembre de 1945 (ibid., pág. 552).

[68] Ibid., pág. 553.

[69] Río, 15 de febrero de 1946, en FRUS 1946, pág. 213.

[70] "Los demócratas argentinos reclaman la solidaridad del Continente", en N. Repetto: op. cit., págs. 292-297. Un conservador, calificado como "jefe de la resistencia" se lamentó de que los Estados Unidos no hubiesen querido organizar el envío secreto de ametralladoras a la oposición (Ruth y Leonard Greenup: *Revolution before Breakfast. Argentina 1941-1946*, Chapel Hill, 1947, págs. 247-248).

[71] V. Cabot al Director de la Oficina de Asuntos de las Repúblicas Americanas, 17 de noviembre de 1945, en FRUS 1945, págs. 426-430.

[72] Informes de Braden (11 de julio y 20 de setiembre), en FRUS 1945, págs. 392 y 552. El Vicepresidente Wallace y Henry Morgenthau ya habían mencionado esa tesis en 1944. Véase para esto a Mac Donald.

[73] Cabot, 7 de marzo de 1946, en FRUS 1946, pág. 230.

[74] Telegrama del 15 de junio, en FRUS 1946, págs. 257-258.

[75] Memorándum para el Presidente Truman, 12 de julio de 1946 (ibid., pág. 270).

[76] "La agresión", de la serie de artículos publicados por Perón (bajo el seudónimo de Descartes) en el diario *Democracia* (1951-1952) y reunidos luego en J. D. Perón: *Política y Estrategia*, Buenos Aires, 1973, págs. 53-55.

[77] H. Luce: *The American Century*, N. York, 1941, cit. en W. La Feber: *The Origins of the Cold War, 1941-1947*, N. York, 1971, págs. 28-30.

[78] Cit. en W. Loth: *Die Teilung der Welt* (La división del mundo), München, 1980, pág. 24.

[79] Roosevelt a C. Hull, 17 de octubre de 1944, ibid., pág. 33.

[80] Ibid., págs. 30-31.

[81] J. Chamberlain, cit. en La Feber: op. cit., pág. 31.

[82] Braden, 4 de setiembre de 1945, en FRUS 1945, págs. 406-408.

[83] Principio Nº 14 de las "Veinte Verdades del Justicialismo", en J. D. Pe-

rón: *La Tercera Posición Argentina. La Constitución de 1949. Breviario Justicialista*, Buenos Aires, 1973, pág. 121.

[84] J. D. Perón: *Conducción...*, págs. 68-69.

[85] Ibid., pág. XVI.

[86] J. D. Perón: *El Gobierno, el Estado...*, pág. 34.

[87] V. discurso del 21 de agosto de 1945, en J. D. Perón: *El Pueblo ya
sabe...*, págs. 141-144.

[88] J. D. Perón: *Filosofía...*, págs. 18 y 22-23.

[89] Ibid., pág. 24.

[90] J. D. Perón: *Doctrina...*, pág. 69; y J. D. Perón y Eva Perón: *Temas de
Doctrina*, Buenos Aires, 1955 (Manual de la Escuela Superior Peronista), pág.
165.

[91] El primer par de oposiciones proviene de la sociología de Lester F. Ward
(Estados Unidos, 1841-1913),el segundo par es mencionado en la Encíclica Quadragesimo Anno. Sobre esto véase V. Frankl: op. cit., págs. 245-246.

[92] J. D. Perón: *Filosofía...*, pág. 110.

[93] Véase Eva D. de Perón: *La Palabra, el pensamiento y la acción de Eva
Perón*, Buenos Aires, 1951, pág. 70; y J. D. Perón: *Filosofía...*, págs. 125-126.

[94] J. D. Perón: *Filosofía...*, pág. 247.

[95] Ibid., págs. 56-57.

[96] Véase J. D. Perón: *La Comunidad Organizada*, Buenos Aires, s.f. (1a.
ed. 1949), págs. 109-110.

[97] J. D. Perón: *Filosofía...*, pág. 62.

[98] Ibid., págs. 62-92, 130 y sigs.

[99] Eva D. de Perón: *Historia del Peronismo*, Buenos Aires, 1971 (conferencias de 1951), pág. 59.

[100] J. D. Perón: *El Pueblo ya sabe...*, págs. 175-177 y 118-119.

[101] J. D. Perón: *Doctrina...*, pág. 70 (discurso del 11 de setiembre de 1948).

[102] Ibid., págs. 73 y 79.

[103] J. D. Perón: *Política y...*, págs. 112-113.

[104] Ibid., págs. 113-114 y J. D. Perón y Eva Perón: *Temas...*, pág. 339.

[105] J. D. Perón: *Doctrina...*, págs. 110 y 112.

[106] V. discurso del 7 de agosto de 1945, cit. en A. Belloni: *Del anarquismo
al peronismo*, Buenos Aires, 1959, págs. 48-50.

[107] Véase J. D. Perón: *Filosofía...*, págs. 168-172.

[108] Ibid., págs. 237-238.

[109] Véase J. D. Perón: *Política y...*, pág. 183.

[110] Véase J. D. Perón: *Doctrina...*, págs. 162-163; y Eva D. de Perón: *Historia...*, pág. 107.

[111] J. D. Perón y Eva Perón: *Temas...*, pág. 281.

[112] Ibid., pág. 428 (discurso del 17 de mayo de 1954).

[113] Véase J. D. Perón: *Doctrina...*, pág. 195. Para la problemática del Banco Central véase el Capítulo correspondiente a la "década infame".

[114] Véase J. D. Perón: *La Tercera Posición...*, págs. 50-51.

[115] Eva D. de Perón: *Historia...*, págs. 124-125.

[116] Ibid., págs. 125-127.

[117] Véase J. D. Perón: *Política y...*, págs. 112-113 y 117, además de Eva D. de Perón: *Historia...*, pág. 73.

[118] J. D. Perón: *Política y...*, pág. 129.

[119] Cit. en C. Héctor: *Der Staatsstreich als Mittel der Politischen Entwicklung in Südamerika*, Berlin, 1964, pág. 115. V. *Segundo Plan Quinquenal*, Buenos Aires, 1953 (Publicación oficial), Ley 14.184, artículo 38.

[120] Véase J. D. Perón: *Política y...*, págs. 183-184.

[121] Ibid., págs. 17-18.

[122] Véase J. D. Perón: *La Tercera Posición...*, pág. 33.

[123] J. D. Perón: *Doctrina...*, pág. 237.

[124] V. 3a. Parte de la Constitución de 1949, en J. D. Perón: *La Tercera Posición...*, págs. 80-83. El derecho de huelga no era mencionado en dicha Constitución, pero fue reivindicado repetidas veces por el propio Perón (por ejemplo, en un discurso a los obreros textiles, del 13 de mayo de 1953, cit. en J. D. Perón: *El Gobierno, el Estado...*, pág. 90). En el 2º Plan Quinquenal se confirmaba el derecho de huelga como inherente a las organizaciones de trabajadores (*Segundo Plan Quinquenal*, pág. 58).

[125] J. D. Perón: *La Tercera Posición...*, pág. 30.

[126] Véase J. D. Perón: *Conducción...*, págs. 274-275.

[127] Véase J. D. Perón: *Filosofía...*, págs. 234-235.

[128] Discurso del 1º de mayo de 1952, cit. en C. A. Fernández Pardo y A. López Rita: *Socialismo Nacional. La marcha del poder peronista*, Buenos Aires, 1973, págs. 140-141.

[129] *Segundo Plan Quinquenal*, pág. 273.

[130] J. D. Perón: *Doctrina...*, pág. 57.

[131] J. D. Perón: *La Tercera Posición...*, pág. 89.

[132] J. D. Perón: *Doctrina...*, pág. 175.

[133] V. ibid., pág. 158.

[134] Véase J. D. Perón: *Política y...*, pág. 62.

[135] Ibid., pág. 49. Además: J. D. Perón y Eva Perón: *Temas...*, pág. 243.

[136] J. D. Perón: *Política y...*, pág. 187.

[137] J. D. Perón y Eva Perón: *Temas...*, pág. 421; además J. D. Perón: *Conducción...*, pág. 325.

[138] J. D. Perón: *Política y...*, págs. 188-189; y J. D. Perón y Eva Perón: *Temas...*, pág. 429.

[139] Véase J. D. Perón: *Política y...*, págs. 168 y 170.

[140] V. el discurso anual a las Fuerzas Armadas (1953) en J. D. Perón: *Perón habla a las Fuerzas Armadas (1946-1954)*, Buenos Aires, s.f., págs. 97-109.

[141] J. D. Perón: *Política y...*, págs. 199-200.

[142] V. discurso (reservado) en la Escuela de Guerra, 11 de noviembre de 1953, en J. D. Perón: *La Hora de los Pueblos*, Buenos Aires, 1973, págs. 85-86.

[143] Art. N? 1 de la Carta Orgánica del Partido Peronista (J. D. Perón: *Doctrina...*, pág. 53).

[144] Ibid., pág. 286.

[145] V. *Segundo Plan Quinquenal*, págs. 485-486 (Palabras de Perón a modo de conclusión).

[146] Véase J. D. Perón y Eva Perón: *Temas...*, págs. 182, 261 y 544.

[147] J. D. Perón: *Doctrina...*, págs. 134-135.

[148] J. D. Perón: *El Gobierno, el Estado...*, pág. 16.

[149] *La Constitución de 1949 comentada por sus autores*, Buenos Aires, 1975, págs. 350-351.

[150] Véase Eva D. de Perón: *Historia...*, págs. 9, 17 y 21.

[151] Véase J. D. Perón: *El Pueblo ya sabe...*, págs. 202-212.

[152] Discurso del 21 de agosto de 1947, en J. D. Perón: *Doctrina...*, pág. 349.

[153] J. D. Perón: *El Gobierno, el Estado...*, pág. 18.

[154] Eva D. de Perón: *La Palabra...*, pág. 32 (2 de marzo de 1950).

[155] Carta a J. B. Abalos (9 de julio de 1942), en A. Jauretche: *Forja y la Década Infame*, pág. 146.

[156] Sobre el nacionalismo trotskista, véase N. Galasso: *La izquierda nacional y el FIP*, Buenos Aires, 1983, Caps. III, IV y V.

[157] V. "Trotzkysmus und IV Internationale", en F. Neumann: op. cit., págs. 390-391.

[158] Véase Jorge A. Ramos: *América Latina: un país*, Buenos Aires, 1949, págs. 194-195.

[159] Luis Soler Cañas: "El Nacionalismo, fenómeno complejo", en *Dinámica Social*, N? 57, mayo de 1955, pág. 15.

[160] Véase J. J. Hernández Arregui: "Carta al Director", en *Dinámica Social*, N? 52, diciembre de 1954, págs. 13-14.

[161] V. *Dinámica Social*, N°ᵒˢ 26-27, octubre-noviembre de 1952, pág. 15.

[162] Juan R. Sepich: "Evolución y Revolución", en *Dinámica Social*, N? 10, junio de 1951, pág. 7.

[163] V. *Dinámica Social*, N? 25, setiembre de 1952, págs. 1-3.

[164] *Dinámica Social*, N? 10, junio de 1951, pág. 34.

[165] V. *Dinámica Social*, N? 15, noviembre de 1951, págs. 19-20.

[166] V. artículo de J. Pleyber en *Dinámica Social*, N? 25, setiembre de 1952, págs. 34-35.

[167] V. "Encuesta sobre la Revisión Constitucional" - Facultad de Derecho y Ciencias Sociales de la Universidad de Buenos Aires, 1949, págs. 173-192.

[168] V. "Editorial" de *Dinámica Social*, N? 42, febrero de 1954.

[169] Jaime M. de Mahieu: *Evolución y porvenir del sindicalismo*, Buenos Aires, 1954, pág. 31.

[170] Mahieu en *Dinámica Social*, N? 19, marzo de 1952, págs. 15-16.

[171] V. "Encuesta sobre la Revisión...", págs. 289-297.

[172] H. Bernardo en *Dinámica Social*, N? 36, agosto de 1953, págs. 7-8.

[173] V. "Encuesta sobre la Revisión...", págs. 107-110.

[174] Véase A. Lerner: *El Peronismo y nuestro tiempo*, Buenos Aires, 1946, págs. 74-76.

LA "NUEVA ARGENTINA" Y SUS CONFLICTOS

Viejos y nuevos problemas

Las tensiones o problemas de la sociedad argentina del período 1946-1955 configuran un muy buen marco para el análisis de las relaciones entre ideología y realidad del peronismo. También sería posible hacerlo a través de un estudio de las instituciones de esos años. Con todo, creo que justamente la doctrina justicialista, que en buena medida es una teoría del conflicto, se presta a ser indagada e históricamente comprendida en conexión con los conflictos políticos, sociales, económicos y culturales. Además, hay que reconocer que a partir de 1930, con la creciente anomia de la vida política, fueron perdiendo su antigua importancia las instituciones en nuestro país. El choque casi constante de diversos grupos, estratos, fracciones y personajes sólo adquiere así cierto sentido a través de la permanencia de algunas tensiones fundamentales. En la general inestabilidad de la historia argentina reciente, ellas parecen representar el elemento estable.[1] Dos de esas situaciones tensas que han sido comentadas en la Tercera Parte de esta obra no tuvieron gran relevancia en la vida pública de la década peronista: el problema de "inmigrantes" versus "argentinos viejos" y el ya crónico de la asimetría geoeconómica del país. El primer tema fue perdiendo agudeza por el paso del tiempo y la fuerte disminución de la inmigración europea. En el interior crecía la magnitud de la inmigración procedente de los países limítrofes, pero este proceso apenas si tuvo expresión en la vida política e intelectual de la nación. En cuanto al segundo problema mencionado, no se alteró en sus datos globales, aunque algunos polos de desarrollo como Córdoba fueron dinamizados por la industrialización de la década. Probablemente el innegable éxito del peronismo en la extensión de servicios sociales modernos, hacia el interior de la República, contribuyó también a quitarle a las situaciones de desequilibrio regional el dramatismo que tuvieron en décadas anteriores. Quedan – a juicio de quien escribe esto– una serie de tensiones que conviene analizar: a) la problemática del antisemitismo (una cuestión ideológica); b) los choques de la política internacional (relacionados con la "tercera posición"); c) la problemática de la dependencia y del desarrollo; d) la cuestión distributiva o "social"; e) la cuestión de la legitimidad del poder político y de la participación masiva y f) el conflicto entre el régimen y la Iglesia. Pero todos estos problemas fueron englobados, agudizados y emocionalmente teñidos por la nueva gran antinomia, verdadera y equívoca a la vez: la de "peronismo" y "antiperonismo".

El problema del antisemitismo

Esta cuestión era, como ya se ha visto, una de las hipotecas de la década del treinta que exigía respuestas claras. A partir de 1945 se había producido una situación especialmente embarazosa para los escritores antisemitas: ellos aparecían como aliados intelectuales de los técnicos nacionalsocialistas del genocidio. El desgarramiento de los nacionalistas en la década peronista se originaba parcialmente en este panorama: casi todo el mundo buscó poner distancia de conexiones tan comprometedoras y los caminos se separaron. Hombres como Osés y Silveyra desaparecieron en el anonimato; la Alianza Libertadora Nacionalista siguió siendo una secta militante, pero finalmente abjuró de sus postulados antisemitas. En los años cincuenta se autointerpretaba como parte del movimiento nacional conducido por Perón. El padre V. Filippo se convirtió en diputado peronista y dejó de insistir con el tema de los judíos, concentrándose más bien en la lucha contra la masonería, en la cual tampoco obtuvo el apoyo de los demás parlamentarios peronistas.[2] Meinvielle, que rápidamente se convirtió en un crítico del régimen, no renunció a su pasado. En la revista *Presencia* comentó el surgimiento del Estado de Israel con estas palabras:

"Los planes milenarios de un universo dominado por los judíos parecieran en vías de firme cumplimiento."[3]

Presencia continuó usando los viejos lemas antisemitas, criticó las buenas relaciones argentino-israelíes y lamentó la "decadente" tolerancia religiosa del peronismo, especialmente en lo referente a "la sinagoga".[4] En 1956 Perón recordaba con irritación este tipo de prédica:

"Son muchos los que en nombre de la religión vienen a inducirle a uno a la persecución. Un día es a los judíos, otro a los protestantes y luego a los masones."[5]

En algunos sectores de la oposición se seguía sosteniendo que el peronismo no era sino una copia del "nazifascismo" y que sus supuestas tendencias antisemitas eran de temer. Sin embargo, esa no era una apreciación realista de los hechos. Perón —en una actitud coherente con la tradición del nacionalismo populista— condenó a los grupúsculos racistas y antisemitas que se agitaban en los márgenes extremos del viejo nacionalismo restaurador:

"¿Cómo podría aceptarse (...) que hubiera antisemitismo en la Argentina? En la Argentina no debe haber más que una sola clase de hombres: hombres que trabajen por el bien nacional, sin distinciones. Son buenos argentinos, cualquiera sea su procedencia, su raza o su religión, si diariamente laboran por la grandeza de la Nación, (...)."[6]

Por primera vez en la historia argentina se produjo el acceso de judíos a funciones importantes en el Estado. Sebreli menciona los casos del juez L. Rabovitch y del subsecretario del Ministerio del Interior, Abraham Krislavin. También hay que recordar que en *La Prensa* del período cegetista (1952-1955) colaboraron intelectuales judíos como César Tiempo, E. Koremblit, León Benarós y Julia Prilutzky Farny.[7] Todas estas situaciones fueron muy mal vistas por ideólogos como Meinvielle, y parecen haber jugado un cierto papel en el conflicto de 1954-1955 con la Iglesia. En esos años se corrió el rumor de que la influencia de los judíos en el Ministerio del Interior, combinada con la masonería, serían dos de los factores responsables por la nueva postura laicista o anticlerical del gobierno. Pruebas precisas en este sentido jamás fueron presentadas. Pero para la historia de las ideologías en la Argentina no deja de resultar interesante el hecho de que en la crisis del régimen peronista se encontraban prejuicios antisemitas en los nacionalistas ultraconservadores opuestos a Perón, y no en la política oficial del movimiento gobernante. En este contexto se ubicaba también el ataque que la revista neonazi *Nation Europa* realizó contra el peronismo pocos meses después de su caída, calificándolo de "hebreo-sindicalismo que derivaba hacia la izquierda".[8]

Tensiones de la política internacional

La escena internacional de la posguerra, caracterizada por la bipolaridad y la guerra fría, no formaba un marco favorable a la tercera posición enunciada por Perón. Aspiraciones "terceristas" fueron sin embargo un factor importante en los años 1945, 1946 y 1947 justamente en la Europa que renacía de las ruinas de la guerra. Tanto entre los partidos de inspiración cristiana, como en el laborismo inglés, el socialismo francés y la socialdemocracia alemana, existían concepciones tendientes a crear una Europa de la tercera fuerza, con un ordenamiento socioeconómico y una política exterior "equidistantes tanto de la URSS como de los Estados Unidos", como lo resume el historiador Wilfried Loth. En ese sentido se había pronunciado Léon Blum en enero de 1948, propugnando un sistema capaz de sintetizar "la libertad personal y la economía colectiva, la democracia y la justicia social".[9] Estas ideas, muy similares a la concepción justicialista, quedaron cada vez más relegadas al endurecerse los frentes acaudillados por las dos superpotencias, con el consiguiente predominio de preocupaciones básicamente estratégicas. En lo que respecta a nuestro país, no es del todo desacertada la síntesis de Waldmann:

"Los 12 años del gobierno peronista pueden interpretarse como un gran combate de retaguardia de la política exterior argentina frente a la pretensión hegemónica de los EE.UU."[10]

En un capítulo anterior ya se ha señalado que existía una contraposición fundamental entre la concepción norteamericana del panamericanismo y de la idea de las Open-Doors ("puertas abiertas" al librecambio) por un lado, y el iberoamericanismo, proteccionismo y bilateralismo comercial peronistas por el otro. Si bien a partir de 1949-1950 ya no puede hablarse de una política norteamericana de boicot pues se produce en cambio un acercamiento económico, tampoco es posible interpretar esto como un cambio sustancial. En otro orden de cosas, puede advertirse que la significación enorme que tuvo el conflicto diplomático argentino-estadounidense entre 1944 y 1946 no se volvió a dar en ningún acontecimiento internacional hasta 1955. Pero diversas iniciativas y actitudes de la diplomacia del gobierno peronista ejercieron a menudo una influencia inesperada sobre las tensiones internas de la política argentina. En ese contexto conviene recordar brevemente los siguientes temas[11]:

a) *Las relaciones con la URSS y los Estados del bloque oriental.* Entre 1946 y 1947 fueron renovadas o iniciadas —según los casos— las relaciones diplomáticas y comerciales con la Unión Soviética, Polonia y Yugoslavia. Tratados bilaterales de comercio también se firmaron con Checoslovaquia, Rumania y la RDA. En mayo de 1955 la URSS inauguró su primera gran exposición industrial en Buenos Aires.

b) *La posición argentina durante la Guerra de Corea y la Conferencia de Washington* (marzo de 1951). En el año 1950 se comenzó a difundir en nuestro país el rumor de que tropas argentinas iban a dar su aporte para la defensa de Corea del Sur. Como consecuencia de ello se produjeron manifestaciones de los sindicatos y de diversos grupos de activistas peronistas y nacionalistas. Perón declaró públicamente que, en calquier caso, se respetaría la voluntad del pueblo. En la Conferencia de Cancilleres de Washington los Estados Unidos trataron de instrumentar un mecanismo para lograr una mayor coordinación panamericana en el área militar, pero la Argentina, México y Guatemala hicieron fracasar ese proyecto. La tensión argentino-norteamericana, incrementada por estas circunstancias, volvió, a partir de 1953, a niveles más normales, al producirse renovados contactos económicos.

c) *La revolución boliviana de 1952*. En el mencionado año, el Movimiento Nacionalista Revolucionario (MNR) de Paz Estenssoro derrocó al gobierno conservador de la vecina república. Era de generalizado conocimiento que Paz Estenssoro mantenía desde hacía años muy buenas relaciones con círculos nacional-populistas y peronistas de nuestro país. Cuán profunda fue la supuesta ayuda argentina a ese movimiento no puede evaluarse precisamente con los datos disponibles. De todas maneras, la prensa peronista celebró la revolución boliviana como un paso positivo hacia la liberación de Sudamérica.

d) *La formación de un "bloque" latinoamericano*. Entre febrero y julio de 1953 se formalizó un acuerdo comercial entre la Argentina y Chile, que contenía, entre otras cosas, rebajas aduaneras recíprocas y el objetivo ambicioso de una "unión económica". En agosto de ese año Paraguay adhirió a este sistema y en setiembre de 1954 lo hizo Bolivia. Un tratado parecido, aunque reducido a una integración económica menos estrecha, fue firmado por nuestro país y el Ecuador en octubre de 1953. En sus relaciones con Brasil, Perú y Uruguay Perón no obtuvo éxitos de este tipo. Choques aun más intensos con la política norteamericana se produjeron en el área del sindicalismo internacional. La ORIT (Organización Regional Interamericana de Trabajadores) surgida entre 1948 y 1951, e influida fuertemente por los Estados Unidos, no quiso incorporar a la CGT argentina. En consecuencia, este organismo comenzó una campaña tendiente a la creación de otra organización internacional basada en los principios de la tercera posición. En 1952 surgió así ATLAS (Agrupación de Trabajadores Latinoamericanos Sindicalistas), integrada por la CGT y sectores gremiales chilenos, peruanos, colombianos, ecuatorianos, mejicanos y de otros países latinoamericanos, los cuales simpatizaban con las posturas del sindicalismo argentino. Como nuestro país llevaba la mayor parte del peso financiero de esta estructura, ATLAS no logró mantenerse después de la caída de Perón en 1955.[12]

e) *El "caso Arbenz"*. En la Décima Conferencia Interamericana (Caracas, 1954) los Estados Unidos lograron que se votase una resolución anticomunista que en esa circunstancia en realidad estaba dirigida contra el régimen del Presidente Jacobo Arbenz, de Guatemala

(1949-1954). México y la Argentina no acompañaron esa resolución con sus votos, y nuestro Ministro de Relaciones Exteriores Remorino manifestó duras críticas contra la política intervencionista de los Estados Unidos, a la cual denunció como "bradenismo". El papel norteamericano en la caída de Arbenz también recibió ataques en la prensa peronista.[13]

En general puede decirse que la acción de gobierno del peronismo en materia internacional fue coherente con la doctrina de la tercera posición, si no se pierden de vista las reales posibilidades que brindaban las relaciones de poder de la época.[14] Es innegable que no se produjeron éxitos exteriores espectaculares, pero ningún observador serio de la escena internacional podía esperar que habrían de producirse. Perón siguió una política del péndulo, en el transcurso de la cual se acercaba unas veces a una y otras veces a otra de las grandes potencias. La estructura de la economía argentina y la intensidad de la Guerra Fría de aquellos años sólo dejaban un espacio de maniobra angosto a la diplomacia argentina, fenómeno que habría de repetirse en otros gobiernos. Críticos nacionalistas solían exigir un antiimperialismo más militante e intransigente, aunque jamás lograron aclarar cuáles eran los medios materiales que podían movilizarse para una política exterior tan ambiciosa. En el ámbito político interno, las posiciones argentinas reseñadas intensificaron la antinomia entre peronismo y antiperonismo. Tanto sectores liberal-conservadores, como el nacionalismo restaurador pensaban que Perón se estaba desplazando demasiado hacia la izquierda, en detrimento de la lucha anticomunista, que para esas tendencias era lo esencial. Algunos círculos militares también parecieron sentir especial preocupación ante el hecho de que la revolución boliviana de 1952 siguiese una política de sistemático debilitamiento de las fuerzas regulares, creando milicias de color político definido. Se llegó a creer que elementos radicalizados del peronismo deseaban realizar planes similares, lo cual no era del todo errado, aunque dichos proyectos fueron siempre bastante nebulosos. De todos modos, es un hecho que la política exterior peronista no contribuyó a cimentar el consenso básico de los argentinos, lo cual era, sin embargo, una de sus intenciones originales. También en esta área se revelaron más hondas las discrepancias entre los bandos que dividían el país.

La problemática de la dependencia y del desarrollo

La política económica del peronismo se caracterizó por un crecimiento del sector estatal y por la introducción de la planificación indicativa.[15] La deuda externa fue repatriada, nacionalizadas numerosas empresas de servicios (ferrocarriles, seguros, red de teléfonos y gas) a través de la compra, y el sistema bancario así como el comercio de exportación fueron puestos en manos del Estado (1946-1948). Los trabajos de planificación comenzaron en agosto de 1944 con el Consejo Nacional de Posguerra. Este organismo (llamado Secretaría Técnica de la Presidencia a partir de 1946) fue, junto con los correspondientes ministerios, el ente responsable del Primer Plan Quinquenal (1947-1951), del Plan Económico 1952 (de emergencia), y del Segundo Plan Quinquenal (1953-1957), el cual quedó trunco. Importantes instrumentos estatales de la política económica fueron el Banco de Crédito Industrial Argentino, con sus créditos baratos para la industria (creado en 1943); el IAPI (Instituto Argentino de Promoción del Intercambio) y cuatro complejos industriales: Fabricaciones Militares, DINFIA (industria aeronáutica), AFNE (astilleros) y DINIE, que agrupaba 38 empresas anteriormente alemanas, dedicadas a la metalurgia, los productos químicos y la rama textil.[16]

La actitud de la oposición frente a esta política económica variaba no sólo de partido a partido sino aun según corrientes internas de los mismos. La extrema izquierda exigía una reforma agraria profunda, la continuación de la estatización de diversos sectores del aparato productivo y el preferente fomento de la industria pesada. Este último tema también se encontraba en algunos sectores de la UCR, la cual sin embargo tendía a considerar los planes del gobierno como caminos hacia la "nazificación" o el "despotismo".[17] Esta acusación era compartida desde la perspectiva conservadora, cuya prédica básica se orientaba hacia el regreso a la economía libre de mercado y la defensa de los intereses agropecuarios, supuestamente agredidos por el peronismo. Hasta hoy la política económica del decenio peronista sigue siendo un tema altamente polémico, aun en el ámbito de los historiadores de la economía. En ese sentido se plantean las dos grandes cuestiones de si esa política fue coherente con la doctrina proclamada y si se hicieron progresos importantes en dirección hacia la modernización y la autonomía de la nación. Para responder se hace necesario revisar algunas estadísticas pertinentes.

a) *Estadísticas relativas a la problemática del desarrollo económico*

aa) *Crecimiento del PBN*[18]

Año	PBN (per cápita/ Pesos m/n valor 1960)
1943	37.860
1944	40.850
1945	38.220

Año	PBN (per cápita/ Pesos m/n valor 1960)	
1946	40.710	
1947	45.490	Los "mejores años"
1948	45.079	
1949	42.010	
1950	41.610	Sequía y crisis agraria
1951	42.280	
1952	38.750	
1953	40.710	
1954	41.460	Recuperación
1955	43.490	

Si se compara este período con la etapa 1930-1943 se comprueba un proceso de crecimiento. Claro está que un 13,8% en 12 años no resulta demasiado impresionante. Si se toman los datos del producto bruto total se obtiene una tasa de crecimiento de aproximadamente 3,8% anuales. Esto superaba levemente los índices de los años que van de 1935 a 1944, pero estaba muy lejos de satisfacer las difundidas expectativas optimistas de la posguerra, que se orientaban según los índices del 6% anual característicos de la época que transcurrió entre 1900 y 1929. Experiencias posteriores, que en comparación con el peronismo siguieron políticas económicas de tipo liberal, tampoco obtuvieron resultados más alentadores: entre 1955 y 1967 el crecimiento anual promedio fue del 3,4%.

bb) *Crecimiento de la producción industrial*

Hay que señalar que, por razones del diverso instrumental metodológico utilizado en la elaboración de los datos, existen estadísticas contradictorias en este tema. Laura Randall investigó detenidamente este problema en 1976, sin que pueda decirse que haya llegado a una solución definitiva. Es por eso que a continuación se reproducen cuatro evaluaciones: dos trabajos institucionales (CEPAL y CONADE) y dos investigaciones individuales (de Elías y Schwarz). El índice básico es 100 para 1943.[19]

Año	(CEPAL)	(Elías)	(CONADE)	(Schwarz)
1935	74,2	81,8	72,3	—
1943	100	100	100	100
1945	114,2	110,7	108,5	117,6
1948	150,3	139,9	142,6	158,5

Año	(CEPAL)	(Elías)	(CONADE)	(Schwarz)
1950	149,3	155,8	146,8	166,5
1953	138,8	149,9	146,8	190
1955	165,1	180	178,7	232,9

Randall elogia el método utilizado por Schwarz,y si ese cálculo resultase el más acertado, la conclusión obvia es que la industrialización del decenio peronista fue un gran éxito. El tema sigue en las manos de los especialistas. Pero aun si se toman las cifras modestas de la CEPAL, el juicio global sobre esa política de industrialización tiene que ser positivo, más allá de discrepancias relativas a aspectos parciales o instrumentales.

cc) *La economía agropecuaria* [20]

Año	Producción agraria (Estimaciones de volúmenes, sin precios)	Ganadería
1935	137,1	79
1939	118,7	86
1950	100	95,2
1952	89,6	100
1954	134,2	103,1

El retroceso de la producción agraria tenía su causa fundamental en el crecimiento de la ganadería, cuyos productos obtenían mejores precios. De todos modos, la evolución global de las actividades rurales no fue satisfactoria. La superficie sembrada retrocedió de 27.136.000 ha (1935-1940) a 25.798.000 (1953-1954); la mecanización hizo progresos, pero fueron insuficientes. En 1940 la Argentina tenía menos de un tractor por cada 1000 ha de tierra; en 1955 eran dos. Las cifras norteamericanas para esos años fueron 11 y 30 respectivamente. Por supuesto que en todo este proceso deben ser tenidos en cuenta los efectos de las sequías intensas de 1949-1950 y 1951-1952. En la sola cosecha de trigo el país perdió unos 10 millones de toneladas. [21]

b) *Estadísticas relativas a la problemática
de la dependencia económica*

aa) *La cuestión de los términos del intercambio*
(tomando el índice 100 para 1935-1939).[22]

Año	Precios de exportación (para productos agropecuarios)	Precios de importación	
1946	220,9	196,8	
1948	366,5	277,3	
1949	338,3	307,8	⎫
1950	268,2	287,4	Desarrollo
1952	309,9	378,4	desfavorable
1953	301,3	325,6	para el
1954	255,5	296,3	país
1955	263,6	298,5	⎭

Para industrializarse, el país debía importar cada vez más máquinas, minerales y petróleo, las divisas necesarias para ello venían de la exportación agropecuaria, y justamente tanto en volúmenes como en precios esta rama de la economía mostraba una evolución negativa. Se ha calculado que el empeoramiento de los términos del intercambio le hicieron perder a nuestro país unos 400 millones de dólares (1951-1955). La exportación de carnes no podía ser aumentada fácilmente, y hasta retrocedió (de 659.249 toneladas en 1945 a 507.612 en 1955) debido al crecimiento del consumo interno, signo del mejoramiento del nivel de vida de amplios sectores de la población.[23]

bb) *El peso creciente del capital nacional en la Argentina*[24]

Año	Capital nacional (en millones de dólares, valor 1950)	Capital extranjero	Valor total	Porcentaje del capital extranjero
1945	23.394	4260	27.654	15,4%
1949	30.378	1740	32.118	5,4%
1955	34.924	1860	36.784	5,1%

Conviene recordar que este tipo de estadísticas no es tan confiable como sería de desear, pero de todos modos da una perspectiva general del proceso. La participación del capital foráneo en la economía argentina disminuyó sensiblemente, con lo cual el peronismo alcanzó uno de los objetivos centrales del nacionalismo.

cc) *La deuda externa*[25]

Años	Servicio de la deuda externa
1935-1939	un promedio del 31% del valor de las exportaciones
1945-1949	un promedio del 10% del valor de las exportaciones
1955	un promedio del 1% del valor de las exportaciones

Esta evolución del peso de la deuda externa puede ser considerada un éxito de la década.

dd) *Sustitución de importaciones*[26]

Año	Importación	Bienes de consumo (%)	Bienes de capital (%)	Materias primas y otros (%)
1944	100	30,5	9,9	59,6
1955	100	9,7	16,4	73,9

Este proceso muestra los efectos de la consolidación de la industria liviana argentina; por otra parte se advierte la dependencia de la importación de materias primas.

ee) *Relaciones comerciales*[27]

Años	Importaciones de (%)			
	Inglaterra	Alemania	EE.UU.	Otros
1935-1939	22,2	9,6	15,6	43,4
1940-1944	17,9	0,3	26,1	54,7
1950-1953	7,9	7,6	18,2	53,4

Años	Exportaciones hacia (%)			
	Inglaterra	Alemania	EE.UU.	Otros
1935-1939	33,4	7,4	11,5	39,3
1940-1944	36	—	26,1	36,7
1950-1953	17,2	5,1	20,6	45,6

La conexión demasiado absorbente con el socio comercial británico se aflojó considerablemente. El peso de los EE.UU. fue en este ramo más intenso durante la Segunda Guerra Mundial que en los últimos años del régimen peronista. La conquista de nuevos mercados y de nuevos abastecedores fuera del círculo de las tradicionales potencias hizo algunos progresos modestos. En relación con esto se produjo un avance más marcado aún de la flota comercial argentina: en 1939 nuestros buques transportaban sólo el 1,6% de nuestras exportaciones; en 1955 ya era el 20%.[28]

ff) *La nueva dependencia: las importaciones de combustibles*[29]

Año	Producción de petróleo (en m³)	De ello, el sector estatal representaba	El sector privado	Importación (m³)
1939	2.959.000	54,9%	45,1%	—
1945	3.637.000	67,5%	32,5%	168.000
1950	3.730.000	77 %	23 %	3.559.000
1955	4.849.000	85,8%	14,2%	4.621.000

Si bien el peronismo fomentó la posición hegemónica de YPF, la producción no logró satisfacer el extraordinario crecimiento de la demanda. En los años cincuenta, la onerosa importación de combustibles produjo un nuevo factor de dependencia y de condicionamiento para el desarrollo argentino.

Después de revisar estos datos, pueden hacerse los siguientes comentarios acerca de la política económica peronista:

1) Al privilegiar el mercado interno y las necesidades básicas de la población, esa política se ajustó a los lineamientos esenciales del justicialismo. Los éxitos concretos en el logro de objetivos fueron muy variados: en algunas áreas de la economía se obtuvo efectivamente una mayor independencia del exterior; en otras ocurrió lo contrario. Se produjo el crecimiento global, si bien no fue espectacular y mostró oscilaciones.

2) Los choques entre concepciones económicas opuestas y los conflictos entre importantes grupos de interés —especialmente entre terratenientes y empresarios industriales— se mantuvieron y aun se agudizaron. Dado que el desarrollo nacional resultó ser más lento de lo que muchos habían esperado, y teniendo en cuenta que iba acompañado por reglamentaciones oficiales a menudo molestas, crecieron en los años cincuenta las voces opositoras al sistema. El mundo empresario pedía cada vez más insistentemente una liberalización que se

orientaba superficialmente según el modelo de la economía de mercado de la Europa occidental.

3) El peronismo otorgó primacía a la industria pesada y a la obtención de energía desde el Segundo Plan Quinquenal. A menudo se ha sostenido que "en 1946 estaban dadas todas las condiciones para una política económica exitosa a largo plazo".[30] Según opinión de algunos críticos, Perón debió haber fomentado decididamente la industria pesada desde el comienzo mismo de su gobierno. J. Fodor llegó a conclusiones totalmente distintas en un estudio realizado en 1975:

> "La posición de las exportaciones argentinas entre 1946 y 1948 no fue similar a la de los años treinta; fue peor. Europa no podía pagar; los Estados Unidos no querían comprar. Las perspectivas para los años cincuenta no eran mejores. (...) La 'oportunidad dorada' no existió (...). La constante hostilidad estadounidense hizo imposible el desarrollo de una industria pesada por parte de la Argentina."[31]

4) En los años finales del régimen, el gobierno peronista advirtió que los ambiciosos objetivos industrialistas del Segundo Plan Quinquenal enfrentaban obstáculos serios: a) la Argentina no había podido acompañar el salto tecnológico de la Segunda Guerra Mundial, que decisivamente había influido en las economías norteamericana y europeo-occidental de la posguerra; b) el país necesitaba más energía; c) el mercado interno (1953: unos 18 millones de habitantes) no era lo suficientemente grande como para garantizar el desarrollo con una política económica severamente nacionalista y autárquica; d) el capital nacional disponible no parecía alcanzar para todos los proyectos. Una rigurosa política de acumulación de capitales a través de una disminución del nivel de vida de la masa de la población —esto es, el modelo stalinista del "desarrollo"— habría tenido consecuencias políticas desestabilizantes y era por otra parte irreconciliable con postulados básicos del justicialismo. En consecuencia, quedó sólo un prudente camino intermedio, que fue emprendido a partir de 1953: una cierta apertura al exterior a fin de atraer inversores, y un estrechamiento de los lazos de integración económica con los países vecinos. En el transcurso de este proceso se llegó al precontrato con una empresa subsidiaria de la Standard Oil de California (abril de 1955), que la oposición atacó como una traición de los ideales del nacionalismo y del yrigoyenismo. Estas concesiones para la explotación del petróleo en la Patagonia tampoco lograron convencer a la mayoría de los parlamentarios peronistas, y el acuerdo no fue ratificado.[32] En este conflicto, así como en otros, se mostraba una vez más una de las cuestiones más serias para todos los países de estructura similar a la nuestra: la dificultad de armonizar el objetivo del

crecimiento rápido, con los postulados de la independencia económica y la justicia social.

5) Teniendo en cuenta el material estadístico que se posee no es posible hablar de "derrumbe económico" o suponer la existencia de una "década fatal" (1946-1955). Estas expresiones, que reaparecen en algunos trabajos historiográficos de los últimos años, constituyen exageraciones que se originaron en la retórica de la lucha política de los años cincuenta.[33]

La cuestión distributiva

Uno de los postulados centrales del justicialismo se refería a una distribución más equitativa de la riqueza nacional. Esto se relacionaba concretamente con la elevación del nivel de vida de los sectores humildes de la población y con avances en materia sanitaria y educativa. En los años treinta numerosos críticos de nuestro país habían señalado la urgencia de estos problemas. También aquí se hace necesaria la revisión de algunos datos estadísticos.

a) *Distribución del Ingreso Neto*[34]

Año	Participación del sector dependiente (%)	Participación de empresarios, profesiones independientes, etc. (%)
1935	46,8	53,2
1943	44,1	55,9
1946	45,2	54,8
1950	56,7	43,3
1951	52,8	47,2
1952	56,9	43,1
1953	54,6	45,4
1954	57,4	42,6
1955	55	45

Los autores que han trabajado con el Producto Bruto Nacional llegan a otras cifras, pero también en esos estudios se evidencia el notable aumento de la participación de sueldos y salarios. Según las investigaciones de Randall, esa participación habría decaído entre 1939 y 1947 (de un 42% al 37%), pero luego habría crecido hasta llegar al 47% del PBN.[35]

b) *Salarios reales*[36]

Año.	Indice	
1945	100	
1946	106,3 ⎫	
1947	134,6 ⎬	Los "años dorados"
1948	166,7	
1949	172,7 ⎭	
1950	166,3 ⎫	
1951	153,9 ⎬	Crisis y aceleración de
1952	137,2 ⎭	la inflación
1953	147,4 ⎫	
1954	157,9 ⎬	Recuperación
1955	164,7 ⎭	

En términos globales, el régimen peronista pudo producir un notable incremento de los salarios reales. Uno de los grandes problemas concomitantes estuvo en la inflación, que ya se había hecho notar a comienzos de la década del cuarenta. Entre 1945 y 1955 los precios aumentaron en un 700%. Los gobiernos postperonistas, a pesar de utilizar generalmente instrumentos políticos y económicos distintos de los que propugnaba el peronismo no lograron obtener mejores resultados en la lucha antiinflacionaria. Entre 1956 y 1966 los precios subieron un 1700%.[37]

c) *Alimentación, salud, educación y vivienda* [38]

En todos estos rubros se dieron innegables avances. El consumo de carne por habitante subió de 94,5 k anuales a 104,3. En 1946 sólo había 15.400 camas en los hospitales estatales; en 1951 existían 114.000. Entre 1936 y 1944 fueron establecidos 44 centros materno-infantiles; tomando únicamente el año 1947 como término de comparación se comprueba la apertura de 47 centros de ese tipo. En nueve años el gobierno construyó 8.000 escuelas, superando con ese ritmo cualquier época precedente; la proporción de analfabetos descendió del 15 al 3,9%. Se construyeron aproximadamente 500.000 viviendas baratas. Entre 1920 y 1945 los bancos otorgaron 14.800 créditos para construcción de viviendas; entre 1947 y 1952 fue un total de 170.000.

d) *Sobre la "reforma agraria"*

Perón declaró repetidas veces que uno de los objetivos del gobierno era impedir el predominio de los latifundios y facilitar a la población rural la adquisición de pequeñas y medianas propiedades.

Con ese propósito se ofrecieron créditos en condiciones ventajosas a los arrendatarios. Ciertos progresos se comprobaron en los planes de colonización instrumentados por el Estado: mientras que entre 1940 y 1946 se distribuyeron unas 55.000 hectáreas en 495 unidades, el período 1946-1951 incrementó el proceso a 540.000 ha (en 3747 unidades).[39] Sin embargo, en lo esencial, los latifundios continuaron caracterizando amplias zonas del país. Cambios más notables se produjeron en lo referente al comercio con productos agropecuarios. La política crediticia del peronismo fomentó el desarrollo de cooperativas de producción y comercialización. Entre 1948 y 1952 estos créditos aumentaron en un 1000%. Antes de la Segunda Guerra Mundial las cuatro grandes empresas tradicionales (véase págs. 103-111) absorbían el 80% de la producción agraria; en 1954 su participación había disminuido al 39%. La parte de las cooperativas creció del 28% (1945) a casi el 50% (1954).[40]

No puede hablarse de la política social de la década sin mencionar el importante papel que cumplió la Fundación de Ayuda Social M. Eva Duarte de Perón. Creada en 1948, esta fundación fue el ámbito de acción de la carismática figura de la esposa del presidente. Diversos grandes proyectos fueron realizados por la institución, tales como 6 hogares para ancianos, 20 para niños y 4 hospitales, pero también se consideraron centenares de miles de pequeños casos individuales, efectuándose periódicos repartos de juguetes, ropa y libros escolares a familias necesitadas. La mayor parte de la carga financiera de la fundación era llevada por aportes de los sindicatos.[41] Toda esta febril actividad y sus ardientes discursos políticos convirtieron a Eva Perón en la segunda gran figura magnética del movimiento peronista, con el correspondiente rechazo en todo el espectro de la oposición. No era del todo exagerada la tajante afirmación de la propia Eva Perón, cuando decía poseer "dos distinciones": el "amor de los pobres" y el "odio de los oligarcas".[42]

Vista en conjunto, la política peronista de redistribución de ingresos fue un logro notable. En ella residía el núcleo concreto de un movimiento que a menudo fue superficialmente desestimado como simple "fenómeno irracional". Amplios estratos de la población accedieron a condiciones de vida en las cuales en los años treinta sólo se soñaba. Como tantos otros, el tema continúa siendo polémico hasta hoy. Recientemente Ovidio M. Pipino ha sostenido que ese Estado del Bienestar fue instaurado "prematuramente".[43] En esa línea de pensamiento se da también la severísima formulación de H. Stausberg:

"El hecho (es que...) desde el principio se hizo una política social que consumía la substancia [de la riqueza], sin que la legislación social peronista estuviese en condiciones de autosostenerse realmente en términos económicos."[44]

Sin embargo, esta grave crítica no ha sido fundamentada con pruebas. El material estadístico existente no apoya esa interpretación. Así, bajo el peronismo disminuyó la deuda pública:

Año	Parte de la deuda pública en el ingreso nacional	Deuda pública per cápita
1946	68%	2104 pesos
1955	57%	1993 pesos

Se ha hecho notar que en 1954 países como Australia, Bélgica, Canadá y Francia soportaban un mayor peso en ese sentido que la Argentina.[45] Otros datos pertinentes se obtienen revisando la participación de las inversiones en el producto bruto. Entre 1935 y 1939 el consumo absorbió un 87% del PBN, quedando un 13% para inversiones. En el período 1950-1954 éstas representaron un 20% a pesar de la política distributiva del régimen. Por otra parte, no era distinta la relación que entonces se daba en Canadá.[46]

Decisivo para la historia argentina es el hecho de que el "distribucionismo" peronista se convirtió en un tema central de la polémica política. Al enfriarse la general euforia del crecimiento bajo los efectos de la crisis de 1950-1952, se incrementó la tensión psicosocial que esa política no tenía más remedio que producir. Una inquietud pronunciada en determinados sectores empezó a manifestarse de diversas maneras. En 1949 la *Semana Financiera* consideraba que el empresario ya no era dueño de sí mismo, sino de "otros": "el sindicato, el partido, la Revolución (...)".[47] La crítica conservadora acusaba al peronismo de ser el desencadenante de la "lucha" o "tormenta de clases". Enrique Santos Discépolo, convertido en propagandista del movimiento contestaba, con no menos pasión, que el peronismo

"ha desatado a un montón de clases que vivían en la tormenta (...) sin paraguas, sin comida, sin más sueños que los que dan el cansancio y la miseria".[48]

No cabía duda de que la tendencia general de la política del gobierno favorecía a los asalariados: el impuesto a los réditos de la más alta categoría subió del 8,1% (1942) al 15,5%; los arriendos y alquileres, que también formaban una importante parte del ingreso de muchas personas de los estratos medios, fueron congelados, a pesar de la inflación. Estos procesos de los años cincuenta reforzaron el antiperonismo, no sólo de los sectores conservadores tradicionales, sino también de muchos industriales y de las clases medias en general. A todo eso se sumaban las ocasionales referencias del presidente sobre una "reforma agraria" que aún quedaría por realizar. Si bien Perón aseguraba siempre que esa reforma habría de efectuarse de manera ordenada y gradual[49], el tema contribuía a alimentar un clima de inseguridad y recelo. Ciertos hechos representaban para muchos opositores la comprobación de que el peronismo estaba dispuesto a llevar a la práctica el programa anarcosindicalista de la expropiación de los empresarios en beneficio de los sindicatos. Tal fue la interpretación que en esos círculos se dio al "caso Bemberg".

Después de un largo proceso por evasión impositiva y actividades monopólicas, el trust Bemberg fue disuelto (1952), y su núcleo —las cervecerías— traspasado al respectivo gremio (la Federación de Obreros Cerveceros). La revista peronista *De Frente* celebró esta decisión como un paso revolucionario.[50]

Los grandes temas políticos: legitimidad y participación

En el período 1930-1943 no se habían dado gobiernos legitimados por una auténtica fuente democrática, ni pudo hablarse de participación política de las multitudes. Entre 1946 y 1955 el peronismo intentó plasmar un régimen que diese una respuesta moderna a esas postergaciones, creándose así la base de un nuevo consenso en la Argentina. Los acontecimientos demostraron que esa tarea no pudo ser cumplida, pero en los años iniciales de su gobierno Perón se mostró siempre muy confiado en el éxito:

"El gobierno está supeditado al mandato que ha recibido del pueblo (...). Ninguna consideración personal puede detener la marcha revolucionaria, encaminada primordialmente a restaurar la pureza de las instituciones proclamadas en la Carta fundamental, lograr la independencia económica y consolidar la justicia social que paulatinamente asoma en la legislación protectora de los Derechos del Trabajador."[51]

En estas formulaciones generales sin duda coincidían —al menos en 1947— la gran mayoría de los argentinos y también los factores decisivos del poder. Pero a medida que el transcurso de los años dio a este programa un contenido concreto —a través de determinadas leyes y decisiones políticas— la diversidad de interpretaciones y opiniones se hizo cada vez más evidente.

Uno de los elementos que contribuyeron a mantener inseguridades y tensiones en la búsqueda del consenso deseado estuvo en una particular visión del futuro que tenía el peronismo. Si bien podía parecer de lineamientos borrosos, adquiría también en ocasiones el carácter de un "programa máximo" a largo plazo. En él se hablaba de una nueva forma de la democracia, en la cual los sindicatos y otras "organizaciones del pueblo" habrían de ejercer el papel de los partidos y además administrar los medios de producción. En un capítulo precedente ya se ha mencionado esto. En agosto de 1950 Perón declaró que "estamos en marcha hacia el Estado sindicalista, no tengan la menor duda", puesto que el sindicato era realmente "representativo", cosa que no ocurriría con el partido.[52] Tres años después subrayó el concepto, calificando de "antinaturales" a las organizaciones políticas. Lo que no estaba claro en este proyecto era cómo podrían armonizarse sus supuestos con el concepto predominante de la democracia de partidos y con la Constitución. La vaguedad del esbozo permitió que la oposición sospechase intenciones "corporativistas", aunque conviene señalar que esta concepción peronista no tenía como objetivo la anulación del sufragio universal, como ocurría en los modelos corporativistas del nacionalismo restaurador. La mayor ingenuidad del proyecto "sindicalista" estaba en su idea de que una democracia gremial podría evitar los problemas conexos con las ideologías y el partidismo; su mayor vacío temático era la ausencia de formulaciones precisas sobre las estructuras institucionales de la oposición, la cual, por otra parte, siempre fue aceptada como legítima por el creador del justicialismo. Toda esta temática nunca fue discutida a fondo y conservaba por ello el carácter de un serio factor perturbador en la comunicación política entre el peronismo y sus adversarios.

Nadie podía negar el origen democrático del gobierno peronista. Las elecciones de 1951 consolidaron su primacía con el 62,4% de los sufragios, y los comicios para vicepresidente (de 1954) impusieron al candidato peronista Teisaire con el 62,9%. Pero la práctica gubernativa en lo relativo a las libertades cívicas y los derechos de la oposición daba pie a justificadas críticas y preocupaciones. Los partidos adversos al gobierno no podían usar la red estatal de radiotelefonía; las directivas oficiales convirtieron la adhesión a la "doctrina justicialista" en un deber de todo funcionario[53]; los métodos duros de la policía de décadas anteriores continuaron en vigencia, y muchos periódicos, así como figuras de la oposición, fueron sancionados por "desacato". En el marco de estas medidas resultó especialmente polémica la expropiación de *La Prensa* en 1951. En los últimos años del decenio peronista, los ámbitos burocráticos fomentaron sistemáticamente una atmósfera de servilismo bizantino, conectada con el culto personalista que había surgido en torno del Presidente (el "Líder" o "Conductor") y de su esposa ("Evita Capitana" y luego "Jefa Espiritual de la Nación"). Esta especie de veneración, expresión máxima del vínculo carismático, tenía raíces muy auténticas en las multitudes peronistas, pero el resto de la sociedad veía con desagrado un ritual que le era impuesto con métodos autoritarios. Algunas personalidades del movimiento peronista, incluyendo ocasionalmente al mismo Perón, han reconocido en años posteriores, que la "intolerancia" caracterizó la política oficialista de los años cincuenta.[54]

Para adquirir una perspectiva más integral del proceso hay que señalar que, si bien el autoritarismo aumentó a partir de 1950-1951, no se trató de una evolución indetenible o continua.[55] Más bien se produjeron constantes oscilaciones entre "endurecimientos" y etapas de moderación. Esta pauta acompañó las interacciones entre intentos golpistas y medidas represivas durante el período 1951-1954. Hasta en el traumático año 1955 el gobierno vaciló entre iniciativas conciliadoras y tentaciones de endurecimiento. En fin, hasta en los últimos años del régimen, existieron suficientes indicios —dentro y fuera del peronismo— de que las fuerzas democráticas de ninguna manera estaban retrocediendo en la vida argentina. La exaltación de los ánimos, entonces predominante, impidió, en ambos bandos, un reconocimiento sereno de esta realidad. Hay que recordar que dentro del peronismo surgieron voces críticas, como las que se expresaron en la revista *De Frente*; el derecho de huelga se siguió ejerciendo; varios dirigentes incapaces del oficialismo perdieron sus puestos en las elecciones de los sindicatos respectivos; y las discusiones relativas a las tratativas con la empresa petrolera California se realizaron pública y vivamente en el partido, la prensa y el Congreso. Fuera del peronismo, los partidos políticos veían reducida su posibilidad de actuación, pero aun así pudieron organizar reuniones y conferencias que se dieron a conocer por medio de notas hasta por *La Prensa* cegetista de 1952.[56] También surgieron partidos nuevos, tales como el Partido Republicano y la democracia cristiana (1954).[57]

Los rasgos autoritarios del régimen contradecían las numerosas declaraciones de Perón sobre la necesidad de una oposición. Pero muchos peronistas, probablemente el mismo Perón, no veían claramente la dimensión de este problema. La tradición ideológica del nacionalismo populista y del sindicalismo, cuya síntesis estaba en el peronismo, sólo se planteaba (desde hacía años) una pregunta básica: ¿Cómo se puede proteger al gobierno electo por la mayoría, de las asechanzas de la "oligarquía"? Como desde 1950 la actividad conspirativa de algunos sectores opositores era constante, los peronistas interpretaban sus medidas autoritarias como la construcción del necesario muro protector contra aquel adversario. Una pregunta totalmente diferente, aunque en el fondo no menos seria y legítima que la primera, era la que siempre se había hecho el liberalismo auténtico: ¿Cómo se va a resguardar al ciudadano común del poder estatal, y a la minoría de posibles excesos de la mayoría? El peronismo presentaba en este sentido un vacío de reflexión política que también se advierte en las formulaciones de otros movimientos similares de los países en desarrollo y que también se nota en algunos esquemas que el siglo xx ha producido en los países centrales de Occidente. En el caso argentino existían algunas causas históricas que explican esa actitud: muchos pensaban que la tolerancia de Yrigoyen frente a la agitación subversiva de 1930 fue una de las razones fundamentales para el triunfo de aquella revolución. De esto extraían la conclusión de que el gobierno debía controlar severamente la opinión pública, a fin de evitar una repetición de aquel proceso de desestabilización.[58] Pero las consecuencias efectivas fueron muy otras. Por una parte, el aparato represivo peronista se mostraba indiferenciado en sus métodos y afectaba tanto a grupos realmente conspirativos como a ciudadanos normales que sólo pretendían mayores libertades de expresión; por otra parte, ese aparato nunca fue lo suficientemente fuerte como para desmantelar eficazmente la oposición militante; para ésta, la existencia de esa represión sirvió más bien como provocación y estímulo. De estas condiciones de la vida política surgieron las fuerzas que finalmente produjeron el derrumbe del régimen.

Otro tema importante de la política peronista fue el del fomento de la participación de las masas. Sobre la base de un análisis de los rasgos autoritarios del régimen, Waldmann llegó a las siguientes conclusiones:

"Si se arroja (...) una mirada sobre la doctrina peronista, se constata que en ella el pensamiento de la movilización política parece ser un cuerpo extraño. (...) Incluso podría llegar a sostenerse que él [Perón] les ofreció a ellos [los trabajadores] la solución de la crisis distributiva como sustituto de la negada participación en el proceso de las decisiones políticas."[59]

Me parece que esta evaluación del fenómeno carece de perspectiva histórica y de precisión en el análisis de la doctrina en cuestión. En la teoría del justicialismo la participación masiva en la política desempeña un papel central, de ninguna manera accesorio o extraño al conjunto. En la práctica del decenio peronista los trabajadores sintieron, por motivos perfectamente comprensibles, que ese Estado era el suyo, que allí estaban representados. La evidencia a favor de esta interpretación es abrumadora. Que los aspectos autoritarios o represivos del régimen fuesen muy evidentes para no-peronistas y antiperonistas es otra verdad indiscutible, pero ella no altera la anterior. Entre 1946 y 1955 unos 3000 sindicalistas ocuparon diversos puestos del gobierno, en calidad de ministros, secretarios de Estado, diputados, agregados obreros en el servicio exterior, concejales, etc. El porcentaje de diputados nacionales pertenecientes a los estratos más altos de la sociedad disminuyó, entre 1942 y 1952 del 30 al 5%, y casi la mitad de los parlamentarios peronistas constituyeron el bloque de origen gremial. Los sindicatos, que tuvieron cierta participación consultiva en el Segundo Plan Quinquenal, crecieron, de 500.000 miembros en 1945, a 3.000.000 en 1951 y cerca de 6.000.000 en 1955.[60] Fue también durante el decenio en cuestión cuando se introdujeron el sufragio femenino y la elección directa del presidente y de los senadores en el sistema institucional argentino. En los niveles superiores de la estructura partidaria peronista predominaba el centralismo, a través de los "interventores", pero en los niveles inferiores (las "unidades básicas") siguieron dándose elecciones de dirigentes y discusiones internas. Nadie dudaría, desde la perspectiva actual de la ciencia política, de que todo lo mencionado aún no era suficiente para garantizar una participación masiva integralmente democrática, pero el fenómeno debe ser analizado también en el contexto histórico concreto: la experiencia argentina previa a 1946 no podía ofrecer nada que fuese más atractivo o motivante en materia de participación a las clases menos favorecidas del país. El efecto psicológico fue por eso duradero y de ninguna manera inexplicable.

Pero justamente esta misma evolución reforzó a partir de 1949-1950 los otros conflictos que dividían a los argentinos. Tanto el autoritarismo y el culto a la personalidad, como el creciente poder de la CGT fueron interpretados por importantes sectores de las Fuerzas Armadas, del empresariado, de las clases medias en general y por último también de la Iglesia, como argumentos que le restaban fuerza a la legitimidad de origen que exhibía el gobierno peronista. Con preocupación se planteaban el tema de la posible ilegitimidad "de ejercicio" del poder. No es éste el lugar adecuado para un pormenorizado análisis de este último problema.[61] Sólo pueden señalarse algunos de los factores ideológicos que influyeron en un diagnóstico de esa naturaleza, subrayando al mismo tiempo las grandes dificultades teóricas y prácticas que el concepto de la "ilegitimidad de ejercicio" inevitablemente implica. Los capítulos dedicados a las tensiones buscan clarificar justamente esas dificultades y ambigüedades, las cuales reaparecen en el tratamiento de los dos temas siguientes. Porque en definitiva, a muchos actores de los acontecimientos se les planteaba en 1955 la disyuntiva de si debían considerar decisiva para sus lealtades la legitimidad electoral que tenía el peronismo, o si ésta quedaba anulada por desviaciones inaceptables en el ejercicio de la autoridad. Este tipo de alternativas vitales no creo que tengan respuesta "objetiva" en un estudio científico, y sólo adquieren sentido en confrontación con determinadas convicciones religiosas, filosóficas y políticas, pero de ninguna manera ante un supuesto "Tribunal de la Historia" al que la retórica vacua recurre por falta de entereza intelectual y moral.

El conflicto del régimen con la Iglesia[62]

En sus primeros tiempos las relaciones del peronismo con la Iglesia fueron cordiales. En 1947 una ley confirmó la introducción de la enseñanza religiosa en el sistema educativo, manteniéndose así la continuidad con las medidas de la Revolución de 1943. Pero ya esta legislación no obtuvo el apoyo unánime de los diputados peronistas. La vieja antinomia cultural entre laicismo y tradicionalismo católico seguía latente en el nuevo movimiento de masas, aunque recién llegó a manifestarse abiertamente bajo circunstancias diferentes. Aparte de eso, existía en la doctrina justicialista un cierto potencial conflictivo. Los discursos de Perón a veces hacían aparecer al movimiento como "la" forma moderna y práctica del cristianismo, interpretación que para la Iglesia y los fieles no peronistas naturalmente resultaba inaceptable. En el contexto nacional no podían dejar de resultar irritativas observaciones como las de 1948, relativas a los que se llamaban católicos a sí mismos, sin ser practicantes de la doctrina cristiana. O la crítica de Perón, hecha en octubre de 1950, a lo que consideraba religiosidad meramente "formal".[63]

Más adelante surgieron problemas concretos. El ritual oficialista en torno de Eva Perón, con sus rasgos casi religiosos, hacía una mala impresión en muchos sacerdotes. En ambientes laicos de católicos militantes empezó a tomar cuerpo el proyecto de estructurar alternativas políticas y sindicales frente al peronismo. El año 1954 asistió a una creciente confrontación entre organizaciones juveniles peronistas —la Unión de Estudiantes Secundarios y la Confederación General Universitaria— y la juventud católica. Con mayor intensidad en las organizaciones laicas —la Acción Católica por ejemplo— que en el episcopado se difundieron los recelos y el espíritu de resistencia contra un gobierno cuyas tendencias autoritarias e "izquierdistas" eran denunciadas desde hacía años con variado énfasis tanto por católicos liberales (el caso del padre Dumphy) como por ultratradicionalistas (el padre Meinvielle). Ante un emergente sindicalismo católico, los gremialistas peronistas respondieron con indignación, convencidos de que se trataba de un intento de dividir el movimiento obrero y de debilitar el régimen. En este clima volvieron a resurgir tendencias anticlericales en la CGT y en sectores izquierdistas que apoyaban al gobierno, tales como el PSRN. También el Ministro de Educación Méndez San Martín pareció convencido de que una confrontación con los círculos clericales era inevitable. En una reunión con la dirección del movimiento (10 de noviembre de 1954), Perón declaró que no se trataba de un conflicto religioso, sino de una ofensiva desestabilizante de la oposición disfrazada con pretextos espirituales.[64]

Desde ese momento el curso de los acontecimientos fue determinado por el creciente endurecimiento de los bandos en pugna. Mientras que la prensa peronista (*La Prensa*, *Democracia*) y trotskista (*La Verdad*) denunciaba un supuesto espíritu subversivo de la Iglesia y una reacción en marcha, exigiendo la separación entre Iglesia y Estado[65], las hojas clandestinas de activistas católicos atacaban el régimen como "anticristiano" y pedían la excomunión de Perón.[66] El 22 de diciembre de 1954 se estableció la ley del divorcio vincular; los obispos respondieron con una pastoral. El 30 de diciembre el gobierno reformó el régimen legal sobre la prostitución; en marzo de 1955 se anularon varios feriados religiosos y lo mismo se hizo con la instrucción religiosa en las escuelas (13 de mayo). La procesión de Corpus Christi del 11 de junio se convirtió en una gran manifestación de la oposición. En el tumulto resultó quemada una bandera argentina.[67] Cuatro días después fueron expulsados del país Monseñor Tato y el Canónigo Novoa. El 16 de junio se produjo el levantamiento de unidades de la Marina y de la Fuerza Aérea. Si bien este intento fue aplastado, fue el punto decisivo de una profunda fractura de las Fuerzas Armadas y la señal de que el derrumbe del régimen se aceleraba. El segundo levantamiento (16 de setiembre) habría de triunfar.

A menudo los relatos de estos acontecimientos se han detenido demasiado en aspectos superficiales de los mismos que desconciertan al espectador desapasionado. Pero la sorprendente intensidad de la confrontación sólo se puede comprender en relación con las crecientes tensiones políticas, ideológicas, sociales y económicas que se han mencionado en los capítulos precedentes.

Noreen Stock, autora de un minucioso estudio del tema, ha señalado que tanto Perón, como la mayoría de los dignatarios eclesiásticos, no deseaban avivar las llamas del conflicto. Pero en "el círculo vicioso de provocación-respuesta-reacción" se impusieron los sectores más intransigentes de ambos bandos.[68] Al respecto resulta también iluminadora la siguiente observación de Floria y García Belsunce:

"Los templos se transformaron en tribunas de crítica moral y política en donde se congregaban, incluso, anticlericales que no los habían visitado antes."[69]

En otras palabras: la oposición, cuyo espacio de maniobra se veía reducido desde hacía años por el autoritarismo del régimen, advirtió y aprovechó la oportunidad que las circunstancias le ofrecían. De esta manera puede decirse que el conflicto con la Iglesia se convirtió en el catalizador de la Revolución de 1955.

Peronismo y antiperonismo

A primera vista podría interpretarse la antinomia peronismo-antiperonismo como la consecuencia casi inevitable de la polarización de los argentinos en torno de posturas muy definidas en las tensiones más importantes que hasta ahora se han comentado. Pero esos desa-

cuerdos también fueron consciente —¿o inconscientemente?— mag-
nificados, simplificados y distorsionados por una retórica emocional
que en ambos bandos prácticamente imposibilitó un enfoque más sereno de los problemas esenciales. Con gran dureza, José L. Torres
hacía esta advertencia en 1949:

> "Y tanto batir el parche, los apologistas fanáticos contribuyen a crear un
> ambiente de escepticismo sobre la excelencia de lo mismo que pregonan. Y por
> el otro lado, son tantos los anatemas de una oposición odiadora y estúpida, que
> los hombres equilibrados no conceden tampoco crédito a las verdades que
> pueden resultar saludables y necesarias."[70]

Apenas si había alguna medida del gobierno que la oposición no
denunciase como señal de "fascismo", "totalitarismo" o "tiranía".[71]
Por su parte, Perón declaró en 1954 que en el país sólo existían dos
fuerzas políticas: "el Pueblo" y "el antipueblo". Este último sería
"antiperonista, antijusticialista, contrarrevolucionario y reaccionario".[72] Ya en 1946 se había producido un intercambio de amenazas de horca entre el diputado Sanmartino y Perón.[73] En esta atmósfera no pudieron arraigar sólidamente las reglas del juego democrático, si bien, al comienzo del decenio, tanto peronistas como antiperonistas habían hecho declaraciones formales de adhesión a dichas
reglas.

Ya se ha señalado en el capítulo correspondiente la existencia
crónica de cierta ambigüedad en el movimiento peronista, rasgo que
se hacía más notorio aun en la práctica gubernativa. En ella no era
posible producir una síntesis armónica y operante entre lo que he
llamado el "centro" peronista y las franjas extremas que desde izquierda y derecha buscaban infiltrar sus orientaciones en el aparato
del poder. La notable habilidad de Perón, como líder pragmático en
la "conducción" tampoco podía superar totalmente esas contradicciones, aunque contribuyó a hacerlas menos visibles a los ojos de
observadores superficiales.[74] Esto no es lo mismo que sostener teme-
rariamente —como lo hace P. Santos Martínez— que en la doctrina
peronista cada afirmación estaba contrapesada por "otra de sentido
contrario".[75] Esa es una exageración que no se sustenta en las fuentes. De todas maneras, la ambivalencia señalada dificulta enorme-
mente la clasificación del peronismo, usando como marco categorías políticas tradicionales del tipo "derecha-izquierda".[76] Políticos
peronistas como E. Corvalán Nanclares subrayan este hecho, recordando que si se interroga a diversos justicialistas convencidos sobre el
particular, unos ubicarán al partido en la "izquierda", otros en el
"centro" y algunos hasta en la "derecha".[77]

Una discusión no menos pobre en resultados que la anterior
se movió durante años en torno de la cuestión de si el peronismo era

"reformista" o "revolucionario". Tomando una a una las medidas del régimen y considerándolas con toda la serenidad posible, parece adecuado calificar la política social y económica peronista como de tipo "reformista". Pero su efecto acumulativo, en el marco del ambiente psicológico y social de la época, fue tan impresionante para muchos adherentes y opositores, que el proceso les mereció una valoración más espectacular, siendo interpretado como "revolución". Desde una perspectiva histórica puede decirse que los éxitos más indiscutibles del decenio peronista se dieron en el área social, donde también fue muy grande la coherencia entre teoría y práctica. En el campo económico los logros fueron más modestos. En la gran tarea de estructurar un nuevo consenso básico para el sistema político argentino, Perón debió registrar un fracaso. El objetivo que él mismo declaró debía ser alcanzado: completar, superándolas, las libertades del siglo xix con las aspiraciones del xx (no negar aquéllas, como se lo proponía el nacionalismo restaurador),no fue alcanzado. La práctica del régimen no dio suficiente importancia al núcleo siempre actual y vigoroso de la tradición liberal auténtica, en especial la libertad de opinión. Esta tradición seguía viviendo con singular fuerza en amplios sectores de la sociedad argentina, sobre todo en aquellos que se sentían políticamente representados por la UCR.

¿Pero qué era el "antiperonismo"? También en esta coalición circunstancial de una oposición muy heterogénea, cuya única base firme era la compartida postura contraria a Perón, existían ambigüedades y contradicciones. Una parte del antiperonismo —así por ejemplo el ala "intransigente" del radicalismo— no se oponía a los avances sociales realizados, pero atacaba el autoritarismo y reclamaba una liberalización de la vida política y educativa. Otros sectores, más definidamente representados por el viejo Partido Demócrata Nacional y relacionados con los grandes propietarios rurales deseaban la destrucción de la CGT, la drástica reducción de los "costos sociales" y una vuelta más o menos pronunciada al esquema agroexportador que privilegiaba el mercado externo.[78] Sobre estas posiciones conservadoras ya se había manifestado con irritación el Encargado norteamericano en Buenos Aires, en el crucial año 1945:

"La gente que es más vocinglera en su oposición [a Perón] de ninguna manera se hacía notar por sus simpatías democráticas hace tres años (...). Creo que mi impaciencia en lo relativo a reformas sociales se debe a lo que tengo que escuchar en la [alta] sociedad. Las familias tradicionales de aquí hablan de un modo tal, que, en comparación, los banqueros de Nueva York se expresan como William Z. Foster [el Secretario General del Partido Comunista de los EE.UU.]."[79]

En los años cincuenta, muchos de los discursos y escritos de la oposición conservadora dieron renovada expresión a lo que hemos llamado "mentalidad defensiva": la angustia frente a una amenaza que más que parda ahora les parecía "roja" y encarnada nada menos que en el peronismo.[80] Pero tampoco faltaba el nacionalismo restaurador —una de sus alas— en la coalición antiperonista. En las revistas *Presencia* y *Quincena* revivió y retornó a sus orígenes doctrinarios, es decir, al uriburismo, efectuando algunos retoques tácticos, tales como una marcada disminución de su prédica antinorteamericana, tan de moda entre 1941 y 1946. En la lucha común contra el peronismo, escritores como J. Meinvielle, R. Irazusta, M. Etchecopar, F. Ibarguren y J. C. Goyeneche terminaron por acercarse a posiciones conservadoras que de 1930 a 1946 habían condenado como "decadentes". Perón los había defraudado: esperaban la llegada de un Franco o de un Oliveira Salazar y en cambio el gobierno mostraba, según su opinión, características "materialistas" y "marxistas". Esa no era "la Revolución que anunciamos" en 1943.[81] En 1951, Rodolfo Irazusta dijo:

> "En lugar de la Revolución que queríamos nacional, sobrevino una revolución social de característico corte colectivista internacional."[82]

Escribiendo en *Quincena*, Etchecopar de pronto encontró "excelentes" los gobiernos de Justo, Ortiz y Castillo.[83] La Revolución de Junio debió hacer "la reforma institucional"... en cambio prefirió "agitar las masas mediante tópicos puramente sociales" y proclamar como objetivo una "justicia social" que sería "algo sin asidero alguno en la realidad concreta". El citado autor venía a coincidir con los gobiernos de la "década infame" en el criterio de que la democracia no era algo bueno para nuestro país; el gran error de Perón sería haber tomado "al pie de la letra", la "machacona y abstracta lección" de Libertad, Igualdad y Fraternidad. Etchecopar lamentaba el auge del igualitarismo, visible por ejemplo en el hecho novedoso de que las mujeres opinasen sobre todo, diciendo "siempre una barbaridad". Por este camino veía acercarse la "disolución social" y la "desmoralización". En cuanto al obrero, habría recibido "beneficios y mejoras que redundaron en mengua de otros grupos, especialmente de la clase media (...)".[84]

Con mayor precisión aún volvían los colaboradores de *Presencia* a los conceptos que fueron característicos del Lugones de 1923-1931. Ya en 1950 uno de ellos añoraba los tiempos en que las pequeñas gentes estaban contentas con su lugar en la sociedad:

> "Pero vino el gran llamamiento democrático, rompió todas las estructuras orgánicas (...) y borró todo límite estable y permanente. Esta emancipación creó un mundo artificial e irrealizable de exigencias anormales en el corazón de cada ciudadano (...). El río desbordado debe volver a su cauce."[85]

Para Meinvielle la política peronista había tenido fundamentalmente dos grandes efectos negativos: a) "ausentismo, indisciplina e
irresponsabilidad" entre los obreros; b) un aumento del poder de
"las fuerzas de los trabajadores" organizados en la CGT que "se convierte en factor de temible y permanente perturbación", amenazan-
do a Iglesia, Universidad y Ejército, además de las fuerzas "producto-
ras, comercio, industria, ganadería, agricultura".[86] La prédica de
Meinvielle y sus colaboradores se dirigía a incrementar los temores de
todas las personas más o menos conservadoras y a mostrarles que el
nacionalismo restaurador ofrecía una alternativa deseable: "la ordenación vertical de jerarquías y selecciones" (Meinvielle), porque para
las elites era "el mando" y para el resto del pueblo "la obediencia"
(Federico Ibarguren).[87]

Las aproximaciones al conservadorismo se produjeron a través
de numerosas manifestaciones. Pablo Hary, periodista de *Presencia*,
se sumó al coro de lamentos, porque se hacía una política contraria
a la gran propiedad agraria. Proponía en cambio que se fomentase en
el campo el resurgimiento de una "aristocracia realmente rectora",
constituida por paternales estancieros ("jefes rurales") que
orientarían y protegerían a sus peones ("hombres fieles"), constituyendo ambos términos de este binomio una "célula armónica" de la
sociedad.[88] Unos años más tarde *Quincena* elogiaba la reorganización del Partido Demócrata Nacional, al que veía como un representante de "la causa del orden" y al cual recomendaba "reunir la astu-
cia del caudillo y la responsabilidad del reaccionario". En cuanto al
peronismo, Meinvielle ya había formulado juicios tajantes en 1950:

"(...) no interesa saber qué ideas ni qué intenciones tiene el general Perón con su
justicialismo, sino qué fuerzas desata en la realidad de los hechos y hacia dónde
estas fuerzas se encaminan. [... El justicialismo sería:] un movimiento que sale
del capitalismo y camina hacia el comunismo".[89]

En la coalición antiperonista, el nacionalismo restaurador de
esta tendencia —recordemos que existía también la de *Dinámica Social*— no representaba un gran aporte en términos numéricos, pero su
versión actualizada de la "teoría de la conspiración" fue difundida en
gran cantidad de panfletos anónimos, los cuales contribuyeron no
poco a la preparación del clima revolucionario, especialmente en las
Fuerzas Armadas, durante los meses de mayo a setiembre de 1955.
En esas hojas se aseguraba que Perón era sólo la herramienta de un
"plan masónico-judío": en octubre de ese año el presidente se pro-
pondría crear el "Estado popular sindicalista". "Milicias populares"
y una "religión justicialista" reemplazarían entonces al Ejército y la
Iglesia; "fábricas, empresas y campo" serían entregadas a los sindica-

tos. Se sostenía también que tanto los EE.UU. como Rusia prestarían
su acuerdo a ese plan, para cuya realización ya se habrían infiltrado
en el país numerosos "ex guerrilleros españoles, polacos, yugoslavos
y checos" (!).[90]
 También las pesadillas pueden ser políticamente eficaces. En estas visiones se expresaban las crecientes tensiones de los años
cincuenta y los más profundos temores de importantes sectores de la
sociedad. Pero tal panorama anticipaba, por otra parte, un hecho que
muchos actores del momento no intuyeron: la victoria del antiperonismo no iba a significar el comienzo de una nueva política coherente, generadora de un consenso renovado, sino sólo una alteración de
la constelación de fuerzas y un desplazamiento relativo de algunos de
los conflictos que se han comentado. El antiperonismo aparentemente tan sólido en setiembre de 1955, era un frente en el cual competían tres perspectivas de la realidad argentina y tres programas, que
en el fondo eran totalmente incompatibles entre sí:

 1) Una concepción —de izquierda liberal podría decirse— con-
gregaba a parte del radicalismo y de la cual habrían de disociarse, en
años venideros, la intransigencia y el desarrollismo. Su programa
no incluía una vuelta total al pasado, sino que implicaba lo que concebía como democratización y apertura de la vida argentina.
 2) Para el liberal-conservadorismo tradicional, el país debía liberarse de un "totalitarismo", para retornar a los esquemas políticos,
económicos y sociales anteriores a 1943.
 3) El nacionalismo restaurador veía una supuesta revolución
"roja" en un futuro cercano y exigía la conocida receta "salvadora"
de un Estado autoritario-tradicionalista, cuyo modelo consideraba
logrado en la España franquista y el Portugal de Oliveira Salazar.

 Las tres opciones señaladas eran las más definidas, pero para la
mayoría de los anti- y no-peronistas de 1955, la base de sus esperanzas no era sino una preferencia por un país menos conflictivo, acompañado por un ambiente de mayor libertad individual. La primera de
las opciones resumidas correspondía en muchos puntos con ese
estado difuso pero palpable de la opinión; pero los otros dos programas traían en su seno la continuación y hasta el agravamiento de los
conflictos entre los argentinos, sin proporcionar bases para un sistema de normas que fuese aceptable para las mayorías.
 Si bien se trata de temas relativamente marginales en la presente
investigación, se dirán algunas palabras sobre la periodización de la
historia del régimen peronista y sobre su estructura. Creo que a los
efectos político-ideológicos se pueden ver tres etapas. La primera
(1943-1945) se caracterizó por la búsqueda de un nuevo consenso, o
por lo menos, por la obtención de una nueva síntesis de ideas con su-

ficiente poder convocante como para superar la crisis institucional crónica del período precedente (1930-1943). Surgió así el peronismo, dispuesto a fundar una "Nueva Argentina". En la segunda etapa (1946-1949) se produjo una efímera distensión del ámbito público nacional y se dio la impresión de que el peronismo habría de clausurar la época de la inestabilidad argentina. La tercera etapa (1949/50-1955) se caracterizó por una renovada agudización de las antinomias políticas, socioeconómicas e ideológicas entre los argentinos, ahora fuertemente polarizados por el esquema "Peronismo-antiperonismo". Una de las causas esenciales de este proceso estuvo sin duda en la crisis económica de 1950-1952, la cual dificultó las soluciones concertadas en la cuestión distributiva. Otro factor se dio con el autoritarismo creciente, más torpe que eficaz en su práctica, que para muchos volvió a poner sobre el tapete el tema de la legitimidad. En todas las etapas mencionadas jugaron un papel importante las influencias exógenas, no sólo en los condicionamientos geopolíticos y económicos —cosa que la historiografía ha tratado detalladamente— sino también en lo referente a corrientes ideológicas: un aspecto insuficientemente estudiado hasta hace poco.

La estabilidad del régimen peronista se basaba en dos pilares: a) la legitimación que le venía del apoyo mayoritario de la ciudadanía expresado en las elecciones; b) el delicado equilibrio entre las instituciones y factores de poder más influyentes: la CGT, el Partido Peronista, las Fuerzas Armadas, la Iglesia y las elites empresarias.[91] Conservar ese equilibrio resultó para el peronismo —como para otros gobiernos posteriores— mucho más difícil que confirmar su peso electoral. Para el partido y el sindicalismo, Perón no era sólo el presidente legítimo sino también el líder carismático. En el seno de los otros factores de poder, el apoyo a Perón fue siempre menos entusiasta, en muchos casos renuente, aunque hasta 1950 era generalmente reconocida y respetada su función como árbitro y mediador entre diversos grupos e intereses. En la tercera etapa del régimen el equilibrio señalado se vio afectado por la política distributiva, los intentos integrales de "peronización" y el crecimiento del poder burocrático del partido y de la CGT. La dicotomía entre peronismo y antiperonismo, cargada en exceso con componentes emocionales, desplazó otras consideraciones de la vida pública e invadió las instituciones. En las elecciones de 1951 y 1954 el peronismo demostró la solidez de su fundamento social, alianza de estratos bajos y mediobajos de la ciudad y del campo, pero el panorama cambió al nivel de factores de poder. Allí el régimen no evaluó correctamente la fuerza de una mentalidad que era, en unos casos, conservadora en lo económico-social (especialmente en las elites empresarias, agrarias y militares), y en otros, tradicionalista en lo cultural (naturalmente se daba eso en los sectores más allegados a la Iglesia).

El régimen tampoco supo ver hasta qué punto buena parte de esas actitudes estaban arraigadas en la amplia clase media argentina, a menudo exasperada por diversas torpezas del oficialismo. En todos los sectores mencionados creció la sospecha de que Perón tendía hacia un Estado lisa y llanamente sindical-socialista, una evolución que no se enmarcaba en los límites que la relativa tolerancia mutua de 1946 había fijado implícitamente.[92]

Jauretche, testigo de la época, ha dejado observaciones agudas sobre esta unilateralidad del enfoque oficialista en los años postreros del régimen peronista:

"También hay que computar la incapacidad del peronismo para dar a la burguesía y a la clase media un lugar en el proceso de transformación. Es curioso que la mentalidad militar de Perón perdiese el sentido de la importancia de los factores sociales de poder, para quedarse en la estimación puramente cuantitativa del caudillo liberal. A través de Miranda, todavía esa burguesía podía sentir que uno de los suyos orientaba algo. Después (...) aún los más simpatizantes y partidarios tuvieron que optar entre retraerse o renunciar a expresar algo distinto que el coro burocrático. El militante obrero podía sentirse expresado por el dirigente gremial. El de la burguesía y clase media no tenía expresión ni en el poder ni en el movimiento político."[92 a]

En el nivel ideológico esta "ausencia de rol político" de los estratos medios se puede comprobar claramente: la prédica ponía gran énfasis en el nexo "líder-pueblo descamisado" y agregaba ocasionales referencias al papel de los cuadros sindicales, pero estos temas dejaban sin posibilidades de identificación profunda a la creciente clase media argentina. Ya en su *Teoría del Estado* (1948) Ernesto Palacio había pretendido enfocar sutilmente el fenómeno, criticando la ausencia de "una clase dirigente legítima". Pero no debe sorprender la poca influencia que tuvo dicha obra: el planteo se desdibujaba por su carácter abstracto y retórico, resabio de la prédica elitista de cuño restaurador que Palacio había efectuado décadas antes y que nunca terminó de integrar en las intuiciones "populistas" que tuvo después.

La interacción de los factores analizados fue creando las condiciones para el rebrote de la "guerra civil fría" (y pronto también "caliente") en el país. No la quiso la mayoría de los argentinos, pero la arriesgaron minorías influyentes en ambos bandos. Los hechos se sucedieron año tras año: en 1949 se dieron las primeras conspiraciones; en setiembre de 1951 fue aplastada la intentona del general B. Menéndez; en 1952 abortó una operación de "comandos" planeada por el coronel José Suárez; en abril de 1953 se atentó contra una manifestación peronista y se produjo la reacción con el incendio de locales opositores. En julio de 1953 el general Eduardo Lonardi tuvo sus primeros contactos con jefes de la Marina y la Aeronáutica. A fines de 1954 la Marina efectuó una serie de maniobras que en realidad constituían una preparación disimulada del levantamiento ("Alcázar"). Simultáneamente con la agudización del conflicto entre el régimen y la Iglesia, comandos civiles antiperonistas comenzaron a realizar atentados contra la policía. El intento del 16 de junio de 1955 estuvo mal organizado y fracasó, trayendo como trágico epílogo el incendio de varias iglesias de Buenos Aires por bandas de discutida filiación. Tres meses después triunfó el levantamiento conducido por el general Lonardi y el almirante Isaac Francisco Rojas, después de cuatro días de lucha. Perón tomó el camino del exilio.

La caída del régimen peronista ha dado origen a numerosos comentarios polémicos. Una parte considerable de la historiografía se ubica dentro de la línea interpretativa que Waldmann expresa en el siguiente párrafo:

"El [Perón] se negó a entregar armas a los obreros para la defensa de su gobierno, porque temía que dirigentes comunistas utilizasen la circunstancia para efectuar una profunda transformación social y política."[93]

Este juicio se basa en una serie de supuestos que son mucho menos firmes de lo que a menudo se cree. Se parte aquí de la base de que había un núcleo lo suficientemente importante de dirigentes comunistas capaces de captar la adhesión de los obreros peronistas, o que al menos Perón creía en la fuerza de los cuadros de esa tendencia. Ni para lo primero ni para lo segundo existen pruebas convincentes. Lo que la evidencia documental permite afirmar se reduce más bien a lo siguiente: En los primeros momentos de la Revolución de Setiembre de 1955, los generales "leales" le aseguraron al presidente que triunfarían fácilmente sin necesidad de movilizar milicias. Al pasar el tiempo se vio que había muchas defecciones y que varios jefes de efectivos represores actuaban con una extraña falta de energía. Esto despertó la desconfianza creciente de Perón hacia su entorno, hasta que llegó a la convicción de que los jefes y oficiales supuestamente "leales" no deseaban realmente luchar por el gobierno. Es cierto que se le ofrecía todavía la posibilidad teórica de prolongar indefinidamente los combates, convocando milicias sindicales, pero en un análisis frío de la realidad eso de ninguna manera garantizaba la victoria final. Las lecciones que al respecto se derivaban de la Guerra Civil Española no daban pie para creer en ese desenlace. El movimiento peronista carecía de toda experiencia que pudiese predisponer a sus miembros para una guerra civil, no existían formaciones previamente armadas y adiestradas[94]; desde el punto de vista psicológico y organizativo, sus dirigentes y adherentes sólo estaban preparados para dos métodos de lucha: la huelga y la movilización para fines electorales, métodos que en las circunstancias de setiembre de 1955 eran inoperantes. Teniendo en cuenta estos factores, la decisión que finalmente tomó Perón no parece desprovista de lógica militar y política. Rehusó prolongar el conflicto y se alejó, pudiendo afirmar que de ese modo le ahorraba al país un baño de sangre. Podía contar con algo: la "normalización" posterior a la crisis le permitiría al peronismo volver a utilizar con provecho sus armas ya probadas: el potencial electoral y las huelgas.[95] El desarrollo de los años siguientes le dio la razón, por lo menos parcialmente. De todas maneras, la caída del régimen no fue tan incruenta como algunos estudiosos extranjeros piensan. Se trató de la revolución más trágica de las que hubo entre 1930 y 1970, ya que los combates de junio y setiembre de 1955 sumaron unas 1500 víctimas.[96]

Algo debe decirse también sobre la significación histórica e ideológica de la llamada Revolución Libertadora, cuyos jefes dieron su sello al período 1955-1958.

El historiador no está forzado a elegir entre las dos interpretaciones extremas: la peronista, según la cual fue "la victoria de la oligarquía", y la del antiperonismo cerrado, que sencillamente la vio como una gesta libertadora, comparable a las de Mayo y Caseros.[97] No puede dejar de señalarse que la heterogeneidad de la coalición antiperonista le dio a esta revolución un "rostro de Jano", que interpretaciones tan simplistas no logran captar. Esto se hizo evidente al cabo de poco tiempo, cuando una lucha casi silenciosa por el poder desplazó al ala relativamente moderada conducida por Lonardi, quedándose el sector "duro" del almirante Rojas y del general Aramburu con la jefatura del proceso. Desde ese momento (noviembre de 1955) la represión del movimiento peronista alcanzó niveles de extraordinaria severidad. Y es que la ambigua revolución triunfante era, por un lado, "liberación" efectiva de un culto personalista de tipo oficial, así como de las restricciones diversas que sufrían "casi" todos los partidos; pero por el otro tenía también un semblante de "reacción", bajo el cual las fuerzas conservadoras del período 1930-1943 intentaron consolidar una política antiindustrialista y socialmente regresiva, además de embarcarse en la empresa de desmantelar el partido más numeroso del país y las organizaciones obreras que le eran adictas.[98] No resulta entonces sorprendente que, mientras una parte de los argentinos se sentía realmente liberada, la otra tuviese una sensación totalmente distinta. Una definida política de reconciliación nacional y de superación de los conflictos, una síntesis fecunda entre pluralismo democrático y progreso social no se produjo. En cambio, el historiador debe comprobar con desilusión, lo que J. Kirkpatrick expresó de este modo:

"El trato que los partidos opositores recibieron de él [Perón] nunca fue tan represivo como el que el general Aramburu les dio a los dirigentes y las organizaciones peronistas menos de una década después."[99]

NOTAS

[1] Para los acontecimientos del período 1946-1955 véase P. Lux-Wurm: *Le péronisme*, Paris, 1965, Pedro S. Martínez: *La Nueva Argentina, 1946-1955*, Buenos Aires, 1976 (2 vols.), y P. Waldmann: *Der Peronismus 1943-1955*, Hamburg, 1974 (hay edición castellana). Sobre las relaciones entre Ejército y Política: A. Rouquié: *Pouvoir Militaire et Société Politique en République Argentine*, Paris, 1978 (hay edición castellana); R. A. Potash: *The Army & Politics in Argentina, 1945-1962. Perón to Frondizi*. Stanford, California, 1980 (hay edición castellana); y M. A. Scenna: *Los militares*, Buenos Aires, 1980.

[2] Véase H. Gambini: *El Peronismo y la Iglesia*, Buenos Aires, 1971, pág. 41.

[3] *Presencia*, N° 13 (24 de junio de 1949).

[4] Ibid., N°s 30 y 41 (9 de junio y 24 de noviembre de 1950).

[5] Véase J. D. Perón: *La fuerza es el derecho de las bestias*, Buenos Aires, 1974 (1a. ed. 1956), págs. 61-62.

[6] Discurso del 20 de agosto de 1948 al inaugurar la sede de la Organización Israelita Argentina, en J. D. Perón: *Doctrina Peronista*, pág. 70. En 1947 algunos miembros de la ALN habían reiniciado cierta agitación antisemita.

[7] Véase J. J. Sebreli: *La cuestión judía en la Argentina*, Buenos Aires, 1968, págs. 238-239 y 9-22 (Cronología).

[8] "¿Fue nazi Perón?", en *Nation Europa*, Año 5, N° 12, diciembre de 1955, págs. 68-71.

[9] Véase W. Loth: *Die Teilung der Welt. 1941-1955*, München, 1980, págs. 194-198. Se cita allí a diversos representantes del "tercerismo".

[10] P. Waldmann: op. cit., pág. 65.

[11] Sobre la política exterior argentina, detalles en Pedro S. Martínez: op. cit., I, págs. 247-311, y R. Knoblauch: *Der Peronismus. Ein gescheitertes lateinamerikanisches Modell*. Diessenhofen, 1980, págs. 193-220.

[12] Véase P. S. Martínez: op. cit., I, págs. 339-342.

[13] Véase E. Pavón Pereyra: *Perón. El hombre del destino*, Buenos Aires, 1974 (3 vols.), II, pág. 162 y *De Frente*, 24 de junio y 1° de julio de 1954.

[14] Una interpretación diferente —a mi entender no lo suficientemente fundamentada— es la que sostiene Knoblauch: op. cit., pág. 219.

[15] Detalles sobre este tema en: P. S. Martínez: op. cit., II; Waldmann, op. cit., y Knoblauch: op. cit. Resumido pero preciso: P. Broder, H. A. Gussoni y otros: *Desarrollo y estancamiento en el proceso económico argentino*, Buenos Aires, 1972, págs. 27-36.

[16] Véase L. Randall: *An Economic History of Argentina in the Twentieth Century*, N. York, 1978, págs. 138-140.

[17] J. A. Oyuela: "Los Planes Quinquenales", en *Polémica*, N? 86, Buenos Aires, 1972, págs. 158 y 162.

[18] P. Broder, H. A. Gussoni y otros: op. cit., págs. 152-154.

[19] L. Randall: "Lies, Damn Lies, and Argentine GDP", en *Latin American Research Review* (vol. XI), 1976, N? 1, págs. 142-143.

[20] A. Jauretche: *El Plan Prebisch. Retorno al Coloniaje*, Buenos Aires, 1974 (1a. ed. 1955), pág. 83.

[21] Ibid., pág. 80. J. C. Vedoya: "Colofón Estadístico", en *Todo es Historia*, N? 100, setiembre de 1975, pág. 40, y E. Pavón Pereyra: *Perón. El hombre...*, II, pág. 143.

[22] J. C. Villarruel: "Política de ingresos-1946-1955". Documento de Trabajo N? 19, Fund. para el Estudio de los Problemas Argentinos, Buenos Aires, s.f., págs. 11, 26 y 35.

[23] P. Broder, H. A. Gussoni y otros: op. cit., pág. 30.

[24] J. C. Vedoya: op. cit., pág. 97.

[25 y 25a] Véase D. Boris y P. Hiedl: *Argentinien, Geschichte und politische Gegenwart*, Köln, 1978, pág. 83; *Dinámica Social*, N? 64, diciembre de 1955, pág. 41; U. Birkholz: *Zur Soziologie des Peronismus*, Marburg, 1971, gráfico 35.

[26] P. Broder, H. A. Gussoni y otros: op. cit., pág. 31.

[27] L. Randall: *An Economic History...*, pág. 215. El rubro "Otros" *no* incluye las cifras referentes al comercio con Francia e Italia.

[28] J. Cafasso: "Balance de una década - 1946-1955", en *Polémica*, Buenos Aires, s.f. (ed. especial), pág. 68.

[29] Véase P. Broder, H. A. Gussoni y otros: op. cit., pág. 30, y "El petróleo es la clave", en *Carta Política*, 1976, pág. 59.

[30] R. Knoblauch: op. cit., pág. 171.

[31] J. Fodor: "Peron's Policies for Agricultural Exports 1946-1948. Dogmatism or Common Sense?", en D. Rock: *Argentina in the Twentieth Century*, London, 1975, págs. 150 y 161.

[32] Informes de los parlamentarios actuantes en esa época, en R. Bustos Fierro: *Desde Perón hasta Onganía*, Buenos Aires, 1969, págs. 145-152 y H. J. Iñigo Carrera: "Historia del Poder Legislativo", en *Todo es Historia*, N? 61, mayo de 1972, pág. 80.

[33] Esto puede verse en P. S. Martínez: op. cit., II, pág. 320, y O. M. Pipino: *1946-1955. La Década Fatal. Origen del Colapso nacional*, Córdoba, 1979 (Portada). Autores europeos como R. Knoblauch: op. cit., pág. 220, aceptan parcialmente esa interpretación. Trabajos más documentados y técnicos, como L. Randall: "Lies, Damn Lies..." y P. Broder, H. A. Gussoni y otros: op. cit., pág. 36, emiten juicios diferentes.

[34] L. Portnoy: "Política económica (1945-1962)", en *Polémica*, N? 89, Buenos Aires, 1972, pág. 233; P. H. Smith: *Argentina and the Failure of Democracy. Conflict among Political Elites*, Wisconsin, 1974, pág. 104.

[35] L. Randall: *An Economic History...*, pág. 29, y D. Boris y P. Hiedl: op. cit., pág. 83.

[36] J. C. Villarruel: "Política de ingresos...", págs. 22, 32 y 42.

[37] M. R. Lascano: *El crecimiento económico, condición de la estabilidad monetaria en la Argentina*, Buenos Aires, 1970, pág. 103.

[38] P. Broder, H. A. Gussoni y otros: op. cit., pág. 30; *Segundo Plan Quinquenal*, Buenos Aires, 1953 (Publicación oficial), págs. 120 y 135; P. S. Martínez: op. cit., I, pág. 192; *La Nación Argentina - Justa, Libre, Soberana*, Buenos Aires, 1950 (Publicación oficial), pág. 301.

[39] *Segundo Plan Quinquenal*, pág. 199, y L. Randall: *An Economic History...*, págs. 96-97.

[40] J. A. Ramos: *Revolución y contrarrevolución en la Argentina*, Buenos Aires, 1965 (2 vols.), II, pág. 631. También G. Pendle: *Argentina*, London, 1961, se ocupa de este tema.

[41] C. Russo: "La acción social del peronismo", en *Polémica*, N⁰ 79, Buenos Aires, 1971, págs. 242-251, y E. Pavón Pereyra: *Perón. El hombre...*, II, pág. 62.

[42] Discurso del 1⁰ de mayo de 1950, en Eva D. de Perón: *La Palabra, el pensamiento y la acción de Eva Perón*, Buenos Aires, 1951, pág. 35.

[43] O. M. Pipino: op. cit., pág. 17.

[44] H. M. A. Stausberg: *Argentinien und die "Revolución Libertadora" von 1955-1958*, Bonn, 1975 (tesis doctoral), págs. 338-340.

[45] A. Jauretche: *El Plan Prebisch...*, pág. 90.

[46] Raúl Prebisch: "Producción e Ingreso en la República Argentina 1935-1954", pág. 124, cit. en A. Jauretche: *El Plan Prebisch...*, pág. 96.

[47] Artículo de la *Semana Financiera*, 12 de noviembre de 1949, cit. en E. Pavón Pereyra: *Perón. El hombre...*, II, pág. 36.

[48] Enrique Santos Discépolo: *¿A mí me la vas a contar?*, Buenos Aires, 1973 (1a. ed. 1951), pág. 80 (Programas radiofónicos de 1951).

[49] El 8 de noviembre de 1949 Perón anunció que en el futuro se terminaría con los "intermediarios" y que "en 10 o 12 años" no deberían ya existir campesinos sin tierra propia. (Véase J. D. Perón: *El Gobierno, el Estado y las Organizaciones Libres del Pueblo*, Buenos Aires, 1975, págs. 233-234.)

[50] *De Frente*, 9 de setiembre de 1954, pág. 4 y *Dinámica Social*, N⁰ 54, febrero de 1955, pág. 41.

[51] J. D. Perón: *Perón habla a las Fuerzas Armadas (1946-1954)*, Buenos Aires, s.f., págs. 21-22 (julio de 1947, discurso anual a las Fuerzas Armadas).

[52] Véase J. D. Perón: *El Gobierno, el Estado...*, pág. 38, y J. D. Perón y Eva Perón: *Temas de Doctrina*, Buenos Aires, 1955 (Manual de la Escuela Superior Peronista), pág. 423.

[53] Explícitamente en el *Segundo Plan Quinquenal*, Buenos Aires, 1953 (Publicación oficial), págs. 431-432. Sobre la "peronización" de la administración pública: P. S. Martínez: op. cit., I, págs. 57-60 y 66-69.

[54] Oscar Presacco, miembro del Consejo Nacional del Peronismo en una conversación con el autor de estas líneas.

[55] En este punto deben matizarse las concepciones de P. Waldmann: op. cit., pág. 88.

[56] V. *La Prensa*, 30 de enero de 1952, noticia sobre una conferencia de Arturo Frondizi, ya entonces figura destacada de la UCR.

[57] V. *De Frente*, 22 de julio de 1954.

[58] Para esta interpretación, véase J. P. Feinmann: *El Peronismo y la primacía de la Política*, Buenos Aires, 1974, págs. 177-178. Al respecto también la argumentación de Perón que presentó la limitación de las libertades como una necesidad defensiva del régimen, por ejemplo, en carta a la CGT del 31 de agosto de 1955, cit. en J. Godio: *La caída de Perón*, Buenos Aires, 1973.

[59] P. Waldmann: op. cit., págs. 117-118.

[60] Véase E. Pavón Pereyra: *Perón. El hombre...*, II, págs. 41-60.

[61] Un enfoque interesante del problema de la legitimidad puede verse en R. del Barco: *El régimen peronista, 1946-1955*, Buenos Aires, 1983, págs. 156-158.

[62] Para este tema: H. Gambini: *El Peronismo...*, N.F. Stack: *Avoiding the greater evil. The response of the Argentine Catholic Church to Juan Perón 1943-1955*, New Jersey, 1976 (tesis doctoral), y J. Godio: op. cit.

[63] Véase J. D. Perón: *El Gobierno, el Estado...*, págs. 293-298, y E. Pavón Pereyra: *Perón. El hombre...*, II, págs. 241-260.

[64] Véase J. D. Perón: *El Gobierno, el Estado...*, págs. 303-309.

[65] Véase Nahuel Moreno: *El Golpe Gorila de 1955. Las posiciones del trotzkysmo*, Buenos Aires, 1974, y Jorge A. Ramos: *De Octubre a Setiembre*, Buenos Aires, 1974.

[66] J. Godio: op. cit., pág. 51.

[67] La controversia sobre la quema de la bandera no puede considerarse terminada aún. Las investigaciones de la época no dan mucha garantía de imparcialidad.

[68] N. F. Stack: op. cit., págs. 320-321; P. S. Martínez: op. cit., II, pág. 236; P. J. Hernández: Conversaciones con José M. Rosa, Buenos Aires, 1978, págs. 128-129.

[69] C. A. Floria y C. A. García Belsunce: *Historia de los argentinos*, Buenos Aires, 1975 (2 vols.), II, pág. 419.

[70] José L. Torres: *Seis años después*, Buenos Aires, 1949, pág. 13.

[71] Documentos de la UCR en Gabriel del Mazo: *El Radicalismo. Notas sobre su historia y doctrina*, Buenos Aires, 1955, págs. 174, 182, 185-188 y 331-332.

[72] Discurso de Perón del 1º de mayo de 1954, en C. A. Fernández Pardo y A. López Rita: *Socialismo Nacional. La marcha del poder peronista*, Buenos Aires, 1973, pág. 77 y J. D. Perón: *El Gobierno, el Estado...*, págs. 23-24.

[73] Véase R. Bustos Fierro: op. cit., págs. 106-108.

[74] Para esta contradicción: págs. 335-344.

[75] Véase P. S. Martínez: op. cit., I, págs. 51-52.

[76] Para esto: Manuel Mora y Araujo: "Populismo, laborismo y clases medias", en *Criterio*, Nºˢ 1455-1456, 27 de enero de 1977, pág. 9.

[77] E. Corvalán Nanclares: "Análisis crítico de la situación actual del Justicialismo", en *Temática Dos Mil*, Año 4, Nº 7, 1980, pág. 14.

[78] Véase J. Godio: op. cit., págs. 29-30.

[79] J. Cabot al Secretario de Estado, 17 de noviembre de 1945, en FRUS 1945, pág. 430 ["Foreign Relations of the United States", Washington 1945 y 1961-1972].

[80] Un buen ejemplo para esta posición es R. Pastor: *Frente al totalitarismo peronista*, Buenos Aires, 1959.

[81] V. *Presencia* del 11 de noviembre, 25 de noviembre y 23 de diciembre de 1949, en J. Meinvielle: *Política Argentina 1949-1956*, págs. 90, 98 y 114-119.

[82] Rodolfo Irazusta en un discurso del 1º de setiembre de 1951, cit. en O. Troncoso: *Los Nacionalistas argentinos*, Buenos Aires, 1957.

[83] Véase Máximo Etchecopar: *Esquema de la Argentina*, Buenos Aires, 1956, págs. 74-75.

[84] Ibid., págs. 85-87 y 101-103; también J. Meinvielle: *Política Argentina...*, pág. 102.

[85] "Contento y descontento social", en *Presencia*, 14 de abril de 1950.

[86] J. Meinvielle: *Política Argentina...*, págs. 178 y 284 (artículos del 23 de junio de 1950 y 29 de junio de 1951).

[87] Ibid., pág. 40: "Decálogo para un gobernante", en *Quincena*, 30 de noviembre de 1953, cit. en Federico Ibarguren: *Avivando brasas*, Buenos Aires, 1957, págs. 165-167. V. también J. Meinvielle: *Conceptos fundamentales de la Economía*, Buenos Aires, 1953, pág. 104, donde este autor se basa en Alexis Carrell para "comprobar" que una "gran parte" de la población jamás superaría la edad psicológica de "12 a 13 años".

[88] V. *Presencia*, Nº 6, 11 de marzo de 1949 y Nº 10, 13 de mayo de 1949.

[89] J. Meinvielle: *Política Argentina...*, págs. 122, 125 y 241 (artículos del 14 de abril y 8 de diciembre de 1950).

[90] V. estos panfletos en F. Lafiandra (Ed.): *Los Panfletos. Su aporte a la Revolución Libertadora*, Buenos Aires, 1955, págs. 141, 158-164, 314-317, 360 y 362-363.

[91] Un excelente análisis politológico: P. Waldmann: op. cit.

[92] Véase C. Florit: *Las Fuerzas Armadas y la guerra psicológica*, cit. en J. Godio: op. cit., pág. 113.

[92a] A. Jauretche: *El Medio Pelo en la Sociedad Argentina. Apuntes para una Sociología Nacional*, Buenos Aires, 1967, pág. 294.

[93] P. Waldmann: op. cit., pág. 267.

[94] Hubo propuestas en ese sentido (entre 1951 y 1955), pero las Fuerzas Armadas no estuvieron de acuerdo. Algunas particularidades sobre esto, en D. Hodges: *Argentina 1943-1976. The National Revolution and Resistance*, Albuquerque, 1976, págs. 191-196.

[95] Sobre esto dialogó Perón con un periodista el 5 de octubre de 1955 (M. Peña: *El Peronismo. Selección de documentos para la historia*, Buenos Aires, 1972, págs. 157-161). Para la Revolución de 1955: J. P. Feinmann: op. cit., págs. 178-179; J. Godio: op. cit.; A. Rouquié: op. cit.; R. A. Potash: op. cit., L. E. Lonardi: *Dios es justo*, Buenos Aires, 1958; J. D. Perón: *La fuerza es el derecho de las bestias*, Buenos Aires, 1974 (1a. ed. 1956), y J. D. Perón: *Del poder al exilio*, Buenos Aires, 1973 (1a. ed. en Panamá, 1956).

[96] V. noticias en el diario español *Arriba* (junio a setiembre de 1955), un medio que poseía bastantes fuentes de información en nuestro país.

[97] H. M. A. Stausberg: op. cit., sostiene aquí una posición bastante unilateral, la cual no está plenamente a la altura de los actuales resultados de la investigación.

[98] Isidro J. Odena: *Libertadores y desarrollistas (1955-1962)*, Buenos Aires, 1977, págs. 8, 38 y 43.

[99] J. Kirkpatrick: *Leader and Vanguard in Mass Society. A Study of Peronist Argentina*, Cambridge (Mass.) y London, 1971.

PERONISMO Y FASCISMO

La cuestión de si el peronismo del período 1943-1955 fue un fascismo puede ser analizada ahora. Se utilizará en este capítulo el esquema presentado en la primera parte de la obra, pero en determinados puntos muy importantes también serán comentadas otras perspectivas. En lo referente a las condiciones genéticas del movimiento, hay que subrayar las conclusiones de Waldmann, en el sentido de que peronismo y fascismo tuvieron situaciones históricas diversas como puntos de partida.[1] En la Argentina no hubo guerra perdida o "victoria mutilada" y 1943-1945 fue más bien un período de crecimiento económico, no uno de recesión y desempleo. En 1943 no cayó una democracia sino un sistema que desde hacía más de una década se sostenía sin legitimidad democrática. Queda por considerar el importante problema de la "amenaza bolchevique". Waldmann, Thamer y Wippermann creen que aquí se encuentra la única similitud entre el origen y las motivaciones del peronismo y del fascismo:

"Uno de los motivos decisivos de la política de Perón estaba dado por el temor de que a corto o largo plazo habría de producirse un cataclismo revolucionario, al que era necesario anticiparse."[2]

Pienso que esta afirmación debe ser analizada de un modo más diferenciado. El motivo anticomunista existía— sin lugar a dudas— pero apenas si hay indicios que permitan considerarlo como especialmente característico del peronismo. El anticomunismo del radicalismo y de muchas otras fuerzas políticas tradicionales del país no era menos real que el del peronismo. Por otra parte, no se les podía escapar a los observadores el hecho de que en 1943-1945 no había en la Argentina un partido marxista-leninista realmente poderoso y amenazador. La atmósfera política no era comparable a la de Alemania e Italia entre 1918 y 1920. Existían minorías argentinas que otorgaban desde hacía años un lugar de primer orden al tema de la amenaza de extrema izquierda; esta era la postura básica del nacionalismo restaurador. Pero esas minorías jugaron un papel bastante subordinado dentro del peronismo. Perón utilizaba el tema especialmente cuando se dirigía a un público de tipo conservador, porque estaba claro que sólo ese argumento —que sus reformas eran un modo de cerrarle el camino al comunismo— podía impresionar a dicha clase de oyentes.[3]

De esa manera Perón esperaba reducir las resistencias psicológicas de los sectores tradicionalistas contra su política social. Pero la evolución concreta del peronismo hecho régimen mostró luego que la mayoría de esos sectores temía y aborrecía más intensamente al peronismo —una fuerza efectiva— que al peligro puramente potencial y futuro del comunismo.

En los aspectos psicológico y social se advierten también grandes diferencias entre peronismo y fascismo. El primero era un movimiento que, sin perder nunca su carácter policlasista, se apoyaba fundamentalmente en los estratos bajos de la sociedad.[4] Reunía, junto a obreros industriales y peones rurales, un conglomerado de arrendatarios, pequeños campesinos y empleados. Hasta en su personal político (en el Congreso y la burocracia) era significativamente mayor el porcentaje de integrantes de los sectores bajos y medio-bajos que en otros partidos. En cambio, en Alemania e Italia fueron el comunismo y la socialdemocracia las organizaciones que lograron captar a la mayoría de los trabajadores. Faltaba también en el caso argentino —por obvias razones históricas— un núcleo que fue (desde el punto de vista psicosocial) decisivo para la formación del fascismo: el de los militares y veteranos resentidos e iracundos. Su mentalidad típica, caracterizada por el miedo al "desorden" y su odio contra supuestos "culpables" y "manipuladores" de la derrota, no se daba en el peronismo. En este movimiento predominaba un tono más bien optimista que se expresaba en sus cánticos y lemas, marcadamente distintos del simbolismo agresivo y amenazador propio del ritual de los "camisas negras" y "pardas". Recuérdese el eslogan "Libro e moschetto, fascista perfetto" y el grito " ¡Muera Judá!" respectivamente.

Tampoco se fundamentaba el peronismo, en lo referente a la historia de las ideas, "sobre la base de la vieja tradición contrarrevolucionaria".[5] En la serie de sus raíces ideológicas no tuvo mayor importancia el vitalismo irracionalista y ninguna el darwinismo social (v. págs. 301-302). Sólo se pueden advertir ciertas similitudes en lo relativo al contacto con la tradición sindicalista, que en los comienzos del fascismo italiano no carecieron de importancia.

Si se pasa al problema de la "toma del poder", apenas si se descubren paralelos entre fascismo y peronismo. Hayes ha mencionado unas supuestas "similitudes en las condiciones sociales y económicas que precedieron la toma del poder"[6], pero qué es lo que exactamente quiere decir con eso, no es posible descubrirlo en su trabajo. La única circunstancia similar entre la Argentina de 1945-1946 y la Italia de 1922 o la Alemania de 1933 estuvo en la marcada polarización política. Pero la estructura argentina de esa antinomia fue muy diversa del caso europeo. Los movimientos fascistas lograron alcanzar el poder en coalición con las fuerzas conservadoras tradicionales; en nuestro país, "izquierdistas" y "derechistas" —no menos que "centristas"— se alinearon tanto en uno como en otro de los bandos enfrentados. A diferencia del antifascismo europeo, el antiperonismo contó con el apoyo decidido de fuerzas políticas y organizaciones conservadoras. No debe dejar de mencionarse el hecho de que hay algunas interpretaciones que trazan otro cuadro del acceso peronista al poder. Me refiero aquí a la tesis de Organski, según la cual la revolución de 1943-1946 habría actuado a favor de la elite agraria, debilitando el poder político de los industriales, hasta producir finalmente un compromiso ("sincrético") entre esos dos factores de poder, compromiso cuya expresión habría sido el régimen peronista.[7] La interpretación de Organski es original, pero no encuentra apoyo en la documentación disponible. Se la menciona más bien como curiosidad en este contexto.

Si se investiga la dimensión fenomenológica del movimiento y del régimen es posible señalar algunos paralelismos entre fascismo y peronismo. También este último tenía un líder carismático, un amplio aparato de propaganda y una cierta pretensión de "totalidad", aunque esta pretensión no fue formulada en términos tan estrictos ni realizada de un modo tan sistemático como en los casos europeos. A fin de reforzar esta imagen de semejanza, Hayes y Lewis hablan de "campos de concentración en la Patagonia", "violencia controlada como en Italia y Alemania (...) como técnica corriente del poder" y una "política económica peronista basada en el principio fascista". Lewis hasta pretende comparar la ALN argentina con la Milizia italiana y la SA alemana.[8] Sin embargo, estas supuestas similitudes no resisten una indagación algo más detallada.[9] No puede compararse el terrorismo omnipresente de los "squadristi" o de los "camisas pardas" con lo ocurrido en nuestro país. La Alianza era un pequeño grupo concentrado en Buenos Aires, que sólo mostró renovado activismo en la situación explosiva de 1955; el partido oficialista no era el único con carácter legal en la Argentina, y la oposición, si bien con sus actividades reducidas por medidas gubernativas, nunca fue deshecha o masivamente proscrita, como ocurrió en Alemania e Italia. Tampoco produjo el peronismo la militarización integral de la sociedad, rasgo distintivo de los regímenes fascistas. La política económica fue efectivamente dirigista, pero si esa circunstancia fuese razón suficiente para calificar de fascista a un régimen —como parece postularlo Hayes—, entonces habría que concluir que México en tiempos de Cárdenas y Gran Bretaña bajo el laborismo de los años cuarenta también fueron Estados fascistas. Mucho más definitorio para el fascismo fue su creciente armamentismo, cosa que de ninguna manera caracterizó a la economía peronista.[10] Tampoco constituían delito las huelgas en el caso argentino, como ocurrió en Europa. Algunos movimientos huelguísticos fueron declarados ilegales y reprimidos, pero muchos otros se llevaron a término, consiguiendo mejoras para los gremios en cuestión. Por último hay que mencionar una notable diferencia entre el régimen peronista y los fascismos. En éstos alcanzó una gran coherencia la conjunción política, militar y económica de las elites o minorías dirigentes; en cambio el peronismo fracasó en el intento de ganar a los elementos decisivos del sector empresario y agropecuario para su causa.[11]

Sobre las importantes diferencias ideológicas que separaban las concepciones peronistas de las fascistas ya se ha hablado bastante en capítulos anteriores. En las primeras no aparece la imagen socialdarwinista, elitista y antimodernista de la historia y de la sociedad. Y como ya lo ha comprobado Waldmann, no se trató de un nacionalismo agresivo de intenciones expansivas.[12] No falta la postura tradicional de Hayes, que insiste en ver similitudes por todas partes, aunque no las analiza. El único paralelo que realmente se puede verificar está en la especial relevancia que la doctrina otorgaba al papel del líder o conductor.[13]

En lo referente a los grandes objetivos, son aun más llamativas las diferencias entre fascismo y peronismo. El objetivo básico del peronismo fue la creación de una Argentina más justa, a través de una redistribución del poder social, económico y político que tendía a favorecer al elemento obrero y a los sectores medios integrados al movimiento.[14] Por supuesto hubo y hay una amplia gama de opiniones acerca de la ejecución de esta política, así como en lo referente a su ubicación en el orden de las prioridades nacionales. Lo que no puede sostenerse es que existían planes irredentistas, revanchistas o "imperialistas". En cuanto al anticomunismo, ocupaba un lugar en el programa justicialista, cosa que no puede sorprender mayormente, puesto que el propio comunismo lanzó desde sus orígenes un desafío militante a todo lo que no se identificase con él; pero la posición peronista jamás tuvo la desmesura teórica y práctica que los fascismos mostraron en su versión del anticomunismo.[15]

Sobre la base de los resultados resumidos precedentemente, considero que es incorrecto interpretar al peronismo como "una forma del fascismo".[16] Las divergencias en las diversas dimensiones del fenómeno —los orígenes, los rasgos del movimiento, la toma del poder, la estructura del régimen— son más numerosas y decisivas que las coincidencias con el modelo fascista. Claro está que éste se refiere a los casos italiano y alemán. ¿No serían quizá más fructíferas investigaciones comparativas que incluyesen una dictadura semifascista, como lo fue la España de Franco hasta muy avanzada su evolución? Thamer y Wippermann se han ocupado de un enfoque de ese tipo y llegan a la conclusión de que peronismo y franquismo habrían sido muy semejantes. Por esta vía terminan en el siguiente juicio:

"Puede ubicarse el peronismo dentro de una tipología de los fascismos. Aunque es cierto que este movimiento se caracteriza por una acentuación de los rasgos "izquierdistas" (la base social) y modernizantes (en los objetivos), rasgos que no están tan marcados en otros movimientos fascistas."[17]

El concepto de "fascismo" que estos autores alemanes emplean es, como puede verse, sumamente amplio. En este libro he aplicado una definición mucho más precisa, porque la considero más adecuada para la investigación histórica. Un enfoque muy generalista y esquemático, como suele darse en la Politología, puede en cambio ser aceptable para otros usos. De todas maneras la comparación con España es interesante, porque nadie negará que realmente existen ciertas similitudes socioeconómicas y sobre todo una gran afinidad histórico-cutural entre ese país y el nuestro, todo lo cual invita a la comparación de los fenómenos que en ambas naciones se producen. Existe por otra parte una dificultad básica: se trata de confrontar un régimen que duró nueve años (1946-1955) con otro que abarcó prácticamente dos generaciones: los 36 años que transcurrieron entre 1939 y 1975. ¿Quién podría establecer suposiciones sobre los avatares posibles de un peronismo de parecida permanencia en el poder? De cualquier manera, es necesario tener en cuenta toda una serie de hechos, cuando se analiza el régimen de Franco:

1) Su origen en una tremenda guerra civil que causó cientos de miles de muertos y que tuvo como consecuencia una emigración masiva de antifranquistas.

2) Una posición no sólo anticomunista sino cerradamente antisocialista y antidemocrática como rasgo principal del régimen. Aún cinco años después de terminada la guerra hubo más de 75.000 presos políticos y unas 1000 ejecuciones en España.[18]

3) No se toleró a los partidos opositores, se anuló el sufragio universal y se instrumentaron prácticas cercanas más bien a las del "fraude patriótico" en la Argentina de 1930-1943.

4) Las bases institucionales y sociales del régimen franquista se encontraban ante todo en los terratenientes, los empresarios, el Ejército, la Iglesia y la mayoría de las clases medias.[19]

5) La situación de los obreros españoles fue notablemente distinta a la de los argentinos. Las primeras convenciones paritarias no se dieron hasta 1958; después de 18 años de gobierno franquista quedaba aún un 13% de la población constituido por analfabetos; los salarios del peón rural de 1958 no eran superiores a los de 1936.[20] Con anterioridad a la década del sesenta, los estratos bajos de la sociedad española no pudieron lograr progresos sociales, económicos o educativos de significación.

Teniendo en cuenta todo esto, se advierten tan fundamentales diferencias entre la España de Franco y la Argentina de Perón, que me parecen de muy poco peso las escasas similitudes que en algunos aspectos exteriores de los sistemas pueden detectarse.

Con todo, el franquismo tiene una no pequeña significación en la historia de las ideologías de nuestro país. Es que a partir de 1945 fue éste el régimen europeo que pasó a ocupar, definitivamente, el puesto de modelo para el nacionalismo restaurador. En ese sentido fue totalmente consecuente su postura combativa frente a lo que en 1930 calificó de "obrerismo-radicalismo-anarquismo" y frente al peronismo de 1955, que fue interpretado como amenaza "sindica-lista-peronista-comunista". La tendencia de buena parte de esta fuerza política semifascista a ocupar el ala extrema de toda coalición conservadora se convirtió en una constante de la historia argentina contemporánea. La cultura política de nuestro país se vio fuertemente afectada por la tesis de la conspiración universal y por el elitismo militarista que fueron los aportes característicos del nacionalismo restaurador en el área ideológica.

En lo referente al peronismo, sigue siendo valiosa la prudente observación de Andreski:

"El peronismo es un fenómeno muy interesante, porque exhibió una conjunción de rasgos que en otras regiones del mundo nunca se dieron reunidos."[21]

Expresado con más precisión, esto significa reconocer que en este movimiento existieron grupos marginales tanto fascistoides como trotskistas, junto con una ancha corriente central, la cual había absorbido las tradiciones sindicalistas, socialcristianas y nacional-populistas preexistentes en el país. Este "peronismo del centro", auténticamente tercerista, se convirtió en una síntesis inesperadamente sólida y estable a través del tiempo. Pero en las alas de derecha e izquierda siempre se mantuvieron las ya señaladas fuerzas centrífugas, "indigeribles", peligrosas y responsables fundamentales de la imagen frecuentemente contradictoria y oscilante que proyectó el peronismo. Poco satisfactoria desde muchos puntos de vista, la categoría del "populismo autoritario" parece ser, a pesar de todo, la más recomendable para la ubicación del peronismo de 1943-1955. Con diversas variaciones de detalle, este concepto es de uso común en la literatura de las últimas décadas.[22] El adjetivo muestra una característica de la práctica gubernativa que fue también uno de los polos de la tensión interna más profunda del peronismo: mientras más autoritario se hace un régimen, menos convincente resulta su pretensión de representar la plena autorrealización de un pueblo. Por otra parte, el sustantivo trae en su seno el potencial democrático del movimiento, que por lo menos en la creación de determinadas condiciones socioeconómicas de una democracia ya se había manifestado concretamente en la década peronista. Creo también que la evolución de los decenios posteriores fue confirmando que ese núcleo democrático y social era lo esencial de ese movimiento, más allá de desviaciones e infiltraciones circunstanciales. La exigencia populista de mayores oportunidades de participación en los frutos y las responsabilidades de la civilización contemporánea para la mayoría de la población no está, en definitiva, alejada de los objetivos básicos de la democracia.[23]

NOTAS

[1] P. Waldmann: *Der Peronismus 1943-1955*, Hamburg, 1974, pág. 40. (Hay edición castellana.)

[2] Ibid., pág. 276. También H. U. Thamer y W. Wippermann: *Faschistische und neofaschistische Bewegungen*, Darmstadt, 1977, pág. 81.

[3] M. Falcoff: "Was war der Peronismus von 1946 bis 1955?", en *Berichte zur Entwicklung in Spanien, Portugal und Lateinamerika*, Año 1, N? 4 (marzo-abril de 1976), también hace indicaciones en este sentido.

[4] Véase Manuel Mora y Araujo e I. Llorente (Compiladores): *El voto peronista*, Buenos Aires, 1980, págs. 48-50, y P. Waldmann: op. cit., pág. 276.

[5] Véase Ernst Nolte: "Kapitalismus, Marxismus, Faschismus", en *Merkur*, 2, 1973, págs. 121-122.

[6] P. M. Hayes: *Fascism*, London, 1973, pág. 202.

[7] A.F.K. Organski: *The Stages of Political Development*, N. York, 1965, pág. 139.

[8] P. M. Hayes: op. cit., págs. 197 y 199; P. H. Lewis: "Was Perón a Fascist? An Inquiry into the Nature of Fascism", en *The Journal of Politics*, Vol. 42, N? 1, febrero de 1980, págs. 247-249 y 255.

[9] Véase P. Waldmann: op. cit., pág. 273.

[10] V. *La Nación Argentina - Justa, Libre, Soberana*, Buenos Aires, 1950 (publicación oficial), pág. 509, y A. Rouquié: *Pouvoir Militaire et Société Politique en République Argentine*, Paris, 1978, pág. 407. (Hay edición castellana.) Los gastos para las Fuerzas Armadas fueron muy altos de 1943 a 1947, pero en 1949 se hallaban otra vez a la altura de 1938-1940. Véase H. U. Thamer y W. Wippermann: op. cit., pág. 70 (Nota 24).

[11] En un agudo enfoque sociopolítico Franz Neumann: *Behemoth*, N. York, 1942-1944, identificó cuatro "columnas" que sostenían el régimen nazi: el Partido, las Fuerzas Armadas, la burocracia (prenazi) y la elite económica. Con variaciones específicas este esquema podía verse también en la Italia fascista. Pero el peronismo fue mal visto por la elite empresaria en general, y contó con un protagonismo sindical muy diferente de los casos citados.

[12] Véase P. Waldmann: op. cit., pág. 272.

[13] P. M. Hayes: op. cit., pág. 202.

[14] Véase H. U. Thamer y W. Wippermann: op. cit., págs. 276-277.

[15] El Partido Comunista Argentino estuvo prohibido entre 1930 y 1945. Después pudo actuar y participar en las elecciones. En 1946 los comunistas obtuvieron el 1,4% de los sufragios, en 1951 el 0,9% y en 1954 el 1,1%.

[16] P. M. Hayes: op. cit., págs. 201-202, y P. H. Lewis: op. cit., pág. 256. También en R. J. Alexander: *Juan Domingo Perón: A History*, Boulder (Colorado), 1979, págs. 25-26 se encuentra esta vieja tesis.

[17] H. U. Thamer y W. Wippermann: op. cit., pág. 82.

[18] J. A. Biescas y M. Tuñón de Lara: *España bajo la dictadura franquista* (tomo X de la *Historia de España*, Barcelona, 1980, pág. 199).

[19] Ibid., pág. 168 y 230.

[20] V. ibid., págs. 17, 75, 121-122, 310 y 338.

[21] S. Andreski: "Fascists...", en S. Larsen, B. Hagtret y J. Myklebust (Editores): *Who were the Fascists?*, Bergen, 1980, pág. 55. V. también D. Hodges: *Argentina 1943-1976. The National Revolution and Resistance*, Albuquerque, 1976, pág. 124.

[22] Con variaciones no muy importantes aparece esta categoría en P. H. Smith: *Argentina and the Failure of Democracy. Conflict among Political Elites*, Wisconsin, 1974, pág. XV; D. Hodges: op. cit., págs. 134-135; P. Waldmann: op. cit., pág. 307; Gino Germani: *Autoritarismo, fascismo e classi sociali*, Bologna, 1975, Cap. IV; Tulio Halperin Donghi: *Argentina, la Democracia de Masas*, Buenos Aires, 1972, págs. 58-59; A. Ciria: *Perón y el justicialismo*, Buenos Aires, 1971, págs. 20-27; José Luis Romero: *El pensamiento político de la derecha latinoamericana*, Buenos Aires, 1970, pág. 161. La autointerpretación peronista como "movimiento nacional y popular" incluye notas similares en lo descriptivo, aunque naturalmente con una connotación valorativa muy diferente a la de la mayoría de los estudiosos del mundo académico anglosajón.

[23] P. Worsley, en G. Ionescu, M. y E. Gellner (Compiladores): *Populismo. Sus significados y características nacionales*, Buenos Aires, 1970, pág. 303.

LA ARGENTINA EN LA CRISIS IDEOLOGICA MUNDIAL

Al finalizar el largo camino que implicó la reconstrucción histórico-crítica de dos importantes corrientes ideológicas de nuestro país, convienen algunas reflexiones que servirían para ubicar con más precisión nuestra problemática nacional en el mundo contemporáneo. En todas las sociedades modernas, las ideologías políticas han cumplido por lo menos alguna de las siguientes funciones:

1) La función de ofrecer una especie de "mapa" simplificado de la realidad, un modelo esquemático que, si bien distorsiona inevitablemente, también integra rápidamente la información que bombardea sin cesar al hombre contemporáneo, proporcionándole guías aproximadas en el laberinto de las posibles alternativas políticas, económicas y culturales.

2) La de proporcionar un sistema de representaciones y valores, capaz de actuar como factor de comunicación, coordinación y consenso entre los distintos individuos, grupos e instituciones que componen una nación.

3) La de constituir un conjunto de racionalizaciones de un interés parcial, sectorial, que intenta justificarse y realizarse en una sociedad pluralista y conflictiva.

Cuando la tercera de estas funciones se convierte en el eje organizador de un sistema de ideas, hasta tal extremo exclusivista que cierra las posibilidades de aplicación para la primera y la segunda, podemos hablar de "tendencia manipulatoria". Ella esencialmente consiste en presentar el interés y la perspectiva parcial como el "interés nacional" y el "bien común", y hasta como la "verdad universal". Es decir, la racionalización se oculta detrás de una pretensión unilateral de darle contenido al consenso.

Lo que muchos estudios sobre las ideologías no muestran con suficiente claridad, es que ninguna de las grandes corrientes ideológicas contemporáneas puede a priori y para siempre declararse inmune a la trampa de la manipulación. La historia de los últimos doscientos años demuestra que el más auténtico conservadorismo puede ser rebajado hasta no ser mucho más que la racionalización de determinados privilegios hereditarios; que el liberalismo, más allá de sus nobles ideales puede servir como instrumento a las muy particulares ambiciones de determinadas elites económicas; que el socialismo, aparte de la licitud de su protesta, puede ser la herramienta de minorías que se convierten en oligarquías de partido único; y que el nacionalismo, más allá de su justo reclamo de autonomía para los pueblos, puede ser la bandera de una potencia imperial, que sueña con el sometimiento de naciones supuestamente "inferiores". En un país como el nuestro, que, nos guste o no, pertenece a la "periferia", el peligro de la manipulación se da por partida doble. Recibimos las ideologías "hechas" en los países centrales y con ellas, lógicamente, las potencialidades manipulatorias que tenían desde su origen. Pero además nadie puede garantizar que un sistema de ideas que probó su eficacia como agente del consenso en aquellas latitudes, pueda hacer lo mismo en un país cuyas condiciones culturales, sociales, económicas y políticas son distintas. Esta tensión constituye una de las claves de la problemática argentina desde el siglo xix hasta hoy. La percepción de esta dificultad fue parte de la atmósfera espiritual del nacionalismo naciente de la década del 20 y comienzos de los años 30. Si se le quiere dar un nombre se trata aquí de la faceta político-cultural o "simbólica" de una situación de dependencia o de marcada asimetría de potencial en el nivel de las relaciones internacionales.

La "Revolución" de 1930 puso sobre el tapete de las graves cuestiones argentinas una tensión que, de diferentes formas, se da en toda sociedad actual: la de la adecuación entre el subsistema político-institucional y el económico-social. En sus posibilidades más extremas, es decir, disociativas, se trata de una situación que Hermann Heller resumió de la siguiente manera:

"La (...) separación entre mando político y mando económico produce el estado de tensión que caracteriza la presente situación de la democracia capitalista. Porque, por una parte, las multitudes desean subordinar la economía a su decisión política, y ellas poseen con las instituciones democráticas el instrumental legal necesario. (...) Por otra parte [encontramos que] los dirigentes de la economía declaran inadmisible la influencia democrático-política en el área económica y a su vez desean conquistar el mando político directo. (...) O el poder estatal logra asegurar su autonomía política frente a las influencias de la economía privada, dándose una base de poder económico propio, o bien la lucha de los dirigentes económicos [elite empresaria] tendrá el efecto al menos provisorio de eliminar la legislación democrática (...)."

Después de la Segunda Guerra Mundial esta tensión perdió buena parte de su intensidad en la Europa occidental, gracias a una serie de ajustes recíprocos entre los factores de poder y, sobre todo, gracias a las amplias posibilidades de consenso que brindaban economías "centrales" crecientemente entrelazadas entre sí y conectadas con el coloso estadounidense en una relación que cubría vitales intereses de ambas partes. Pero en países periféricos como el nuestro no pudo reconstruirse el delicado (e inestable) equilibrio que precedió al fatídico año 1930. Las elites económicas no gozaban ni del prestigio ni de la cohesión y claridad de visión de su contraparte europea; sus éxitos no se traducían en mejoras visibles para las masas sino en ínfima medida; su falta de autonomía frente al exterior se hacía evidente en múltiples facetas de la vida nacional. El estatismo y el deseo de un recambio del elenco dirigente venían creciendo lentamente en el país, y este proceso era lógico, dados los elementos en juego. Surgió así el peronismo. Más allá de ambiciones personales y aciertos y errores de la más variada índole, la esencia de su propuesta estaba en lograr un nuevo equilibrio social, potenciando factores hasta entonces relativamente marginales, fundamentalmente el sindicalismo. Para lograr la autonomía del poder estatal frente a las resistencias de las elites tradicionales y la hostilidad de la superpotencia más cercana, postuló teórica y prácticamente un presidencialismo fuerte apoyado en la democracia plebiscitaria. En 1919 Max Weber había declarado que Alemania necesitaba algo similar:

"Un presidente elegido por el pueblo como jefe del Poder Ejecutivo (...) es el escudo de la verdadera democracia (...)

La 'democracia plebiscitaria' —el tipo más importante de 'democracia de liderazgo'— es, en su sentido común, una clase de dominación carismática (...). El líder gobierna gracias al apoyo y confianza de sus seguidores políticos, confianza de la que es depositaria solamente su persona."[2]

El consiguiente reforzamiento de la burocracia estatal y la escasa capacidad para diferenciar entre simples adversarios y auténticos enemigos llevaron al régimen peronista de los años cincuenta a una versión al menos parcialmente manipulatoria de su ideología, en la medida en que desconocía afirmaciones de tolerancia y consenso nacional que no cesaba de sostener como necesarias. El autoritarismo, peligro natural de los nacionalismos y socialismos de todo el mundo, se manifestó claramente. La anunciada integración positiva de las innegables conquistas del liberalismo decimonónico fue postergada y desnaturalizada por las franjas extremistas del movimiento. Pero la búsqueda originaria de una profundización de la democracia hacia los estratos económicos del poder siguió siendo el recuerdo de una experiencia y la posibilidad de un recomienzo para el peronismo posterior a 1955. El futuro político argentino no iba a poder hacerse soslayando o negando esta problemática.

La trayectoria del nacionalismo restaurador pareció recomenzar con la Revolución Libertadora en un sentido extrañamente similar al de 1930; en alianza insegura con el liberalismo tradicional, en contra de un demagogo y sus "masas" rebeldes. La falla más notable del peronismo había estado en la segunda función de las ideologías, en su fracaso como impulsor de la constitución de un nuevo y auténtico consenso argentino, el nacionalismo restaurador --parcialmente insertado en una de las alas del justicialismo— mostró sus falencias en las dos funciones integradoras, porque no pudo competir exitosamente como "mapa" de la realidad contemporánea para los sectores más amplios del pueblo argentino. De allí en adelante muchos de sus representantes se resignaron al papel de apéndices ("a la espera de su oportunidad histórica") de los movimientos mayores.

Sin embargo, las doctrinas del nacionalismo restaurador poseían una secreta fascinación, que siempre crece en situaciones críticas: se proponía fundamentalmente resolver la tensión señalada por Heller, dándole una estructura autoritaria (de corte militar) tanto al Estado como a la economía, armonizando su conducción con una nueva elite provista de mitos comunes. El primero de estos mitos era el de la "conspiración universal", a la que se respondía con una especie de guerra civil fría y permanente, más tarde integrada en la doctrina de la Seguridad Nacional. El segundo racionalizaba y legitimaba los golpes de Estado postulando un orden y un interés nacional que se hallaban por encima de la soberanía del pueblo y de los derechos de la ciudadanía. Supuestamente sólo determinadas minorías de "expertos" y "patriotas" autodesignados podían enfrentar exitosamente la conspiración mundial, garantizar la seguridad nacional y afianzar el orden "verdadero". Este complejo de ideas y actitudes, a veces muy difusas en su formulación, pero a menudo poderosamente estimuladas por las frustraciones argentinas del último medio siglo, vino a constituir el nexo de enlace entre un cierto tipo de liberalismo antidemocrático y economicista y el nacionalismo restaurador eternamente nostálgico de su efímera gloria de 1930. Despojada de ilusiones medievalistas y románticas, la tesis central de esta confluencia de fracciones autoritarias podría ser la que postuló el sociólogo Helmut Schelsky:

"Frente al Estado, como cuerpo técnico universal se convierte en ilusoria la concepción clásica de la democracia como una comunidad cuya política depende de la voluntad del pueblo. El Estado técnico, sin ser antidemocrático [?], despoja a la democracia de su sustancia."[3]

Lugones lo había dicho en un lenguaje más florido en los años 20; las décadas del 60 y del 70 verían renovadas experiencias militares cuyo lema podría haber sido esta cita. Ojalá su fracaso doloroso haya dejado la lección de que ninguna doctrina es más opuesta a las posibilidades del consenso fecundo y de la recuperación argentina que aquella que pretende enmascararse en estas argumentaciones "técnicas".

NOTAS

[1] H. Heller: *Staatslehre* [Doctrina del Estado], Leyden, 1963 (1a. ed. 1934), págs. 137 y sigs. La traducción al castellano es del autor de estas líneas.

[2] Max Weber: *Gesammelte Politische Schriften*, Tübingen, 1958, pág. 489, y del mismo autor: *Wirtschaft und Gesellschaft*, Tübingen, 1956, pág. 199.

[3] H. Schelsky: *Der Mensch in der Wissenschaftlichen Zivilisation*, Köln, 1961, pág. 29.

Índice

I
INTRODUCCIÓN

II
ORÍGENES

III
DESARROLLO Y DIFERENCIACIÓN DEL NACIONALISMO

IV
EL PERONISMO (1943-1955)

Esta edición de 2.000 ejemplares
se terminó de imprimir en
Grafinor S. A.,
Lamadrid 1576, Villa Ballester, Bs. As.,
en el mes de marzo de 1999.